Ullstein Buch Nr. 3269
im Verlag Ullstein GmbH,
Frankfurt/M – Berlin – Wien

Text der 2., durchgesehenen
Auflage 1970

Umschlagentwurf:
Kurt Weidemann

Printed in Germany 1976
Gesamtherstellung:
Ebner, Ulm
ISBN 3 548 03269 9

CIP-Kurztitelaufnahme
der Deutschen Bibliothek

Kehr, Eckart
[Sammlung]
Der Primat der Innenpolitik:
ges. Aufsätze zur preuß.-dt.
Sozialgeschichte im 19. u. 20. Jh. /
hrsg. u. eingel. von Hans-Ulrich
Wehler. – Text d. 2., durchges.
Aufl. – Frankfurt/M., Berlin,
Wien: Ullstein, 1976.
([Ullstein-Bücher] Ullstein-Buch;
Nr. 3269)
ISBN 3-548-03269-9

Eckart Kehr

Der Primat der Innenpolitik

Gesammelte Aufsätze zur preußisch-deutschen Sozialgeschichte im 19. und 20. Jahrhundert

Herausgegeben und eingeleitet von Hans-Ulrich Wehler

Mit einem Vorwort von Hans Herzfeld

ein Ullstein Buch

VORWORT

Der früh verstorbene Eckart Kehr, dessen gesammelte Aufsätze die Historische Kommission zu Berlin in einer durch Hans-Ulrich Wehler liebevoll besorgten Ausgabe vorlegt, ist in der deutschen Geschichtsschreibung der Weimarer Zeit mehr als einmal Gegenstand des Anstoßes gewesen. Seine Bedeutung ist allerdings auch von seinen Kritikern keineswegs verkannt worden. Der aus konservativer Umgebung herkommende Neffe Paul Fridolin Kehrs warf schon mit seiner 1930 zum Buch ausgearbeiteten Dissertation über *Schlachtflottenbau und Parteipolitik* den vorherrschenden Tendenzen der Geschichtsschreibung seiner Generation den Fehdehandschuh hin und löste sich später in der Kette der hier folgenden Aufsätze noch radikaler von allen Verbindungen: sowohl von dem in der Hitze der anschließenden Debatten bis zur Ungerechtigkeit verkannten Hans Rothfels, der die Dissertation als erster angeregt hatte, als auch von dem trotz allem von ihm bewunderten Friedrich Meinecke, dessen ideengeschichtliche Methode und Schule für Eckart Kehr schlechthin eine Flucht des Bürgertums vor den Realitäten der modernen Welt bedeutete.

Aber Eckart Kehr ist nicht nur unleugbar einer der bedeutendsten Köpfe unter den Nichtkonformisten der deutschen Geschichtsschreibung in der Epoche der Weimarer Demokratie gewesen, der sich ebenbürtig in die Reihe der Johannes Ziekursch und Arthur Rosenberg einreihte und daher auch die unerschütterliche Freundschaft eines Hans Rosenberg und Alfred Vagts fand, die jetzt die erste Anregung zu dieser Veröffentlichung gegeben haben. Die Probleme seiner Lebensarbeit: die Kritik an der Lehre vom Primat der Außenpolitik, — die unter dem Einfluß Max Webers und der Anregungen durch Karl Marx vollzogene Wendung zur Sozial- und Wirtschaftsgeschichte, — die den gleichzeitigen Einwendungen von Charles H. Beard in den Vereinigten Staaten parallellaufende Kritik gegen die von der Rankerenaissance ausgehende Ideengeschichte Friedrich Meineckes, — seine den modernen Stand der Diskussion vorwegnehmende Stellungnahme zum Problem des politisch-militärischen Dualismus in der preußisch-deutschen Geschichte, — seine weitgehenden Ansätze zur Revision und Kritik der preußischen Geschichtsschreibung überhaupt, vom Absolutismus über die Steinschen Reformen bis zum Ministerium Puttkamer, — seine besonders stark durch Max Weber beeinflußten Arbeiten zur Rolle der Bürokratie seit dem 18. Jahrhundert, — sie alle sind Fragen, die heute noch ebenso zur Diskussion stehen wie in den erregten Endjahren der Weimarer Republik, als Eckart Kehr diese Aufsätze in fieberhaft beschleunigter Arbeit, schon unter dem Schatten des nahen Todes, niederschrieb. Es ist unvermeidlich, daß durch ihren Inhalt auch Punkte berührt werden, in denen ihn die Leidenschaft des kritischen Kämpfers für eine entscheidende Revision des historisch-politischen Denkens in Deutschland ebenso zu herben Alternativantworten trieb, wie dies bei seinen Gegnern und Kritikern der Fall gewesen ist. Daß aber ohne diese charaktervolle Stimme das Bild der deutschen Geschichtsschreibung in den wenig mehr als fünf Jahren von seiner Promotion 1927 bis zur Fahrt nach Amerika zu Beginn des Jahres 1933, seines Todesjahres, unvollständig sein würde, und daß er ein Anrecht hat, auch in der Diskussion unserer Tage nicht übersehen zu werden, ist der Anlaß und, wie wir glauben, die Rechtfertigung dieser Ausgabe. Sie bringt nicht nur historiographisches Material von gewichtiger Bedeutung, sondern kann auch heute noch Anregung vermitteln, obwohl das Lebenswerk Eckart Kehrs durch die Katastrophe des Jahres 1933 notwendig zum Torso werden mußte, der jedoch heute noch aufzufordern vermag, seine Arbeit in Zustimmung wie Kritik fortzuführen.

Berlin-Lichterfelde,
im November 1964

Im Auftrage der
Historischen Kommission zu Berlin
Der Vorsitzende
Prof. Dr. Dr. h. c. Hans Herzfeld

INHALT

VERZEICHNIS DER ERSTEN DRUCKORTE

Zur Genesis der preußischen Bürokratie und des Rechtsstaats, in: *Die Gesellschaft* 9. 1932/I, S. 101—121.

Zur Genesis des Königlich Preußischen Reserveoffiziers, in: *Die Gesellschaft* 5. 1928/II, S. 492—502.

Das soziale System der Reaktion unter dem Ministerium Puttkamer, in: *Die Gesellschaft* 6. 1929/II, S. 253—274.

Klassenkämpfe und Rüstungspolitik im kaiserlichen Deutschland, in: *Die Gesellschaft* 9. 1932/I, S. 391—414.

Die deutsche Flotte in den neunziger Jahren und der politisch-militärische Dualismus des Kaiserreichs, in: *Archiv für Politik und Geschichte* 9. 1927, S. 187—202.

Soziale und finanzielle Grundlagen der Tirpitzschen Flottenpropaganda, in: *Die Gesellschaft* 5. 1928/II, S. 211—229.

Englandhaß und Weltpolitik, in: *Zeitschrift für Politik* 17. 1928, S. 500—528.

Deutsch-englisches Bündnisproblem der Jahrhundertwende, in: *Die Gesellschaft* 5. 1928/II, S. 24—31.

Die Rüstungsindustrie, in: *Encyclopaedia of the Social Sciences* XI, p. 128—134 (vom Hrsg. übersetzt aus dem Englischen).

Krieg und Geld im Zeitalter der Maschinenrevolution, Fragmente, bisher ungedruckt.

Zur Soziologie der Reichswehr, in: *Neue Blätter für den Sozialismus* 1930, S. 156—164.

Die Diktatur der Bürokratie, bisher ungedruckt.

Neuere deutsche Geschichtsschreibung, bisher ungedruckt.

Der neue Plutarch, die „historische Belletristik", die Universität und die Demokratie, in: *Die Gesellschaft* 7. 1930/II, S. 180—188.

Antlitz und Maske. Zu den Denkwürdigkeiten des Fürsten Bülow, bisher ungedruckt.

Biographische Skizzen. Fugger; Carnot und Scharnhorst; Rothschild, in: *Menschen, die Geschichte machten*, hrsg. v. P. R. Rhoden u. G. Ostrogorsky, Wien 1931, 2. Bd. S. 241 bis 244; 3. Bd. S. 82—86; S. 115—120.

EINLEITUNG

Eckart Kehrs Werk ist durch die deutsche Niederlage im Ersten Weltkrieg bestimmt worden. Seither trug er das unsichtbare Brandmal des verlorenen Krieges, obschon er zu jung gewesen war, als daß es aus der unmittelbaren Erfahrung des Frontsoldaten hätte herrühren können. Der tiefe Einschnitt von 1918 lenkte aber erst die ihm eigene Dynamik in die Bahn, die den Inhalt seines bewußten Lebens bis hin zum frühen Tod als Dreißigjähriger umfaßt hat. Denn Kehr gehörte zu der kleinen Schar in seiner Generation, der diese im Schüleralter miterlebte Erschütterung Deutschlands, die so viel tiefer reichte als die Zertrümmerung des nationalsozialistischen Reiches im Frühjahr 1945, nicht zur Quelle eines unstillbaren, blinden Ressentiments gegen Niederlage und Republik wurde. Sie trieb ihn vielmehr dauerhaft zu bohrenden Fragen an die deutsche Geschichte, damit zur seltensten aller möglichen Reaktionen: der produktiven Auseinandersetzung mit den Ursachen der Katastrophe.

Diese sachliche Bedingung verband sich mit sehr persönlichen Voraussetzungen zu nachhaltigem Einfluß auf Kehr, ehe er 1927 zu veröffentlichen begann und geradezu schlagartig in die vorderste Reihe der jungen deutschen Historiker rückte. Den am 25. Juni 1902 im altpreußischen Brandenburg an der Havel Geborenen erzog der Vater, Geheimrat Dr. Huldreich J. W. Kehr, der als Direktor die Brandenburgische Ritterakademie auf dem Dom leitete. Während der Vater der älteste Sohn des bekannten Pädagogen Karl Kehr war, entstammte die Mutter, eine geborene Herminghausen, einer siegerländischen Familie, die auf eine dreihundertjährige Juristen- und Theologentradition zurückblickte. Als viertes Kind unter fünf Geschwistern wurde Eckart Kehr in der Havelstadt groß, wo er von der Quarta ab die Ritterakademie, an der er 1921 das Abitur ablegte, besuchte. Nur schwer ertrug der frühreife, selbstbewußte Junge die harte Schulzucht; seit je in sich zurückgezogen, in der Familie als kompliziert geltend, nur der Mutter und seiner Schwester Martha offen zugetan, lebte er ein Eigenbrötlerdasein, in dem Bücher eine wachsende Rolle spielten. Auch äußerlich unterschied er sich durch seine Übergröße von einer Familie eher pyknischen Schlages; zeit seines Lebens etwas linkisch und rustikal, in praktischen Dingen unbeholfen, doch von unersättlicher Leselust, erschien er ganz als Einspänner, der sich in einer eigenen Welt bewegte. Den Generationenkonflikt zwischen Vater und Sohn, wie er der spätbürgerlichen Zeit in voller Schärfe eigen war, suchte die pädagogisch geschickte Hand des Vaters zu mildern. Doch in stetem Aufbegehren gegen die als Joch empfundene Disziplin der Akademie, eines Landjunkergymnasiums, durchlebte er die Schulzeit. Der Protest wurde frühzeitig sein Lebenselement. Aus Berlin fiel der entfernte Glanz der Wissenschaft in die kleinstädtisch enge Welt, denn seinen Onkel Paul Fridolin Kehr, den hervorragenden Mediävisten, in diesen Jahren erst Direktor des Preußischen Historischen Instituts in Rom, seit 1915 Generaldirektor der Preußischen Staatsarchive, führten gelegentliche Besuche nach Brandenburg. Er mag etwas von der jungenhaften Sehnsucht nach einem Vorbild auf sich gezogen haben. Die Berührung mit der Geschichte vermittelten neben dem Onkel nicht nur Bücher und der als Altphilologe ausgebildete Vater, auch der Jüngste der Gebrüder Kehr, Karl, war erst durch einen plötzlichen Tod aus einer vielversprechenden Laufbahn als Historiker gleich zu Beginn herausgerissen worden[1].

Den Vater, der sich bis ins Innerste als Diener des preußischen Herrscherhauses fühlte, traf der Sieg der gegnerischen Koalition zutiefst. Auch die politisch noch unklare Vorstellungswelt des Sohnes erschütterte das eilfertige Exil des Kaisers, der drohende „rote" Umsturz im Inneren. Doch so entging er dem sicheren Zwang, bald als Soldat eingezogen zu werden. Seitdem auch verdichtete sich seine Proteststimmung. Voller Gärung bezog er 1921 die Berliner Universität. Der Vater lehnte es ab, ein Stipendium von ehemaligen Zöglingen der Akademie für seinen Sohn anzunehmen. Zwar habe die Aristokratie oft ihre Gegner großgezogen, erklärte er, an seinem Sohn solle sich aber das historische Beispiel nicht noch einmal wiederholen. Die Episode

[1] Die Angaben stützen sich auf einen verstreuten, in Form von Briefen, Manuskripten und Akten der Rockefeller-Stiftung erhaltenen Nachlaß, den vor allem A. Vagts, M. Kehr, A. W. Fehling und G. W. F. Hallgarten gesammelt und aufbewahrt haben. Zudem erhielt der Herausgeber mündliche und schriftliche Auskünfte von Prof. A. Vagts, Frau Oberstudiendirektorin M. Kehr, Prof. H. Rosenberg, Prof. E. Posner, Dr. A. W. Fehling, Dr. Hallgarten, Prof. F. Gilbert, Prof. H. Rothfels, Prof. D. Gerhard, Prof. E. Kessel, Prof. E. Fraenkel, Prof. G. v. Pölnitz. Ihnen allen möchte ich für ihre Hilfsbereitschaft, ihre Erinnerungen an E. Kehr weiterzugeben und ihre Sammlungen von Schriftstücken, die sich auf ihn beziehen, bereitwillig zur Verfügung zu stellen, herzlich danken.

wirft ein Schlaglicht auf die frühe politische Einstellung Eckart Kehrs. So ausgeprägt muß bei dem Neunzehnjährigen die Abneigung gegen die alte preußische Herrenschicht, als deren Vertreter er den brandenburgischen Landadel erlebt hatte, bereits greifbar gewesen sein.

Während der zehn Semester, die er nun ausschließlich in Berlin mit elterlichem Wechsel studierte, wurde zweierlei für ihn bedeutsam. Einmal betrieb er von Anfang an kein enges Fachstudium. Daß er die Geschichte als Hauptfach wählen wollte, stand seit längerem fest; dazu aber belegte und arbeitete er in Soziologie, Nationalökonomie und Philosophie. Sein eigentlicher Lehrer wurde Friedrich Meinecke, doch begann er seine Ausbildung in den ersten Seminaren von Hans Rothfels. Zu seinen Professoren konnte er später Wissenschaftler wie Troeltsch, Harnack, Smend, Stutz, Spranger, Marcks, E. Meyer, Hofmeister, Brackmann, Eucken zählen. Zum Zweiten nahm er leidenschaftlichen Anteil an der Politik. Obwohl er zu keiner Zeit einer Partei angehörte, rückte er allmählich auf die linke Seite des politischen Spektrums, steigerte sich sein Groll gegen die zahlreichen Feinde der Republik. Die Kriegsniederlage schien ihm zu gebieten, unerbittlich die Vergangenheit und die in ihr angelegten Fehlentscheidungen zu überprüfen, statt den kurzsichtigen Eskapismus der Dolchstoßlegende zu pflegen. Diese allgemeine politische Entwicklung, die sein lebhaftes Temperament mitbedingte, wurde nun durch die Erarbeitung der methodologischen Grundlagen seines Studiums unterstützt.

Rothfels hatte ihn angeregt, eine Dissertation über den Bau der deutschen Schlachtflotte in Angriff zu nehmen. Bereitwillig griff Meinecke den Vorschlag des jungen Doktoranden auf. In einer Gewaltanstrengung, die seinem Lehrer die anerkennenden Worte abnötigte, er habe sein „ungewöhnlich umfangreiches Material" mit einer „ungeheuren Arbeitskraft" zusammengetragen, arbeitete sich Kehr durch die ungedruckten Quellen des Reichswehrministeriums, die gedruckte Literatur, Reichstagsberichte, Tagespresse und Publizistik hindurch. Indem er in die Probleme der wilhelminischen Flottenpolitik eindrang, verspürte er die „revolutionierende Wirkung", die vom Gegenstand der Arbeit auf ihn ausging[2]. Das Ungenügen der orthodoxen Diplomatiegeschichte als einer Bewegungsphysik blutleerer Schemen wurde ihm immer deutlicher bewußt. Gesellschaftliche und wirtschaftliche Zusammenhänge durchwuchsen eine Politik, deren vermeintliche Eigenständigkeit ihm fortlaufend fragwürdiger wurde. „Mein Studium", konnte

[2] E. Kehr an M. Kehr, 22. Jan. 1927, Slg. M. Kehr.

er daher rückblickend einmal schreiben, „begann unter dem Vorzeichen der politischen Geschichte und der Philosophie. In seinem Verlauf drängte sich aber, besonders intensiv bei den Vorausarbeiten für das Flottenbuch, immer stärker das Problem der Beeinflussung der reinen Politik durch die Wirtschaft und die soziale Gliederung in den Vordergrund, und die Untersuchung der Beziehungen zwischen beiden wurde zum Mittelpunkt meiner wissenschaftlichen Interessen[3]."

Im November 1926 gab er bereits den ersten Entwurf der Dissertation über die Anfangsphase der Tirpitzschen Flottenpolitik bei Meinecke ab; unter dessen skeptischen Blicken erzählte er unumwunden von seinen Habilitationswünschen. Nahezu ein Vierteljahr mußte er warten, dann bestellte ihn Meinecke zu sich nach Dahlem. Er lobte Kehr als „ein starkes Talent", das seine Arbeit „sehr respektabel" durchgeformt habe. Mit unverhohlenem Stolz schrieb Kehr sofort nach Hause, daß dies „Töne" gewesen seien, „die man gerade aus Meineckes Mund sehr selten hört." „Es gehört schon etwas dazu, ihm zu imponieren, aber man kann es nur durch den Kopf." Während der Kritik interessierte sich Meinecke für den Prozeß der inneren Veränderung, den Kehr im Laufe der Arbeit durchgemacht hatte. Er „zuckte aber schmerzlich zusammen und ließ das Thema fallen", als Kehr ihn in der Verteidigung an den Brief des Fürsten Salm erinnerte, worin dieser die Fortsetzung des Flottenbaus forderte, damit die Aktienkurse der Montanindustrie stiegen[4]. „Dieser Glaube an die ideologischen Grundlagen des Nationalismus", fand Kehr, „ist so bezeichnend für die alte Generation." Als Meinecke ihn halb scherzend einen „vollständigen Nihilisten" nannte, der, statt auf dem Standpunkt zu stehen, daß alles verstehen, alles verzeihen heiße, vielmehr glaube, „alles verstehen, heißt alles kritisieren", erklärte Kehr diese Haltung als eine methodisch notwendige Position, „denn die comprendre-pardonner-Auffassung führe einfach zu der politischen Verabsolutierung des status quo." Kehr glaubte bei Meinecke eine „wirklich innere Anerkennung meiner Existenzberechtigung" zu finden. Mit Feuereifer begab er sich an die Überarbeitung der Doktorarbeit. Währenddessen hörte er von Dietrich Gerhard, daß Meinecke von der Studie „sehr angetan", aber durch die Schärfe des Urteils „sehr chokiert" sei. Seinem Vetter Peter Richard Rhoden bezeichnete sie Meinecke als „sehr gut, sehr interessant ... aber schrecklich radikal. Wie soll der junge Mann nur vorwärtskommen,

[3] Arbeitsplan für die Rockefeller-Stiftung, Dez. 1931, Slg. Fehling.
[4] Salm an Tirpitz, 3. Dez. 1901, unten S. 146 f.

wenn er sich nicht mäßigt?" Wegen seines Fortkommens aber war Kehr „jetzt gar nicht mehr bange[5]."

Noch ehe er im Sommer 1927 „summa cum laude" promoviert wurde, hatte er seine beiden ersten großen Aufsätze geschrieben. Schon 1927 erschien im „Archiv für Politik und Geschichte" die Untersuchung über „Die deutsche Flotte in den 90er Jahren und der politisch-militärische Dualismus des Kaiserreichs[6]." Sie basierte, wie auch die Dissertation, auf Marineakten des Reichswehrministeriums. Deshalb mußte sie dort vor dem Druck vorgelegt werden. „Das ganze Ministerium hat Kopf gestanden vor Wut", berichtete Kehr seiner Schwester, „18 Punkte hatten diese Herrschaften zu monieren. Sie wollten den Aufsatz kurzerhand ganz verbieten und brachten die Affaire vor Geßler." Dem Reichswehrminister indessen blieb wohl die Protektion, die Kehr durch Meinecke und Paul F. Kehr genoß, nicht unbekannt, er „befahl bedingungslose Freigabe. Die eine Partei im Ministerium schnaubte nun Rache und will mich schikanieren, die andere ist ganz klein und häßlich geworden. Ich war Anfang Januar (1927) noch einmal selber im Ministerium und habe mich königlich amüsiert über diese Geheimräte und Kapitäne. Was werden sie toben, wenn sie erst das Buch freigeben müssen. Man muß diesen anmaßenden Gesellen gegenüber energisch auftreten", urteilte er selbstbewußt, „damit sie stille sind[7]." Bei allem Vorbehalt gegen die „von Übertreibung nicht freie Zuspitzung" von Kehrs Thesen sprach Hans Herzfeld in den „Jahresberichten für Deutsche Geschichte" doch von „einer geistvollen Studie" und nannte Kehrs Erstling eine „anregende Arbeit"[8].

Etwas länger dauerte es mit der Aufnahme des Aufsatzes über „Englandhaß und Weltpolitik"[9] in Grabowskys „Zeitschrift für Politik". „Die Dinge zögern sich entsetzlich lange hin", beschwerte sich der ungeduldige Verfasser, doch wurde er für das Warten dadurch entschädigt, daß Meinecke ihn zu dem „kleinen Kreis" der „künftigen Privatdozenten" einlud[10]. Als 1928 die Analyse des Englandhasses gedruckt wurde, lobte Herzfeld, daß Kehr „in anregender Weise, geistvoll und konstruktiv ... die bestimmenden Grundlagen der Bülowschen Außenpolitik zu finden versucht habe." „Eine kühne Umkehrung

[5] E. Kehr an M. Kehr, 22. Jan. 1927, Slg. M. Kehr.
[6] S. u. S. 111—26.
[7] E. Kehr an M. Kehr, 22. Jan. 1927, vgl. 12. Juni 1927, Slg. M. Kehr.
[8] Jahresberichte für Deutsche Geschichte 3. 1927, Leipzig 1929, S. 266 f.
[9] S. u. S. 149—75.
[10] E. Kehr an M. Kehr, 12. Juni 1927, Slg. M. Kehr.

vom Primat der Außenpolitik", urteilte er, „die als Versuch, die Gesamtstruktur des deutschen politischen Lebens an dem kritischen Wendepunkt der Vorkriegsgeschichte einheitlich zu erfassen, Beachtung verdient." Da sie indessen „mehr auf konstruktivem Referat als auf umfassender Würdigung der tatsächlich erkennbaren Motive, aus denen die Entscheidungen der handelnden Personen gefallen sind", beruhe, fordere sie „kritische Abstriche heraus[11]." Das hatte wohl auch der Herausgeber der „Zeitschrift für Politik" empfunden, der deshalb an Kehrs Verfechtung des Primats der deutschen Innenpolitik eine auf den romantizistisch-organischen Staatsgedanken gegründete, die Staatsmetaphysik beschwörende Verteidigung der konventionellen Auffassung anhängte, mit der Kehrs realistische Analyse hell kontrastierte[12].

Im gleichen Jahr noch führte der jetzt eben 26jährige Kehr diese beiden Themen weiter fort, indem er in Rudolf Hilferdings „Gesellschaft" eine ausführliche Besprechung von Meineckes Buch über das deutsch-englische Bündnisproblem veröffentlichte. Meinecke griff darin ganz knapp, doch in überraschend starker Übereinstimmung eine der Hauptthesen von Kehr auf, was dieser zum Anlaß nahm, seine Auffassung noch einmal breiter zu entwickeln[13]. In derselben Zeitschrift publizierte er dann eine Vorstudie aus dem Bereich seiner Doktorarbeit, die „Sozialen und finanziellen Grundlagen der Tirpitzschen Flottenpropaganda". Gegen Jahresende erschien dort sogar noch die klassische Studie über die „Genesis des Kgl. Preußischen Reserveoffiziers"[14].

Inzwischen hatte Kehr sein Studium abgeschlossen. Meinecke bot ihm an, im Auftrag der Reichskommission die „Entstehungsgeschichte

[11] Jahresberichte für Deutsche Geschichte 4. 1928, Leipzig 1930, S. 222 f.

[12] A. Grabowsky, Der Primat der Außenpolitik, Zeitschrift für Politik 17. 1928, S. 527—42; zur Sache: H. Heffter, Vom Primat der Außenpolitik, HZ 171. 1951, S. 1 bis 20; O. Czempiel, Der Primat der Außenpolitik, Politische Vierteljahrsschrift 4. 1963, S. 266—87; C. beruft sich auf Kehr, S. 283; vor allem K. D. Bracher, Kritische Betrachtungen über den Primat der Außenpolitik, in: Faktoren der politischen Entscheidung, Festgabe E. Fraenkel, Berlin 1963, S. 115—48.

[13] S. u. S. 176—83. F. Meinecke, Geschichte des deutsch-englischen Bündnisproblems, 1890—1903, München 1927, S. 6, 8: „Und alles hing zusammen untereinander: Exportindustrialismus und Flottenbau, Tirpitzsche Flottengesetze und Miquelsche Sammlungspolitik, die die arbeitgebenden höheren Schichten in Stadt und Land gegen das Proletariat zusammenfaßt und den Zwecken der Flottenpolitik, zugleich aber auch den Staat den materiellen Interessen dieser Klassen dienstbar machte und dadurch den sozialen Riß in der Nation vergrößerte."

[14] S. u. S. 130–48 (dazu Jbb. f. Dt. Gesch. 4. 1928, Leipzig 1930, S. 222 f), u. S. 53–63.

der Weimarer Verfassung" zu bearbeiten. Kehr scheute vor dem zeitgeschichtlichen Thema, das ihn allzu sehr in die Tagespolitik zu verwickeln drohte, spürbar zurück. Aus einer Redakteursstelle bei der „Frankfurter Zeitung" wurde nichts. Stattdessen entwickelte Kehr den Plan, die „preußische Kriegsfinanzpolitik" zwischen 1806 und 1815 zu bearbeiten. Er hoffte, im Anschluß an die Archivarbeit in Deutschland in Paris und London, womöglich mit Hilfe eines Rockefeller-Stipendiums, diese „Reparationsfragen" eingehend studieren zu können. Als letztes Ziel schwebte ihm eine „Gesamtdarstellung des Problems: Krieg und Geld im Zeitalter der Maschinenrevolution" vor; das entspreche seiner Tendenz, schrieb er Meinecke, „Geschichte und Wirtschaftsgeschichte zu verbinden[15]." Im März 1928 beantragte er bei der Notgemeinschaft der Deutschen Wissenschaft ein Stipendium, das ihm auch im Frühjahr für dieses Projekt bewilligt wurde.

Unverzüglich begann er mit der Materialsammlung im Dahlemer Archiv. Diese Tätigkeit nahm ihn die folgenden Jahre in Anspruch. Noch ehe er im Wintersemester 1929/30 als Dozent an der „Deutschen Hochschule für Politik" zu wirken begann, hatte jedoch sein forciertes Arbeitstempo zu ersten Herzattacken geführt, die 1931 in verschärfter Form erneut auftraten. 1929 druckte die „Gesellschaft" seine Studie über das „Soziale System der Reaktion unter dem Ministerium Puttkamer[16]." In einer kritischen Rezension wandte sich Wilhelm Mommsen ganz wie Kehr gegen die „völlig unzulängliche Veröffentlichung des Sohnes von Puttkamer" über das Wirken des ehemaligen preußischen Innenministers. Kehrs „ebenso interessante wie überscharfe ... Betrachtung über die soziale Umschichtung in Preußen" unter der Ägide der Puttkamerschen Beamtenpolitik schien ihm „ohne Zweifel auf Probleme" hinzuweisen, „die wichtiger sind als manche in die Augen tretenden äußeren Vorgänge[17]." Mittlerweile war auch endlich die Drucklegung der überarbeiteten Doktorarbeit vorangeschritten. Sie erschien 1930 unter dem Titel „Schlachtflottenbau und Parteipolitik 1894 bis 1901. Versuch eines Querschnitts durch die innenpolitischen, sozialen und ideologischen Voraussetzungen des deutschen Imperialismus" als Band 197 von Eberings Historischen Studien[18]. Damit legte Kehr eine nahezu 500 Seiten umfassendes Werk vor, das die mit Ab-

[15] E. Kehr an F. Meinecke, 19. März 1928, Slg. Fehling.
[16] S. u. S. 64—86.
[17] Jahresberichte für Deutsche Geschichte 5. 1929, Leipzig 1931, S. 273 f.
[18] Eine Neuausgabe, hg. von Prof. E. Fraenkel, ist in absehbarer Zeit zu erwarten.

stand bedeutendste Monographie zur Geschichte des deutschen Imperialismus darstellt. Wegen des Inhalts und seiner methodischen Brillanz wirkt es auch heute noch ganz so frisch, wie es sachlich durch die platte Flottenapologetik Hallmanns und neuerdings wieder Hubatschs nicht überholt ist.

Sogleich pries Karl Jacob in „Vergangenheit und Gegenwart", daß sich die Arbeit „nach Gehalt und Methode weit über die bisherige Literatur auf diesem Gebiet" erhebe. Das „überaus sorgfältig fundierte Buch" beruhe „auf einer ungemeinen Belesenheit." „Verdienst und Bedeutung des Buches als einer selbständigen, neue Wege weisenden Leistung kann durch Urteilsverschiedenheit im einzelnen nicht abgeschwächt werden." In der „Frankfurter Zeitung" widmete ihm G. W. F. Hallgarten noch im Dezember 1930 eine nicht minder freundliche Besprechung[19]. Dann entstand eine längere Pause, in der der Autor ungeduldig auf ein Echo wartete. Kehr litt unter dem Schweigen der engeren Fachwelt, er wünschte sich nichts dringender als Worte der Ermutigung. Dabei mußte er sich doch auf der einen Seite darüber klar sein, daß seine provozierende Arbeitsmethode und Schreibweise, der in imponierender geistiger Aufrichtigkeit jede Rücksichtnahme völlig fremd blieb, auf persönliche wie sachliche Widerstände treffen würde. Andererseits aber erwartete er gleichwohl aus dem ihm angeborenen Gefühl für Gerechtigkeit und Fairneß gegenüber dem Außenseiter eine wenn auch widerstrebende Würdigung der Ernsthaftigkeit und Berechtigung seiner Kritik. Er griff schroff und ungestüm an, hoffte aber dennoch auf Anerkennung durch eine vorwiegend nationalkonservative Zunft, der seine radikalen Fragestellungen suspekt erschienen. Tatsächlich aber hat es einige Jahre lang nicht an der gewünschten Anerkennung gefehlt. Die wichtigsten seiner Aufsätze, mit Ausnahme der Studien über den Reserveoffizier und die Historische Belletristik sind z. B. in den „Jahresberichten für Deutsche Geschichte" eingehend rezensiert worden. An Lob hat es dort ebensowenig wie freilich auch an Ausstellungen und korrigierenden Einwänden gefehlt.

Geradezu enthusiastischen Beifall spendete ihm der größte amerikanische Historiker, Charles Austin Beard, der durch seinen Schwiegersohn, den mit Kehr befreundeten Hamburger Historiker Alfred Vagts, auf das Buch hingewiesen wurde. „Seitdem Eva Adam den Apfel überreichte", faßte Beard eine ausgiebige Besprechung in der links-

[19] K. Jacob, Vergangenheit u. Gegenwart 20. 1930, S. 570; G. W. F. Hallgarten, Frankfurter Zeitung v. 28. Dez. 1930.

liberalen „New Republic" zusammen, „hat, wer die Wahrheit vom Trug unterscheiden will, selten eine bessere Gelegenheit besessen, die Frucht vom Baume der Erkenntnis zu essen[20]." Dagegen rügte Arthur Rosenberg in der „Gesellschaft" an der „wichtigen" und „ausgezeichneten" Arbeit, daß „die äußere Form des Buches", worunter Rosenberg den wissenschaftlichen Apparat der „seminarmäßigen Belegstellen" verstand, „ihm die Wirkung auf die deutsche Öffentlichkeit größtenteils rauben muß[21]." Eine positivere Reaktion durfte Kehr wohl in Hilferdings Zeitschrift erwartet haben. Gegen das „zweijährige gründliche Totgeschwiegenwerden" durch das „inländische Fachzeitschriftentum" ritt schließlich Alfred Vagts in Mendelssohn-Bartholdys „Europäischen Gesprächen" eine temperamentvolle Attacke. Er referierte eingehend, arbeitete dann aber außer den sozialgeschichtlichen Fundamenten des Buches, zu denen Kehr von einer „ursprünglich harmlosen Problemstellung der Meinecke-Schule" über „die liberal-demokratischen Ideologien im Rahmen der Machtpolitik" vorgestoßen sei, die „nicht primär" materialistische Grundanschauung Kehrs heraus, dem er völlig zutreffend einen „stürmisch-rationalen" Erkenntnisdrang, verbunden mit einer vor den Problemen nicht zurückscheuenden intellektuellen Redlichkeit zuschrieb[22].

Bevor jedoch noch Wilhelm Mommsen in der „Historischen Zeitschrift" auch eine Klinge für Kehr schlug, brachte der sowjetische „Istorik-Marksist" eine ausgiebige Rezension von V. M. Chvostow. Zwar unterstrich der russische Historiker, daß es sich bei Kehrs Buch, das ein „gigantisches Material aufbereitet", um „eine der bedeutendsten Leistungen" der neueren historischen Forschung handle. „Selten" habe

[20] C. A. Beard, Making a Bigger and Better Navy, New Republic 68. S. 223—26 (14. Okt. 1931, Nr. 880); wieder abgedruckt in: The Navy, Defense or Portent?, N. Y. 1932, S. 14—38 (How von Tirpitz Played the Game) u. The Economic Basis of Politics and Related Writings, ed. William Beard, N.Y. 1957, S. 121—28; vgl. E. Kehr an Hallgarten, 8. Dez. 1931, 17. März 1932, Slgg. Vagts u. Hallgarten; an M. Kehr, 20. Dez. 1931 (Beards Rezension „war ein guter Ausgleich für die Ungnade, die die deutsche historische Zunft über mein sündiges marxistisches Haupt ausgießt") Slg. M. Kehr; an Vagts, 2. Dez. 1931. — Pläne mit einer englischen Ausgabe bei MacMillan zerschlugen sich trotz Beards Fürsprache, vgl. Kehr an Vagts, 15. März 1932; an Hallgarten, 17. März 1932, Slgg. Vagts u. Hallgarten; an Fehling, 3. März 1932, Slg. Fehling.

[21] A. Rosenberg, Gesellschaft 8. 1931/II, S. 383.

[22] A. Vagts, Zur Entstehung der deutschen Flotte, Europäische Gespräche 10. 1932, S. 71—81 (mit wichtigem Aktenanhang); vgl. Kehr an Vagts, 30. April 1932: „... ein Lichtschein in der Düsternis des Rezensionsschweigens", Slg. Vagts.

er „eine Arbeit gefunden, die so die historischen Interessen anregt", doch der „durchaus reaktionäre" Charakter des Werkes, seine „antimarxistische", „gut maskierte politische Tendenz" minderten seinen Wert in entscheidendem Maße. Die von Kehr aufgegriffene „pluralistische Methodologie Max Webers" gestatte es ihm in seiner „Apologie des Imperialismus" nicht, einen „einheitlichen Prozeß" zu erfassen, daß nämlich im Sinn des Leninschen Entwicklungsschemas der Kapitalismus zwangsläufig in sein letztes, imperialistisches Stadium eintreten müsse. Damit leugne Kehr die Unausweichlichkeit der systemimmanenten Widersprüche, von der Kehr in der Tat bei seiner genauen Zurechnung der Verantwortung an die Interessengruppen nichts hatte wissen wollen[23].

Von allen deutschen Fachrezensionen, die in der Folgezeit erschienen, nahm sich nur Wilhelm Mommsen zustimmend des inzwischen hart umstrittenen Buches an. Inhaltlich erkannte Mommsen einen „Grundgedanken" der Untersuchung, „daß der gesamten sogenannten *Welt*politik der geistige Unterbau fehlte und daß eine kapitalistisch eingestellte Außenpolitik mit einer agrarisch eingestellten Innenpolitik notwendig nicht zusammenpaßt", als „beachtenswert", das „Gesamtbild" als „überaus fruchtbar ... anregend und weiterführend" an. Die entscheidende Bedeutung des Buches erblickte Mommsen jedoch „in der Methode". Kehrs „energischer Querschnitt" ermögliche es, „Spezialisierung im Ansatzpunkt mit Breite der Fragestellung und des Blickfeldes" zu verbinden. Die „fruchtbaren Ergebnisse" dieses Vorgehens könnten die Forschung nur beleben, ja, Mommsen meinte sogar, „daß diese Anlage des Kehrschen Buches ein Muster bilden könnte für andere Untersuchungen aus dem Gebiet der jüngsten Vergangenheit." Insgesamt hielt er „die Verdienste des Buches" für „groß genug", daß die berechtigte Detailkritik die „Freude an der Gesamtleistung nicht trüben" könne[24].

Dies blieb das letzte respektvolle Wort, das die deutsche Geschichtswissenschaft jahrzehntelang fürs Kehrs erstes Buch gefunden hat. Von der Seite der Marinepublizistik ließ sich angesichts der geschliffenen

[23] V. M. Chvostov, Istorik-Marksist 1932, Nr. 1—2, S. 184—87.

[24] W. Mommsen, HZ 146. 1932, S. 70—72. Auch in den „Jahresberichten für Deutsche Geschichte" (6. 1930, Leipzig 1932, S. 222) erklärte Mommsen, daß im Berichtsjahr „alle sonstigen Erscheinungen zur Geschichte der deutschen Innenpolitik ... an Bedeutung" durch Kehrs Buch mit „seinem Reichtum an Anregungen" „überragt" würden; vgl. H. Goldschmidt, ebda, S. 274 f, u. Herzfeld, ebda, 7. 1931, Leipzig 1934, S. 230.

Polemik Kehrs keine Zustimmung erwarten. Ein biederer Wirrkopf monierte in der „Marinerundschau", daß Kehr die „Triebkräfte ... heroischer Natur", die der anonyme Rezensent aus ihrer „geopolitischen Herkunft" ableitete, verkannt habe. Doch auch Besprechungen in den „Forschungen zur Brandenburgischen und Preußischen Geschichte", der „Zeitschrift für Politik" und der „Historischen Vierteljahrsschrift" blieben zum Teil schon vom Ungeist der heraufziehenden neuen Zeit gefärbt, durch starre Ressentiments getrübt. Weder bereit noch fähig, eingefressene Vorurteile zu überprüfen, verharrten sie im nationalistischen Pathos der „höheren" deutschen Ideale und in versteinerter Tirpitzverehrung[25].

Kehr, der sich der schweren Emanzipation von einem eindrucksvollen Lehrer wohl bewußt war, gab sich keinen Illusionen darüber hin, „wie unendlich weit" er sich inzwischen von „all diesen Problemen der Meineckeschule, mit denen ich mich als Student auch weidlich herumgeschlagen habe, entfernt" hatte, „Probleme, die menschlich doch viel sympathischer sind, als all die gräßlichen und brutalen Macht- und Klassenkämpfe, an denen ich mir die Zähne ausbeiße." Zwar habe der Jazz den Wiener Walzer noch nicht ganz verdrängt, indessen „ist der Jazz doch nun mal die Musik dieses Jahrzehnts, meine ich, ... und damit tröste ich mich manchmal, wenn ich nicht sehe, wohin die ‚neue Historie' mich nochmal hinführt[26]."

Seine Gesundheit machte ihm derweilen schwer zu schaffen. Ein Arzt stellte einen schweren Herzklappenfehler und heftige Kreislaufstörungen fest. Dennoch stimmte Kehr zu, als ihm das Dahlemer Archiv im Herbst 1931 anbot, im Rahmen der „Publikationen aus den Preußischen Staatsarchiven" eine vierbändige Aktensammlung über die preußische Finanzpolitik von 1806 bis 1815, für die er als bester Sachkenner bereits bekannt war, herauszugeben[27]. Dank dem Stipendium der Notgemeinschaft hatte er seit 1928 die Untersuchungen zu diesem Thema weit vorantreiben können.

Inzwischen glaubte er, die „Methode der Betrachtung der Reformzeit von der ethisch-idealistischen Seite her" durch die „Schilderung

[25] Marinerundschau 37. 1932, S. 476 f, auch S. 362; vgl. Kehr an Vagts, 20. Aug. 1932, Slg. Vagts. F. Granier, Forschungen zur Brandenburgischen u. Preußischen Geschichte 45. 1933, S. 423—26; S. Mette, Zeitschrift für Politik 22. 1933, S. 404—08; R. Schmidt, Historische Vierteljahrsschrift 28. 1933/34, S. 210—15; vgl. Kehr an Hallgarten, 25. Okt. 1932, Slgg. Vagts u. Hallgarten.

[26] E. Kehr an Felix Gilbert, 12. April 1931, Slg. Vagts.

[27] E. Kehr an M. Kehr, 25. Aug. u. 25. Sept. 1931, Slg. M. Kehr.

der wirtschaftlich-sozialen Probleme des Jahrzehnts nach Jena" ersetzen zu können. In diesem Sinn schrieb er im Sommer 1931 sein zweites Buch über „Wirtschaft und Politik in der preußischen Reformzeit", von dem sich trotz angestrengten Suchens kein Manuskript mehr hat auffinden lassen[28]. Als das Preußische Innenministerium 1931 den Freiherr-vom-Stein-Preis ausschrieb, reichte Kehr diese Untersuchung ein. In ihr schilderte er, „die Problematik des Flottenbuches ausdehnend, den Kampf der die Leitung des Staates allmählich dem König abnehmenden preußischen Bürokratie mit dem im Krieg selbstbewußt werdenden Bürgertum einerseits, dem unter den Folgen der Kreditüberspannung in der Vorkriegszeit zusammenbrechenden Rittergutsadel andererseits, im Zusammenhang mit den finanziellen Schwierigkeiten einer Nachkriegsperiode und unter dem Druck hoher Tribute an das Ausland[29]." Ihm ging es aber auch darum, „die gesamte Auseinandersetzung zwischen Bankiers und Bürokratie, und damit auch die zentrale Frage der politischen Machtstellung der Bankiers" auf der Grundlage seiner Aktenstudien „zum erstenmal" anzuschneiden.

Er skizzierte die allgemeine „Lage des Geld- und Kapitalmarktes von 1806", die „zum vollen Verständnis der Entwicklung seit 1807 unbedingt notwendig ist", da es sich um „ungemein wichtige und in ihrer Bedeutung für den Zusammenbruch Preußens stark unterschätzte Probleme" handle. Die „preußische Finanzpolitik nach 1807" untersuchte er als „die Finanzen eines Staates nach der Niederlage und den wirtschaftlichen Erschütterungen einer schweren Wirtschaftskrise. Finanzpolitik" wollte er „hier nicht nur als Steuererhebung des Staates und seine Ausgabenwirtschaft aufgefaßt" wissen. „Hier wird zum erstenmal", urteilte er über seine Studien, „ein großes Feld erschlossen, das die Forschung bisher beiseite ließ und das uns, obwohl fast alle Einzelheiten wie die großen konkreten Zusammenhänge bisher unbekannt und in den Akten vergraben waren, doch merkwürdig bekannt

[28] Lebenslauf, Dez. 1931, Akten der Rockefeller-Stiftung, Slg. Fehling. Kehrs Frau teilte Fehling nach dem II. Weltkrieg mit (H. Kehr-Thun an Fehling, 5. Febr. 1948, Slg. Fehling; Fehling an Vagts, 9. Febr. 1948, Slg. Vagts), in ihrem Elternhaus in Glückstadt sei am 11. Dez. 1946 der gesamte, angeblich über die „1000 Jahre" hinausgerettete Nachlaß verbrannt. — Weder G. Winter, der Kehrs Dahlemer Aktenreferent war und 1931 über eine verwandte Materie seinen Band über die „Reorganisation des preußischen Staates unter Stein u. Hardenberg" herausgab, noch Joh. Schultze oder Ernst Posner war etwas über den Verbleib der Preisschrift erinnerlich, Posner an Vagts, 7. Juni, 3. u. 10. Juli 1948, Slg. Vagts, mündliche Auskünfte E. Posners an Herausgeber.

[29] Arbeitsplan für die Rockefeller-Stiftung, Dez. 1931, Slg. Fehling.

und vertraut erscheint, als ob wir es schon durchwandert hätten. Und das ist im Grunde nicht so sonderbar, denn die finanziellen Probleme Preußens nach seiner Niederlage 1806/07 ähneln denen Deutschlands seit dem Weltkriege. Nicht nur die Reparationsfrage", da auch damals „die Bezahlung der Kontribution an Frankreich ... alles überschattete." Auch „die Katastrophe der Deflation" besaß ähnliche Züge. „Das bare Geld mußte aus dem Lande geschickt werden, weil die Handelsbilanz keine Devisen zur Bezahlung der Kontributionen lieferte." Als „Folge der Deflation" tauchten „Vorschläge zu ihrer Behebung" auf, von der „Redeflation bis zur Deflation"; schließlich folgte „ein Preissturz, der das Land, besonders den Grundbesitz, schwer erschütterte. Die Osthilfe-Notverordnung hat ihren Vorgänger im Moratorium für den Immobiliarbesitz von 1807, wie jene scharf umstritten von den Interessenten pro und contra." Als „Folge der Kapitalknappheit" ergab sich „ein Steigen des Zinsfußes und ein erbittertes Ringen des überschuldeten Grund- und Hausbesitzes um eine Herabsetzung der Zinsen. Aber auch die Währung war nicht in Ordnung: über das im Kurs sinkende Papiergeld wurden heftige Diskussionen" geführt. „Vor 125 Jahren wie heute — Reparation, Deflation, Preissturz, Papiergeld, Kampf zwischen Bankiers und Bürokratie um die Macht. Der am stärksten verschuldete Mann des Landes wird Staatskanzler ... [30]."

Von dem Stein der patriotischen Lesebücher fand sich in Kehrs Schrift kein Wort. Man warf ihm bald vor, „daß er den Freiherrn vom Stein nur als typischen Bürokraten gelten" lassen wolle[31]. Die Historische Kommission beim Reichsarchiv erkannte jedoch die „überlegene Qualität" der Kehrschen Studie; sie sprach ihm daher die Preissumme zu, verweigerte ihm aber die eigentliche Auszeichnung mit dem Preis wegen der „unorthodoxen Schlußfolgerungen"; er fiel einem „mittelmäßigen" Wettbewerber zu[32]. Bitter hörte Kehr, daß seinem

[30] Entwurf einer Einleitung zu den Aktenbänden, o. D. (Slg. Vagts), in der Kehr höchstwahrscheinlich die Gedanken der Preisschrift aufgriff; vgl. Kehr an Hallgarten, 30. Mai 1932: „Die beiden Aktenbände zur preußischen Reform werden bei Erscheinen aktenmäßig den Herrn sog. Historikern auf den Universitätskathedern die Augen aufreißen, daß die edle Reformzeit nicht nur aus patriotischen Denkschriften bestand, daß es damals schon Zinsen und Osthilfen gab." Slgg. Vagts u. Hallgarten.

[31] Goldschmidt, Jahresberichte für Deutsche Geschichte 6. 1930, Leipzig 1932, S. 274.

[32] So Walter L. Dorn an St. May von der Rockefeller-Stiftung, 16. Juni 1933, Slg. Vagts. Dorn hatte 1932 in Berlin an seinen Studien zur preußischen Verwaltungsgeschichte gearbeitet, Kehr kennengelernt und die Angelegenheit aus nächster Nähe mitverfolgt; vgl. Kehr an Hallgarten, 7. Febr. 1932, Slgg. Vagts u. Hallgarten.

zweiten Werk eine „unmögliche Auffassung" zugrunde liege. Er hielt seine „ganze Universitätszukunft" für „erledigt", hatte er sich doch gleichzeitig — und vergeblich — mit dieser Arbeit bei Rothfels habilitieren wollen[32a]. Unverdrossen arbeitete er jedoch an den Aktenbänden, in denen „ich das dokumentarische Material meines Buches ausbreiten kann", weiter. In diesen Bänden werde er „konkret der Welt" zeigen, „daß in der Reformzeit nicht Ethik und bürgerliche Phraseologie des 19. Jahrhunderts ihren Grund haben, daß damals auch so etwas wie ein verflucht unethischer und unidealistischer Kapitalismus sich entfaltet hat, der auf die Firma Schleiermacher, Fichte etc. ... G. m. beschränktem Horizont pfiff. Über diese Aktenbände" werde die Zunft, der er darin eine „Sensation ersten Ranges" prophezeite, „genau so hochgehen wie über das Buch; da sind sie machtlos, da redet auf 1500 Seiten kein Bolschewik, sondern da spielen sehr honorable Geheimräte." Wegen des „erbitterten und einmütigen Widerstandes der Zunft" seien aber seine akademischen Aussichten „auf den Nullpunkt gesunken." Sobald er, „gewissermaßen als äußere Rechtfertigung" die Akten veröffentlicht habe, fürchtete er, „umsatteln" zu müssen[33].

Es ist Kehr trotz zweier schwerer Nervenzusammenbrüche im Winter 1931 und wieder 1932, bei denen Herzfehler und Enttäuschung mit der pausenlosen Überarbeitung zusammenwirkten, gelungen, seine ersten beiden Aktenbände fertigzustellen. Ihre Veröffentlichung wurde zwar unmittelbar nach der Machtergreifung der Nationalsozialisten verhindert, doch steht zu hoffen, daß die schon gesetzten Bände, von denen größtenteils die Fahnenabzüge erhalten geblieben sind[34], in absehbarer Zeit noch herausgebracht werden können.

Aus dem Umkreis der Studien über die preußische Reformzeit erwuchs auch Kehrs fundamental wichtiger Aufsatz über die „Genesis der preußischen Bürokratie und des Rechtsstaates[35]." Er vermittelt einen Eindruck, was der Verlust der Preisschrift für die Geschichtswissenschaft eigentlich bedeutet! Ein Kritiker gestand ihm zwar noch zu, daß „wie alle seine Arbeiten auch diese Untersuchung zahlreiche Anregungen" bringe, „letzten Endes bleibt aber seine Kritik ... verneinend." Kehr wurde vorgeworfen, „das tiefe sittliche Empfinden" der leitenden

[32a] Siehe hierzu den Nachtrag auf S. 29 unten.

[33] E. Kehr an Hallgarten, 8. Dez. 1931; an Vagts, 2. u. 4. Dez. 1931, Slgg. Vagts u. Hallgarten; an M. Kehr, 25. Sept. 1931, Slg. M. Kehr.

[34] In der Slg. Vagts.

[35] S. u. S. 31—52; vgl. Kehr an Hallgarten, 8. u. 24. Dez. 1931, Slgg. Vagts u. Hallgarten.

Staatsmänner zu vernachlässigen, auch, daß Stein allein „um der Gesamtheit und des Staates willen" gehandelt habe. Er übersehe „das völkisch-sittliche Wollen des Bürgertums", hieß es in einer bezeichnenden Wendung, an die sich eine nicht minder aufschlußreiche Zustimmung anschloß, „daß die wirtschaftlichen und sozialen Voraussetzungen für den Gedanken des liberalen Rechtsstaates in der Gegenwart zersetzt" seien[36]. Kehr als Kronzeugen einer antidemokratischen Kritik zu berufen, hieß freilich den Schritt zur Karikatur tun, ist doch Kehr am Fernziel des Nachfolgers des liberalbürgerlichen Rechtsstaats, der sozialstaatlich verfaßten Massendemokratie, nicht irre geworden.

Kehrs letzte wissenschaftliche Arbeiten entstanden im Zusammenhang mit seiner Lehrtätigkeit an der „Deutschen Hochschule für Politik". Er las dort Kollegs, unter anderem über „Rüstungspolitik und Strategie 1859 bis 1914", „Das Finanzkapital im 19. Jahrhundert", „Heeresverfassung und Gesellschaftsstruktur"; seine Seminarübungen galten den „deutsch-englischen Bündnisverhandlungen", der „Methode und Technik diplomatischer Verhandlungen am Beispiel des Juli 1914", den „Putschen im Nachkriegsdeutschland". Es vermittelt eine Berührung mit der Atmosphäre, in der sich eine unverdächtige, durch und durch bürgerliche, doch in der Sache scharfe historische Kritik damals bewegen konnte, daß Kehr, wenn er aus Max Lehmanns Scharnhorstbiographie unverbrämte Urteile über das Preußen Friedrich Wilhelms III. oder aus Schmollers „Untersuchungen" nüchterne sozialhistorische Abschnitte „wörtlich vortrug", das häufig „gleich für Bolschewismus erklärt bekam[37]." Hermann Oncken nannte damals freilich in einem Gespräch mit dem amerikanischen Gastprofessor Walter L. Dorn Kehr das „enfant terrible" der deutschen Historikerzunft. Dem

[36] H. Croon, Jahresberichte für Deutsche Geschichte 8. 1932, Leipzig 1934, S. 304 f; zur Berechtigung der Kehrschen Kritik jetzt H. Rosenberg, Bureaucracy, Aristocracy and Autocracy. The Prussian Experience, 1660—1815, Cambridge/Mass. 1958, demnächst in dt. Übers.

[37] Lebenslauf, Akten der Rockefeller-Stiftung, Slg. Fehling; unten S. 259 u. E. Kehr an Hallgarten, 30. Mai 1932 (Slgg. Vagts u. Hallgarten), 11. Aug. 1932: „Lehmann hat damals Dinge gesagt, für die man heute noch den Pour le Mérite für Tapferkeit auf dem Schlachtfeld der Wissenschaft verdiene." „Großartig die Absicht der Generale Anfang 1813, den König abzusetzen (als alle, alle riefen und der König endlich kam). Davon meldet kein Schulbuch und kein Heldensang, vor 1918 natürlich nicht, und nach 1918 hatten unsere Historiker noch weniger Interesse, davon zu reden, wie kgl. preußische Generäle mit ihrem angestammten Herrscherhaus umspringen wollten." Vgl. M. Lehmann, Scharnhorst, 2 Bde, 1886/87; G. Schmoller, Umrisse u. Untersuchungen, 1898.

Amerikaner, der Kehr als „höchst brillant" einschätzte, schien es, als ob dieser „für die gegenwärtigen Anhänger Rankes in Deutschland" dasselbe „wie Charles Beard für eine ältere Generation amerikanischer Historiker" bedeute[38].

Kehr schrieb jetzt unter anderem die Studie über „Klassenkampf und Rüstungspolitik im kaiserlichen Deutschland[39]." Zugleich trieb er die Vorarbeiten zu einer umfassenden Untersuchung über die Rüstungsindustrie voran. Manchmal hatte er vor, in „einem kleinen Buch, ‚Rüstung und Krieg im Rahmen der sozialen Entwicklung'", noch Ende 1932 einen ersten Teil davon drucken zu lassen, doch hielten ihn die Editionsarbeiten an den Aktenbänden ebenso davon wie von einem auf seinen Vorlesungen basierenden geplanten Buch zur preußisch-deutschen Militärgeschichte ab, zu dem das „beinah vollständig gesammelte Material" schon vorlag; für eine dritte Schrift über „Das Geld in der Politik" hatte er immerhin schon 5000 Exzerptseiten und Skizzen gesammelt[40]. Aus den Unterlagen zur Entwicklungsgeschichte der Rüstungsindustrie gingen dann der Beitrag zur „Encyclopaedia of Social Sciences", als deren Mitarbeiter ihn auf Empfehlung Meineckes der Herausgeber, Prof. Seligman, in Berlin gewonnen hatte, sowie ein fragmentarisches Manuskript hervor, in dem er die seit 1928 gehegten Pläne auszuführen begonnen hatte[41].

Im Sommer 1932 bat Friedrich Adler, der für die II. Sozialistische Internationale ein „Internationales Handbuch des Sozialismus und der Arbeiterbewegung" herausgeben sollte, Kehr um seine Mitarbeit. Dieser machte sich zwar darüber lustig, daß „man ein Nichtparteimitglied" deswegen angehe; auch sah er gleich „hübsche Tänze um die Auffassung" voraus. Dennoch sagte er zu. Er überarbeitete von Grund auf ein bereits vorliegendes Manuskript von Paul Kampffmeyer über die

[38] Dorn an May, 16. Juni 1933, Slg. Vagts.

[39] S. u. S. 87—110, vgl. H. Herzfeld, Jahresberichte für Deutsche Geschichte 8. 1932, Leipzig 1934, S. 240 f; Kehr an Hallgarten, 30. Mai 1932, Slgg. Vagts u. Hallgarten.

[40] Kehr an Vagts, 15. März 1932; H. Kehr an Vagts, 17. Juli 1933; E. Kehr an Hallgarten, 6. Aug. 1932; Vagts an H. Kehr, 28. Sept. 1933, Slgg. Vagts u. Hallgarten. Zum Material vgl. Anm. 28.

[41] S. u. S. 184—97, 198—234; dazu H. Kehr an Vagts, 17. Juli 1933 u. Dorn an May, 16. Juni 1933, Slg. Vagts, vgl. Anm. 15. — Für die „Encyclopaedia of Social Sciences" steuerte Kehr weiter biographische Miniaturen über Clausewitz (II/1, S. 545), Grauman (IV/1, S. 157 f), Krupp (IV/2, S. 605 f) u. Nobel (VI/1, S. 384 f) bei. Ausgeführte, doch verschollene Skizzen über Gneisenau, A. Gwinner u. J. L. Krug wurden nicht aufgenommen, vgl. Zusammenstellung von H. Kehr über „Schriften aus dem Nachlaß von E. Kehr", o. D., Slg. Vagts.

Zeit bis 1914. Er selber steuerte den Beitrag für die Jahre zwischen 1914 und 1933 bei. Auch diese parteigeschichtlichen Studien müssen indessen als verschollen gelten[42].

Außer allen Projekten, die Kehr in dieser Zeit wöchentlicher Herzanfälle, doch schier unbegreiflicher Produktivität betrieb, entwarf er einen Fortsetzungsband zu seiner Preisschrift. Um ihn ausführen zu können, bewarb er sich im Dezember 1931 bei der Rockefeller-Stiftung um ein Forschungsstipendium. Er sah sich zum Vergleich des historischen Ablaufs in Preußen mit den westlichen Staaten gedrängt. Vor-

[42] Kehr an Hallgarten, 6. Aug. 1932; H. Kehr an Vagts, 17. Juli 1933, Memo. Prof. Corrells, o. D., für die Rockefeller-Stiftung, Slg. Vagts. Adler besaß 1933 (F. Adler an Vagts, 5. Aug. 1933, Slg. Vagts):

1. Der Kampf der SPD nach dem Fall des Sozialistengesetzes unter dem Glauben an die Nähe des kapitalistischen Zusammenbruchs, 1890—1898, 20 S.
2. Revisionismus und russische Revolution, 1898—1906, 13 S.
3. Vom Bülow-Block bis zum Kriegsausbruch, 1906—1914, 11 S.
4. Von der Revolution bis zur Vereinigung von USPD u. SPD, 30 S.
5. Das Mskr. für die Folgejahre schickte ihm Vagts am 7. Okt. 1933; Adler erhielt es in Zürich (an Vagts, 22. März 1934, Slg. Vagts), vgl. Kehr an Hallgarten, 25. Okt. 1932 (Slgg. Vagts u. Hallgarten): „1918—1922, der wichtigste Teil, etwa 20—25 Seiten, ist fast fertig. Ich habe vor der Klarheit, mit der Hilferding immer alles beurteilt hat, einen sehr großen Respekt bekommen. Von dem, was er in den Jahren seit 1918 gesagt hat, ist heute das meiste als richtig anzuerkennen. Für die Ebert, Severing, O. Braun, H. Müller, Scheidemann — würgender Ekel vor dieser Spießerlichkeit. Gerade Severing und O. Braun sind indiskutable Größen, die kaum jemals einen großen Blick haben. Nur Taktiker des Augenblicks." — Weder im Amsterdamer „Internationalen Institut für Sozialgeschichte" noch im Wiener Parteiarchiv der SPÖ haben sich in den dort aufbewahrten Teilen des Nachlasses von F. Adler die Kehrschen Manuskripte auffinden lassen (W. Blumenberg an Herausgeber, 14. Februar 1964; J. Zalda an Herausgeber, 7. Jan. 1964).

Ebenfalls habe ich nicht mehr finden können:

zwei Rundfunkvorträge Kehrs von 1931: „B. G. Niebuhr, zum 100. Todestag" und „Untertan oder Staatsbürger", sowie einen Vortrag „Krisis der Selbstverwaltung", den Kehr am 9. Jan. 1931 im Rahmen der Innenpolitischen Informationsstunde an der „Deutschen Hochschule für Politik" gehalten hat (vgl. Berichte der DHfP, Bd. 7, März 1931, beigebunden in Europäische Gespräche 9. 1931, S. 185). Lesenswert sind auch noch immer Kehrs Besprechungen in der „Gesellschaft": V. Marcu, Das große Kommando Scharnhorsts, ebda 6. 1929/I, S. 287—90; S. v. Kardorff, Bismarck; R. Ibbeken, Das außenpolitische Problem Staat und Wirtschaft in der deutschen Reichspolitik 1880—1914; E. Zechlin, Staatsstreichpläne Bismarcks u. Wilhelm II., Th. Eschenburg, Das Kaiserreich am Scheidewege, ebda 7. 1930/I, S. 87—90; L. Bernhard, Der Hugenberg-Konzern, ebda 7. 1930/II, S. 282—87; S. v. Kardorff, Im Kampfe um Bismarck; M. Harden, Köpfe; O. Lehmann-Russbüldt, Die Reichswehr; W. Ziegler u. a., Zur Frage der politischen Erziehung in Deutschland; H. Pinnow, Deutsche Geschichte, ebda, 9. 1932/I, S. 364—8.

nehmlich zu einem breit angelegten Teil über die preußischen „Auslandsanleihen" wünschte er eingehende Untersuchungen über den Kapitalmarkt von Paris und Amsterdam anzustellen. Ihm stand vor Augen, „für die moderne Problematik großer internationaler Kapitalsverschiebungen die historischen Parallelen" herauszufinden, dabei auch der „Frage der Finanzierung großer Koalitionskriege" nachzuspüren, um die „Gesamtverflechtungen von Wirtschaft und Politik in der Zeit der französischen Revolution und Napoleons" freilegen zu können. „Allerdings", argwöhnte er, „sind diesmal mehr Bewerber da als Plätze, und einen Putschinski wird man schließlich trotz allem offiziellen Wohlwollen lieber in die zweite Reihe stellen hinter die bedeutenden und braveren Nationalliberalen[43]."

Die Wendung über das Wohlwollen spielte darauf an, daß Beard seinen beträchtlichen Einfluß zugunsten Kehrs in der amerikanischen Zentrale der Rockefeller-Stiftung aufbot, während Paul F. Kehr als der Vorsitzende des deutschen Stiftungsausschusses fungierte. Mit seiner Skepsis hatte Kehr dennoch so unrecht nicht. Während Meinecke ein befürwortendes Gutachten abgab, sprach sich Fritz Hartung als ehemaliger Korreferent von Kehrs Dissertation entschieden gegen ihn aus. In den ersten Ausschußsitzungen, zu denen sich Anfang März 1932 Staatsminister Schmidt-Ott, Albrecht Mendelssohn-Bartholdy, Hermann Oncken und H. Schumacher mit dem Vertreter der Stiftung, A. W. Fehling, trafen, lehnten Oncken und Schumacher die Bewerbung Kehrs brüsk ab, wogegen sich Mendelssohn-Bartholdy warm für ihn verwandte[44]. Schmidt-Ott bestand daraufhin auf einer Unterredung mit Kehr, dem er offenherzig die „Befürchtungen" gestand, „sein Auftreten in Amerika könnte politisch einseitig ausgenutzt werden." Kehr versicherte ihm, er gehöre keiner Partei an, er sei ausschließlich wissenschaftlich interessiert. Daß sein Buch gegen die amerikanische Flottenaufrüstung verwertet worden sei, vermöge er nicht als Nachteil für Deutschland anzusehen. Oncken sei „offenbar erschreckt", bei seinen, Kehrs, Forschungen „könnte sich vielleicht eine Abhängigkeit politischer Handlungen von den wirtschaftlichen Verhältnissen zeigen." Er versprach Schmidt-Ott, „vorsichtig aufzutreten." Der persönliche Eindruck

[43] Arbeitsplan, Dez. 1931, Slg. Fehling; Kehr an Hallgarten, 24. Dez. 1931, Slgg. Vagts u. Hallgarten.

[44] Fehling an F. Meinecke, 16. Jan. 1932; Meinecke an Fehling, 22. Jan. 1932; Fehling an F. Hartung, 16. Jan. 1932, Slg. Fehling; Fehling an Herausgeber, 4. Jan. 1964; Kehr an Vagts, 15. März 1932; an Hallgarten, 17. März 1932, Slgg. Vagts u. Hallgarten.

nahm Schmidt-Ott offensichtlich für Kehr ein, doch ließ er Karl Griewank noch einmal Onckens Meinung erbitten. Oncken erklärte nun zwar, „er müsse es für aussichtslos halten, ... daß die antibourgeoisistische Grundtendenz" aus Kehrs Arbeiten verschwinde. „Das grundsätzliche Bedenken, einen Vertreter solcher Auffassungen als Stipendiaten der Rockefeller-Stiftung zu senden, bleibe bestehen." Ein vorsichtiges Verhalten „würde das Mindestmaß dessen sein, was für eine Bewilligung zu fordern wäre." Doch ein energisches Telegramm des in Rom weilenden Paul F. Kehr entschied über Schmidt-Otts Ja für Eckart Kehrs Stipendium[45].

Noch im März erfuhr Kehr von der Zusage, zu wirtschaftswissenschaftlichen und methodologischen Studien nach den Vereinigten Staaten reisen zu dürfen. Er verschob aber wegen Krankheit und Archivarbeit die Abreise bis zum Januar 1933, als er mit den Umbruchkorrekturen der ersten beiden Aktenbände die Überfahrt antrat; seine Frau — er hatte im Sommer 1932 seine Cousine Hanna Herminghausen geheiratet —, blieb vorerst zurück. Bei der Landung wurde er wegen seines Herzleidens tagelang in Quarantäne gehalten, doch konnte er schließlich einreisen. Er lernte nun Beard kennen, hielt in Chicago vor Bernadotte Schmitts Seminar einen Vortrag über „Neuere deutsche Geschichtsschreibung"[46], den frische Empörung über die nationalsozialistische Machtergreifung verschärfte; anschließend besuchte er Prof. Dorn in Columbus, Ohio. Die jahrelange rücksichtslose Überarbeitung rächte sich jetzt, sein Herzleiden plagte ihn immer schmerzhafter. Die Vorgänge in Deutschland deprimierten ihn. Auf Aufforderung Schmidt-Otts, der die Befürchtung hegte, Kehr könne sich „gegen die neue Regierung öffentlich aussprechen", telegrafierte ihm sein Onkel: „Prudentia in politicis." Bitter fragte Kehr zurück: „Soll ich den Mund

[45] Niederschrift des Gesprächs Schmitt-Ott mit E. Kehr von Karl Griewank, Gespräch Griewank-Oncken, 18. März 1932; Schmitt-Ott an P. F. Kehr, P. F. Kehr an Schmitt-Ott, Tel. vom 19. März 1932; Mendelssohn-Bartholdy an Fehling, 31. März 1932; Fehling an Kehr, 21. März 1932, Kehr an Fehling, 1. April 1932, Slg. Fehling. Kehr an Hallgarten, 18. März u. 30. Mai 1932, Slgg. Vagts u. Hallgarten. Zur Parteifrage vgl. Kehr an Hallgarten, 7. Febr. 1932: „... unsere very honorable party, deren Mitglied ich nicht einmal bin, geht ja schnurstracks auf ihrem Weg fort, aus Furcht vor dem Tode Selbstmord zu begehen. Schade ist's nicht um sie, nur um uns und unsere Auswirkungsmöglichkeiten, aber den Leuten ist nichts beizubringen. Auf Kritik heißt es immer: ‚Gehen Sie zur KPD'." Er wolle weiterarbeiten, „ehe die Wogen der Koalition Junker-Reichswehr-Drittes Reich über uns zusammenbrechen." Slgg Vagts u. Hallgarten.

[46] S. u. S. 254—68; Kehr an Vagts, 10. Febr. 1933, Slg. Vagts.

halten, soll ich schweigend zusehen, wie in Deutschland abgesägt wird, wenn ich mir an allen zehn Fingern abzählen kann, daß ich nach meiner Rückkehr nach Deutschland ins KZ gesteckt werde oder, wenn man mich damit verschont, schließlich mit Zeitungen handeln gehen darf? Ganz egal, ob ich jetzt still bin oder nicht?[47]"

Albert Brackmann, seit 1929 Generaldirektor der Preußischen Staatsarchive, entzog ihm im Mai den Archivauftrag. Kehrs Editionstechnik, deren skrupulöse Sorgfalt vor der Drucklegung niemand je beanstandet hatte, sei von einer Expertenkommission, der auch Meinecke angehörte, als inadäquat und ungenau verurteilt worden. Weigere sich Kehr, alle Unterlagen zurückzuschicken, stehe ihm sofort ein Prozeß, den Kehr allerdings abzuwarten bereit war, bevor[48]. Ende April hatte Kehr noch gehofft, seine Frau bald nachkommen lassen zu können. Als er Mitte Mai in Washington eintraf, mußte er völlig erschöpft ein Hospital aufsuchen. Am 29. Mai 1933 starb er dort, noch nicht 31 Jahre alt, an seinem angeborenen Herzfehler. Die Urne mit der Asche wurde im Juni in Glückstadt an der Elbe beigesetzt.

Pläne einer Nachlaßausgabe, für die sich Beard, Dorn und Vagts längere Zeit einsetzten, zerschlugen sich angesichts des Widerstandes der Familie, „es unter der jetzigen außenpolitischen Lage Deutschlands nicht mit unserem Gewissen der Regierung gegenüber vereinbaren zu können", daß Schriften Eckart Kehrs im Ausland publiziert würden. „Ich habe außerordentlich viel von ihm gehalten", schrieb im Sommer

[47] Fehling an P. F. Kehr, 24. März 1933, Slg. Fehling. Konzept Kehrs, an P. F. Kehr, Ende März 1933, Slg. Vagts; vgl. Kehr an Hallgarten, 6. Aug. 1932: „In 30 Jahren werden wir ja auch genug Material haben, hoffe ich, um im Einzelnen zeigen zu können, was Adolf und seine 13 Millionen wildgewordenen Idiotenbürger für Huren der Thyssen etc. waren. Und wenn Geschichtsschreibung überhaupt einen Sinn hat, dann ist es heute der, die innere Verlogenheit all der Schichten aufzudecken, die heute wieder an die Macht kommen und denen das kopflose Spießbürgertum die Steigbügel hält. Bis die SA auch uns die Handgranaten ins Bett wirft, wollen wir unsere Pflicht tun." Slgg. Vagts u. Hallgarten. Zur Sache: W. Sauer, Die Mobilmachung der Gewalt, in: K. D. Bracher, W. Sauer, G. Schulz, Die nationalsozialistische Machtergreifung, Köln 1960, S. 685—972; H. Rosenberg, Die Demokratisierung der Rittergutsbesitzerklasse, in: Geschichte und Probleme der Demokratie, Festschrift H. Herzfeld, Berlin 1958, S. 459—86.

[48] Brackmann an Kehr, 2. Mai 1933, engl. Übersetzung in Memo. Prof. Correlis, 8. Juni 1933, für die Rockefeller-Stiftung. Die Entscheidung der Kommission fiel — laut Dorn an May, 16. Juni 1933 — nach der Wahl vom 5. März 1933, die eine nationalsozialistische Mehrheitsregierung ermöglichte. Dorn ließ sich von Meinecke den Sachverhalt erklären, Dorn an Vagts, 5. Aug. 1933, alle Slg. Vagts; vgl. Kehr an Fehling, 27. April 1933, Slg. Fehling.

1933 Rudolf Hilferding über Eckart Kehr, „von der Originalität seines Urteils, der Unabhängigkeit allem Legendären gegenüber, von seinem außerordentlichen Wissen und Fleiß[49]."

Kehrs Name und Werk wurden in Deutschland erst zwölf Jahre totgeschwiegen, dann gerieten sie nahezu in Vergessenheit; nur in den Vereinigten Staaten wurde mehr als sein Andenken wach gehalten[50]. Daß der Historiker Kehr mit seinen Veröffentlichungen in Deutschland bis 1933 in völliger Einsamkeit blieb, erklärt sich sowohl aus dem, wogegen er entschlossen Front machte, wie aus den Zielen, denen er zustrebte. In der Auseinandersetzung mit der preußisch-deutschen Geschichte und den in sie eingebetteten Ursachen für den Verlust des Weltkrieges ging Kehr von der fundamentalen Tatsache der Revolutionierung der modernen Welt durch die Industrialisierung aus, der die Kettenreaktion des technologischen Fortschritts folgte. Kaum ein deutscher Historiker vor ihm hat diese ungeheuere Zäsur der Universalgeschichte, den unleugbaren Bruch mit der Vergangenheit so vorbehaltlos ernst genommen wie er. Unter vier verschiedenen Reaktionsweisen der Geschichtsschreibung über die Neuzeit, die sich mit diesem Bruch in Verbindung bringen lassen, wird man seinen Platz bestimmen können.

1. Es blieb stets die Möglichkeit, im Bann der Tradition das neuartige Phänomen zu übersehen. Die in der deutschen Historiographie lange Zeit vorwaltende ideologische Staatsfrömmigkeit, die durch das

[49] H. Kehr an Vagts, 24. Nov. u. 11. Aug. 1933; Beard an May, 17. Juni 1933; Dorn an Vagts, 27. Nov. 1933; Hilferding an Vagts, 17. Juni 1933, Slg. Vagts. Erste Pläne einer Nachlaßausgabe nach dem II. Weltkrieg, die außer A. Vagts auch Felix Gilbert und Franz Neumann übernehmen wollten (Gilbert an Vagts, 4. Dez. 1946, Slg. Vagts), konnten wegen der Ungunst der Verhältnisse nicht verwirklicht werden.

[50] Vgl. z. B. William L. Langers Urteil (The Diplomacy of Imperialism, N.Y. 1935. 2. Aufl. 1950, S. 444): bei Kehrs Buch handle es sich „sicherlich um den bemerkenswertesten Beitrag zur Geschichte der deutschen Flottenpolitik. Der Verf. ist durch eine ungeheure Menge zeitgenössischen Materials aller Art gegangen und beweist eine ungewöhnliche Erfassung" der Probleme. — Pauline R. Anderson (The Background of Anti-English Feeling in Germany, 1890—1902, Washington 1939), die während ihres Studienjahrs in Deutschland mit Kehr oft zusammentraf und ihr Buch ganz aus seinem „Englandhaß"-Aufsatz entwickelte, widmete es ihm, wie auch G. W. F. Hallgarten seinen „Imperialismus vor 1914" (2 Bde, München 1951, 2. Aufl. 1963); s. auch H. Rosenberg, Bureaucracy, passim; Paul M. Sweezy, The Present as History, 2. Aufl. N.Y. 1962, S. 98; G. Roth, The Social Democrats in Imperial Germany, Totowa 1963, S. 114; vgl. R. Stadelmann, Deutschland u. Westeuropa, Laupheim 1948, S. 164, Anm. 46.

Erbe der facettenreichen Ranke-Tradition bestärkt wurde, ihre traditionell gewordene Beschäftigung mit Staatsaktion und Kriegsverlauf neigte vorwiegend dazu, die vermeintlichen Niederungen der Sozialgeschichte unbeachtet zu lassen. Für die rühmlichen Ausnahmen, die mit den „Acta Borussica" entstehenden bahnbrechenden Studien vornehmlich Gustav Schmollers und Otto Hintzes, behielt Kehr zeitlebens eine ungeminderte Hochachtung.

2. Weitaus wichtiger als das schlichte Ignorieren der Probleme schien ihm immer der ingeniöse Ausweg zu sein, den die sogenannte Ideengeschichte während der Spätblüte des Historismus fand. Kehr hat die Ideengeschichte Meineckes und seiner Schüler im wesentlichen nicht aus einer geistigen Entwicklung seit der „Revolution" des historischen Denkens, sondern aus der Sozialgeschichte des deutschen Bürgertums begriffen. Der Kernpunkt der politischen Sterilität des Besitz- wie Bildungsbürgertums lag darin beschlossen, daß die im frühen Liberalismus so deutlich ausgeprägte Vorstellung vom Zusammenhang von Wirtschaft und Staatsgesellschaft, klassisch eingefangen im Zentralbegriff der Politischen Ökonomie, verloren ging. Noch ehe das Bürgertum im preußischen Verfassungskonflikt seine zweite Niederlage nach der Revolution von 1848/49 erlitt, trat paradigmatisch die Politische Ökonomie in die starre Zweiteilung von Staatswissenschaft und Nationalökonomie auseinander, rettete nur Karl Marx in seiner „Kritik der Politischen Ökonomie" die Einheitlichkeit von Sache und Begriff für die Sozialkritik. Die Abfolge der zwischen Verfassungskonflikt und Zabernaffäre eingespannten politischen Niederlagen des Bürgertums, denen indessen die Ausbildung aller Rechtsformen einer bürgerlichen Wirtschaftsgesellschaft und die Gewinnung des ökonomischen Übergewichts im Staate parallel lief, wurde durch die Verabsolutierung des in der realen Politik zumeist machtlosen, spezifisch bildungsbürgerlichen Begriffs des „Geistes" kompensiert. Es ließe sich vermutlich anhand von Wegmarkierungen wie 1878/79, 1898, 1908, 1913 der Nachweis führen, wie als Reflex auf die stabilisierte politische Ohnmacht des Bürgertums in seiner Geschichtsschreibung trotz allem realpolitischen Einschlag die Reduktion des politischen Entscheidungshandelns auf geistige Antriebe laufend Fortschritte machte. Je mehr die Aussicht auf ausschlaggebenden politischen Einfluß auf die Staatspolitik entschwand, um so eher fielen die eigentlichen Entscheidungen in dem ihm vertrauten „Reich des Geistes". Diesen Geistbegriff, der auch der sich entfaltenden spätbürgerlichen Ideengeschichte zugrunde

lag, erkannte Kehr als ein eigentümliches Produkt jenes bildungsaristokratischen Bürgertums, das sich im Klima des deutschen Idealismus und der sogenannten Deutschen Bewegung ausgebildet hatte[51]. Da die ganz überwiegende Mehrzahl der deutschen Historiker dem protestantischen Bildungsbürgertum entstammte, wurde ihr wissenschaftstheoretischer Ansatz von vornherein durch die soziale Herkunft gleichsam präjudiziert. Zugleich sonderte sie ihre materielle Existenz als Staatsbeamte mit festem Gehalt vom harten Kampf des Wirtschaftslebens ab. Überkommene gesellschaftspolitische und erworbene staatspolitische Auffassungen führten sie in einer sozialkonservativen Ablehnung sowohl der sozialistischen Theorien mit ihrem Schwergewicht auf den materiellen Lebensbedingungen wie auch der massentümlichen Arbeiterbewegung zusammen, in der sich der Umsturz der bestehenden Verhältnisse zu entfalten schien. Während der entscheidenden Bewährungsprobe, in der das deutsche Bürgertum die neue Wirklichkeit des Industriestaates geistig wie praktisch zu bewältigen hatte, hemmten traditionelle Bindungen, die zu einer schroffen Zerklüftung des Gesellschaftskörpers beitrugen, gerade auch die Gruppe, die ihm die Geschichte auslegte; gerade ihr fehlten wichtige Voraussetzungen zu einer fruchtbaren Auseinandersetzung mit den dringendsten Problemen der Zeit. Um sich ihnen in ihrer allerdings furchterregenden Schärfe nicht stellen zu müssen, so glaubte Kehr, gewann die Ideengeschichte den Charakter einer Entlastungsfunktion. Sie gestattete die Gipfelwanderung in den geistigen Höhenlagen über dem Tal, in dem die unberücksichtigten Interessen des Alltagslebens zusammenprallten. Ihre Ausdrucksform wurde die Biographie. Zu ihr nahm sie Zuflucht, statt sich nach dem verlorenen Krieg der Untersuchung der Institutionen, der oft genug als marxistisch verketzerten modernen Sozialgeschichte zu widmen. Daß diese Biographien gewöhnlich mit dem ersten Band endeten, ehe der Held in die seine Größe ausmachenden Probleme des tätigen Lebens überhaupt eintrat, entsprach dann nur dem inneren Gesetz, nach dem sie begonnen worden waren: dem Kampf der nackten Interessen auszuweichen[52].

[51] Vgl. dazu H. Holborn, Der deutsche Idealismus in sozialgeschichtlicher Beleuchtung, HZ 174. 1952, S. 359—84; H. Weil, Die Entstehung des deutschen Bildungsprinzips, Bonn 1930; E. Kohn-Bramstedt, Aristocracy and the Middle Classes in Germany, N.Y. 1937; jetzt F. Zunkel (Der Rheinisch-Westfälische Unternehmer, 1834—79, Köln 1962) über das westdeutsche Industriebürgertum.

[52] Dazu ausführlich u. S. 254—68.

Kehr hat in diesem Zusammenhang nicht nur auf wichtige, bisher noch wenig beachtete Gemeinsamkeiten zwischen spätem Historismus und Freudscher Psychoanalyse aufmerksam gemacht, er hat auch die Krise, in die der Verstehensbegriff der deutschen Geschichtsschreibung getreten war, klar durchschaut. Aus dem aristotelischen Intuitionsbegriff erwachsen und fortab mit einem rational nicht ganz erklärlichen Einfühlungsvermögen gleichgesetzt, in hohem Maße also Ausfluß sensibler Begabung, setzte das „Verstehen“ insgeheim Harmonie und innere Übereinstimmung mit den als vorwaltend aufgefaßten Grundtendenzen einer Epoche voraus, welcher der Nationalstaat zum letzten unangefochtenen Wert an sich geworden war. Von dieser harmonischen Übereinstimmung war Meineckes „Weltbürgertum und Nationalstaat“ noch sicher getragen, sie durchtränkte die Geschichtsschreibung der Vorkriegszeit. Trotz der Kantschen Kategorienlehre, trotz der Historizität gerade auch der erkenntnistheoretischen Kategorien glaubte der Späthistorismus die jeweils behandelte Zeit oder ihre herausragenden Persönlichkeiten aus den dieser Zeit immanenten Wertmaßstäben erfassen und würdigen zu können. Diese eigentlich ganz unhistorische erkenntnistheoretische Illusion, die namentlich im Luftschloß der Ideengeschichte gepflegt wurde, rückt ihn ungewollt in die Nähe der freilich naiveren puristischen Wissenschaftsideen des Neopositivismus. In der Wirkung auf ihre Gegenwart bedeutete diese Art von Historiographie die Kapitulation vor dem gesellschaftlichen Status quo[53]. Das innere Scharnier zwischen gleichwie vager Wissenschaftstheorie und politischer Zeitauffassung sah Kehr nun durch die Kriegsniederlage gesprengt. Das unabsehbare Feld eines historischen Revisionismus schien sich 1918 aufzutun, ja zur Durchforschung förmlich aufzuzwingen. Aufs Ganze gesehen hat es jedoch die Geschichtsschreibung in der Zeit der Weimarer Republik versäumt, aus der Niederlage die Konsequenzen zu ziehen. So hat Ludwig Dehio über ihre Haltung zur Außenpolitik geurteilt[54]. „Betrachtet man die Folgen des von der deutschen Historie vertretenen national- und obrigkeitsstaatlichen Geschichtsbildes“, hat H. Mommsen weiter geschlossen, „so drängt sich eine entsprechende Kritik auch in innenpolitischer Hinsicht auf. Was hat die Geschichtsschreibung getan, um die Ausbreitung der Dolchstoßlegende zu verhindern, in der sich

[53] E. Kehr an M. Kehr, 22. Jan. 1927, Slg. M. Kehr u. oben S. 4.

[54] L. Dehio, Deutschland und die Weltpolitik, Frankfurt 1961, S. 56—62; vgl. die bei allem Verständnis entschiedene Kritik von H. Herzfeld, Staat und Nation in der deutschen Geschichtsschreibung der Weimarer Zeit, jetzt in: Ausgewählte Aufsätze, Berlin 1962, S. 49—67.

das wilhelminische politische Wunschdenken fortsetzte? Inwiefern hat sie ein Verständnis für die veränderten gesellschaftlich-politischen Bedingungen schaffen helfen, die sich im Interessenpluralismus und der gewaltigen soziologischen Umschichtung der vorangehenden Jahrzehnte ankündigten? Die weiterhin ‚nationalen' Geschichtsbücher verdeckten ein Vakuum politischen Denkens, und die Geschichtsschreibung trug nicht wenig dazu bei, die Neigung des deutschen Bürgertums, Politik in mythischem Lichte zu sehen und gegenüber der Erfahrung alltäglichen Interessenkampfes dem chimärischen Wunschbild ‚wahrer' Politik zu folgen, lebendig zu erhalten[55]."

3. Kehr war bereit, aus dem Zusammenbruch die Konsequenzen zu ziehen. Das führte ihn zur Sozialgeschichte. Freilich nicht zu einer gleichsam gesellschaftsfrommen Geschichtsschreibung, wie sie sich als dritte mögliche historiographische Reaktion auf die industrialisierte Welt entwickelt hat. Man wird darunter jene Art von Sozialgeschichte verstehen können, welche die der staatsfrommen Geschichtsschreibung ursprünglich eigene harmonische Übereinstimmung mit der Staatsentwicklung auf die Gesellschaftsentwicklung überträgt, ohne die Probleme der hochkapitalistischen Epoche[56] in kritischer Reflexion aufzugreifen. Ihr ist mit methodologischer Notwendigkeit die fehlende Tiefendimension und Harmlosigkeit von Abziehbildern eigen, die eine Wirklichkeit getreulich widerzuspiegeln suchen, wie sie eigentlich gewesen war. Liegen aber die Gefahren einer staatsfrommen Geschichtsschreibung heute nirgends so deutlich auf der Hand wie in Deutschland, so wird man das über ihren sozialgeschichtlichen Zwilling nicht guten Gewissens behaupten können. Gleichwohl läßt sich der Schluß schwerlich vermeiden, daß die mit der unkritischen Hinnahme der gesellschaftlichen Entwicklung verbundenen Gefahren bedrohlicher zu werden vermögen als die Mystifizierung des Staatsapparats und die Beschwörung einer vorgeblich „sachlichen" Politik, hinter der sich die schwer kontrollierbare Herrschaft bürokratischer Experten im Zusammenspiel mit den mächtigsten Interessengruppen verbindet. „Nicht der ideele Zusammenhang zwischen den Staaten, die je einen geistigen Gehalt vertreten", hat man daher mit scharfer Spitze gegen diese

[55] H. Mommsen, Das Verhältnis von Politischer Wissenschaft und Geschichtswissenschaft in Deutschland, Vierteljahrshefte für Zeitgeschichte 10. 1962, S. 348, mit Verweis auf Dehio.

[56] Nicht im Sinne Sombarts, sondern des Schumpeters der „Theorie der wirtschaftlichen Entwicklung" (1912, zuletzt Berlin 1952) als der von den Großunternehmen bestimmten Epoche.

historiographische Tradition sagen können, „sondern der reale Wechsel der gesellschaftlichen Kräftekonstellationen macht den Inhalt der Geschichte aus[57].“

4. Diesem Wechsel glaubte Kehr nur mit Hilfe einer kritischen Theorie nachspüren zu können. Zu ihr hat er im Fortgang seines Studiums, fraglos unter dem maßgeblichen Einfluß Max Webers und Karl Marx' hingefunden. Seine schroffe Wendung zur sozialökonomischen Theorie erklärt sich einmal aus der Auflehnung gegen die bildungsbürgerliche Verharmlosung der übermächtigen Wirtschafts- und Gesellschaftskräfte. Ihr gaben Temperament und stets wache Neigung zu vehementem Protest eine charakteristische Zuspitzung. Vor allem aber entsprang sie dem schmerzlich empfundenen Ungenügen, mit Hilfe allein des einfühlenden Verstehens den Schlüssel zu den Bewegungsmächten der modernen Welt zu finden. Sein großes wissenschaftliches Vorbild ist Max Weber gewesen. Das läßt sich überall aus seinen Arbeiten ablesen, das hat Kehr auch immer wieder gegenüber den Freunden der Berliner Jahre betont. Ein ausschlaggebender Antrieb für Kehrs „stürmisch-rationalen“ Drang nach wissenschaftlicher Wahrheit, wie Alfred Vagts mit einem glücklichen Wort seine explosiven geistigen Impulse charakterisiert hat, liegt daher sicher in seiner Beschäftigung mit dem Werk Webers. In einer Webers Art verwandten, absoluten geistigen Aufrichtigkeit zielte auch Kehr auf den Zusammenhang von Gesellschafts-, Wirtschafts- und Staatsverfassung ab; bis in die Sprache, die häufig ähnlich gewalttätig, um stilistische Politur unbekümmert, nur der möglichst präzis gefaßten Aussage dienend wirkte, läßt sich die Berührung verfolgen. Vor allem aber der universalgeschichtliche Aufriß in „Wirtschaft und Gesellschaft“ und die beißende Kritik an den politischen Verhältnissen des deutschen Kaiserreichs von 1871[58] haben Kehr in Webers Bann geschlagen.

Wenn man Weber einen „bürgerlichen Marx“ hat nennen können, dann weist das schon auf die Anziehungskraft hin, die für Kehr von Karl Marx ausging. Radikal sein, bedeute, hatte einmal der junge Marx formuliert, die Dinge an ihrer Wurzel fassen. Wenige Worte hätte Kehr vorbehaltloser unterschrieben als dieses methodische Programm kritischer Forschung. Von einem seichten Vulgärmarxismus, der in positivistischer Selbstsicherheit einen platten Materialismus um-

[57] Hans Freyer, Einleitung in die Soziologie, Leipzig 1931, S. 67.

[58] Man vgl. z. B. einmal Kehrs „Puttkamer“-Aufsatz (u. S. 64—86) mit M. Weber, Gesammelte Politische Schriften, 2. Aufl. Tübingen 1958, S. 86, 316, 332, 409, 508.

rankte, trennte Kehr eine ganze Welt des Wollens und Empfindens. Ihm ging es ausschließlich um die Fruchtbarkeit der Methodik, um die neuen, wirklich relevanten Ergebnisse, die sie allein rechtfertigen mußten. Die schneidende Schärfe, zu der Kehr seine kritische Theorie entwickelt hat, beweist besser als alle erläuternden Worte, was er Marx nicht minder als Weber verdankte. Ähnlich wie Georg Lukácz zeigte auch Kehr, wie ein genialer Kopf durch die Berührung mit der ursprünglichen Antriebskraft des Marxismus die hemmenden Schranken eines eng orthodoxen Dogmengebäudes transzendierte. Kehr erwarb sich dabei das Rüstzeug seiner sozialhistorischen Theorie, deren gelegentlich vorschnelle Gewißheit man genau so wenig wird übersehen wollen wie die weit wichtigeren Einsichten, zu denen sie ihn befähigt hat.

Kehr hat gewußt, daß die Historie auch immer Lehre ist, offene oder versteckte Anweisung für Hörer und Leser, die unter dem Aspekt einer als besser gedachten Zukunft vorgetragen wird. Dieser moralischen Aufgabe wie der unvermeidbaren Wirkung kann sie sich auch dann nicht entäußern, wenn sie sich im Traumland des historistischen Verstehens und zweckfreier, reiner Darstellung angesiedelt wähnt. Nicht als ob Kehr grundsätzlich darauf verzichtet hätte, historistisch zu argumentieren. So konnte er z. B. in seinem Flottenbuch den verantwortlichen deutschen Politikern vorwerfen, daß sie für den deutschen Imperialismus nicht einmal eine rechtfertigende Missionsideologie entwickelt hätten, wie er die Außenpolitik der westlichen Staaten überformte. Aber in erster Linie ging es ihm stets darum, im Rahmen einer kritischen Theorie eine vergangene Wirklichkeit zu befragen. Vergangen freilich nicht im Sinne eines endgültigen Abschlusses. Kehr ist von dem oft fatalen Fortleben bestimmter nationalgeschichtlicher Kontinuitäten in Deutschland sehr überzeugt gewesen. Gerade deshalb vermeinte er auch, die Mittel der kritischen Theorie[59] verwenden zu müssen, um den Teufelskreis von machtvollem Status quo und seiner Bestätigung durch eine allein verstehende historische Betrachtung endlich durchbrechen zu können. An der Kategorie der Diskontinuität hätte er dagegen wohl ein apologetisches Moment gerügt, indem statt des rationalen Weiterforschens allzu schnell der Versuchung nachgegeben werden kann, den Einbruch des Irrationalen schlechthin zu verzeichnen, wo vorher doch historische Zusammenhänge alles durchwalteten. Ebenso kann der unbestreitbar notwendigen universalgeschichtlichen Perspektive eine leicht durchschaubare Scheu vor rücksichtslosen Fragen an die jeweilige

[59] Hierüber jetzt am besten Jürgen Habermas, Theorie und Praxis, Neuwied 1963.

Nationalgeschichte eignen. Dagegen suchte Kehr erst zur sozialgeschichtlich erfaßbaren Grundschicht der Kontinuitäten deutscher Geschichte vorzudringen, wo Konstanz unter dem Wirbel politischer Veränderungen vorherrschte[60]. Indem er diese Kontinuität kritischer Einsicht erschloß, glaubte Kehr, dem Charakter der Geschichtswissenschaft als Lehre am ehesten zu genügen. Im Vollzug dieser unendlich mühsamen Aufgabe schien sie ihm auch ihren eigentlichen Stellenwert in der geistigen Ökonomie der Nation zu gewinnen. Die Rechtfertigung für die Existenz staatlich besoldeter Geschichtsschreiber, ihrer Seminare und Bibliotheken kann in ihrer Aufgabe als Antiquare des kulturellen Erbes gesehen werden. Man beruft sich auf die Entwicklung der Kultur, die den Luxus von Historikern gestattet, die ihren geistigen Reichtum aufzubewahren helfen. Mit einem Tropfen antiquarischen Öls mag nun alle Geschichtsschreibung gesalbt sein. Doch läßt sich ihre Daseinsberechtigung auch darin sehen, daß sie einer Gesellschaft, für die gewaltige Kräfte das schier unentrinnbare, von sozialen Zwängen bestimmte „Gehäuse der Zukunft“ (Max Weber) errichten, den historisch gewordenen, prinzipiell immer noch offenen Charakter ihrer Institutionen und ihrer Entwicklungstendenzen aufweist. Gerade in dieser vorbeugenden Aufgabe, deren Schwierigkeiten kaum zu überschätzen sind, könnte sie einen festeren Platz im geistigen und finanziellen Haushalt eines Landes, das bewußt der Gefahr der Erstarrung entrinnen möchte, beanspruchen, als ihn das Ziel pfleglicher Bewahrung je zu reklamieren vermöchte. Ohne eine kritische Theorie, wie Kehr sie zu handhaben verstand, läßt sich dieses Unterfangen schwerlich fortführen. Gerade die Geschichtswissenschaft muß der Gegenwart einen kritischen Spiegel vorhalten, wenn sie sich nicht unter dem durchsichtigen Schleier einer historistischen oder positivistischen Enthaltsamkeit der übermächtigen Gegenwart um so sicherer ausliefern will. In ihrer Verbindung von kritischer Theorie und imponierender empirischer Forschung bleiben Kehrs Arbeiten, mögen sie auch Torso geblieben sein, auch heute noch ein großartiges Beispiel für eine der politischen Lehre und den drängenden Aufgaben unserer Zeit voll aufgeschlossene Geschichtswissenschaft.

Der Abdruck der Stücke erfolgt gemäß dem deutschen Urheberrecht mit freundlicher Genehmigung von Frau Martha Kehr und der Ver-

[60] Vgl. dazu einmal K. W. Deutsch u. L. Edinger, Germany rejoins the Powers, Stanford 1959.

lage J. H. W. Dietz Nachfolger, Hannover; Carl Heymanns, Köln; A. Schroll, Nachfolger von L. W. Seidel, Wien; MacMillan, New York (siehe das Verzeichnis der Druckorte S. VIII). Mit einer Ausnahme stammen die ungedruckten Arbeiten aus dem Besitz von Alfred Vagts, der von den Originalexemplaren im Nachlaß Kehrs vor dessen Übersendung nach Deutschland wortgetreue Abschriften angefertigt hat, von denen er dem Herausgeber während seines Amerikaaufenthalts Fotokopien überließ. Das Original der Besprechung von Bülows Memoiren hat Frau Martha Kehr zur Verfügung gestellt. Die in englischer Sprache erhaltenen Arbeiten — von dem Rüstungsaufsatz für die „Encyclopaedia of Social Sciences" ließ sich das deutsche Original nicht mehr finden — sind vom Herausgeber in möglichst enger Anlehnung an Kehrs Stil übersetzt worden.

Der tatkräftigen Unterstützung durch Professor Hans Rosenberg und Professor Hans Herzfeld ist es zu verdanken, daß Kehrs Aufsätze in die Schriftenreihe der Historischen Kommission zu Berlin aufgenommen worden sind. Ihnen möchte ich daher an dieser Stelle besonders danken, nicht zuletzt auch Dr. Otto Büsch und Mag. Klaus Ehrler für ihr hilfreiches Entgegenkommen bei der Bearbeitung des Bandes.

Köln, im April 1964 *Dr. phil. Hans-Ulrich Wehler*

[32a] Rothfels lehnte die Kehrsche Habilitationsarbeit ab. Als der Berliner Historiker H. Oncken von diesen gescheiterten Bemühungen hörte, glaubte er, wie er mit bösartigem Spott Gerhard Ritter eröffnete, die Motive von Rothfels nur aus dem „Bedürfnis des geborenen Juden, sich als Beschützer des ostpreußischen konservativen Adels aufzuspielen", erklären zu sollen. Als Kehr dieselbe Arbeit dann für den Stein-Preis einreichte, erhielt sie auch Ritter, der diese „Bewerbungsarbeit" zu beurteilen hatte. Ritter stimmte jetzt „Rothfels vollkommen zu"; auch er würde, versicherte er Oncken, „Kehr ebenfalls abgewiesen haben". Denn „dieser Herr sollte sich, scheint mir, lieber gleich in Rußland als in Königsberg habilitieren. Denn da gehört er natürlich hin: einer der für unsere Historie ganz gefährlichen ‚Edelbolschewisten'". G. Ritter an H. Oncken, 24. 9. 1931, Nachlaß Oncken, Niedersächsisches Staatsarchiv Oldenburg, Bestand 271—14, Nr. 462. Vgl. H. Heiber, W. Frank u. sein Reichsinstitut für Geschichte des neuen Deutschland, Stuttgart 1966, 191 f.

Zur Genesis der preußischen Bürokratie und des Rechtsstaats

Ein Beitrag zum Diktaturproblem[1]

1.

Der moderne Staat ist mit Beginn des Absolutismus entstanden, aus dem Kampf des Fürsten mit

1. den privatmonopolistischen Machtpositionen der Finanziers der frühkapitalistischen Epoche, von denen die Fugger und Welser die bekanntesten, aber nicht die einzigen sind. Diese Monopolisten waren imstande, die politischen Geldbedürfnisse, die über die vorhandenen wirtschaftlichen Kräfte hinausgewachsen waren, auf der Grundlage einer Kapitalkonzentration aus einzelnen großen, sehr profitablen Geschäften durch Kredithingabe zu befriedigen und damit die fehlende Basierung der Politik auf ein allgemeines, durch eine Bürokratie dauernd erhobenes Steuereinkommen zu überbrücken, traten den in ewiger Geldnot befindlichen Fürsten aber als Wirtschaftsmächte von eigenen Gnaden entgegen und scheuten sich nicht, sie ihre Macht fühlen zu lassen. Jakob Fugger, der Karls V. Kaiserwahl finanziert hatte, schrieb ihm ungeniert später einmal: „Ohne meine Hilfe hätten Eure Kaiserliche Majestät die Römische Krone nicht erlangen können."

2. aus dem Kampf mit den öffentlich-rechtlichen Machtpositionen der Stände, die dem Fürsten gegenüber die mittelalterliche Tradition eines ins Feudale umgebogenen Demokratismus der Abhängigkeit der öffentlichen Gewalt von dem Willen der sie tragenden Schichten verteidigten.

[1] Ernst Fraenkel hat in der „Gesellschaft", Oktober 1931, das Problem der Beendigung des Rechtsstaates durch die Verwischung der Grenze von Gesetz und Verwaltungsordnung angeschnitten und hat die glänzenden einzigartigen Darlegungen Dessauers (Recht, Richtertum und Ministerialbürokratie, Mannheim 1928) weiter geführt. Dieser Aufsatz versucht, das Beendigungsproblem durch eine soziologische — und angesichts sowohl der Problemfülle wie der unzulänglichen wissenschaftlichen Vorarbeiten begreiflicherweise nur skizzierende Analyse der Entstehung der Grenze zwischen Gesetz und Verwaltungsordnung in Preußen und der Gründe, aus denen sich diese Grenze bis heute erhalten hat, zu erklären und den Punkt der Entwicklung, in dem wir uns befinden, durch Aufzeigen der Linien, die über ein Jahrhundert hinweglaufen, möglichst eindeutig festzulegen.

Der Absolutismus ist die Überführung des von Ständen, Monopolisten und Fürsten gemeinsam bzw. gegeneinander regierten „Staates" aus dem dreifachen Kondominium in den ausschließlichen Privatbesitz des Fürsten, nach dem Ausdruck Jellineks[2] ein großartiger Enteignungsprozeß, der mit Rittergutskonfiskationen im nordöstlichen und Staatsbankrotten im südwestlichen Europa eingeleitet wird, und seine Umwandlung in einen Trust, dessen alleiniger Generaldirektor der Fürst war, dem gleichermaßen Finanzen, Heer und Volk zur Verfügung standen.

Die Umwandlung des Staates aus dem Trialismus in den fürstlichen Monopolismus erfolgte auf dem Gebiet des Krieges durch die Entprivatisierung der Heere: sie wurden aus dem Privatbesitz der „Obersten", deren letzter und größter Wallenstein war, überführt in den Besitz des Fürsten. Das Volk wurde der fürstlichen Gewalt straffer unterworfen durch das Kompromiß mit der ständischen Konkurrenz, das diese als politischen Faktor ausschaltete, ihr aber die wirtschaftliche Position ließ und ihr gleichzeitig die Bauern durch die Verschärfung der Erbuntertänigkeit auslieferte. Um von den Anleihen der Monopolkapitalisten frei zu kommen, wurde ein Finanzapparat aufgezogen: die Bürokratie.

Die Bürokratie des Abendlandes ist, trotz aller Ansätze seit dem 12. und 13. und intensiver dem 15. und 16. Jahrhundert, erst das Produkt des absoluten Staates. Trotzdem ist es nicht die Hohenzollernmonarchie gewesen, die die preußische Bürokratie in dem Sinne geschaffen hat, wie sie das 19. Jahrhundert verstand und wie sie auch heute noch, zur Reichsbürokratie erweitert, existiert. Monarchie und Bürokratie sind, soweit man unter Bürokratie mehr versteht als die Erledigung der Tagesgeschäfte durch geistige Subalterne, keine Korrelate, sondern Gegensätze. Die absolute Monarchie konnte eine selbständige Bürokratie neben sich nicht dulden und das, was die beiden großen Hohenzollern des 18. Jahrhunderts an Bürokratie aufgebaut haben, war nichts als ein in sich unselbständiger, rein technisch (und das recht schlecht) funktionierender Apparat, in dem niemand etwas anderes als den Willen des fürstlichen Generaldirektors auszuführen hatte und in dem, um die Unselbständigkeit des Apparats organisatorisch zu sichern, niemand alle Zusammenhänge übersehen durfte. Friedrichs des Großen Diktatur hatte zur Voraussetzung das konsequente Gegeneinander-

[2] Georg Jellinek, Der Kampf des alten mit dem neuen Recht. Ausgewählte Schriften, I, Berlin 1911, S. 406.

ausspielen der zuständigen Pseudominister. Seine Kabinettsregierung war (anders als die der letzten Zeit vor 1806) ebenfalls noch ein nur technischer Notbehelf zur ausreichend raschen Expedition im Dienstbetrieb.

Das stärkste Gegenmittel des Hochabsolutismus gegen die Gefahr der Ersetzung der absoluten Monarchie durch die von ihm gezüchtete absolute Bürokratie war die Wiederhereinnahme des Adels, gegen den sich der aus „bürgerlichen", d. h. nichtadeligen Elementen rekrutierte Aufbau der Bürokratie gerichtet hatte, in die wichtigsten Verwaltungsstellen und mit dieser klassenmäßigen Aufspaltung der Verwaltung in zwei rivalisierende soziale Gruppen die Ausschaltung der Gefahr, daß der Apparat sich einheitlich gegen seine monarchische Spitze alliierte[3]. Denn wenn auch die nur auf ihr Gehalt bzw. dienstlich vorgeschriebene[4] Korruption angewiesenen nichtadligen Beamten an sich infolge des Fehlens aller Pensionsansprüche so leicht lenkbar waren wie heute Angestellte — im größer werdenden Apparat gewannen automatisch diese Angestellten in den Spitzenkategorien Machtpositionen, wie sie heute „absetzbare" Generaldirektoren in der Privatwirtschaft besitzen. Und trotz aller Vorsichtsmaßnahmen führte diese Entfaltung des Apparats schließlich zu der Situation der letzten Jahrzehnte der friderizianischen Regierung, in der der persönliche Wille des Monarchen in dauerndem Konflikt lag mit dem Urteil der nur als Sachverständige herangezogenen Minister, und der König sich vor der Unterwerfung unter seine Bürokratie durch starres Behaupten auf sachlich unsinnigen Anordnungen zu schützen suchte, wofür die Einrichtung der Regie — eine Parallele zur Herbeirufung amerikanischer Finanzberater durch moderne exotische oder halbexotische Staaten — und die Beantwortung von Kritik an seiner Wirtschaftspolitik mit Zuchthaus für den kühnen Geheimrat genugsam bekannt ist.

Aber auch die Hereinnahme des Adels in die Bürokratie führte auf die Dauer nicht zu einer Stärkung der die Balance der sich paralysie-

[3] Otto Hintze in einem Vortrag, im Auszug gedruckt in den Forschungen zur Brandenburgischen und Preußischen Geschichte, Bd. 9. 1897, S. 339/40. In seinem Aufsatz: Die Hohenzollern und der Adel, Historische Zeitschrift, Bd. 112, 1914, wird diese Problematik angesichts seiner Polemik gegen Maurenbrechers „Hohenzollernlegende" und die Sozialdemokratie nur noch ganz verwischt sichtbar.

[4] Allerdings nur unter Friedrich Wilhelm I. Friedrich II. hat für seine Bürokratie, gerade um dieser Korruption Herr zu werden, die phantastisch hohen Gehälter eingeführt, die heute noch unter der Firma altpreußischer Sparsamkeit umherspuken.

renden Klassenkräfte bildenden fürstlichen Spitze, denn dieser Adel nutzte die ihm gewährte amtliche Machtposition mit der Errichtung der Landschaften seit 1770 und dem Ausbau eines spekulativen Agrarkapitalismus[5] zur Durchführung einer Politik aus, die ihn im wachsenden Umfange ökonomisch von den Subventionen der absolutistischen Wirtschaftspolitik unabhängig machen sollte und ihn auch weitgehend unabhängig machte: eine Politik der Reemanzipation vom Absolutismus, die nach einem Menschenalter in der Romantik ihren ideologischen Überbau fand.

Der Verwaltungsapparat, den der trotz aller Industrialisierungsbestrebungen überwiegend agrarisch fundierte Absolutismus aufzubauen die Kraft hatte, war nicht imstande, die Probleme zu meistern, die die im letzten Drittel des 18. Jahrhunderts in Norddeutschland einsetzende kapitalistische Entwicklung ihm aufgab. Die in den Kabinettsorders vom König rational dirigierte Textilwirtschaft, der Zentralpunkt aller absolutistischen Fürsorgepolitik, entwickelte sich in der Praxis zu einem Korruptionsherd größten Stils, dem die Bestechung der Minister und Geheimräte des Generaldirektoriums und der Kabinettsräte mit bestem Erfolg geläufig war[6]. Und zur Versorgung des Landes mit Zahlungsmitteln blieb dem absoluten Staat, der sich scheute, durch eine Aktiennotenbank in „Abhängigkeit" von den Zahlungsmittelansprüchen der Privatwirtschaft zum Ultimo zu geraten, nichts anderes übrig, als neben dem Verwaltungsapparat einen Monopolkapitalismus jüdischer Silberlieferanten zu züchten, der nur vorübergehend von der Bürokratie zurückgedrängt werden konnte, noch gerade vor 1806 eine starke Abhängigkeit der staatlichen Wirtschaftspolitik von den Profitinteressen der Monopolkapitalisten nach sich zog[7] und damit die Tendenz des Absolutismus, die widerstreitenden Klasseninteressen durch ein ausgleichendes pouvoir neutre zu paralysieren, an seinem Ende so eklatant wie nur möglich ad absurdum führte.

[5] Moritz Weyermann, Zur Geschichte des Immobiliarkreditwesens in Preußen, Karlsruhe 1910, ist weitgehend unbekannt geblieben, obwohl ohne sein Material sich über die Anfänge des preußischen Konservativismus nichts sagen läßt.

[6] Otto Hintze, Die preußische Seidenindustrie im 18. Jahrhundert, Berlin 1892, Bd. II, S. 646, Anm. 1.

[7] Friedrich Freiherr von Schrötter, Das Preußische Münzwesen im 18. Jahrhundert, 4 Bde, Berlin 1904-1912, ist in allen nichtmünztechnischen Fragen ein Versager und behandelt die sozialen und wirtschaftlichen Probleme des Silbermonopols reichlich oberflächlich.

2.

Selbst den persönlichen Qualitäten Friedrichs war es nur formal und rein äußerlich gelungen, die inflatorischen Bemühungen des Agrarkapitalismus zur Bodenpreissteigerung im Zaum und den immer größer werdenden Apparat seiner Bürokratie noch fest in der Hand zu halten. Kaum war er gestorben, brach der Agrarkapitalismus siegreich durch, die Silbermonopole bildeten sich etwas später zu Machtpositionen ersten Ranges aus und der erste Erfolg der Bürokratie gegenüber dem neuen Monarchen war die Gewinnung der Unabsetzbarkeit bzw. Absetzbarkeit nicht mehr nach dem Ermessen des Monarchen, sondern nach dem Befinden der aus den Kollegen des angeschuldigten Beamten zusammengesetzten Disziplinarbehörden. Von den beiden heute als „wohlerworbene Rechte" des einzelnen Beamten fungierenden Sonderrechten der Nichtabsetzbarkeit und der Pensionsberechtigung ist charakteristischerweise die Nichtabsetzbarkeit der ältere Teil. Die Pensionierung als Recht statt als Gnade bei Arbeitsunfähigkeit im Alter folgte erst 1820. Denn es handelte sich nicht darum, dem Beamten als Individuum ein bequemes Leben zu verschaffen, sondern die Bürokratie gegen die Möglichkeit scharfer königlicher Eingriffe zu schützen.

Mit der Erringung der Nichtabsetzbarkeit beginnt der offene Prozeß der Ersetzung des Monarchen durch die Bürokratie. Zum Siege geführt hat die Bürokratie ein Mann, der mit Worten und in seiner Gesinnung stets als Gegner der Bürokratie auftrat, der in seiner Verwaltungspraxis aber ein typischer Bürokrat des ausgehenden Ancien Regime war, der Minister Freiherr vom Stein. Er selbst wurde 1804 Minister in einer Revolte der Geheimräte des Generaldirektoriums gegen den Willen des Königs, die bis dahin in Preußen unerhört war, und niemals hat es der König Stein vergessen, daß er ihm von der Bürokratie aufoktroyiert worden war. „Ich gab nach", heißt es noch in dem Entlassungsschreiben vom 3. Januar 1807.

1805 und 1806, als der Kampf der Bürokratie zur Entscheidung reifte, war Stein der Vorkämpfer dieser Diktatur, die die Herrschaftsverteilung des ausgehenden Absolutismus ersetzen sollte. Ohne jedes Augenmaß berannte er sämtliche Positionen zugleich, die dem bürokratischen Absolutismus im Wege standen. Die Steuerfreiheit des Adels sollte gebrochen, seine privilegierte Stellung beseitigt werden. Der Angriff scheiterte noch vor Jena. Die mächtigen Positionen der Monopolkapitalisten, die die Wirtschaftsminister wie Marionetten an ihren Drähten tanzen ließen, suchte er zu brechen, aber auch hier fehlte ihm das Augenmaß für die Stärke der Gegner. Positiv erreichte er nichts, und negativ war der finanzielle Zusammenbruch, den Preußen lange vor dem 14. Oktober erlitt, Steins Werk. Parallel dem Kampf gegen Adel und Monopolkapitalismus ging sein Kampf gegen das „Kabinett", das nach Friedrichs Tode aus seinem Sekretariat zu dem Puffer geworden war, den die schwächlich werdende Monarchie zwischen sich und die immer machthungriger werdende Bürokratie eingeschoben hatte. In einem Verleumdungsfeldzug großen Stils hat er vom April bis Dezember 1806 die bisherigen Kabinettsräte stürzen und — sich an ihre Stelle setzen wollen; in diesem Feldzug ist er gescheitert und entlassen worden. Der Fall Stein ist eins der glänzendsten Beispiele für den Erfolg von Verdeckungsideologien, sowohl im Augenblick des Geschehens 1805/06[8] und während seines zweiten Ministeriums 1807/08, das an falschen Fronten überreich war, wie in der späteren Geschichtsschreibung, die in den Bann dieser Verdeckungsideologie geraten ist und mit ihr Politik im Sinne der Rechtfertigung des antiabsolutistischen Liberalismus zu machen versuchte. Und die Steinfeiern des letzten Sommers [1931] haben gezeigt, daß die Geschichtsauffassung auch mancher Sozialisten noch so unselbständig ist, daß sie fast stets ziemlich kritiklos die ideologische Beleuchtung der Vergangenheit durch die bürgerliche Linke übernehmen, die mit materialistischer Geschichtsauffassung nichts zu tun hat. So wurde aus dem konservativ-ständischen Reichsfreiherrn, in dem zwischen charaktervoller Gesinnung, verschwommenem und inkonsequentem politischem Reformprogramm und reaktionärer Tat unausgleichbare Widersprüche liegen, der tatsächlich der preußischen Bürokratie den Weg zu ihrer Diktatur brach, ohne sich dessen bewußt zu sein, und mit der Zerstörung des Monopolkapitalismus und der Adelsprivilegien die starr ständisch gebundene Gesellschaft des 18. Jahrhunderts auflöste und nivellierte, ein Liberaldemokrat im Sinne der deutschen Staatspartei, dessen zentrale Bedeutung die Entfesselung sittlich-individueller Kräfte, die Verwaltungsreform und die Einführung der Selbstverwaltung ist.

Indessen — die Selbstverwaltung von 1808 hat eine Aufgabe erst erhalten, als sie in der zweiten Jahrhunderthälfte die kapitalistische Entwicklung der Städte als Inseln aus der Einheitsverwaltung der

[8] Eine vernichtende Kritik an Stein als Politiker stellt die Publikation von Georg Winter dar, Die Reorganisation des Preußischen Staates unter Stein und Hardenberg, Bd. I (Publikationen aus den Preußischen Staatsarchiven Bd. 93), Leipzig 1931.

halbfeudalen Militärmonarchie heraushob. 1808/09 haben sich die Städte verzweifelt gegen sie gewehrt, denn sie bedeutete praktisch nichts anderes als die Abwälzung schwerer finanzieller Lasten von der Bürokratie auf die verachtete und zugleich gefürchtete soziale Konkurrenz des im Kriege geistig etwas selbständig und in den oberen Schichten reich gewordenen Bürgertums, die die Bürokratie mit Hilfe der Steinschen Selbstverwaltungsideologie durchführte. Und die Verwaltungsreform Steins — die Verbindung von Staatsrat und Ministerium — hat nicht nur niemals funktioniert; sie war nicht mehr als eine große Umorganisation des höheren Bürobetriebs, nachdem die soziale Grundlage dieser Umorganisation schon vorher gelegt worden war. Denn die Zeit, in der zum erstenmal die Diktatur der Bürokratie statt des Monarchen und seines Surrogats funktionierte und in der die Struktur der Ministerialbürokratie als anregender, selbständiger und entscheidender Faktor der Politik prägnant sichtbar wird, war schon das Vierteljahr der Premierministerschaft Hardenbergs vom April bis zum Juli 1807. Hardenberg umgab sich mit einer kleinen Clique hochqualifizierter jüngerer Geheimräte — Staegemann, Schön, Altenstein, Niebuhr —, die zum erstenmal im Stil von Staatssekretären und Ministerialdirektoren, als „routinierte Gehilfen" in der damaligen Behördensprache, für den Minister, der die „Politik" machte, arbeiten und — entschieden. Und ebenfalls zum erstenmal sieht man hier, und nicht erst unter Stein, die Struktur der Bürokratie, die Karl Twesten einmal[9] mit den Worten charakterisiert hat: „Festgeschlossen nach außen, innerlich Streit und Widerwille." Denn der Sieg der Ministerialdirektorengruppe war nicht nur die Ersetzung des königlichen Einflusses durch den der Geheimräte, sie bekämpfte mit rücksichtsloser Brutalität, offensichtlichstem Willen zum Karrieremachen und zur Einflußvermehrung und mit allen Mitteln bedenkenloser politischer Verleumdung ihre Gegner, verdrängte sie aus den Ämtern und stabilisierte ihre „souverainité comme un rocher de bronce", wie einst Friedrich Wilhelm I. nicht nur nach außen, sondern ebenso innerhalb der Bürokratie.

Seit dem Frühjahr 1807, seit die Clique Hardenbergs die Süße der Macht auszukosten begonnen hatte, und intensiver seit dem Staatskanzleramt Hardenbergs 1810, bildete die preußische Bürokratie den einheitlichen Körper eines breiten republikanischen, wie moderne Parlamentsfraktionen durch Kooptation sich ergänzenden Regenten-

[9] Karl Twesten, Was uns noch retten kann. Ein Wort ohne Umschweife, Berlin 1861.

kollegiums unter einer monarchischen Staatsspitze, das mit den beiden Rechten der Absetzbarkeit nur durch Disziplinarurteil und der Pensionierung sich gegen jede Auflehnung gegen seine Diktatur gesichert hatte, mochte sie vom König oder später vom Bürgertum kommen. Da kein politisches Regime ohne eine Bürokratie als Exekutivapparat auskommen kann, mußte jedes Regime, das in Preußen die bürokratische Diktatur ablöste, sich zunächst einmal mit den bisherigen Machthabern, die zugleich die einzigen vorhandenen Verwaltungssachverständigen waren, vertragen und, um überhaupt leben zu können, die Rechte und die Macht der Bürokratie garantieren. Die Machtstellung, die heute noch die Bürokratie besitzt, ist entstanden durch diese Verkoppelung und Identifizierung von Verwaltung und Politik in der ersten Hälfte des 19. Jahrhunderts, die sich aus der Verdrängung des Monarchen durch die Bürokratie ergeben hat.

3.

Diese Verdrängung vollzog sich ohne blutige Revolution, nur in den Ministerien, mit Gegenzeichnung von Kabinettsorders, mit Reden, Diskussionen, Gesetzentwürfen und Gesetzen, also mit den Methoden, mit denen der Parlamentarismus zu arbeiten pflegt. Er vollzog sich in einer Zeit, in der nicht, wie die moderne Staatsrechtstheorie als Grundlage bürokratischer Führung der Politik voraussetzt, „die Führung der Staatsgeschäfte im großen und ganzen in einen festen Rahmen gespannt"[10] und infolge dieser Stabilität zur Überlassung an die Bürokratie geeignet war, in der vielmehr die Linien der Entwicklung alle noch in nächster Nähe im Nebel verschwammen, nicht nur die der Außenpolitik, ebenso die der inneren, sozialen und wirtschaftlichen Umschichtung.

Die Auseinandersetzung der Bürokratie in diesem Umschichtungsprozeß mit den vorhandenen politisch-sozialen Kräften war am einfachsten mit der Monarchie, der sie formal am meisten abnahm, weil diese infolge der geistigen Dürftigkeit ihres augenblicklichen Vertreters ohne Widerstand auf die Macht verzichtete und die Zwischenstufe des Kabinettsrats nur noch gegen die Unberechenbarkeit der Politik des Freiherrn vom Stein zu bewahren suchte. Abgesehen von der Regierungszeit Steins, der durch sein indiskutables Benehmen seine Macht

[10] Hans Nawiasky, Die Stellung des Berufsbeamtentums im parlamentarischen Staat, München 1926, S. 7.

selbst einschränkte, hat Friedrich Wilhelm III. seinen Ministern die Macht direkt vor die Füße geworfen: wenn ein Minister persönlich zu unfähig war, sie aufzunehmen, wie etwa Altenstein kurz vor seinem Sturz, konnte der Zwischenzustand eintreten, daß der König verlangte, vom Minister geführt zu werden, während der Minister devotest dem König die Entscheidung über die Richtung der Politik anheimstellte.

Viel schwieriger war die Auseinandersetzung mit dem Adel. Von 1807 bis 1812 wurden die Grundlagen eines Zustandes gelegt, erschüttert und wieder ausgeglichen, den man als feste Allianz gegenüber allen Unbeteiligten und als schärfsten Kampf zwischen den Alliierten an jedem Punkte möglicher Berührung der eigenen Interessen bezeichnen kann.

Der erste Akt der Versöhnung von Bürokratie und Adel, in dieser Form den widerspenstigen Geheimräten von Stein oktroyiert, war das Edikt vom 9. Oktober mit dem nachfolgenden, für die Entscheidung des Kampfes viel wichtigeren, von den Grundbesitzinteressenten in der Bürokratie durchgesetzten Moratorium vom 24. November 1807 für alle auf Immobilien ruhenden, infolge der Sperrung der Getreideexporte und dem daraus resultierenden Zusammenbruch der spekulativ aufgeblähten Bodenpreise sich als nicht mehr tragbar herausstellenden Zahlungsverpflichtungen für drei Jahre[11]. Die Bauernbefreiung war der Verzicht der Bürokratie auf den Anspruch selbstherrlicher Regulierung in allen Details, den sie angesichts der mit dem wachsenden Agrarkapitalismus komplizierter werdenden Besitzverhältnisse, ohne sich andauernd zu blamieren, doch nicht mehr aufrechterhalten konnte, und so sehr ihr am Anfang der Adel opponierte, weil er ihre Bedeu-

[11] Um Mißverständnisse auszuschließen: dieses Moratorium war das Produkt einer zum Tode verurteilten und zusammenbrechenden Wirtschaftsverfassung, die auch durch dieses verzweifelte Hilfsmittel nicht gerettet wurde. Es ist von dem in ökonomischen Fragen konkret vollkommen ahnungslosen, ideologisch, vorkapitalistisch eingestellten Freiherrn vom Stein unter dem Einfluß eines notorischen Schiebers, des späteren Präsidenten der Oberrechenkammer Heinrich von Beguelin, seinen antiagrarischen Geheimräten aufgenötigt worden, die es nachher nach allen Regeln der Kunst zu sabotieren versucht haben. Schon aus dieser Haltung der Reformbürokratie ergibt sich, daß das Immobilienmoratorium von 1807 nicht wie das Moratorium der Osthilfenotverordnung von 1931 in den Kreis von Maßnahmen zu rechnen ist, die das Ende der kapitalistischen Wirtschaft herbeizuführen sich bemühen, sondern von der frühkapitalistischen Güterspekulation des Adels gegen d i e bürokratischen Kräfte erzwungen wurde, die in Preußen dem liberalen Handels- und Industriekapital des 19. Jahrhunderts freie Bahn schaffen wollten. Vgl. auch die Bemerkungen Hilferdings dazu: Gesellschaft, Januar 1932, S. 10.

tung nicht durchschaute, so sehr bedeutete sie die Auslieferung des Bauerntums an die Willkür der Rittergutsbesitzer, nun ohne jegliche Aufsichtsrechte der früher das Bauernlegen verhindernden Bürokratie. Der absolute Monarch hatte sich gegen den Adel durchgesetzt, indem er ihm eine verstärkte Erbuntertänigkeit der Bauern zuerkannte. Die absolute Bürokratie suchte sich gegen den Adel durchzusetzen, indem sie ihm den Bauern in modernisierter Form preisgab: durch die Bauernbefreiung. Eine revolutionäre Zerstörung der privatwirtschaftlichen Grundlagen der politischen Machtposition des Adels kam nicht in Frage, selbst auf dem kalten Wege der Moratoriumsverweigerung wagten sich Stein und Schön, die beide die Heiligkeit des Privateigentums unbedingt respektierten, nicht gegen ihn vor. Die Bürokratie teilte sich vielmehr mit dem Grundadel in die Herrschaft über den Staat auf dem Rücken eines unbeteiligten Dritten, der „befreiten" Bauernschaft[12], deren Schicksal im Bereich der Idee die Gewinnung der Menschenrechte und im Bereich der Wirklichkeit die Verschärfung ihres unter dem friderizianischen „Bauernschutz" auch schon mehr als reichlichen Elends war.

Parallel dieser Auslieferung der Bauern an den Adel zum Auskaufen ging der Kampf der Bürokratie um die Aushöhlung der kapitalistischen Grundlagen der Rittergutswirtschaft. Das Moratorium von 1807 hatte den Erfolg, daß der gesamte Immobilienmarkt und Bodenkreditverkehr zusammenbrachen. Als der Adel endlich begriff, daß er seine Lage durch das Moratorium nur noch verschlechterte, begann er 1809/10 den Kampf um die Inflation, um durch Erhöhung des gesamten Preisniveaus seine Schuldenlast zu verringern — ein Kampf, der unter der Firma der „ständischen Opposition" gegen Hardenberg von der politischen Historie falsch genug rubriziert worden ist. Aus der Verdeckungsideologie, die in diesen Jahren des Kampfes der Agrarier für die Inflation entstand — denn offen konnte man nach dem Beispiel der französischen Assignaten, das auf die Zeitgenossen ebenso panisch gewirkt hat wie die deutsche Inflation auf die Generation von heute, seine Ziele nicht zugeben —, bildete sich, von Marwitz geführt, die Ideologie des preußischen Konservativismus als Rückbildung des spekulativ-irrationalen Agrarkapitalismus der Vorkriegszeit in eine irrationale Staatsmystik.

[12] Georg Winter, Zur Entstehung des Oktoberedikts, Forschungen zur Brandenburgischen und Preußischen Geschichte, Bd. 40, 1927, S. 33.

4.

In dieser Auseinandersetzung zwischen Adel und Bürokratie wurde die Ideologie des Rechtsstaats noch stärker als in den 1790er Jahren, als die Bürokratie mit ihr die Macht des Monarchen zurückzudrängen angefangen hatte, zu einer Waffe, die die politischen Machthaber einsetzten, wenn sie sie zu ihrem Vorteil brauchen konnten, und ruhen ließen, wenn sie die Position des Gegners stärkte. Gegen den Adel kämpfte die Bürokratie mit denselben rechtsstaatlichen Argumenten, die sie dem Bürgertum gegenüber nach Möglichkeit vermeiden mußte. Der absolute Staat kannte ausschließlich die juristische Eigentumssicherung des herrschenden Grundadels — „nur den Privilegien des Adels war der Schutz der Gerichte in vollem Umfange zuerkannt“[13]; 1807 wurde konstatiert, „daß vielleicht nicht die Hälfte der unadligen Grundbesitzer bei dem Besitze ihrer Grundstücke gesichert ist“[14]. Die Ausdehnung rechtsformalistischer Eigentumssicherung auf die Schichten, die ihrer bisher nicht teilhaftig geworden waren, durch gesetzliche Maßnahmen, die von der Verwaltungsbürokratie ausgingen, bedeutete die Beseitigung der allein rechtsgeschützten Stellung der einen herrschenden Klasse als Insel im Meer faktischer Rechtlosigkeit und Übertragung der Rolle des sozialen Schiedsrichters zwischen allen jetzt unter demselben Recht stehenden Klassen auf die gesetzgebende und auf die von ihr in Abhängigkeit gedachte rechtsprechende Bürokratie.

Aber in dem Augenblick, in dem der Monarch, dessen Machtstellung bisher die Koalition von Verwaltungs- und Richterbürokratie begründet hatte, seine Macht preisgab, mußte die Auseinandersetzung zwischen Verwaltung und Rechtsprechung um die herrenlos gewordene Machtposition einsetzen. Der Gegensatz von Verwaltung und Justiz als Gegensatz autonomer sozialer Körper beginnt in dem Augenblick der Trennung des über beiden stehenden gemeinsamen Prinzips der Fürstenanordnung in die Anordnung nach der politischen Zweckmäßigkeit, der sich die Verwaltungsbürokratie zu unterwerfen hat, und in den abstrakten Rechtsformalismus des normativen „Gesetzes“, das über die Justizbürokratie als einzige Richtvorschrift gestellt wird.

Diese Herausnahme der Justizbürokratie aus der bisher für die gesamte Bürokratie geltenden Unterwerfung unter die politische Zweck-

[13] Edgar Loening, Gerichte und Verwaltungsbehörden in Brandenburg-Preußen, Halle 1914, S. 332.

[14] Immediatbericht des Kanzlers Freiherr von Schroetter, 25. Dezember 1807. Preußisches Geheimes Staatsarchiv.

anordnung ist ein Spezifikum des 19. Jahrhunderts und des „Rechtsstaates", dessen Existenz von dieser Herausnahme abhängig ist. Sie konnte nur erfolgen auf der Grundlage einer sozialen und wirtschaftlichen Ordnung, die ohne das normative Gesetz nicht existieren kann. Sobald die kapitalistische Wirtschaft von der Stufe „des patriarchalischen, je nachdem persönlich ehrenhaften oder unehrenhaften Kaufmanns des Frühkapitalismus", zum „rein sachlich kalkulierenden Großhändler der Neuzeit"[15] sich entwickelte, brauchte sie eine Rechtsordnung, die selbstverständlich die profitreiche Schiebung nicht ausschloß, die aber grundsätzlich nicht einen Beliebigen durch Privilegien vor anderen bevorzugte, sondern allen in der freien Konkurrenz des Marktes stehenden wirtschaftenden Individuen dieselben Chancen zum Profit auf intellektuell kalkulierbarer Basis gewährte; sie bedurfte der „Berechenbarkeit des Funktionierens der Verwaltung und Rechtsordnung und verläßlicher rein formaler Garantie durch die politische Gewalt"[16]. Der Kapitalismus brauchte in zwei Stufen:

1. Formalität des Rechts, d. h., Einschränkung der unberechenbaren königlichen Eingriffe in die Rechtspflege — der Spätabsolutismus hat nur auf die direkte Beeinflussung der Urteilsfindung verzichtet, nicht auf mehr — durch Entwicklung einer bürokratischen Machtposition als Gegengewicht des Monarchen, denn nur aus der „Rechtsidee" heraus verzichtete der Monarch nicht auf seine allumfassende Macht.

2. Einschränkung dieser Zwischenposition der Bürokratie, sobald die Bürokratie an die Stelle des Monarchen getreten war, durch Entwicklung einer direkten politischen Machtposition der kapitalistischen Interessenten, um Eingriffe der nun allmächtigen Bürokratie in den Wirtschaftsprozeß zu verhindern bzw. die Bürokratie unter ihren Willen zu beugen. Alle „politischen" Ansprüche des deutschen Bürgertums im 19. Jahrhundert sind ökonomische Ansprüche gewesen, die nur zum Schutze der wirtschaftlichen Interessen eine politische Sicherung verlangten, aber nicht etwa aus „Politik".

Alle diese „politischen" Forderungen des Bürgertums haben das formale Recht zur Grundlage: nicht nur im Aktienrecht, ebenso im politischen Recht der parlamentarischen Abstimmung, auf deren Grundlage sich das moderne Gesetz entwickelte, forderte und setzte es schließ-

[15] Carl Brinkmann, Die preußische Handelspolitik vor dem Zollverein, Berlin 1922, S. 27.

[16] Max Weber, Wirtschaft und Gesellschaft. Grundriß der Sozialökonomik III Tübingen 1922 (1956⁴), S. 94.

lich durch den Formalismus der mathematischen Vorstellung von 50 Prozent als entscheidungsgebenden Faktor, wobei natürlich die Voraussetzungen für das Zustandekommen einer dem eigenen Interesse günstigen Majorität aus dem Formalismus heraus in die Konstruktion des Wahlrechts verlegt wurde. Daß auch hier die agitatorisch in den Vordergrund geschobenen Probleme der Sicherung der individuellen Freiheit nur Taktik waren, wird deutlich genug daraus, daß das Bürgertum, sobald nur seine ökonomischen Ansprüche anerkannt und gesichert waren, die politischen Ansprüche restlos preisgegeben hat. Mit innerster Notwendigkeit brach die politische Aktivität des deutschen Bürgertums zusammen, als es seine ökonomischen Forderungen gegen die alten politischen Herrschaftsgruppen durchgesetzt hatte, und alliierte sich mit seinen bisherigen Gegnern. Die grundsätzliche politische Rückgratlosigkeit des deutschen Bürgertums hat seinen Grund in der ökonomisch unaufhaltsamen Entwicklung der kapitalistischen Wirtschaft: wer gut verdient, verzichtet darauf, seinen Verdienst durch politische Opposition — falls sie wirklich gefährlich ist — zu schmälern, und es hat im 19. Jahrhundert keine bessere Waffe des Obrigkeitsstaats gegeben (die allerdings angewandt wurde, ohne daß er sich über diese Bedeutung klar war), als die Zulassung der Liberalisierung der Justizbürokratie, die nach formalistischen Grundsätzen rechtsprechen lernte, die Beeinflussung ihrer Haltung durch die Regierung immer mehr zurückdrängte, sich nur dem normativen Gesetz untertan fühlte, damit die ökonomischen Interessen des Bürgertums befriedigte und von der Politik ablenkte.

Dieses normative Gesetz in dem heute noch geläufigen Sinne existiert im Monopolkapitalismus des absoluten Staats noch nicht bzw. nur in bruchstückhaften Ansätzen. Der Absolutismus konnte unmöglich die Vorstellung eines allgemein gültigen Gesetzes haben, das eventuell die Aufgabe des Monarchen hinderte, den Ausgleich der Klasseninteressen herbeizuführen. Wo der Absolutismus den Formalismus doch zugelassen hat, ist er ihm rasch über den Kopf gewachsen und hat seine politische Struktur gesprengt. Eine formalistische Regelung von Rechtsbeziehungen des Kapitalismus hat in Preußen zuerst stattgefunden in den Hypothekenordnungen von 1748 und 1750, die den Stellenrang des Gläubigers gegen nachträgliche Vorziehung privilegierter Hypotheken sicherten, damit die Erweiterung der kurzfristigen Kapitalanlage zur langfristigen ermöglichten und die Grundlage des ersten modernen, vom privatwirtschaftlichen Interesse getragenen Kapitalismus in Preußen legten, des Agrarkapitalismus. Der Industriekapitalismus war, abgesehen von Schlesien, wo er aus der österreichischen Zeit übernommen und allmählich niedergedrückt wurde, nur ein korrupter Staatskapitalismus mit maßlos überhöhtem Preisniveau. Innerhalb der Bürokratie finden sich Spuren einer Formalisierung der Verwaltungstätigkeit im Sinne der Normalisierung gleichzeitig im Ressortreglement von 1749, das für die Verwaltung statt beispielsmäßiger Einzelfälle allgemeine Normen setzt. Und das Allgemeine Landrecht von 1794 konstruierte bereits theoretisch den Gesetzesbegriff und verlangte, da infolge des Fehlens eines Parlaments Verwaltungsanordnung und Gesetz beide vom König ausgingen, daß das Gesetz, um als Gesetz gültig zu sein, „gehörig bekanntgemacht" werden müsse. Doch hat diese „Gesetzlichkeit", wo sie nicht wirtschaftlichen Entwicklungen wie dem Hypothekenrecht freie Bahn gab, eine nur auf die Ideologiengeschichte beschränkte Bedeutung gehabt. Die Verwaltungspraxis hat sich nicht einmal an diese bescheidene Forderung der Justiztheoretiker gehalten und jeder beliebigen Meinungsäußerung des Königs eine durch keinerlei Prüfungsrecht der Gerichte eingeschränkte Rechtsgültigkeit verliehen. Sie hat diese Position des Königs nicht nur für die Zeit vor 1806 behauptet, sondern auch später noch in der Zeit, als der Monarch als tatsächlicher Herrscher schon ersetzt war durch die Bürokratie. Den Versuch der Justiz, statt der Zweckmäßigkeitsanordnung des Königs die abstrakt gültige und dem Zugriff der Verwaltung entzogene Formalität des Rechts als alleinige Richtschnur des richterlichen Erkenntnisses anzuerkennen, suchte so die Verwaltungspraxis zum mindesten einzuschränken, wenn nicht zu verhindern, und mit dieser Einschränkung ihre eigene eben erst erworbene Machtposition in ihrem ganzen Umfange zu erhalten. Denn die Opposition der Bürokratie gegen den Formalismus des neuen kapitalistischen Wirtschaftsdenkens war der Versuch, die Autonomie der vom Monarchen auf die Bürokratie übergegangenen Leitung der Politik gegenüber den Grundforderungen der Privatwirtschaft zu bewahren, war also ein instinktiv eminent politisches Denken. Der Bürokratie stand der „unvermeidliche Widerspruch zwischen dem abstrakten Formalismus der Rechtslogik und dem Bedürfnis nach Erfüllung materieller Postulate durch das Recht im Wege, denn indem der spezifische Rechtsformalismus den Rechtsapparat wie eine technisch rationale Maschine funktionieren läßt, gewährt er dem einzelnen Rechtsinteressenten das relative Maximum für seine Bewegungsfreiheit und insbesondere für die rationale Berechnung der rechtlichen Folgen von Chancen seines Zweckhandelns"[17], und schaltete die Eingriffsmöglichkeit der Bürokratie in den Ablauf auch der für die staatliche Wirtschaftspolitik und Finanzen zentral wichtigen Prozesse aus.

Indessen war die Entwicklung zur selbstherrlichen Bürokratie zu eng verbunden mit der Entwicklung des Kapitalismus in Preußen — ihre führenden bürgerlichen Mitglieder hingen verwandtschaftlich ebenso mit freihändlerischen Wirtschaftskreisen besonders Ostpreußens zusammen, wie ihre adligen mit den Resten des in der Krise des Getreidepreissturzes nach 1808 zusammenbrechenden spekulativen Agrarkapitalismus —, als daß die Diktatur der Bürokratie zwischen 1807 und 1848 das willkürlich despotische Wüten dünkelhafter Geheimräte hätte sein können, das die Opposition in ihr sah. Der irrationale Wunsch politisch diskretionärer Entscheidung wurde stets durchkreuzt ideologisch vom Rationalismus des Rechtsformalismus und organisatorisch von der Entwicklung einer Justizbürokratie, die nur noch dem Gesetze untertan sein wollte, auch wenn die Behauptung dieser Unabhängigkeit bis zu ihrer förmlichen Anerkennung in der oktroyierten Verfassung von 1848 ihr nur lückenhaft gelungen ist.

Einen der größten Ausweichversuche der Bürokratie gegenüber dem Zwang, ein unabhängiges Richtertum anzuerkennen, stellten die preußischen Auslandsanleihen seit 1818 dar. In dem Jahrzehnt seit 1808, in dem der preußische Staat in ewigen Finanzsorgen sich von einem Kassenkredit zum anderen hinquälte, hatte die Bürokratie die immer wiederholte Forderung der Bankiers nach juristisch einwandfreier Sicherung ihrer hingegebenen Gelder in allen Tonarten hören und diesen Forderungen oft genug sich fügen müssen. Um allen politischen Konsequenzen weiterer Bankierforderungen, die immer deutlicher auf die Kontrolle der Staatsfinanzen hinausliefen (und wenn sie einmal in der Not zugestanden waren, vor Gericht eingeklagt werden konnten) — um all diesen Forderungen ein Ende zu machen, wurden die inländischen kurzfristigen Anleihen durch einige langfristige Auslandsanleihen bei Rothschild mit teilweise sehr bedenklichen Rechtskonstruktionen abgedeckt und dem inländischen Leihkapital durch diese großzügige Verlegung erheblicher Teile der Staatsschuld in das Ausland jede Möglichkeit der Einflußnahme auf die Politik abgeschnitten: „Preußen hätte längst mit seiner Konstitution fertig sein müssen, wenn das Haus Rothschild ihm nicht die Verzögerung möglich gemacht

[17] Max Weber, S. 468.

hätte", schrieb der Bremer Bürgermeister Johann Smidt vom Bundestag 1820 nach Hause[18].

Der Prozeß der Herausnahme der Justizbürokratie aus der absolutistischen Verpflichtung zur Befolgung königlicher Anweisungen erfolgte in zwei Etappen — was in dieser Richtung mit der Durchlöcherung der Verwaltungsjustiz im Absolutismus erreicht worden war, waren Papiersiege der Justizminister gewesen, und wo sie mehr gewesen waren, wurden mit ihnen die neuerworbenen Polen beglückt und nicht die Industriebezirke des weiter entwickelten Westens. Erst der Justizminister Beyme, den Stein in seinem Kampfe um den Eintritt in das Kabinett als moralisch minderwertig hinzustellen beliebt hatte, führte 1809 den ersten Akt durch, durch Verbesserung der Rechtsprechung die Unmenge der immediaten Beschwerden beim König über die Mangelhaftigkeit der Justiz einzudämmen, damit dem König die Pflicht zu dauerndem Eingreifen in die Rechtssprechung zu nehmen[19] und so die Unabhängigkeit der Richterbürokratie vom König zu stärken. Nachdem aber erst einmal die absolute Monarchie durch die absolute Bürokratie ersetzt war, war es deren Interesse, die Justiz, deren unabhängige Urteile ihre Macht dauernd einschränkten, in ihre Hand zu bekommen und ihre politische Position durch eine auf sie Rücksicht nehmende Rechtsprechung gegen die Untertanen weiter auszubauen. Zwar wurde demonstrativ erklärt, „daß die Gerichtshöfe bei allen ihren Entscheidungen durch Erkenntnisse keiner anderen Vorschrift als derjenigen der Gesetze unterworfen bleiben"[20], aber auch hier ist Wortlaut und soziologische Bedeutung einer Kabinettsorder nicht identisch. Denn in der Praxis ist nicht nur das Justizministerium zur förmlichen Berufungsinstanz geworden, das „auf die Beschwerden der Parteien die Verfügungen der Gerichte nach ihrem materiellen Inhalt, soweit er nicht der richterlichen Entscheidung zu unterwerfen ist, abzuändern und zu rektifizieren" bestimmt war[21]. Es war damit an die Stelle der bisherigen Petition an des Königs Gnade der formelle Instanzenzug der Bürokratie gesetzt, die sich nur in die unmittelbare Urteilsfällung nicht einmischte und die Gerichte anwies, zu erwartende Klagen nicht

[18] Egon Caesar Conte Corti, Der Aufstieg des Hauses Rothschild 1770-1830, Leipzig 1927, S. 284.

[19] Deutlich ausgesprochen in dem Immediatbericht vom 8. Juli 1809. Bei: Edmund Heilfron, Die rechtliche Behandlung der Kriegsschäden in Preußen nach den Freiheitskriegen, Mannheim 1916, S. 12.

[20] Kabinettsorder vom 6. September 1815.

[21] Immediatbericht des Justizministers vom 7. August 1815.

anzunehmen oder bereits angenommene niederzuschlagen. Weigerte sich einmal das Justizministerium, in die Unabhängigkeit der Gerichte einzugreifen, so rief die Verwaltungsbürokratie die Entscheidung des Königs zu Hilfe und konstituierte so eine Kabinettsjustiz, die mit der des Ancien Regime zwar den Namen gemeinsam hatte, die aber nicht mehr wie diese Ausfluß der den gesamten Staat einschließlich der Justiz als Privateigentum betrachtenden Fürstengewalt war, sondern ebenso Hilfskonstruktion des Kampfes der Verwaltungsbürokratie gegen die im Zuge der Entwicklung zum bürgerlich-liberalen Rechts- und Verfassungsstaat liegende Emanzipation der Richterbürokratie war wie die fortgesetzte Hinüberziehung von Prozessen gegen den Fiskus aus dem ordentlichen Gerichtsverfahren in allerlei Verwaltungsstreitverfahren. Diese Entwicklung wurde überdeutlich unterstrichen durch die Verordnung vom 3. Januar 1849, die vier Wochen nach der Konstituierung der Unabhängigkeit der Richter in der oktroyierten Verfassung den Gerichten die ihnen seit 1805 obliegende Einleitung der Strafverfahren entzog und das Anklagemonopol der vom Justizminister abhängigen Staatsanwaltschaft übertrug.

Die Unabhängigkeit des Richters, sein Recht und seine Pflicht zur Rechtsprechung nur nach seinem Gewissen ist kein ewiges Gut menschheitlicher Entwicklung, sondern in Deutschland der Ausdruck der Emanzipation des Bürgertums von der Diktatur der Bürokratie, und was eine „unabhängige" Rechtsprechung in einem Staat bedeutet, dessen Justizbürokratie nicht derselben Klasse angehört wie seine Verwaltungsbürokratie, hat der preußische Innenminister Schuckmann in einer Denkschrift von 1825 mit schneidender Schärfe herausgearbeitet:

„Die Meinung, daß die Beobachtung der Grenzen des Ressorts lediglich dem eigenen Ermessen der Justizkollegia selbst überlassen sei ... ist m. E. so unzulässig, daß bei der Annahme der preußische Staat eine Monarchie zu sein aufhören und in eine bürokratische Republik sich verwandeln würde, in welcher die souveräne Gewalt auf die Justizkollegia überginge[22]."

Solange keine akute politische Gefahr vorhanden ist, können auch gefährliche Ideen sich ziemlich ungestört ausbreiten. Die Bürokratie vor 1806 war unzweifelhaft stärker den Rechtsstaatsideen zugänglich als nach 1815: der Rechtsstaat war vor 1806 eine theoretische Forderung und noch dazu eine, mit der sich die Beeinflussung der Bürokratie

[22] Votum Schuckmanns vom 6. Oktober 1825. Zuerst bei Loening, S. 214, wörtlich bei Heilfron, S. 27, Anm. 12.

durch den Monarchen zurückdrängen ließ; nach 1815 wurde die Macht der Bürokratie durch die Realisierung ihrer eigenen Ideale eingeschränkt, und das Bemühen um den Rechtsstaat beschränkte sich jetzt auf das Richtertum. Die Verwaltungsbürokratie führte rechtzeitig den Gegenstoß, die Zuständigkeit der Gerichte so eng zu halten wie nur möglich[23], die juristischen Machtmittel des kapitalistischen Bürgertums gegen den Staat — die man in ihrer Totalität nur ausschalten konnte, wenn man den ganzen Kapitalismus wieder beseitigte —, wenigstens soweit wie möglich einzuschränken und damit die Direktion des Staates durch eine einheitlich kollegiale Spitze gegen die Auflösung in den Dualismus Parlament-Bürokratie, der seit der Jahrhundertmitte eintrat, solange wie möglich zu sichern — eine Aktion, die zum guten Teil mit Hilfe der Ausbildungsmethoden des richterlichen Nachwuchses geführt wurde: Übergriffe der Rechtsprechung in öffentlich-rechtliche und verwaltungsrechtliche Fragen wurden mit dem in einer spezialistisch geschulten Bürokratie stets siegreichen Argument unzulänglicher Sachqualifikation der Richter zurückgewiesen. Eine Reform der Ausbildungsmethoden der Referendare in der Richtung stärkerer Berücksichtigung des öffentlichen Rechts unterblieb verständlicherweise.

5.

Die Unabhängigkeit des Richters ist eine problemlose Selbstverständlichkeit nur solange, als der Richter dieselben sozialen Interessen vertritt wie die Verwaltungsbürokratie und die den Staat beherrschenden Schichten. Vertritt der Richter andere Interessen, so entsteht entweder der Zwang für die politischen Machthaber, im Konfliktsfall diese Unabhängigkeit einzuschränken und damit einen Akt zu begehen, der für die bürgerliche Ideologie ebenso fürchterlich ist wie die Antastung der Heiligkeit des Privateigentums, oder umgekehrt die Despotie der unabsetzbaren Justizbürokratie und durch sie der sie tragenden sozialen Schichten über die Politik. Der Kampf um die soziale Zusammensetzung der Justizbürokratie im 19. Jahrhundert ist die Parallele des Kampfes um das Budgetrecht: Budgetrecht und formalistische Rechtsprechung einer nur dem Gesetze unterworfenen Justiz sind die politischen Ausdrucksformen des Willens des besitzenden Bürgertums, über sein Geld nur die eigenen Klassenangehörigen und nur die eigene Klassenideologie entscheiden zu lassen, im Parlament öffentlich-rechtlich, im Gericht privatrechtlich, und können in der Bedeutung, die sie

[23] Loening, S. 154/155.

im Laufe des 19. Jahrhunderts gewonnen haben, auch nur solange bestehen, als ein relativ wohlhabendes Bürgertum, d. h. die Masse der selbständigen Gewerbetreibenden, an ihnen ein Lebensinteresse besitzt. Budgetrecht und unabhängiges Richtertum werden problematisch, wenn unter dem Druck der Doppelzange der Kartelle und Gewerkschaften diese ehedem selbständigen Mittelschichten zu Angestelltengruppen werden.

Daß die Unabhängigkeit des Richters, die zwar einen Hauptbestandteil der liberalen Ideologie bildete, nicht an den Liberalismus als Idee, sondern an den individualistischen Kapitalismus als Wirtschaftsform gebunden ist, zeigt die Entwicklung Deutschlands seit den achtziger Jahren.

Die Unabhängigkeit des liberal gesinnten Richters war ein Hauptkampfmittel des Bürgertums gegen die Bürokratie, solange diese regierte. Als in den achtziger Jahren das Bündnis zwischen den alten sozialen Mächten des Staates und dem ökonomisch siegreichen — Berggesetz, Aktienrecht, Handelsgesetzbuch, Zinsfreiheit — aber politisch geschlagenen — Konflikt, Indemnität, Septennat — Bürgertum zustande kam, vollzog sich in ihr ein Funktionswandel. Die Umwandlung des bis dahin liberalen Richtertums zum Konservativismus[24] berührte das Bürgertum weniger als die Aufrechterhaltung der Unabhängigkeit des Richters bei gleichzeitiger Aufrechterhaltung der bisherigen Nachwuchspolitik. In den unabhängigen Richterstand konnte praktisch nur der aufgenommen werden, dessen Eltern wohlhabend genug waren, die Ausbildungskosten 1. auf dem Gymnasium, 2. auf der Universität, 3. während der Referendarzeit und 4. während der seit den achtziger Jahren sich bis zu zehn Jahren hinstreckenden unbezahlten Assessorenzeit zu finanzieren. Mit der Beibehaltung des liberalen Prinzips der Ausbildungsfinanzierung durch wohlhabende Eltern war dem Institut der Unabhängigkeit des nur nach seinem Gewissen rechtsprechenden Richters jede soziale Gefährlichkeit genommen, weil die Geldinteressen im weitesten Sinne immer intensiver mit der Politik verschmolzen wurden, nicht nur auf dem Aktienmarkt, auf dem Montan- und Rüstungswerte die Bank- und Eisenbahnaktien in ihrem Primat ablösten[25], ebenso, weil das Reich durch Finanzierung seiner Rüstungen

[24] Die ministerielle Technik dieser Umschichtung s. Eckart Kehr, Das soziale System der Reaktion in Preußen unter dem Ministerium Puttkamer, Gesellschaft 1929/II, S. 253 ff, unten S. 64—86.

[25] Felix Somary, Bankpolitik, 2. Auflage Tübingen 1930, S. 101.

mit Anleihen statt aus Steuern die wohlhabenden Schichten an seinem Wohlergehen positiv interessierte. Es ist kein Zufall und keine Folge schlechter politischer Führung, daß der Freisinn etwa ein halbes Jahrzehnt nach Inaugurierung der Politik der Rüstungsanleihen endgültig zusammenbrach. Im Zuge dieser politischen Orientierung des Bürgertums gewann auch das „unabhängig" bleibende Richtertum fast automatisch eine bürgerlich-neufeudale Gesinnung und entschied in seiner Gesamtheit bei Auseinandersetzungen zwischen dem anwachsenden Proletariat und den herrschenden Schichten zugunsten dieser. Im übrigen konnte und mußte der Rechtsformalismus als geistige Voraussetzung aller richterlichen Entscheidung in Kraft bleiben, da die bürgerlich kapitalistischen Schichten unmöglich in ihren Prozessen ein anderes Rechtsdenken als das formalistische ertragen konnten und einzelne aus der strengen Befolgung des Formalismus resultierende Rechtsentscheidungen zugunsten Angehöriger nicht an der Herrschaft beteiligter Gruppen angesichts der Machtposition des Staates ungefährlich waren und keine politischen Konsequenzen hatten. Die klassenmäßig differenzierende Methode der älteren englischen Rechtssprechung[26]: für Streitigkeiten innerhalb der herrschenden Schichten das formelle Verfahren und für Streitigkeiten zwischen ihnen und den kleinen Leuten die Willkürjustiz der Friedensrichter zu verwenden, war in Deutschland nicht anwendbar, da der Justizapparat als einheitliche Organisation im 19. Jahrhundert nun einmal aufgebaut war und sich nachträglich nicht wieder auflösen ließ.

Der Rechtsformalismus, die Grundlage des unabhängigen Richtertums und des Rechtsstaats sowohl als Idee wie als Tatsache, brach zusammen also nicht mit dem Ende des politischen Liberalismus, sondern erst in der Krise, die durch den Übergang des Hochkapitalismus zum Spätkapitalismus bezeichnet wird. Sein Ende wird durch eine ganze Reihe von Vorgängen bezeichnet, die miteinander zusammenhängen. Es fängt an mit dem Übergang des Reichsgerichts zur Rechtsprechung nach Treu und Glauben, der mit der berühmten Entscheidung vom September 1920 über die clausula rebus sic stantibus eingeleitet wurde[27], und dem Vordringen der Freirechtsschule, die soziologisch gesehen die Opportunitätsbedürfnisse eines auf erfolgreiche Verteidi-

[26] Max Weber, S. 470.

[27] Friedrich Dessauer, Recht, Richtertum und Ministerialbürokratie. Eine Studie über den Einfluß von Machtverschiebungen auf die Gestaltung des Privatrechts, Mannheim 1928.

gungen angewiesenen freien Rechtsanwaltstandes aus dem Plädoyer in die Urteilsbegründung des beamteten Richters überträgt. Diese Übertragung gelingt unter den von Ernst Fraenkel in seiner „Soziologie der Klassenjustiz"[28] meisterhaft geschilderten Voraussetzungen, die als Rückfall des Richtertums aus den Vorstellungen eines im hochkapitalistischen Zeitalter herrschenden Bürgertums in eine ressentimenterfüllte, in „falscher" Frontstellung gegen das Proletariat statt gegen den Konzentrationskapitalismus festgefahrene kleinbürgerliche Hilflosigkeit zusammengefaßt werden können. Die organisatorischen Parallelen der Auflösung des notgedrungen einheitlichen formalistischen Rechtdenkens in sich ausschließende, aber nebeneinander stehenbleibende Urteile nach Treu und Glauben sind einmal die Auflösung der einheitlichen Gerichtsorganisation des 19. Jahrhunderts in eine Reihe nebeneinander geschalteter Gerichtsorganisationen mit spezifischen Rechtsfindungsmethoden, die schon mit den Verwaltungsgerichten beginnt, sich aber erst nach 1918 mit Finanz- und Arbeitsgerichten voll auswirkt; andererseits die Verwischung der für den Rechtsstaat grundlegenden Trennungsgrenze zwischen Gesetz und Verwaltungsanordnung durch den Fortfall des im 19. Jahrhundert „Gesetz"gebenden Faktors, des Parlaments, und Übergang der Notverordnungsgesetzgebung auf die Bürokratie, die in Akten wie der Aufhebung der gesetzlichen Sicherung der gleichen Chancen aller im Wirtschaftsprozeß konkurrierenden Individuen, die in der Einführung der gegen das Verbot geheimer Tarifabmachungen verstoßenden Haus-Tarife der Reichsbahn liegt, und dem Verbot der Devisenbewirtschaftungsstelle an die Stadt Frankfurt am Main, die gerichtlich für vollstreckbar erklärte Wechselschuld von 200 000 Mk. an die englische Bank Kleinworth, Sons u. Co. zu zahlen[29], sich ebenso manifestiert wie im „Gesetz" über die Danatbank und der letzten Osthilfenotverordnung. Die Grundlagen des Kapitalismus werden vorläufig nicht in ihrer Totalität negiert, sondern nur innerhalb des kapitalistischen Systems und ad hoc, je nach der Stärke der Machtposition der sozialen Gruppen, die sich durch solche Mittel zu retten bemühen.

Rein äußerlich ist damit die Situation der ersten Hälfte des 19. Jahrhunderts wiederhergestellt, als die Bürokratie innerhalb des nirgends

[28] Berlin 1927. Vgl. auch seine Bemerkungen über das Buch Dessauers im Archiv für Sozialwissenschaft und Sozialpolitik, Bd. 63, S. 409.

[29] Wobei es gleichgültig ist, ob dieses Gerichtsurteil etwa von unerfüllbaren Voraussetzungen ausgegangen ist. Bisher konnte eine Verwaltungsbehörde selbst das irrsinnigste Gerichtsurteil nicht einfach aufheben.

von ihr grundsätzlich angefochtenen kapitalistischen Wirtschaftssystems sich eine relative politsche Unabhängigkeit zu bewahren suchte, und alles wäre reduziert auf die Stärkung der Position der Bürokratie, die damit ein technisch notwendiges Aushilfsregime für die akute Krisenzeit ausübte. Aber in dieser Krisis lösen sich die Grundlagen des „Bürgertums" des 19. Jahrhunderts auf und es zerfällt in die zwei Gruppen eines großkapitalistischen Generaldirektorenpatriziats und einer kleinbürgerlichen Angestelltenschaft. Damit verliert der Rechtsstaat seine sozialen Grundlagen, denn das Generaldirektorenpatriziat setzt sich besser als durch Anwendung formalistischer Prinzipien der Rechtsordnung in Prozessen, mittels der Ausübung seiner politischen Machtposition durch, das Rechtsdenken des Kleinbürgertums ist niemals formalistisch gewesen, sondern das Urteilen nach Billigkeit, das konsequent durchgeführt, ohne den Kapitalismus zu beseitigen, innerhalb der kapitalistischen Wirtschaft sein Grunderfordernis, die Kalkulierbarkeit, aufhebt[30].

[30] [Offensichtlich ohne Kenntnis von Kehrs Thesen über die preußische Reformzeit kommt Ernst Klein (*Von der Reform zur Restauration. Finanzpolitik und Reformgesetzgebung des preußischen Staatskanzlers K. A. v. Hardenberg* [= Veröff. der Histor. Kommission zu Berlin, Bd. 16, Berlin 1965]) zu Ergebnissen, die sich mannigfach mit Kehrs Auffassung berühren, vor allem was die bisher stiefmütterlich behandelte Frage der preußischen Finanzpolitik angeht. Den Verlust der Kehrschen Arbeit über „Wirtschaft u. Politik in der preußischen Reformzeit" (s. o. S. 12), die ja ganz aus den Akten gearbeitet war, muß man um so mehr bedauern, als sie Licht auf die Jahre vor Hardenbergs Regierungszeit geworfen hätte; die beiden erhaltenen Aktenbände (s. o. S. 14) enthalten aber dazu immerhin noch das wichtige Material.]

Zur Genesis des Königlich Preußischen Reserveoffiziers

1.

Das politische Schwergewicht des absolutistischen preußischen Staates lag auf dem flachen Lande. Die Heranziehung des ostelbischen Kleinadels zum Dienst in Verwaltung und Armee seit dem 18. Jahrhundert bedeutete die Verteilung der herrschenden Klasse über das ganze Territorium mit dem doppelten Zweck, die einzelnen Teile der „Königlich Preußischen Staaten" zu einer Einheit zusammenzufassen und — durch das Zusammenkommen der Rittergutbesitzer in der nächsten größeren und kleineren Verwaltungsstadt — die von der Zentrale entfernte und mit Bürgerlichen durchsetzte Provinzialbürokratie einer steten Kontrolle ihrer „Zuverlässigkeit" im Sinne des Landadels zu unterwerfen.

Wie die herrschende Schicht vom Lande stammte, so wurde auch die Armee, soweit die Söldner nicht reichten, vom Lande rekrutiert. Der Rittergutsbesitzer war der geborene Offizier, sein höriger Bauer, der Inste, der geborene gemeine Soldat der preußischen Monarchie. So wenig die Verteilung der herrschenden Klasse über das flache Land die ausschließliche Folge des agrarischen Zustandes Preußens war — in Rußland hat das politische Schwergewicht immer in den Städten gelegen —, so sehr mußte doch der rein agrarische Aufbau der Armee in den staatlichen und sozialen Krisen des 19. Jahrhunderts erschüttert werden. Die Armee des Absolutismus war ein sozial abgekapselter Körper; das 19. Jahrhundert suchte diese Isolierung zu beseitigen, und sie ist im Laufe von drei Menschenaltern sowohl in Deutschland-Preußen wie in Frankreich beseitigt worden. Aber in beiden Fällen in entgegengesetzter Richtung: in Frankreich wurde die Armee in das Bürgertum, das sich zur Nation erklärt hatte, eingeschmolzen, in Deutschland wurde das Bürgertum im Gefolge seiner Niederlagen in der Revolution von 1848 und im Militärkonflikt der Machtstellung und Ideologie der Armee unterworfen.

In Frankreich finden wir vor 1914 ein bürgerliches, außer Dienst Zivil tragendes Offizierkorps und eine Mannschaft, die durch kein noch so schneidiges Kommando zum sinnlosesten Sturmangriff vorzubringen, die nur dann sich zu opfern bereit war, wenn der Offizier die Vernunftsgründe seines Kommandos ihr erläutert und wenn sie ihre Zustimmung zu dieser Begründung ausdrücklich erteilt hatte[1], eine Disziplin also, die die militärische Parallele des Verhältnisses von Parlament und parlamentarischer Regierung ist und im Weltkrieg, als allmählich alle Armeen zu Milizen wurden und der preußische Drill nicht mehr wirken wollte, in der Krise der denkbar schwersten Belastung, die Feuerprobe ihrer überlegenen Bewährung bestanden hat. In Deutschland wurde die militärische Subordination im Laufe des Prozesses, den wir näher zu betrachten haben, in das zivile Leben übertragen: eines der technisch wichtigsten Mittel dafür war die eigenartige Ausbildung, die das Institut der Reserveoffiziere besonders in der Aera Wilhelms II. gefunden hat. In Frankreich sehen wir eine extreme Nationalisierung der Armee bis zu der Stärke des letzten Wehrgesetzes, das den Unterschied von Armee und Nation auslöscht, in Deutschland eine Militarisierung der Nation, die zwar für den Moment des Kaiserreichs ausgezeichnete Erfolge gehabt, auf lange Sicht aber schwerstes Unheil angerichtet hat.

„Militarismus" ist niemals durch die bloße zahlenmäßige Stärke des Heeres gegeben. Frankreich mit einer Armee von ³/₄ Millionen ist soziologisch nicht „militaristisch", Deutschland mit 100 000 Mann nicht „unmilitaristisch".

Militarismus besteht:

1. wo ein Stand von Offizieren vorhanden ist, die sich nicht als Militärtechniker, als Funktionäre des ihnen übergeordneten politischen Willens fühlen, und ihren Militärberuf nicht als eine Dienstbeschäftigung auffassen, nach deren Erledigung sie Staatsbürger wie alle übrigen im Dienst- und Angestelltenverhältnis befindlichen Angehörigen der Nation sind, sondern wo diese Offiziere ihren Beruf als den eines „Kriegerstandes" begreifen, der eigene Ehre, eigenes Recht, eigene Gesinnung fordert, wo diese Auffassung des militärischen Berufes als eine der bürgerlichen Gesittung überlegene höherwertige Lebensform anerkannt wird, und

2. wo diese Einschätzung des Militärs freiwillig von einem wesentlichen Teil des Bürgertums bejaht wird und eine Unterordnung unter diesen Militärstand willig vollzogen wird, ein Vorgang, der eng mit der neuen Frontstellung der kapitalistischen Gesellschaft in Preußen nach dem Aufkommen des Industrieproletariats verbunden ist.

[1] Hauptmann a. D. Hans Ritter, Die französische Armee von heute, Leipzig 1924, S. 18 ff.

2.

Das preußische Königtum hat es zweimal meisterhaft verstanden, sich gegen mächtige soziale Schichten erfolgreich durchzusetzen. Die politische Niederwerfung der Gegner war nicht mit deren wirtschaftlicher und sozialer Niederlage verbunden, im Gegenteil — sie war die Vorbedingung für ihre Einordnung in den Staat und die Konzession wirtschaftlicher und sozialer Vorrechte, die ihnen dann in reichem Maße zuteil wurden.

Im 17. und 18. Jahrhundert warfen die Hohenzollern den verkommenen Kleinadel ihrer Territorien, der nicht besser war als die polnischen Schlachtizen[2], politisch nieder, wobei das gefährlichste Kampfmittel die Rechtsprechung der Verwaltungsjustiz war, die die Rittergüter als königliche Domänen reklamierte. Als Friedrich der Große mit seinem Regierungsantritt die Domänenprozesse einstellte, damit den Besitz des Adels anerkannte, ihm das ausschließliche Besitzrecht auf die Rittergüter gab und das zusammengewürfelte, noch söldnerartige, zum großen Teil noch nicht adlige Offizierkorps durch ein ausschließlich adliges zu ersetzen begann, war die politische Unterwerfung des Adels unter den fürstlichen Absolutismus vollzogen. Erst dieser Friedensschluß konstituierte die „Vasallentreue" des Adels, die der Bewunderer einer „organischen" Reaktion, Oswald Spengler, so gern durch ihre Zurückführung auf den deutschen Orden legalisieren möchte.

Seit der französischen Revolution hatte sich das preußische Königtum mit dem Bürgertum als ideologischer, seit den dreißiger und vierziger Jahren des 19. Jahrhunderts als sozialer Gefahr auseinanderzusetzen. Es bleibt eine bedeutende Leistung der Hohenzollern — auch wenn sie schließlich nur Unheil angerichtet hat —, daß sie eine positive Lösung dieser Spannung gefunden haben.

Die erste Auseinandersetzung erfolgte in der preußischen Reform, die nach dem Willen ihrer Führer Nation und Staat zu vereinen suchte. Aber das Bürgertum war innerhalb Preußens nur schwach entwickelt und außenpolitisch verschwand der Druck der Revolution des dritten Standes auf die absolutistischen Staaten mit dem Sturz Napoleons. Die Landwehr ist eine gutgemeinte Utopie geblieben, und die allgemeine Wehrpflicht ein vortreffliches Mittel, ohne die hohen Kosten, die man für eine große Söldnerarmee hätte aufbringen müssen, sich

[2] Gustav von Schmoller, Umrisse und Untersuchungen zur Verfassungs-, Verwaltungs- und Wirtschaftsgeschichte, besonders des preußischen Staates im 18. und 19. Jahrhundert, Leipzig 1898, S. 283.

doch ein ansehnliches Heer zu halten. Die demokratische Verbindung von Staat und Nation, die im preußischen Beamten- und Militärstaat nur die Verbindung von Bürokratie und Offizierkorps mit dem dritten Stande sein konnte, war erst möglich, seit es ein Bürgertum als breite Schicht und mit ihm eine ausreichende Kapitalakkumulation gab. Die Lösung des Problems erfolgte seit den sechziger Jahren sowohl finanziell wie personell.

Finanziell durch die nur dem preußischen Staat eigene Methode der Deckung eines wesentlichen Teiles des Etats durch wachsende Betriebseinnahmen — im Reich seit der Finanzreform von 1879 durch den Ausbau der Zölle und indirekten Steuern, deren Aufkommen dem Zugriff des vom damals fortschrittlichen Bürgertum beherrschten Parlaments nicht unterlag[3], wodurch die merkwürdige Situation entstand, daß der politisch reaktionäre Staat gegen das Bürgertum eine spezifisch-kapitalistische Staatswirtschaft ausbildete. Andererseits wurde seit den letzten Jahren der Bismarckschen Aera dasselbe Bürgertum, das durch die Politik der Betriebseinnahmen, Zölle und indirekten Steuern von Staatsauflagen relativ wenig behelligt wurde, nun auch positiv in steigendem Umfange finanziell an der bestehenden politischen Ordnung interessiert durch die großen Anleihen, die zur Deckung des Militärsbedarfs und später des chronischen Defizits im Reichsetat aufgenommen wurden.

Personell erfolgte die Unterwerfung des Bürgertums unter die Militärmonarchie in den achtziger Jahren: das Ministerium Puttkamer (1881—1888) sperrte jedem nicht konservativen Referendar den Zugang zur Verwaltung. Das liberale Beamtentum verschwand in Preußen überraschend schnell. Wollte das Bürgertum an der Ämterpatronage weiter teilhaben, so mußte es einfach den politischen Freisinn aufgeben — und es tat es auch. In der politischen Umschichtung des preußischen Beamtentums vom Liberalismus zum Konservatismus hinüber haben wir ein glänzendes Beispiel dafür, wie intensiv und erfolgreich sich bei planmäßiger Personal- und Nachwuchspolitik die soziale Situation für den Staat ausnutzen läßt. Die gewaltigen Verluste der Nationalliberalen und Freisinnigen an Reichstagsmandaten zwischen 1878 und 1893 geben ein instruktives Bild von dieser Feudalisierung der kapitalistischen Gesellschaft in Deutschland. Und zwar vollzog sich dieser

[3] Die ältere amerikanische Finanzpolitik der Landverkäufe und Zölle als Grundlage des Etats ist bekanntlich aus der Abneigung gegen einen starken Staat, also dem entgegengesetzten Motiv, entsprungen.

Prozeß der Auslese und der Pflege zuverlässiger Gesinnung in den akademischen Korps, welche nach und nach die künftigen Beamten stellten.

3.

In der Armee vollzog sich der Sieg des königlichen Preußen in zwei Etappen: die erste negative war die Vernichtung der Landwehr durch die Heeres„reform" von 1860, die zweite positive der Ausbau des Instituts des Reserveoffiziers zu einem Mittel sozialer Assimilation des Bürgertums an den kleinadeligen und monarchischen Charakter des Militärstaats.

Die Vernichtung der Landwehr hatte zur Voraussetzung die Existenz der Instenverfassung auf den ostelbischen Rittergütern. Die Landwehr wurde von gewählten Offizieren geführt, die naturgemäß die Honoratioren der kleinen Städte waren und damit politisch liberal und oppositionell. Die Instenrekruten waren seit ihrer Geburt das Kommando des Rittergutsbesitzers gewöhnt, sie waren das gegebene Menschenmaterial, auf das sich das Königtum gegen das aufsteigende Bürgertum stützen konnte. Die Beibehaltung der dreijährigen Dienstzeit sollte die Insten zu einer technisch hervorragend durchgebildeten Truppe machen und gleichzeitig die widerstrebenden Elemente in der Armee so fest wie möglich an diesen zuverlässigen Kern anschweißen. Die Einführung des allgemeinen gleichen Wahlrechts im Norddeutschen Bund und im Reich sollte gerade diese königstreue Klasse, die die Elite der Armee lieferte, auch politisch als Wählertruppe der Konservativen und der Monarchie gegen das Bürgertum einsetzen. Die Vernichtung der populären Landwehr, der Kampf gegen das Bürgertum, die Aufrechterhaltung der dreijährigen Dienstzeit hängen mit der Einführung des allgemeinen Wahlrechts ganz eng zusammen.

Aber dieses System beruhte auf dem schweren psychologischen Rechenfehler, daß es noch die patriarchalischen Verhältnisse als Realität voraussetzte, die seit der Jahrhundertmitte in immer wachsender Geschwindigkeit zerbröckelten. Die Krisis dieses in den sechziger Jahren stabilisierten Systems Wilhelms I. und Roons trat nach noch nicht einem halben Menschenalter ein, als in den Städten die Industrialisierung Deutschlands unter dem radikalen, aber politisch zur Aktion wenig geeigneten Kleinbürgertum ein radikaleres und zugleich politisch straff organisiertes Proletariat entstehen ließ. Der Autoritätsstaat sah sich damit vor das Problem der innenpolitischen Zuverlässigkeit seiner Armee gestellt, die in steigendem Maße Sozialdemokraten umfaßte und um so mehr umfassen mußte, als das ostelbische platte Land überhaupt keinen Bevölkerungszuwachs aufwies, der die enormen Heeresverstärkungen hätte ausfüllen können. Diese Zuverlässigkeitskrisis aber wuchs nicht nur im Verhältnis des Rückganges der landwirtschaftlichen Bevölkerung zur Gesamtbevölkerung bzw. zur Heeresstärke überhaupt und des Anwachsens des Proletariats, sondern relativ stärker infolge der gleichzeitigen Auflösung der Instenverfassung in der zweiten Agrarkrise seit 1875. Hier wurde die Bevölkerungsschicht zerstört, auf die der Aufbau der königlich preußischen Armee zugeschnitten war.

Das Gefüge der Armee hat sich der Umgestaltung seines Rekrutenmaterials nicht angepaßt. Der alte Moltke hatte den Rahmen der Armee geschaffen, den die Nachfolger übernahmen, im kleineren ausgestalteten und umbildeten, den sie aber nicht wesentlich veränderten. Schlieffen[4], der anders als Moltke die zerstörende Wirkung des Krieges auf die Wirtschaft deutlich erkannte und daher auf möglichst rasche Entscheidungsschlachten drängte, suchte doch dieses von den Lebensbedingungen eines hochkapitalistischen Staates diktierte Cannae mit einer Armee zu erreichen, die Moltke zwar seinerzeit durch Eingliederung des Eisenbahntransports in die Mobilmachung und die Errichtung der schweren Artillerie des Feldheeres technisch modernisiert hatte, deren soziale Form aber bis zuletzt mit diesen technischen Hilfsmitteln in Widerspruch blieb: Pioniere und schwere Artillerie waren Waffen minderer Schätzung und ihre Offiziersstellen wurden den Bürgerlichen überlassen, die Feldartillerie mit ihrem stark adligen Offizierskorps[5] wurde durch die Geschütze nur unangenehm in ihrem Ehrgeiz gestört, ebenso elegant wie die Kavallerie reiten zu können[6]. Und das Exerzierreglement für die Infanterie des Generals von Schlichting[7], das zwar mit dem Treffensystem endgültig brach und die Taktik trotz lebhaften

[4] Walter Elze, Graf Schlieffen, Breslau 1928.

[5] Nach der Rangliste von 1913 hatten an adligen Stabsoffizieren die Kavallerie 87 Proz., die Infanterie 48 Proz., die Feldartillerie 41 Proz., der Train 31 Proz., die Marine (alle Offiziere) 13 Proz., die Fußartillerie, Pioniere und Verkehrstruppen 6 Proz.

[6] Über diese Fragen unterrichtet der ausgezeichnete Aufsatz von Franz Carl Endres: Soziologische Struktur und ihr entsprechende Ideologien des deutschen Offizierkorps vor dem Weltkriege. Archiv für Sozialwissenschaft und Sozialpolitik Bd. 58. 1927.

[7] E. Freiherr von Gayl, General v. Schlichting und sein Lebenswerk, Berlin 1913, S. 120 ff.

Protestes der aktiven Offiziere der Intelligenz der beiden neuen Schichten in der Armee, der Proletarier und der Reserveoffiziere, anzupassen suchte, bleibt mit seinem Kompromiß zwischen Schützenschwarm und Massenfeuer doch auch nur ein Zeichen dafür, daß die moderne Technik unverbunden einer Armee aufgepfropft wurde, die nicht auf diese Technik ausgerichtet war.

In dem Doppelprozeß der Proletarisierung der Städte und des Aussterbens der Insten verlor die preußische Armee ihr innenpolitisch und sozial zuverlässiges und gewann dafür ein innerpolitisch und sozial unzuverlässiges Rekrutenmaterial. Der nächste Ausweg aus diesem Dilemma war die Beschränkung der Größe der Armee: diese Lösung stand zum mindesten nicht mit der preußischen Tradition seit 1819 in Widerspruch. Sie wurde aber dadurch unmöglich, daß in der zweiten Agrarkrise die preußisch-russische Freundschaft zu Ende ging. Denn seitdem die außenpolitische Lage den Zweifrontenkrieg wahrscheinlich werden ließ, hätte es Selbstmord für die herrschenden Klassen bedeutet, wenn sie die 1870 der französischen zahlenmäßig viel schwächeren Armee gegenüber noch mögliche Taktik, die Aufstellung von Kriegsneuformationen aus Sorge vor der innenpolitischen Unzuverlässigkeit der Landwehr und ihrer Offiziere zu beschränken, noch weiter fortsetzten. Die Heeresgesetze von 1887 und 1888 liefen auf die Formierung sehr starker Reservetruppen bei der Mobilmachung hinaus.

Aber als Rahmen dieser stark vergrößerten Armee war das bisherige Offizierkorps, das aus dem Adel alles nur irgendwie brauchbare Material heranzog, zu schwach. Abhilfe wurde nicht so sehr durch Erweiterung des Offizierkorps in das Bürgertum hinein geschaffen — die bürgerlichen Offiziere nahmen noch bis in die letzten Jahre mit der Höhe der Grade relativ stärker ab als die adligen — als umgekehrt durch die Angliederung des Bürgertums an die Armee unter Umbildung der bürgerlichen Denkweise zur Denkweise des Offiziers und Verleihung eines sozialen Nimbus an die bürgerliche Schicht, die der Würde des Reserveoffiziers teilhaftig werden konnte. Die Möglichkeit oder Unmöglichkeit, die Armee in dem Ausmaße zu vermehren, wie es vor 1914 geschehen ist, und die Möglichkeit oder Unmöglichkeit, in dem allgemeinen Wettrüsten Protagonist zu sein, lag für Deutschland in dem Problem, wie weit sein Bürgertum feudalisiert werden konnte. In dem Augenblick als nicht nur der Kleinadel, sondern auch das neue feudalisierte Bürgertum kein homogenes Offiziersmaterial mehr liefern konnte, als für die 1913 vom Generalstab aus rein militärischen Erwägungen geforderten drei Korps „wenig geeignete Kräfte" zum Offiziersersatz hätten herangezogen werden müssen, wodurch das Offizierkorps „von anderen Gefahren abgesehen, der Demokratisierung ausgesetzt wäre"[8], fand die Rüstungssteigerung mit innerer Notwendigkeit ihr Ende. Die Bereitwilligkeit der Reichstagsmajorität, jede geforderte Heeresvermehrung zu bewilligen, hatte gegenüber der Gefahr einer Demokratisierung des königlich preußischen Offizierkorps gar nichts zu bedeuten.

Die Vernichtung der Landwehr war der Sieg der Monarchie und ihres kleinadeligen Offizierkorps über das Bürgertum und seine offen ausgesprochene Tendenz zu der — ohne politischen Umsturz möglichen — Verbürgerlichung der Armee. Die Ausbildung des Reserveoffizierwesens seit den achtziger und neunziger Jahren bedeutete die endgültige Kapitulation des deutschen Bürgertums, das auf die politische Revolution verzichtet hatte und aus Furcht vor dem Umsturz der besitzlosen Klasse sich intensiv an die bestehende Machtorganisation des Staates anzuschließen strebte. Das Aussterben der Insten trieb den Staat, das Bürgertum als Stütze für seine Armee, die Furcht vor dem Proletariat trieb das Bürgertum, den Staat als Schutz seines Besitzes zu gewinnen.

Als dieses Bündnis, das in keinem Paragraphen niedergelegt war, zur Befriedigung des Staates funktionierte, und das Bürgertum statt des liberalen Landwehroffizierkorps das feudal infizierte Reserveoffizierkorps lieferte, konnte dieser Staat mit überlegener Ruhe einige Konzessionen machen, die er bis dahin verweigert hatte: die Umwandlung der Septennate in Quinquennate und die Einführung der zweijährigen Dienstzeit. Die Septennate waren den liberalen Parteien nicht nur deshalb unangenehm gewesen, weil sie den Reichstag in der Frage der Feststellung der Heeresstärke banden, sondern auch deshalb, weil sie durch die Festlegung auf sieben Jahre bei dreijährigen Wahlperioden auch noch die beiden folgenden Reichstage in der freien Budgetbewilligung hinderten.

1893 wurde die Bewilligung der Heeresstärke bei Legislaturperioden entsprechend auf fünf Jahre eingeschränkt: eine liberale Geste, die keine wirkliche Bedeutung hatte. Bedeutsam — nicht nur militärtechnisch durch die Steigerung der Ziffer der ausgebildeten Mannschaf-

[8] Der preußische Kriegsminister von Heeringen an den Generalstab, 20. Januar 1913. Hans Herzfeld, Die deutsche Rüstungspolitik vor dem Weltkrieg, Bonn 1923, S. 63.

ten, sondern auch sozial durch die zweijährige Dienstzeit ebenfalls 1893. Die Insten starben aus, der aus der Stadt stammende Rekrut ließ sich bei seiner höheren Intelligenz schon in zwei Jahren zu einem technisch brauchbaren Soldaten ausbilden. Entscheidend aber war, daß die Gefahr, das aktive adlige Offizierkorps könne in einer inneren Krise die Herrschaft über die Mannschaften ohne die Hilfe der Dreijährigen nicht aufrecht erhalten, beseitigt worden war durch das Bürgertum, das mit seinen Reserveoffizieren die dreijährig dienenden Insten als Schutztruppe der Monarchie ersetzt hatte. Die Einführung der zweijährigen Dienstzeit ist alles andere als der Sieg einer bürgerlichen und liberalen Forderung gewesen, sie war ihre formale Erfüllung durch die siegreiche Regierung mit dem genau entgegengesetzten Inhalt. Sie war kein Fortschreiten in der Nationalisierung der Armee, sondern umgekehrt in der Militarisierung der Nation durch die Verlagerung des Stützpunktes von dem dreijährig dienenden Insten auf das einjährig dienende feudal gewordene Bürgertum. Sie war ein Verzicht auf die innere Bindung der Mannschaften an den Staat, der sie in seine Armee einstellte, und durch die Assimilierung von Militär und Bürgertum eine erneute Betonung des Klassencharakters des Reiches. Die Umschichtung des Rekrutenmaterials hatte das Ende des — allerdings prügelnden — Patriarchalismus in der Armee herbeigeführt, erst seit den achtziger und neunziger Jahren wurde der bis dahin im Durchschnitt recht bescheidene preußische Leutnant zu dem unerträglichen Schnösel der wilhelminischen Aera. Die Regierenden brachen eine patriarchalische Brücke zum Volke ab und empfanden sich jetzt noch stärker als die Klasse der „Kommandierenden".

4.

Der Preis, den das Bürgertum für die Gewährung der Staatshilfe zur Verteidigung des Besitzes zu zahlen hatte, war die Aufgabe der spezifisch bürgerlichen Ehre und Konvention. In den Hansestädten und im Rheinland hatte sich vor 1870 eine solche Konvention auszubilden begonnen, die, von den Lächerlichkeiten der Kleinstaaterei befreit, sehr wohl die Grundlage eines deutschen bürgerlichen Nationalgefühls und einer großbürgerlich-seigneurialen, nicht dem Adel abgesehenen Lebensführung hätte bilden können. Der harte Kampf der Schwerindustrie gegen den Handel brachte sozial der Industrie mit ihrem stärkeren feudalen Einschlag den Sieg, im Rheinland trat die alte bürgerliche Konvention ganz von selbst hinter der neuen Großmacht Eisen und Kohle zurück: das Durchdringen der Schutzzoll- und

Kolonialpolitik, später der Flottenbegeisterung, machte auch in den Hansestädten die mit der freihändlerischen Opposition verbundene alte Konvention gesellschaftlich anrüchig. Nicht die preußische Armee paßte sich unter dem Druck der sozialen Umschichtung der bürgerlichen Konvention an, sondern umgekehrt: die bürgerliche Konvention wurde durch das Reserveoffiziersinstitut auszurotten geholfen. Bei der Zoll- und Finanzreform von 1879 und der Miquelschen Sammlungspolitik seit 1897 handelte es sich um den Ausgleich der realen Interessen; der Reserveoffizier war das wichtigste Instrument, durch das das kaiserliche Deutschland den ideologischen Ausgleich zwischen Bürgertum und Militärmonarchie geschaffen hat und damit jene neudeutsche Lebensform, die wir noch heute aus dem täglichen Leben nur zu gut kennen und deren Lächerlichkeit Max Weber so großartig bloßgestellt hat[9].

Der Landwehroffizier hatte mit der Linienarmee nur in loser Verbindung gestanden, der Reserveoffiziersaspirant wurde im Kasino von den Offizieren seines Regiments, die ihn später zu wählen hatten, genau auf seine Qualitäten geprüft: der Jude kam von vornherein nicht für die Würde eines „Manöveronkels" in Betracht, der Sozialdemokrat noch weniger: nicht nur deshalb, weil er einer revolutionären Partei angehörte, sondern weil er mit seiner Zugehörigkeit zum Sozialismus bewies, daß ihm die nötigen „moralischen Qualitäten" abgingen. Nicht einmal Einjähriger konnte er werden[10]. Wer aber nicht Reserveoffizier war, dem fehlte das entscheidende Stück des sozialen Ansehens. Der Akademiker, der es nur bis zum Reserveunteroffizier gebracht hatte, war im bürgerlichen Leben das, was in der Kaserne Soldat zweiter Klasse hieß. Es hat sich dabei viel weniger um die „Königstreue" gehandelt — der alte fortschrittliche Richter der sechziger Jahre war auch königstreu gewesen, und unter Wilhelm II. war gerade in legitimistischen Kreisen die Verzweiflung über diesen „König" groß — als um die Allianz von Bürgertum und Staatsmacht, welche einander gegen das Proletariat sicherten.

Mit einem für das kaiserliche Deutschland ungewöhnlich sicheren Instinkt hat man von vornherein auf eine innere Gewinnung der

[9] Wahlrecht u. Demokratie in Deutschland, Ges. Politische Schriften, München 1921 (1958²), S. 277 ff.

[10] Kriegsministerielle Entscheidung vom 18. Februar 1914, kein halbes Jahr vor Kriegsausbruch! Major a. D. Erich Otto Volkmann, Der Marxismus und das deutsche Heer im Weltkriege, Berlin 1925, S. 49.

sozialistisch bedrohten Mannschaften für das herrschende Regime verzichtet. Sie wurden, auch wo sie Proletarier waren, unverändert der Disziplin unterworfen, die einst für die hörigen Bauern ersonnen war, und die berüchtigten Worte Wilhelm II. bei der Einweihung der Alexanderkaserne, die zwar psychologisch gesehen nur eine üble rhetorische Entgleisung des zungenfertigen Monarchen waren, geben soziologisch das Ziel der Aufrechterhaltung der altpreußischen Disziplin im Zeitalter der Proletariermassen als Rekrutenmaterial für die Armee nur zu exakt wieder. Und andererseits beruhten auf der Spannung zwischen Tradition der Disziplin und Entstehung eines neuen Rekrutenmaterials alle die zahlreichen Debatten im Reichstag über die Soldatenmißhandlungen, die von den parlamentarischen Vertretern der neuen Klasse begonnen wurden und die schließlich mit einem merkwürdigen Halbsieg der Sozialdemokratie über die Armee geendet haben[11]. Die formale Instendisziplin blieb zwar völlig bestehen, aber die von ihr eigentlich gar nicht zu trennende Methode, den Rekruten durch Prügel zum guten Soldaten zu machen — nach echt altdeutscher Auffassung war 1807 selbst der Freiherr vom Stein für das Beibehalten des Prügelns eingetreten, dessen Ehrenrührigkeit er abstritt[12] — verkümmerte aus Angst vor den Reichstagsdebatten der Sozialdemokratie. Aber noch heute beruht ein guter Teil des proletarischen Hasses gegen das Militär auf dem sicheren Instinkt für den Anachronismus dieser formalen, noch immer lebenden Instendisziplin.

Der preußische Reserveoffizier ist mit dem Sturz des Kaiserreiches verschwunden, nicht aber die aus der Ideologie dieser Einrichtung stammende weltfremde und anmaßende Einstellung zu gesellschaftlichen, sozialen und geistigen Problemen, welche einen großen Teil unserer Bourgeoisie kennzeichnet. Und wenn man mit Recht die Epoche von 1890 bis 1914 als wilhelminisch bezeichnet, so bedeutet dieses Wort jene innerlich unwahre Haltung, welche aus Schwäche Schneid für einen Ausdruck von Kraft, Hochmut und Dünkel für die Form der Würde und Prahlerei für Pathos hielt: in diesem Lebensstil war Wilhelm II. mit seinen Reserveoffizieren einig.

[11] Volkmann, S. 47.

[12] Delbrück, Gneisenau, I, Berlin 1882, S. 134.

Das soziale System der Reaktion in Preußen unter dem Ministerium Puttkamer

1.

Die Skizze, die der kaiserliche Bezirkspräsident Albert von Puttkamer über das Leben seines Vaters, des preußischen Staatsministers Robert von Puttkamer, geschrieben hat[1], erweckt das Bedauern, daß dieser keinen Biographen gefunden hat, der das große Problem, dessen Bewältigung den Inhalt seines Ministeriums ausmacht, würdiger erfaßt und auf einem der Schwere und Bedeutung des Problems angemessenen Niveau durchgeführt hat.

Als Robert von Puttkamer über die Posten des Landrats in Demmin, vortragenden Rats im Innenministerium, Regierungspräsidenten in Gumbinnen, Bezirkspräsidenten in Metz, Oberpräsidenten in Breslau, die oberste Stufe in der Laufbahn des preußischen Beamten erklomm, als er 1879 Minister wurde[2] vollzog sich im Reich die große Wendung, die seine innenpolitische und soziale Form bis zum Zusammenbruch 1918 bestimmt hat: unter dem dreifachen Druck des Übergangs zum Industriestaat, des Beginns der Agrarkrise und des Anwachsens des Fabrikproletariats wurde in wenigen Jahren die gesamte Innenpolitik auf diese sozialen und wirtschaftlichen Fragen hin umgestellt. Die großen gesetzgeberischen Maßnahmen dieser Umstellung sind: in der kapitalistischen und agrarischen Sphäre die Schutzzollgesetze, in der proletarischen die Sozialistengesetze einerseits, die Sozialgesetzgebung andererseits.

Aber mit diesen Gesetzen ist die Bedeutung des Umschwungs noch nicht erschöpft. Das Sozialistengesetz ist mit Bismarck gefallen, die Sozialgesetzgebung hat ihre politische Zwecktendenz verfehlt, die Schutzzollgesetzgebung hat den erbitterten Kampf zwischen Industrie und Landwirtschaft in den neunziger Jahren nicht verhindert, und erst Miquel hat mit der Sammlungspolitik die Frage endgültig — d. h. bis

[1] Staatsminister von Puttkamer. Ein Stück preußischer Vergangenheit 1828 bis 1900. Herausgegeben von Albert Puttkamer, Leipzig 1929.

[2] Zunächst Kultusminister, 1881 Minister des Innern.

1918 — entschieden[3]. Die eigentliche Bedeutung des Umschwungs liegt in der Umbildung der bürgerlichen Gesellschaft — und an diesem Punkte hat der Minister von Puttkamer einschneidend eingegriffen, so einschneidend, daß man ohne Übertreibung sagen darf: seine Bedeutung für die innere Formung des neuen deutschen Kaiserreichs bleibt nicht allzuweit hinter der Bismarcks zurück.

Der Grund für die Berufung Puttkamers zum Minister in dieser Situation war nicht nur seine zuverlässige politische Gesinnung, sondern auch seine religiöse. Er war ein orthodoxer Konservativer und hatte schon in seiner Jugend die Entwicklung und die Siege der preußischen Militärmacht als besondere Absicht Gottes anzusehen gelernt:

„Ich denke, wo so sichtbar die Grenze menschlicher Weisheit und Voraussicht vor Augen liegt, wie in der bevorstehenden europäischen Verwicklung, daß gewiß die höhere Hand so entscheiden wird, daß die Völker am Ende nur die unbewußten Vollzieher und Werkzeuge der göttlichen Ratschlüsse werden. Und dann kann ich mich nie von dem Gedanken trennen, daß Preußen doch der ganz besondere *Liebling des lieben Gottes* ist[4], der vielleicht noch große Dinge mit ihm vor hat und seinen Stern vor dem Erbleichen bewahren wird[5]."

Mit diesem Glauben an den preußischen Gott zog Puttkamer in den Kampf gegen die Sozialdemokratie.

Die liberale Bürokratie, die sich in Preußen seit der Reform durch keine Reaktion ganz hatte beseitigen lassen, stand zwar religiös-offiziell noch meist auf dem Boden eines Idealismus mit verschwommener pantheistischer oder deistischer Grundlage. Dieser Idealismus hatte einst die Reformen erkämpft, aber in einer Verwaltungsarbeit, die sich über zwei Menschenalter hinzog, hatte er sich allmählich verbraucht und hatte in der Aktenarbeit des Tages dasselbe Schicksal erlitten, dem die geistige Welt des bürgerlichen Liberalismus in der Kulturkritik der Literaten verfiel: der inneren Selbstauflösung. Unter dem Druck der Bismarckschen Siege hatte mehr als ein liberaler Geheimrat den Götzen des Erfolges anzubeten gelernt. Und die Frage erhob sich, ob nach 1870 diese liberale Bürokratie in Verwaltung, Justiz und Universität noch imstande war, die neuen Probleme des Kapitalismus, des Proletariats und der Agrarkrise zu meistern: Sie

[3] Eckart Kehr, Englandhaß und Weltpolitik, Zeitschrift für Politik, Bd. XVII, S. 500, s. unten S. 149—75.

[4] von mir gesperrt, E. K.

[5] An den Vater, Mai 1859, S. 15.

konnte es nicht, nicht nur infolge ihrer inneren Zersetzung, auch deshalb nicht, weil die neue Gefahr des Sozialismus ihr mit den eigenen Waffen entgegentrat: der Sozialismus hatte die „freie Wissenschaft" der bürgerlichen Universität zum Aufbau seines Systems verwendet, er nutzte die Existenz des bürgerlichen Rechtsstaates mit seinen Institutionen und Rechten: Parlament, Wahlrecht, freie Meinungsäußerung zur Propagierung seiner eigenen Gesellschaftsideale aus, er entwickelte eine Weltanschauung, die vom humanitären Idealismus aus in ihren Konsequenzen zwar verwerflich scheinen, die er aber unter allen Umständen, wenn er sich treu bleiben wollte, tolerieren und als existenzberechtigt anerkennen mußte. Einer der geistigen Führer der kommenden Reaktion, der Leipziger Rechtshistoriker Rudolf Sohm, einer der geistvollsten und konstruktivsten Köpfe der deutschen Jurisprudenz seiner Zeit, hat prägnant die Unmöglichkeit ausgesprochen, die bestehende Ordnung mit den Mitteln des Liberalismus gegen die proletarische Revolution zu verteidigen:

„Aus den Kreisen des dritten Standes selbst sind die Gedanken hervorgegangen, welche nun, den Feuerbrand tragend, die Massen des vierten Standes aufreizen gegen den dritten. Was in den Büchern der Gebildeten und Gelehrten geschrieben ist, das und nichts anderes ist es, was man jetzt auf den Gassen predigt... Die Bildung des 19. Jahrhunderts ist es, welche sich selbst den Untergang predigt. Wie die Bildung des 18., so trägt die Bildung des 19. Jahrhunderts die Revolution unter ihrem Herzen. Wenn sie gebären wird, so wird das Kind, welches sie mit ihrem Blut genährt hat, seine eigene Mutter umbringen[6]."

Der Liberalismus konnte tatsächlich den Macht- und Militärstaat Bismarcks, der nur widerwillig, aus taktischen Gründen, sich mit nationalen und liberalen Tendenzen verbündet hatte, nicht gegen den Sozialismus schützen. Der Machtstaat mußte sich nach einer anderen „geistigen" Stütze umsehen. Er suchte und fand sie in der christlichen Religion und der Kirche. „Wollte aber der Staat die Hilfe der Kirche zur Überwindung der Sozialdemokratie in Anspruch nehmen — und daß er eine geistige Macht als Bundesgenossen brauchte, war unverkennbar —, dann war es ein unhaltbarer Widerspruch, wenn er gleichzeitig

[6] Rudolf Sohm, Kirchengeschichte im Grundriß, Leipzig 1888, S. 192/93. — Das Buch ist eine Zusammenfassung von Aufsätzen aus der Allgemeinen Konservativen Monatsschrift. — Vgl. auch Sohms Vortrag: Die Gegensätze unserer Zeit, Heidelberg 1883, bes. S. 24 bis 36.

die festeste, am besten disziplinierte Kirche mit allen Mitteln bekämpfte"[7], wenn er den Kulturkampf gegen den Katholizismus fortsetzte, der das Jahrzehnt seit der Reichsgründung füllte. Der Kulturkampf wurde abgebrochen und der liberale Kulturkampfminister Falck entlassen, als die proletarische Gefahr akut wurde. An die Stelle Falcks trat Robert von Puttkamer, für den Gott der Alliierte Preußens, der Kampf „für Christentum und Monarchie"[8] zugleich Herzensbedürfnis war und der ernsthaft versucht hat, dem Bismarckschen Staat im Christentum die fehlende ideologische Stütze einzubauen. Puttkamer suchte nicht die schlichte Frömmigkeit als solche zu restituieren, sondern eine „rein äußerliche, rein formale bureaukratische Religiosität"[9], die vom Staat beherrscht bleibt. Der alte Kaiser Wilhelm hat das berüchtigte Wort geprägt: „Dem Volke muß die Religion erhalten bleiben", aber was er darunter verstand, zeigt seine Haltung gegenüber dem Plan, den vierhundertsten Geburtstag Luthers 1883 zu einem Volksfest zu gestalten; da war er „wahrhaft erschreckt", weil auch — Freisinnige daran teilnehmen konnten[10]. Die Religion wird ihres autonomen „religiösen" Charakters entkleidet, sie wird zu einem innerweltlichen Kampfmittel der herrschenden Ordnung des Kaiserreichs gegen Demokratie und Sozialismus. Puttkamer ist nicht etwa in dem Sinne reaktionär, daß er der Kirche die Volksschule wieder ausliefert, er spannt vielmehr Kirche und Religion in seine Politik zur Bekämpfung des Sozialismus ein, er will den christlichen Charakter der Volksschule zwar erhalten, aber er „will die Mitwirkung der Kirche als eine in dem Rahmen des Staatsgesetzes und der Staatsverordnungen zulässige annehmen[11]." Die Reformation, die die einheitliche Christenheit in Kirchen der Einzelstaaten aufgelöst hatte, wurde bis zu ihrer letzten Konsequenz geführt, als der königliche summus episcopus des Nationalstaats seine Landeskirche als Agitations- und Kampfapparat in den Klassenkampf einsetzte.

Aber nicht nur durch die neue amtliche Förderung der Religion wurde der liberale Idealismus der Bürokratie bekämpft, er wurde auch umgebildet und der neuen Lage angepaßt. Der Idealismus war die Weltanschauung der preußischen Ministerialbürokratie, die im Kampf

[7] Fritz Hartung, Deutsche Geschichte 1871-1919, 2. Aufl. Bonn 1924, S. 93.

[8] S. 203.

[9] Max Weber, Verhandlungen des 8. Evangelisch-sozialen Kongresses vom 10. Juni 1897, S. 110.

[10] An Puttkamer, 1. September 1883, S. 138.

[11] Rede Puttkamers, S. 48 vgl. S. 51.

lag mit dem Adel um die Beherrschung der staatlichen Maschine. Mit der Feudalisierung der Bürokratie in den achtziger Jahren verlor der Idealismus diese ursprüngliche Bedeutung. Aber er führte ein offizielles Leben trotz seines tatsächlichen Absterbens weiter: „Goethe und Bismarck" wurde die beliebte Zusammenfassung des Deutschtums und Kant wurde zum Vorkämpfer des absolutistischen Staatsideals umgedeutet. Ein Blick auf die drei Biographien, die über Wilhelm von Humboldt geschrieben sind: von Rudolf Haym (1856), Eduard Spranger (1908), Siegfried Kaehler (1927) und der Wandel ihrer Auffassungen zeigt diesen offiziellen Idealismus im Kaiserreich sehr deutlich. Was die Religion an geistiger Grundlegung nicht leisten konnte, das mußte dieser Idealismus leisten: positiv die Fundierung des Machtstaats Bismarckscher Prägung auf eine große geistige Bewegung, negativ die Abwehr des „Materialismus" „durch Anerkennung der führenden Stellung der Naturwissenschaften für die Welt der Erscheinungen, aber zugleich durch Anerkennung des Primats sittlicher Gesetze für die Welt des Handelns"[12] — eine Aufgabe, die auf die Schaffung desselben Formalismus für die Weltanschauung im allgemeinen hinauslief, den Laband[13] für das Staatsrecht konstruierte.

2.

Für eine leidlich haltbare Basierung des Staates genügte aber eine derartige „geistige" Umbildung, wie die Ersetzung des humanitären Idealismus durch die Religion, in keiner Weise. Praktisch ließ sich die Religion nur in den Volksschulen propagieren; schon das Gymnasium blieb unangetastet — im Gegensatz zu Rußland, wo sich die Epochen der verschärften und der nachlassenden Reaktion auch im Lehrplan der Gymnasien bei der Verteilung der Philologie und Naturwissenschaft abspiegelten — und gegen die Universität ließ sich noch weniger unternehmen. Aber wo die „geistige" Umbildung nicht wirkte, wirkte die soziale. Sie wirkte selbst in der Universität. Das zeigt sich bei einem Blick auf die für die Bildung der politischen Ideologie wichtigsten Disziplinen, das Staatsrecht und die Geschichtsschreibung.

Durch Labands Staatsrecht, das das Staatsrecht des Kaiserreichs wurde, ziehen sich zwei Tendenzen, die sich anscheinend widersprechen: die Ausbildung der „juristischen Methode", die strenge Ausbildung des

[12] Gustav Schmoller in seinem Jahrbuch 1883, S. 1037, in einer Besprechung von Sohm: „Die Gegensätze unserer Zeit", wobei er Sohm, der diesen Formalismus für nicht ausreichend hält, sehr bezeichnend mißversteht.

[13] Siehe unten Abschnitt 2.

Staatsrechts als Teil des Rechts und nicht der Politik und der Staatslehre, die Unterwerfung des Staatsrechts unter einen strengen logischen Formalismus und seine Verabsolutierung einerseits, die Auffassung des Staates, der befiehlt und Gehorsam verlangt, die Nichtbeachtung der verfassungsmäßigen Freiheiten des Untertans, der Gedanke,

„daß in aller staatlichen Tätigkeit das eigentlich staatliche Moment lediglich in dem durch Zwangsvollstreckung gesicherten Befehl des Herrschers an die Untertanen steckt“[14], andererseits.

Aber diese anscheinende Diskrepanz zwischen der logischen Autonomie des Rechts und der staatlichen Macht ist Absicht: die Nichtbetonung des Zusammenhangs zwischen Staatsleben und Staatsrecht gab die Möglichkeit, einen Rahmen konsequenter Logik zu schaffen, dem jeder positive Inhalt fehlte. Laband verzichtete auf die historische und philosophische Fundierung seines Staatsrechts: er hätte dann seinem Rahmen einen Inhalt geben müssen:

„In positivistischer Gewandung lebt das alte Naturrecht wieder auf: gespensterhaft ersteht es von den Toten, in aller seiner dürftigen Kahlheit, aber ohne seine einstige Größe. Oder sind es etwa nicht die überwunden geglaubten Schemen der naturrechtlichen Doktrin, die uns überall hinter der nach neuester Mode zurechtgestutzten Verlarvung entgegenblicken? Ist es nicht derselbe rationalistische Grundzug, dieselbe Leerheit der formalen Abstraktion, dieselbe Dürre überwuchernder logischer Induktion? Dieselbe mechanische, individualistische, privatrechtlich fundierte Konstruktion des Staates? Dieselbe äußerliche, das Gesetz vergötternde, in das Zwangsreglement ausmündende Auffassung des Rechtes? Dieselbe gewalttätige Zerreißung des geistigen Bandes, das Staat und Recht in der Tiefe umschlingt und im Innersten zusammenhält? Nur das eine fehlt, was den fruchtbaren Kern des einstigen lebendigen Naturrechtes, den großen Gehalt seiner geschichtlichen Tat, das Unsterbliche in ihm bildete: der bergeversetzende Glaube an die Rechtsidee! Mit diesem einen aber fehlt alles. Indem der Positivismus mit der Wiederbelebung des naturrechtlichen Apparates nicht auch die Seele neu zu wecken vermochte, die einst darin wohnte, bringt er es überall nur zum Schein des Lebens. An die Stelle eines Formalismus, hinter welchem die Idee als unsichtbare Lenkerin stand, tritt ein Formalismus, der nichts mehr hinter sich hat als die tote Materie[15].“

[14] Otto Gierke, Labands Staatsrecht und die deutsche Rechtswissenschaft, Schmollers Jahrbuch VII. 1883, S. 1151.

[15] Gierke, S. 1191/92.

Ja! Labands formalistisches Staatsrecht schuf der staatlichen Gewalt den juristischen Rahmen, innerhalb dessen sie sich durchsetzen konnte, ohne den Anschein des Rechtsstaats zu verletzen:

„Denn indem diese Methode mit den rein juristischen Gesichtspunkten beginnt und endet, ohne doch den maßgebenden Einfluß latenter Vorentscheidungen über allgemeine Grundfragen abschneiden zu können, wird das eigentliche Fundament aller Konstruktionen aus dem wissenschaftlichen Gebiet in das Gebiet des bloßen Meinens und Dafürhaltens verlegt[16]," und lieferte dem Richtertum den methodischen Rahmen, innerhalb dessen es ohne Konflikte mit sich selbst, ohne einen „Kampf des Rechtes gegen die Gesetze"[17] mit sich ausfechten zu müssen, jeden Befehl des Staates ausführen konnte. Verfassungsmäßig war der Richter unabhängig: Labands Staatsrecht schuf mit seinem Formalismus die geistige Abhängigkeit des Richters, die der Bismarcksche Kryptoabsolutismus erforderte[18]:

„Sieht man auf den Kern, so deckt sich für Laband zuletzt der ‚Staat' als aktives Rechtssubjekt mit der ‚Regierung', während die Volksvertretung nur als ein von außen herangezogener Ausschuß der Staatsinteressen erscheint", als eine „statutenmäßig zur Genehmigung gewisser Beschlüsse und zur Kontrolle der Verwaltung berufene Versammlung von Prioritätsobligationären[19]."

Labands Staatsrecht war aber nicht nur das Staatsrecht des Bismarckschen Polizeistaates, es war auch das Staatsrecht eines sich kapitalistisch durchsetzenden Polizeistaates; es lieferte den Rahmen nicht nur für den Machtwillen der Bürokratie, sondern auch für die Aspirationen der wirtschaftlichen Interessen:

„Die Befürchtung liegt nahe, daß ein dergestalt formalisiertes und vom Kern der Rechtsidee losgeschältes Recht der ihm gestellten Auf-

[16] Ebda., S. 1120.

[17] F. Freiherr Marschall von Bieberstein, Vom Kampf des Rechtes gegen die Gesetze. Freiburger Universitätsrede 18. Januar 1925, Stuttgart 1927. Vgl. bes. das Material S. 40, Anm. 132 und S. 83.

[18] In derselben Richtung wirkte die Handhabung der Referendarprüfung: die Prüfungsordnung von 1869, die eine eingehende Berücksichtigung der allgemeinen juristischen und politischen Probleme vorsah, blieb zwar auch nach 1879 in Kraft, die Prüfung wandelte sich aber immer mehr zu einer rein formalen Fachprüfung. Albert Lotz, Geschichte des deutschen Beamtentums, Berlin 1909, S. 612. Über die soziale Umschichtung in der Justizverwaltung siehe unten Abschnitt 3.

[19] Gierke, S. 1148.

gabe nicht gewachsen sein wird ... Denn indem (die Jurisprudenz) den idealen Gehalt des Rechtes preisgibt, schwächt sie seine Widerstandskraft gegen den Ansturm politischer und kirchlicher, sozialer und wirtschaftlicher Mächte und Interessen ... Nicht der kraftvolle Apparat seiner Technik verbürgt ihm für immer die Herrschaft. Wohl gewinnt es als Werkzeug beständig an schneidiger Schärfe und handlicher Brauchbarkeit: allein nach den Erfahrungen der Geschichte wächst damit auch die Gefahr, daß heute diese und morgen jene Mächte und Interessen es eben nur noch als ihr Werkzeug verwenden und mit der so ihm aufgezwungenen Dienstbarkeit es innerlich zerstören ... Das Recht aber ist zu keiner Zeit und am wenigsten in dem von der Tiefe her bewegten und an Konflikten überreichen öffentlichen Leben der Gegenwart der Notwendigkeit überhoben, um seine Selbstbehauptung und Selbstentfaltung täglich neu zu ringen ... Nichts Kleines wahrlich hängt auch für uns an den Schicksalen des Rechts. Was in Frage steht, ist zuletzt der Bestand unserer Kultur[20]."

Wie im Staatsrecht der Sieg des Formalismus, so zeigte in der Geschichtsschreibung der Sieg der Machtstaatsidee die neue Zeit an. Die Geschichtsschreibung der fünfziger und sechziger Jahre, die zugleich freiheitlich und national gesinnt war, wurde mit der Reichsgründung begraben — ein Mann wie Theodor Mommsen, der den Mut hatte, die Politik der achtziger Jahre öffentlich als „Schwindel" zu kritisieren, stand einsam noch ein Menschenalter in der steigenden Flut des Chauvinismus[21], und von der jüngeren Generation bog der zarte und feine Friedrich Meinecke ab zur Ideengeschichte. Militär und Bürgertum kannten die Macht nur als Sieger und Nutznießer: innenpolitisch und sozial als herrschende Klasse gegenüber dem Proletariat, außenpolitisch als herrschende Klasse des mächtigsten Staates in Europa, vor allem gegenüber dem besiegten Frankreich. Es war kein Wunder, daß die Verherrlichung der Macht und der mystische Kultus des Staates allgemeine Anerkennung fand. Politisch-publizistisch hat am stärksten die Leistung Treitschkes in seiner fünfbändigen deutschen Geschichte gewirkt. Er vertrat den Personalismus der neuen Geschichtsschreibung: „Männer machen die Geschichte" — eine eigentümliche Mischung von liberalem Individualismus und Unterwerfung unter den starken Mann. Er war der einflußreichste Agitator des offiziellen Idealismus, und mit

[20] Gierke, S. 1189 und 1193.

[21] Ludo Moritz Hartmann, Theodor Mommsen, Eine biographische Skizze, Gotha 1908.

dem Prädikat „sittlich", dem höchsten Werturteil, das der Idealismus zu vergeben hatte, bedachte er verschwenderisch alle Grundwerte des Bismarckschen Reiches bis zu jener grauenhaften Blasphemie: „Die Gerechtigkeit des Krieges beruht einfach auf dem Bewußtsein einer sittlichen Notwendigkeit[22]." Er — und unendlich viel trivialer sein Epigone Dietrich Schäfer[23] — wirkten überzeugend und mitreißend auf die Massen der „Gebildeten", die seit dem Ende der siebziger Jahre immer stärker die neue Haltung annahmen, die jedem wirtschaftlichen Gedeihen einerseits, jeder Geistigkeit andererseits die Autonomie abstritten und sie zur Funktion der staatlichen und militärischen Macht degradierten. — Wissenschaftlich bedeutsamer, innerlich respektabel und das, was an dieser Zeit wirklich groß war, widerspiegelnd ist das Unternehmen Gustav Schmollers, die Acta Borussica, gewesen. Sie hatten die Tendenz, die Macht des absolutistischen Staates und seinen Einfluß auf die wirtschaftliche und soziale Entwicklung zu zeigen, „endlich der Welt zu beweisen, daß Friedrich Wilhelm I. der größte innere König aus der Dynastie der Hohenzollern gewesen sei . . . sowie daß Friedrich der Große nicht bloß ein Diplomat und Feldherr ersten Ranges, sondern ein ebenso großer Friedensfürst gewesen ist[24]." Übertrug Treitschke sein parteipolitisches Pathos und seine parteipolitische Erregung in die Zeit von 1807 bis 1848, so wurde in den Acta Borussica das große Problem der achtziger Jahre: der Kampf, den der Machtstaat mit der wirtschaftlichen und sozialen Entwicklung aufnahm, umgebildet zu einer wissenschaftlichen, aktenmäßigen Schilderung des Verhältnisses, das zwischen Staat, Verwaltung, Getreide-, Zoll-, Münz- und Finanzpolitik im Absolutismus bestand.

3.

Bedeutsamer noch als diese Versuche der Reaktion zu einer religiösen und geistigen Umbildung waren für den Kampf gegen den Sozialismus die Bestrebungen zur Heranziehung des Bürgertums an den Staat.

Der preußisch-deutsche Staat Bismarcks war einerseits ein Militärstaat, andererseits hatte das preußische Militär, das 1848 ohne Zögern

[22] Fr. Meinecke, Die Idee der Staatsräson in der neueren Geschichte, München 1924, S. 509.

[23] Meinecke, S. 497.

[24] Die Preußische Akademie der Wissenschaften an das Kultusministerium, 21. April 1887, Acta Borussica, Seidenindustrie Bd. 1, S. XIII.

auf das deutschnationale Bürgertum geschossen hatte, 1866 und 1870 gekämpft, um die politischen Ideen des fortschrittlichen Bürgertums zu realisieren. Aber Armee und Bürgertum standen miteinander auf gespanntem Fuße und schlossen sich gesellschaftlich scharf gegeneinander ab[25], der Militärkonflikt mit den Verfassungsbrüchen der Regierung hatte die staatsfeindliche Stimmung des Bürgertums noch verschärft. Aber wenn die Siege über Österreich und Frankreich auch das opponierende Bürgertum niedergeworfen und ungefährlich gemacht hatten — die einsetzende Industrialisierung machte die Bourgeoisie reich. Wenn auch die konservative Agrararistokratie die Macht im Staat behalten hatte — die einsetzende Agrarkrise nagte an ihrem doch meist recht bescheidenen Wohlstand. Die Situation der Grundaristokratie gegenüber dem Bürgertum war fast so prekär geworden wie die Hilflosigkeit der liberalen Bürokratie gegenüber dem Sozialismus. Ein Staat, der Militär und Bürgertum gleichermaßen als seine Stützen brauchte, mußte die Gegner versöhnen, sobald ein Gegner diese Auseinanderentwicklung von politischer Herrschaft und sinkendem Reichtum der alten Schichten und wachsendem Reichtum und wachsendem sozialem Ansehen der neuen zur Gefahr für das Staatsgefüge werden ließ: unter dem Druck der proletarischen Gefahr kam die Verzahnung zwischen Armee und Bürgertum zustande, die den Typ des neudeutschen feudalen Bourgeois geschaffen und ihr verbindendes Mittelglied im Reserveoffizier[26] gefunden hat. Es bildete sich eine neue Gesellschaft heraus, ein bürgerlich-adliger Neufeudalismus[27], der sich gegen das Proletariat und die geringen nicht feudalisierbaren freisinnigen Teile des Bürgertums ebenso abhob und abschloß, wie früher Offizierkorps und liberales Bürgertum gegeneinander, eine „Koalition der Interessen miteinander, um diejenigen auszubeuten, die sich ihr nicht anschließen wollen"[28] und eine „Massenkorruption organisierter Wirtschaftsgruppen, bei der sich ganze Berufsstände organisiert und unpersönlich auf Kosten anderer Schichten bereichern, die das wilhelminische Zeitalter als etwas Selbstverständliches ansah[29]." Der Sozialdemokratie überließ

[25] Felix Priebatsch, Geschichte des Preußischen Offizierkorps, Breslau 1919, S. 44/45.

[26] Eckart Kehr, Zur Genesis des Kgl. Preußischen Reserveoffiziers, Gesellschaft 1928/II, S. 492 ff, s. oben S. 53—63.

[27] Carl Brinkmann, Die Aristokratie im kapitalistischen Zeitalter, Grundriß der Sozialökonomik IX, 1.

[28] Rede Theodor Mommsens 24. September 1881. L. M. Hartmann, S. 120.

[29] M. J. Bonn in dem Sammelband: Internationaler Faschismus. Herausgegeben von Carl Landauer und Hans Honegger, Karlsruhe 1928, S. 140.

man die Nachfolgerschaft in der Opposition gegen die Armee und den Klassenstaat, die früher das deutsch-nationale Bürgertum geübt hatte.

Für den Staat handelte es sich nicht nur darum, neufeudale und reserveoffiziersmäßige Gesinnungen zu züchten, mindestens ebenso wichtig war ein analoger Umbau der Verwaltung. Der liberale Geheimrat mußte aus der Beamtenschaft verschwinden und er verschwand überraschend schnell. Albert von Puttkamer gibt ein hübsches Bild dieser neufeudalen Bürokratie:

„Der Adel bildete den Kern der Konservativen Partei und nahm seiner Tradition nach ein besonderes Maß von Königstreue für sich in Anspruch. Von diesen Anschauungen wurde die gesamte jüngere Beamtenschaft durchtränkt. Die bürgerlichen Elemente wetteiferten mit ihren adligen Kollegen in der überzeugten Betätigung konservativer Gesinnung. Wer die Personalverhältnisse der preußischen Regierungskollegien in dem letzten Viertel des vorigen Jahrhunderts gekannt hat, weiß, daß liberale politische Anschauungen unter den Verwaltungsbeamten so gut wie gar nicht vertreten waren. Der jüngere Nachwuchs dachte in seiner Staatsauffassung konservativ[30]."

Es ist sehr bedauerlich, daß wir nichts Näheres über diese Wandlung der Bürokratie und die verwaltungstechnischen Maßnahmen, die sie sicherten, erfahren. Albert von Puttkamer spricht mit großer Selbstverständlichkeit davon, daß ein politisch nicht genehmer Beamter zwar nicht gleich gemaßregelt wurde, aber kurzerhand der Avancementssperre verfiel; er deutet den großen Prozentsatz der Korpsstudenten im Beamtentum nur an[31]; er spricht nicht davon, wie sich eigentlich das merkwürdige Ausleseprinzip bewährt hat, daß in die höhere Beamtenkarriere nur derjenige Zutritt fand, der von einem — Offizierkorps zum Reserveoffizier gewählt war: wenn die Angabe Ludwig Bernhards[32], der im Osten einen guten Einblick in die Leistungen der Bürokratie hatte, zutrifft, muß die preußische Verwaltung ein halbes Menschenalter nach Puttkamers Abgang, als seine Assessoren in die leitenden Stellen gerückt waren, einem Chaos geglichen haben.

Die Lebensskizze versagt in dem Punkte, der für Robert von Puttkamer selbst die zentrale Aufgabe war und der für seine Beurteilung auch stets zentral bleiben wird: in der Schilderung der Umschichtung

[30] S. 80/81.
[31] S. 82.
[32] Ludwig Bernhard, Der Hugenbergkonzern, Berlin 1928, S. 5.

der Verwaltung[33]. Um die äußere Form zu erfassen, in der sich dieser Umbau vollzog, müssen wir einige Daten aus dem Bereich der Justizverwaltung zu Hilfe nehmen[34] — eine Methode, die um so eher erlaubt ist, als gerade das höhere Justizpersonal stark zum Liberalismus neigte[35].

Die Rationalisierung der Rechtsprechung durch das 1879 in Kraft tretende Gerichtsverfassungsgesetz fiel mit dem Beginn der Reaktion zusammen. Aus der liberalen Zeit stammte zwar noch die Erhebung des Leipziger Reichsoberhandelsgerichts zum Reichsgericht, während das preußische Obertribunal, das sich durch seine Rechtsprechung in politicis während des Konflikts[36] ein übles Ansehen erworben hatte, fallengelassen wurde[37]; aber sozial wirkte der Umbau der Justiz ganz im Sinne der kommenden Reaktion. Durch die Verminderung der Zahl der Gerichte wurde ein erheblicher Teil der Richter überflüssig: etwa die zehn ältesten Jahrgänge wurden abgebaut — damit verschwanden die jetzt alt gewordenen fortschrittlichen Richter der Konfliktszeit mit einem Schlage aus der Justiz. Gleichzeitig wurde auch die Rechtsanwaltschaft freigegeben, und da es in ihr keine Avancementssperre aus politischen Gründen gab, schied auch ein großer Teil gerade der tüchtigsten jüngeren liberalen Richter aus, um dem politischen Druck zu entgehen. Und das dritte Moment dieser geradezu idealen Umschichtungsangelegenheit war die Nichtvermehrung der Richterstellen durch die ganzen achtziger Jahre hindurch trotz wachsenden Bedarfs. Diese Nichtvermehrung der Stellen im Verein mit dem Abbau der zehn ältesten Jahrgänge, infolgedessen zehn Jahre lang keine Stellen durch Überalterung frei wurden[38], gab eine glänzende Möglichkeit nicht nur zu billiger Verwaltung — die unbesoldeten Assessoren wurden mit Vertretungen überhäuft und fungierten dauernd als Hilfs-

[33] Wie tief die Umschichtung ging, zeigt ein Brief Wilhelm I. an Puttkamer vom 22. Januar 1886, nach dem der Schauspieler Barnay vom Auftreten in den kgl. Theatern ausgeschlossen wurde, weil er in einer „oppositionellen" (noch nicht einmal sozialdemokratischen!) Versammlung eine Rede gehalten hatte (S. 140)!

[34] Vgl. Friedrich Holtze, Fünfzig Jahre preußische Justiz, Berlin 1901, S. 40.

[35] Johannes Ziekursch, Politische Geschichte des Neuen Deutschen Kaiserreiches, Bd. II, Frankfurt 1927, S. 385.

[36] Friedrich Holtze, Geschichte des Kammergerichts in Brandenburg-Preußen, Bd. IV, Berlin 1904, S. 239.

[37] Friedrich Holtze, Kammergericht, IV, 273. Bismarck interessierte sich nicht für diese Frage: Lucius v. Ballhausen, Bismarck-Erinnerungen, Stuttgart 1920, S. 102.

[38] Details bei Holtze, IV, 286 ff. — S. 292: „Selten hat eine Änderung unter so ungünstigen Verhältnissen für die höheren Beamten stattgefunden."

richter —, sondern auch zu schärfster politischer Siebung des Nachwuchses. Und wenn auch die große Dürftigkeit des Materials methodische Vorsicht gebietet, darf man doch wohl annehmen, daß die 1889[39] beginnende starke Stellenvermehrung keine Folgen der Miquelschen Finanzreform war, sondern die Belohnung, die die Regierung dem hart geprüften, aber politisch für zuverlässig befundenen Nachwuchs gewährte. Die gesamte Richterschaft des wilhelminischen Zeitalters fand ihre Vorgesetzten in diesen Assessoren der achtziger Jahre — aber nicht genug damit: zu den höheren Posten gelangte auch von diesen Assessoren nur der, der durch ein zweites Sieb politischer Bewährung gegangen war: die Staatsanwaltschaft[40].

Es wäre ein grundsätzlicher Irrtum, diese Neustabilisierung der Gesellschaft zu eng mit der Wiederbelebung des Monarchismus durch die Person Wilhelms I. in Verbindung zu bringen. Die unzweifelhaft vorhandene Steigerung des monarchischen Gefühls im Bürgertum während seiner Regierungszeit ist eine durchaus sekundäre Erscheinung gegenüber der primär bedeutsamen sozialen Umbildung. Auch der Monarchismus des preußischen Adels und Offizierkorps war nicht dessen oberste Idee, er war — mit Gneisenau zu sprechen — eine zum Waffenhandwerk gehörende Art von „Poesie“, und der Adel hat dem Königtum gegenüber offen zwar nur selten Widerstand geleistet, im geheimen aber, und da er durchweg die obersten Posten der Bürokratie inne hatte, um so erfolgreicher das Königtum unter seinen sozialen Machtwillen gebeugt[41]. Der preußische Adel konnte seinem König deshalb die Vasallentreue halten, weil der König die Privilegien des Adels nicht stürzen konnte. Das System der Reaktion unter Puttkamer hatte durchaus nicht die Tendenz, die „Monarchie“ gegen „republikanische“ Umsturzgelüste zu sichern[42], sondern war ein sozialer Alexandrinismus, eine planmäßige Abkapselung von Bürokratie und Offizierkorps und der Schichten, aus denen sie sich ergänzten, gegen das Proletariat,

[39] Holtze, IV, 321.

[40] Über diese Probleme vgl. die vortreffliche Schrift von Ernst Fraenkel, Zur Soziologie der Klassenjustiz, Berlin 1927, S. 14 f.

[41] Dieser Gegensatz von Adel und Monarchie ist gegen die in den Rechtskreisen — und auch bei Puttkamer — übliche Identifizierung scharf zu betonen.

[42] Der von Puttkamer nach den bekannten Behauptungen Bismarcks konstruierte Republikanismus der Fortschrittspartei ist vollkommen unhaltbar. Die Fortschrittspartei war nach 1870 derartig zahm, daß sie nicht einmal eine Feier bei der fünfundzwanzigjährigen Wiederkehr des 18. März 1848 wagte. F. Falkson, Die liberale Bewegung in Königsberg, Breslau 1888, S. 198.

und der Ausschluß aller Schichten, die, von der Herrenklasse aus gesehen, näher an das Proletariat heran standen, vom Einfluß auf die Staatsmaschine und vom gesellschaftlichen Ansehen. Das liberale Bürgertum war zwar schon unter dem Eindruck der militärischen Erfolge seit 1864 wieder königstreu geworden, aber seine Dauer und Nachhaltigkeit hat der Monarchismus erst als Funktion der sozialen Umbildung erlangt. Das Motiv, das für die dreißiger und vierziger Jahre Friedrich Julius Stahl für den Monarchismus des französischen Bürgertums festgestellt hatte:

„Die Furcht vor inneren Erschütterungen, das jetzige Grundmotiv der begüterten Bevölkerung, die in den französischen Kammern nicht die Garantie findet wie im englischen Parlament und deshalb nach dem ewigen Naturgesetz um das schirmende Banner des Monarchen sich schart“[43], wurde fünfzig Jahre später in Deutschland aktuell und führte zu einer von Jahrzehnt zu Jahrzehnt wachsenden Entwicklung einer künstlichen „Tradition“.

Innerhalb des Adels wurde im selben Verhältnis, in dem die Häufigkeit des Besitzwechsels der Rittergüter zunahm — und die Zollgesetze führten mit Notwendigkeit zum Verkauf zu einem Preis, in dem der Zoll im voraus kapitalisiert war —, das Institut der Fideikommisse ausgebildet, und in der Armee betonte man ebenso intensiv die Kontinuität der Tradition seit dem Absolutismus und vergaß, daß „die preußische Armee“ in Wirklichkeit entweder die Armee Friedrich Wilhelms I. und Friedrichs des Großen, die Armee Scharnhorsts und Gneisenaus oder die Armee Moltkes und Roons war, Armeen, die voneinander durch Zeiten stärksten Verfalls getrennt waren und miteinander nicht viel mehr als die Standorte gemeinsam hatten. Seinen sichtbaren Ausdruck fand dieser Irrglaube der Vergangenheitsgebundenheit in der Verleihung künstlicher „Traditionen“ an die Regimenter, ihren unsichtbaren in der Verständnislosigkeit der Offiziere gegenüber der sozialen Umwälzung, die sich unter ihren eigenen Augen, am Rekrutenmaterial ihnen täglich sichtbar, im Kaiserreich vollzog[44].

Wenn auch dieser neudeutsche Traditionalismus die friderizianische Seite des preußischen Militärstaats betonte und die Steinschen Reformen möglichst zu ignorieren suchte[45], so war in der Praxis ein Rückfall in die friderizianische Adelsdespotie ausgeschlossen. So rücksichtslos

[43] Stahl, Das Monarchische Prinzip (1845). Neuausgabe 1927, S. 25, vgl. S. 48.

[44] Otto Erich Volkmann, Die sozialen Mißstände im Heer während des Weltkrieges, Wissen und Wehr, März und April 1929.

[45] Max Lehmann, Freiherr vom Stein, Bd. 1, Leipzig 1902, S. VII.

und planmäßig scharf konservative Beamte auch in nichtkonservative Gegenden versetzt wurden — Puttkamers Personalpolitik verfolgte in der Zivilverwaltung dieselbe Tendenz, die die Militärverwaltung einerseits mit der Pflege des Reserveoffizierswesens, andererseits mit dem Ausgleich von exklusiv adligen und bürgerlichen Regimentern[46] verfolgte: Hereinziehung der feudalisierbaren Teile des Bürgertums in die konservative Verwaltung und in ihr möglichste Gleichstellung der bürgerlichen Beamten mit den adligen — allerdings nur bis zum Regierungspräsidenten[47], denn die Spitzen der Provinzialverwaltungen, die Oberpräsidenten, waren und blieben der adligen Geburt reserviert.

4.

Die Antinomie dieses Systems bestand darin, daß es das Bürgertum für die Besetzung der Beamten- und Offiziersposten quantitativ nicht mehr entbehren konnte, bürgerliche Beamte und Offiziere aber nur dann avancieren ließ, wenn sie ihre bürgerliche Gesinnung abgelegt und die neufeudale angenommen hatten.

Zur organisatorischen Sicherung dieses Neubaues wurde in der Armee die Personalabteilung aus dem Verbande des Kriegsministeriums herausgenommen, etatsrechtlich beseitigt, so dem Zugriff des Parlaments entzogen und in der Form des Militärkabinetts als ein unverantwortliches Personalministerium für die Armee neugebildet[48]. Ebenso wurde der Generalstab von der bisherigen Unterstellung unter das Kriegsministerium befreit und zu einer diesem koordinierten Immediatbehörde erhoben[49]. Das neue Personalministerium sollte die Armee völlig unabhängig von jedem etwa möglichen parlamentarischen Einfluß sozial einheitlich erhalten, die Befreiung des Generalstabs die Möglichkeit eines Einflusses des Parlaments auf die Kriegsführung auf

[46] Priebatsch, S. 58.

[47] Puttkamer, S. 82.

[48] Kabinettsorder vom 8. März 1883, bei Fritz Freiherr Marschall von Bieberstein, Verantwortlichkeit und Gegenzeichnung bei Anordnungen des Obersten Kriegsherrn, Studie zum deutschen Staatsrecht, Berlin 1911. S. 161 ff. Zur Vorgeschichte Lucius von Ballhausen, S. 259. — Psychologisch gesehen ist diese Herauslösung auf das Machtbedürfnis des Generals von Albedyll zurückzuführen; soziologisch geht ihre Bedeutung weit über den konkreten Anlaß hinaus.

[49] Kabinettsorder vom 24. Mai 1883. Zuerst gedruckt bei Günther Wohlers, Die staatsrechtliche Stellung des Generalstabes in Preußen und dem Deutschen Reich, Bonn 1921, S. 32.

dem Wege über den Kriegsminister ausschalten. Die staatsrechtliche Theorie billigte in löblicher Unterwerfung unter den Willen der Regierung diese organisatorische Sonderstellung des Militärs und motivierte sie mit der technischen Notwendigkeit einer gewissen Ellbogenfreiheit für die Armee, suchte in Wirklichkeit aber damit nur die neue Festlegung der Machtverteilung in halbabsolutistischer, dem Parlamentseinfluß entrückter Form gegenüber der proletarischen Gefahr logisch zu fundieren. Der Offizier wurde effektiv dem Schutze der Verfassung entzogen und mit dem König durch eine spezielle Vasallentreue verbunden, von der der gewöhnliche Staatsbürger ausgeschlossen war. Der Offizier unterstand nicht der Zivilgerichtsbarkeit, sondern dem Militärgericht einerseits, dem Ehrengericht — dem der Reserveoffizier auch im Zivilberuf unterstand — mit seiner Duellierpflicht andererseits: die Aufrichtung einer mit dem allgemein gültigen Strafrecht in Widerspruch stehenden Duellehre[50] war ein auf die Masse der Offiziere glänzend berechneter Prüfstein. Das Offiziersmonopol des Adels im absolutistischen Preußen war eine technische Notwendigkeit gewesen: es gab keine andere Klasse, die brauchbare Offiziere liefern konnte. Der Offizier durfte zwar die anderen Klassen verachten und schikanieren, aber nötigenfalls wurde er selbst vor Bürgern, Handwerkern und gemeinen Soldaten als ehrloser Lump behandelt. Das Offiziersmonopol des preußischen Neufeudalismus hatte keine technischen Gründe mehr, es war ein soziales Kampfmittel und bezweckte die Abkapselung der Armee von den Untertanen als Gegengewicht gegen die demokratischen Gefahren der allgemeinen Wehrpflicht. Die schärfste Nachprüfung des sozialen Standes der Eltern und der Frau des Offiziers waren das positive, der prinzipielle Ausschluß der aus der allgemeinen Wehrpflicht hervorgehenden Unteroffiziere von der Beförderung zum Offizier[51] das negative Mittel der Erhaltung dieser abgekapselten Herrenschicht.

Im Bereich der Zivilverwaltung entspricht den Kabinettsorders vom 8. März und 24. Mai 1883 organisatorisch der Allerhöchste Erlaß vom 4. Januar 1882. Dieser Erlaß interpretierte in seinem ersten Teil die preußische Verfassung dahin, daß die verantwortliche Gegenzeichnung

[50] Die offizielle Duelltheorie jetzt zusammengefaßt bei Walter Elze, Tannenberg. Das deutsche Heer von 1914, Breslau 1928, S. 21.

[51] Ein Offizier konnte einem Unteroffizier auch kein Ehrenwort geben: G. Rotermund, Kommentar zum Militärstrafgesetzbuch für das Deutsche Reich, 2. Aufl. Hannover 1911, S. 456.

durch die Minister den Regierungsakten des Königs nicht die Natur selbständiger königlicher Entschließungen benehme — eine Erklärung, die staatsrechtlich nichts war als eine Proklamation des Königtums über den Umfang der Rechte, die es sich in der oktroyierten Verfassung gelassen hatte. Der zweite — und wichtigere — Teil des Erlasses hatte den Zweck, endlich das zu erreichen, was weder durch den Konflikt noch durch den Eindruck der Siege von 1866 und 1870 erreicht worden war: die liberal, fortschrittlich, bürgerlich gesinnten Beamten aus der Verwaltung auszumerzen und dem Nachwuchs in aller Öffentlichkeit klar zu machen, daß die Regierung nur noch Beamte einstellen werde, die gouvernemental sans phrase wären. Technisch griff der Erlaß an der Stelle ein, an der sich die Gesinnung des Beamten am deutlichsten manifestieren mußte, in seiner Haltung bei den Wahlen. Wurde der Druck offiziell auch nicht so scharf wie bei den Offizieren und Reserveoffizieren mit der formell allerdings auch nicht kodifizierten widergesetzlichen Forderung der Duellpflicht angesetzt, so forderte der König doch mit Entschiedenheit von „denjenigen Beamten, welche mit der Ausführung meiner Regierungsakte betraut sind und deshalb ihres Dienstes nach dem Disziplinargesetz enthoben werden können, eine durch den Diensteid beschworene Pflicht auf Vertretung der Politik meiner Regierung bei den Wahlen[52]." Was bei den Offizieren die Vasallentreue, das sollte bei den Beamten der Diensteid sein. Der Beamte sollte nicht nur Diener des Staates sein — und als solcher unterliegt er mit Selbstverständlichkeit dem Beamtendisziplinarrecht, das an ihn höhere Anforderungen stellt als das allgemeine Strafrecht an sämtliche Staatsbürger —, sondern darüber hinaus Diener der Staatsform und mehr noch: Diener der momentanen Regierung und ihrer Tendenz der Feudalisierung des Bürgertums. Dem Widerspenstigen wurde deutlich genug die Disziplinierung angedroht.

Über den glänzenden Erfolg dieser Feudalisierungspolitik haben wir oben schon gesprochen. Aber so groß die Macht war, die diesen Erfolg ermöglichte: an zwei Stellen war Puttkamer hilflos. Er war einmal nur preußischer, nicht Reichsinnenminister. Der föderalistische Aufbau des Reiches verhinderte die Ausdehnung der preußischen Reaktion über das ganze Reich. Hessen und Baden behielten ausgesprochen libe-

[52] S. 143. — Bismarck hat außerdem Ende 1881 sich mit dem Plan getragen, allen Beamten eine große Gehaltsaufbesserung zu geben, oder zum mindesten den Landräten und politischen Beamten: „Das werde die Sympathien der Beamten sichern!" Lucius, S. 219, 22. Dezember 1881.

rale Beamtenkörper, die süddeutschen Staaten gingen nach 1900 zum allgemeinen Wahlrecht, Bayern ging kurz vor Ausbruch des Krieges (1912) faktisch zum parlamentarischen Regierungssystem über[53]. Und zweitens: die städtische Selbstverwaltung sicherte dem verfolgten politischen Freisinn einen von der Reaktion unabhängigen Bereich der Ämterpatronage. So gern Puttkamer auch den Freisinn der Stadtverwaltungen ausgeräuchert hätte — und versucht hat er es durch Verschärfung der Kommunalaufsicht[54] —, hier ist er gescheitert.

5.

Über die Persönlichkeit des Ministers erfahren wir aus der Lebensskizze sehr wenig. Von Bedeutung ist nur die Kontrastierung seines äußeren harten Auftretens gegen Fortschritt und Sozialdemokratie und seiner im Grunde friedlichen Privatgesinnung. Sie zeigt, daß Puttkamer keine Kämpfernatur war, die sich mit harter Energie in der Bürokratie den Weg nach oben bahnte und als Minister eine Politik persönlichen Stils führte. Er war ein technisch hochqualifizierter Beamter, der sich reibungslos in das Schema seiner Umwelt einfügte und von ihr bis zum Ministerium emporgehoben wurde: als er hier eine Politik der Härte und Gewaltsamkeit zu führen hatte, weil Bismarck sie ihm befahl, hat er diese Politik mit derselben Exaktheit und Tüchtigkeit durchgeführt, wie er eine Politik der Versöhnung durchgeführt hätte, wenn ihm diese vom Diktator vorgeschrieben worden wäre. Er besaß wie viele der hohen preußischen Beamten die Fähigkeit, auch in der höchsten Stelle eine Politik „im Auftrage zu führen". Sein Inneres war nicht ganz mit der äußeren Aufgabe verschmolzen — der Dienst war eine virtuos erledigte Technik, das Innere behielt er für sich und zeigte es ungern. Seine geistigen Interessen waren beschränkt — über das klassische Drama hinaus hat sein Verständnis für Kunst nicht gereicht. So bedeutend er technisch in die innere Entwicklung des kaiserlichen Deutschland eingegriffen hat — er tat es, weil er auf den Posten des preußischen Innenministers berufen und ihm das Eingreifen befohlen war. —

Wir konnten hier nur ganz kurz den Rahmen skizzieren, in dem sich die ministerielle Tätigkeit Robert von Puttkamers abgespielt hat

[53] Fritz Hartung, Deutsche Verfassungsgeschichte vom 15. Jahrhundert bis zur Gegenwart, 2. Aufl. Leipzig 1922, S. 183.

[54] S. 77.

und müssen es bedauern, daß die Lebensskizze weder den Rahmen noch bedeutsame neue Einzelheiten bringt und statt dessen mit parteipolitischen Ausfällen[55] gegen die jetzige Lage im Reich und in Preußen belastet ist. Zwei dieser Ausfälle sind ein amüsanter Beitrag zur Soziologie des Konservatismus und bürgerlichen Neufeudalismus, der von der bloßen Opposition gegen Werte und Zustände der eigenen Zeit lebt, und prinzipiell das bejaht und bejubelt, was vergangen ist.

Der Minister von Puttkamer war tief verzweifelt über den sittlichen Niedergang in den achtziger Jahren:

„Unsere politischen Sitten und die politische Moral haben seit Einführung des geheimen Wahlrechts zum Reichstag keine Fortschritte gemacht, wir befinden uns im Gegenteil seitdem auf einer schiefen Ebene[56]."

„In den großen Zentren des gewerblichen Lebens und der Industrie zeigt sich der erheblichste Rückgang der sittlichen Haltung der Lehrer... Die Tatsache muß als begründet angenommen werden, daß namentlich durch den industriellen Aufschwung in einer Epoche und durch den darauffolgenden Niedergang in der anderen Epoche auch in den moralischen Verhältnissen des Lehrerstandes eine analoge Schwankung eingetreten ist[57]."

Sein Sohn erblickt in dieser Zeit des sittlichen Niederganges die Zeit der — Blüte des deutschen Parlamentarismus:

„Wenn man sich in die Berichte dieses denkwürdigen Tages des deutschen Parlaments[58] vertieft, ergibt sich unwiderleglich die Feststellung, wie tief der Parlamentarismus unserer Tage unter dem Niveau jener Zeit steht. Schon die Namen der Redner der damaligen Debatte offenbaren dies ...[59]."

„Sämtliche Fraktionen weisen in dieser Zeit Männer auf, welche das Niveau der Volksvertretung zu einer kaum von dem Frankfurter

[55] Es wäre nützlicher gewesen, wenn Herr von Puttkamer statt dieser überflüssigen Bemerkungen, die mit der Tätigkeit seines Vaters nichts zu tun haben, die mitgeteilten Briefe sorgfältiger abgeschrieben hätte. Ein Vergleich der Faksimiles mit dem Abdruck im Text zeigt zahllose Flüchtigkeiten des Abschreibers.

[56] Reichstagsrede 1883, S. 157.

[57] Reichstagsrede 1880, S. 53.

[58] Reichstagsdebatte vom 24. Januar 1882 über den Allerhöchsten Erlaß vom 4. Januar 1882 (s. o.).

[59] S. 151.

Paulsparlament übertroffenen Höhe gipfelten (sic!). Das zeigt sich bei allen Parteien bis zur Sozialdemokratie[60]."

Also urteilte im Jahre 1928 ein Anhänger der Deutschnationalen über das Niveau des Deutschen Reichstags in der Zeit, als Bismarck ihm keine Bewegungsfreiheit ließ und vom Parlamentarismus das Ende Deutschlands erwartete, als die Zeitgenossen sich an Klagen über den Niedergang des parlamentarischen Niveaus überboten und resigniert auf das hohe Niveau der Paulskirche hinwiesen. Leider hat man 1848 nicht über den Niedergang des Niveaus klagen können, aber nicht deshalb, weil die Paulskirche das absolut gute Niveau innehielt, sondern weil es vorher kein deutsches Parlament gab, dem man ein besseres andichten konnte. Wir werden nur dreißig oder vierzig Jahre zu warten brauchen, dann wird auch der — geistige — Sohn des Herrn von Keudell in der Biographie seines Vaters die Herrlichkeit der deutschen Politik preisen — in der Zeit, in der sein reaktionärer Vater noch entgegengesetzter Meinung war.

6.

Zum Schluß sei noch ein vielumstrittenes und wenig geklärtes Einzelproblem behandelt, das methodisch für die praktische Anwendung der Überbau- und Unterbautheorie von Bedeutung ist: das des ostpreußischen Adelsliberalismus, mit dem sich Robert von Puttkamer als Regierungspräsident in Gumbinnen zu befassen hatte. In der Biographie[61] wird dieser ostpreußische Liberalismus in einer starken Verkürzung des Problems auf die Stein-Hardenbergsche Agrarreform zurückgeführt, durch die ein Teil des ostpreußischen Großgrundbesitzes sich „in eine grundsätzliche Opposition gegen die preußische Staatsregierung hat hineintreiben lassen. Widerstand gegen die Regierung hat aber im monarchischen Preußen fast stets das Bekenntnis zur Fortschrittspartei gezeitigt." Abgesehen davon, daß der letzte Satz eine deutsch-nationale Parteiphrase ist, wird durch diese These nicht erklärt, warum die Opposition gegen die Agrarreform sich gerade in Ostpreußen erhalten hat und nur dort; denn ursprünglich war sie in den übrigen Provinzen mindestens ebenso heftig: der pommersche Adel sah in der Bauernbefreiung schon die Zerstörung des Eigentums, der schlesische prophezeite das Ende des Staates und entblödete sich nicht, 1808 das Militär der französischen Besatzungsarmee zu requirieren,

[60] S. 75.
[61] S. 27.

um die Bauern zur Weiterleistung der aufgehobenen Dienste zu zwingen, in Brandenburg mußten die Wortführer der Opposition — darunter der Erzreaktionär v. d. Marwitz — nach Spandau gebracht werden. Die politische Historie sucht für den ostpreußischen Adelsliberalismus ein außenpolitisches Motiv: gegenüber der nationalen Inaktivität der Reaktion seit 1819 sei in den gefährdeten Grenzprovinzen Ostpreußen und Rheinland gleichermaßen eine liberale und zugleich nationale und damit in Opposition zur Regierung stehende Bewegung entstanden. Aber auch diese Erklärung ist offensichtlich nicht ausreichend.

Die entscheidenden Grundlagen für den ostpreußischen Adelsliberalismus sind vielmehr sozialer und wirtschaftlicher Art.

Im 17. Jahrhundert bestand ein wesentlicher Teil der inneren Politik der nordöstlichen deutschen Staaten im Kampf zwischen Dominium und Domanium, d. h., im Kampf um die Frage, ob das absolute Fürstentum oder der ständische Adel Besitzer der Rittergüter sein solle. Je eher der Adel vor dem Fürstentum kapitulierte, desto mehr streitige Rittergüter ließ der Sieger in seinem Besitz. In Ostpreußen hat die ständische Opposition sich am stärksten gezeigt und in Ostpreußen ist sie am spätesten unterdrückt worden. Das Resultat zeigt die Statistik: 1800 besaß die Krone 326 000 Hufen, der Adel nur 164 000[62]. Eine derartige Schmälerung seines Besitzes hat der ostpreußische Adel der siegreichen Krone niemals vergessen und die ständische Opposition hat sich bei jeder Gelegenheit wieder gezeigt. Friedrich der Große hat deshalb — als absolutistischer Herrscher ganz mit Recht — dem ostpreußischen Adel die Errichtung eines landschaftlichen Kreditinstituts nach dem Vorbild des schlesischen nicht gestattet: „sie dienen nicht und wollen nichts tun, also werden Höchstdieselben auch für sie nichts tun[63]." Und als sein Nachfolger die Errichtung unter dem Druck seiner hohen, an der Entwicklung des Agrarkapitalismus persönlich interessierten Bürokratie doch gestattete, wurde die Landschaft sofort der Sammelpunkt der ständischen Opposition gegen die Monarchie. Wenn der Adel in der Zeit von 1807 bis 1815 an der Spitze der allgemeinen Unlust stand, Steuern zu zahlen[64] — der ostpreußische Adel hat 1813

[62] Max Lehmann, Freiherr vom Stein, II, Berlin 1902, S. 40. Das Dept. Gumbinnen nannte Theodor von Schön einmal „diese Domänenprovinz". Briefe und Aktenstücke aus dem Nachlaß Staegemanns, Bd. I., Leipzig 1899, S. 156.

[63] Kabinettsorder vom 1. Juni 1781 bei Hermann Mauer, Das landschaftliche Kreditwesen Preußens, Straßburg 1907, S. 10.

[64] Lehmann, Stein, II, S. 201.

mitten im Kriege die Ablieferung der eingegangenen Gelder nach Berlin zur Kriegsfinanzierung verweigert[65].

An sich hätte die ständische Opposition durchaus konservativ-reaktionäre Züge tragen können. Daß sie liberal und fortschrittlich wurde, lag nicht a priori in ihrem Charakter als Opposition gegen die Hohenzollerndynastie, sondern in dem wirtschaftlichen Moment, das in ihr steckte.

Ostpreußen war im 18. Jahrhundert unter den rückständigen preußischen Provinzen bei weitem die rückständigste; der Provinz fehlte jeglicher Fabrikbetrieb; ein Kapitalmarkt war so gut wie gar nicht vorhanden; dafür hatte sie aber einen sehr starken Handelsverkehr. Die Lage an der See ermöglichte einen Export des Getreides nach England und Holland, und die Lage an der polnischen, später russischen Grenze ermöglichte eine profitable Durchfuhr von Textilien, die zur See herangeführt wurden, nach Litauen und Polen. Textilientransit und Getreideexport gaben der ostpreußischen Oberschicht des späteren Merkantilismus ein Gepräge, das sie aus ihrer schutzzöllnerischen Umgebung heraushebt: diese Oberschicht war freihändlerisch, denn die Voraussetzung ihrer Existenz war der freie Handelsverkehr mit England und Polen[66]. Entscheidend war, daß an diesem Handel außer dem Handelsstand nicht ein diesem die zu exportierenden Waren liefernder Stand von Fabrikbesitzern interessiert war, sondern die Klasse der Getreide produzierenden und exportierenden Rittergutsbesitzer und Domänenpächter. Der Getreideexport über See hat den ostpreußischen Adel zu liberalen Freihändlern gemacht, hat der Theorie von Adam Smith in Ostpreußen zur allgemeinen Anerkennung verholfen und damit die Atmosphäre geschaffen, in der Kants Moralphilosophie sich durchsetzen und auf die Führer der preußischen Reform hat wirken können[67]. Erst in der Reaktion der achtziger Jahre, deren Repräsen-

[65] Karl Mamroth, Geschichte der preußischen Staatsbesteuerung im 19. Jahrhundert, Bd. I., Leipzig 1890, S. 756.

[66] Es ist sehr bezeichnend, daß in Ostpreußen 1807/08 eine starke Animosität gegen England herrschte, da dessen Seeherrschaftsgelüste immer neue Kriege und Handelssperren verursachte, und dementsprechend in Handelskreisen im Gegensatz zur Regierungspolitik mit den Franzosen sympathisiert wurde.

[67] Der Aufsatz von Arnold Oskar Meyer, Kants Ethik und der preußische Staat (in der Festschrift Erich Marcks zum 60. Geburtstag, Stuttgart 1921), der mit der für das kaiserliche Deutschland selbstverständlichen Theorie aufräumt, daß Kants Pflichtgefühl nur in Preußen möglich gewesen sei, beschränkt sich leider auf das Denken Kants und übersieht diese Umgebung. Vgl. auch Carl Brinkmann, Die preußische Handelspolitik vor dem Zollverein, Berlin 1922, S. 8.

tant Robert von Puttkamer war, ist dieser ostpreußische Liberalismus, der sich allmählich zu einem Bauernliberalismus entwickelt hatte, zu Grabe getragen worden: in Wahlkreisen, die in den siebziger Jahren noch liberale Abgeordnete gewählt hatten, bekamen die Liberalen nach 1900 noch zehn Prozent der siegreichen konservativen Stimmen[68].

[68] Arthur Rosenberg, Die Entstehung der deutschen Republik 1871-1918, Berlin 1928, S. 263.

Klassenkämpfe und Rüstungspolitik im kaiserlichen Deutschland

1.

Die zentrale Voraussetzung für die Anerkennung des bürgerlichen Nationalstaats durch seine Bewohner ist die Allgemeinheit des Glaubens an sein klassenloses Handeln: der „Staat" als eine über den Klassen stehende — in Preußen-Deutschland durch eine besondere Klasse, die Bürokratie, geleitete — Institution, handelt nach dem Gesetz der ihm eigenen Notwendigkeit, und er handelt vor allem nach dem Gesetz, daß er Staat unter Staaten ist. Der Primat der Außenpolitik ist für die Ideologie des deutschen Nationalstaats des 19. Jahrhunderts ein ehernes Gesetz, an dem zu rütteln ein Verbrechen derselben Schwere ist, wie im 16. Jahrhundert die Behauptung, daß die Erde sich um die Sonne drehe.

Als Staat im Staatensystem lebt der Nationalstaat in einer Welt von Feinden. Was er selber tut, ist Defensive gegen die unberechtigte Machtgier der Gegner. Was ein anderer Staat tut, ist offensiv[1] und enthält Pläne zu gewalttätiger Beseitigung des Konkurrenten eventuell selbst durch Überfall mitten im Frieden[2]. Damit wird die Armee, die den Staat gegen seine Konkurrenten schützen soll, in einem besonderen Maße zum Ausdruck der staatlich-außenpolitischen Interessen und wird ideologisch den innenpolitischen und sozialen Auseinandersetzungen innerhalb des Nationalstaats entzogen.

Ist aber die Armee des Nationalstaats, speziell, um das Problem zu beschränken, die des deutschen Kaiserreichs, eine solche tatsächlich den Klassenkämpfen entrückte Armee gewesen? Hat also nicht nur die die

[1] Charakteristisch dafür die große Rüstungsdenkschrift des Generalstabs vom 21. Dezember 1913. Gedruckt in: Der Weltkrieg 1914 bis 1918. Bearbeitet im Reichsarchiv. Kriegsrüstung u. Kriegswirtschaft. 1. Bd.: Die militärische, wirtschaftliche u. finanzielle Rüstung Deutschlands von der Reichsgründung bis zum Ausbruch des Weltkrieges, Berlin 1930, S. 173 und Anlagebd. I, S. 158 ff.

[2] Als Beispiele hierfür nur: Franz Freiherr v. Edelsheim, Operationen über See, Berlin 1901 (dazu die Bemerkungen bei Eckart Kehr, Schlachtflottenbau und Parteipolitik, Berlin 1930, S. 355), und das von Oberst Ludendorff konzipierte Schreiben des Generalstabs an das Kriegsministerium vom 25. November 1912. Kriegsrüstung, Anlagebd. I, S. 147.

Ideologie des einheitlichen Nationalstaats bekämpfende soziale Opposition den Klassencharakter der Armee behauptet, sondern haben die Besitzer der Macht die Entwicklung der Armee als außenpolitisch-staatliche oder als nach den Bedürfnissen der sozialen Machtverteilung zu regulierende Problematik angesehen?

Um diese Frage zu beantworten, ist der direkte Weg, der Nachweis der Abhängigkeit der Militärideologie von der sozialen Struktur und der Wirtschaftsverfassung an sich zulässig. Aber methodisch stärker durchschlagend ist die Aufrollung des Problems der Klassengebundenheit der Rüstungspolitik von der scheinbar rein militärischen Seite aus, von der Frage: wie weit ist die Durchführung der militärischen Operation, ist die moderne Strategie und ihr Zentralpunkt, die große Offensive, abhängig von der Lage des Hochkapitalismus; oder konkret gesprochen: auf welchen ökonomischen Voraussetzungen beruht die im ancien régime herrschende Theorie, daß der nächste Krieg notwendig ein kurzer Krieg sein müsse, und welches sind damit die ökonomischen und sozialen Voraussetzungen des Schlieffenschen Aufmarschplanes?

2.

Wenn Friedrich der Große seine Kriege „bref et vif", kurz und schnell, führen wollte, tat er das nicht unter dem Zwang, mit seiner Kriegführung auf die kapitalistische Wirtschaft seines Staates Rücksicht nehmen zu müssen. Denn die Entwicklung des Kapitalismus war noch so gering, daß dieser überhaupt nicht als Grundlage der Kriegführung in Betracht kam. Um den Staat nicht finanziell zusammenbrechen zu lassen, mußte der gesamte Produktionsapparat durch Nichteinziehung der in ihm Beschäftigten auch im Kriege weiter arbeiten und Steuern abliefern. Daß der Bürger nicht merken sollte, wenn der König Krieg führte, war nicht aus der politischen Despotie geboren, sondern aus der geringen Ertragsfähigkeit des Verlagskapitalismus des 18. Jahrhunderts. Die frühkapitalistische Wirtschaft konnte an sich einen langen Krieg aushalten — die Industrie hat sich durch Kriegslieferungen entwickelt, und das Leihkapital begann in Preußen gerade im Gefolge der Münz- und Subsidientransaktionen des Siebenjährigen Krieges und später auf Grund der sehr kostspieligen ständischen und staatlichen Anleihen zwischen 1806 und 1813 sich so zu entfalten, daß man es Leihkapital nennen darf —, aber zur Finanzierung eines Krieges aus ihren Erträgnissen war sie noch zu schwach. Die Verzweiflung des Fürsten, der an der Spitze eines agrarischen Staates gegen eine Koalition kapitalistisch höher entwickelter Staaten Krieg führte, war der

Grund für die im 18. Jahrhundert ungewöhnliche Strategie Friedrichs, nicht nur zu manövrieren, sondern entschlossen zuzuschlagen, anzugreifen und die Schlacht zu wagen. Und der individuelle Charakter des Monarchen, sein persönlicher Mut und der Zufall der Verbindung von Feldherr und König in einer Person, der die Hemmungen des im Auftrag handelnden Generals[3] aufhob, war nur der Zufall, der in der gegebenen Lage die beste Ausnutzung gestattete.

Von der Strategie Friedrichs führt kein Weg zur Strategie des späteren 19. Jahrhunderts. Die Theorie von der Notwendigkeit des kurzen Krieges im Zeitalter des Hochkapitalismus beginnt erst mit Clausewitz, aber nur indirekt. Denn bei ihm trat die Frage nach der wirtschaftlichen Tragbarkeit des Krieges ebenso in den Hintergrund wie die Frage der Waffenwirkung. Wenn er vom „Kulminationspunkt des Angriffs"[4] spricht, operiert er mit den gegebenen Stärken der Armeen, fragt nicht nach den ökonomischen oder sozialen Grundlagen der Verschiedenheit der inneren Stärke verschiedener Armeen, setzt die Vorstellung, „daß doch immer die meisten Kriege" die sein werden, „in denen das Niederwerfen des Gegners nicht das kriegerische Ziel sein kann", als selbstverständlich voraus und damit die ökonomische Labilität der hinter den kämpfenden Armeen stehenden Staaten, interessiert sich aber nicht für die Gründe dieser von seiner Theorie der „Absolutheit" der Kriegführung her als störende Einschränkung empfundene Schwäche der Staaten, weil für ihn der „absolute Krieg in seiner zerschmetternden Energie" nur eine ihm selbst noch überspitzt scheinende Konstruktion im Bereich der Idee war[5].

Diese Clausewitzsche Theorie vom Kulminationspunkt des Angriffs, seine Beobachtung, daß der Angreifer, „im Strom der Bewegung über ... den Kulminationspunkt, ohne es gewahr zu werden", hinauskommen kann, daß nur aus Mangel an Zutrauen zu sich selbst die Mehrzahl der Feldherren „lieber weit hinter dem Ziel (den Kulminationspunkt zu erreichen) zurückbleibt, als sich ihm zu sehr nähert", mußte in dem Augenblick die Offensive zu Beginn des Krieges mit dem Ziel raschester und völliger Vernichtung des Gegners erzwingen, als in ihren leeren Rahmen der konkrete Inhalt der Wirtschaft und Technik

[3] Die im Absolutismus infolge der Kostbarkeit der Armee und der leichten Rückwirkung militärischer Mißerfolge auf die Intrigen der Hofgesellschaft viel stärker war als im 19. Jahrhundert.

[4] Vom Kriege, Anhang zum 7. Buch.

[5] Eberhard Kessel, Doppelpolige Strategie, Wissen und Wehr 1931, S. 631.

eingespannt wurde, als dem Feldherrn Moltke bewußt wurde, daß der Kulminationspunkt infolge der mit der Waffenrevolution der Jahrhundertmitte einsetzenden Verflechtung der Armee mit der Wirtschaft und der Technik in erschreckende Nähe des Kriegsbeginns gerückt war. Während Clausewitz aus den Erfahrungen großer Koalitionskriege den Krieg eingebettet hatte in die Politik — der Krieg als Fortsetzung der Politik mit anderen Mitteln, Übertragung der Aufstellung des Kriegsplans nicht an den General, sondern an den Politiker — und bei der Analyse der Taktik die Fragen der Menschenmassen und der Waffenwirkung außer acht gelassen hatte, nahm Moltke ihn ideologisch wieder aus der Politik heraus[6]. Er ließ die Strategie völlig von den Erfordernissen der kapitalistischen Wirtschaft, die Taktik von der Waffentechnik abhängen. „Der Charakter der heutigen Kriegsführung", heißt es in der Instruktion für die höheren Truppenführer von 1869[7], „ist bezeichnet durch das Streben nach großer und schneller Entscheidung. Die Stärke der Armeen, die Schwierigkeit, sie zu ernähren, die Kostspieligkeit des bewaffneten Zustandes, die Unterbrechung von Handel und Verkehr, dazu die schlagfertige Organisation der Heere und die Leichtigkeit, mit der sie versammelt werden — alles drängt auf rasche Beendigung des Krieges." „Bei der Enormität der aufzustellenden Heere wird in den ersten acht Tagen eine große Schlacht von beiden Seiten gesucht werden" und „wer die preußische Heeres- und Landwehreinrichtung kennt, weiß, daß wir mit diesem Material nicht zuwarten können, daß die Versammlung unausbleiblich zum Losschlagen zwingt[8]."

Wie die Strategie durch die Lage des hochkapitalistischen Staates zur schnellsten Entscheidung gezwungen wurde, so wurde die Form dieser Entscheidung durch die Waffentechnik festgelegt. Denn die Taktik wurde durch das Hinterladegewehr und das gezogene Geschütz vom napoleonischen Bajonettangriff und Zentrumsdurchbruch mit massierten Kolonnen umgebildet zur Umfassung: „Gegen eine noch geordnete feindliche Infanterie, eine solche, die noch standhält und nicht

[6] In dem Aufsatz „Über Strategie", der eine der wichtigsten Quellen für die Ausbildung der Militärideologie des deutschen Kaiserreichs ist (Militär. Werke II, 2, S. 287 ff.).

[7] Militärische Werke II, 2, S. 173. Vgl. fast gleichlautend Militärische Korrespondenz 1870, S. 115, — Über die Frage, wieweit die preußische Generalität die Überbau-Unterbautheorie angenommen und mit ihr gearbeitet hat, wäre eine Untersuchung sehr interessant.

[8] An General Hartmann, 17. Mai 1867, und an seinen Bruder Adolf, Juli 1859.

schon sehr erhebliche Verluste gehabt hat, verspricht der Bajonettangriff keinen „Erfolg", und „wo freilich solche Geschützmassen versammelt sind, wie in der österreichischen Stellung bei Königsgrätz, da wird die obere Leitung zu erwägen haben, wie der Frontal- durch den Flankenangriff ersetzt werden kann[9]." Diese Umfassung des Gegners, der in der Front durch seine starke, auf der modernen Waffentechnik beruhende Feuerkraft unangreifbar war, wurde in den folgenden Jahrzehnten immer stärker das operative Zentralproblem der deutschen Armee, im kleinen so gut wie im großen, in der Taktik wie in der Strategie, vom Umfassen einer Kompanie bis zu dem riesigsten Umfassungsmarsch der Weltgeschichte, dem Schlieffenschen Einmarsch in Belgien als Verzicht des Frontalangriffs auf den Beton der französischen Sperrfortlinie Belfort-Verdun.

Helmut von Moltke ist der Theoretiker und zugleich der Praktiker nicht des langen, sondern des kurzen Krieges auf der Grundlage der Labilität der kapitalistischen Wirtschaft während des Krieges und der beginnenden Übersteigerung der Waffenwirkung im zweiten Drittel des 19. Jahrhunderts. Die Moltkesche Strategie ist die Strategie der ganz raschen Entscheidung im ersten Ansturm. Was er 1890 im Reichstag von der Möglichkeit eines sieben- oder dreißigjährigen Krieges sagte, war eine Altersresignation gegenüber den Aufgaben, die das befestigte Lager Paris und die bis 1914 in ihrer Stärke stets maßlos überschätzte französische Sperrfortlinie einer Armee aufzwangen, die die freie Feldschlacht und den Heroismus anstürmender und sich opfernder Infanterie unbedingt über den Festungskampf und seine technischen Probleme stellte.

Tirpitz und Schlieffen führten im beginnenden 20. Jahrhundert die Moltkesche Theorie von der Kriegführung als Funktion des Kapitalismus weiter. Tirpitz baute seine Flottenpropaganda auf die These von der Flotte als „Funktion der Seeinteressen" auf und Schlieffen stellte seine Strategie des ungeheuren im ersten Ansturm den Krieg im Westen entscheidenden Stoßes durch Belgien auf die Basis der Unmöglichkeit eines langen Kriegs in einer Zeit, „wo die Existenz der Nation auf einem ununterbrochenen Fortgang des Handels und der Industrie begründet ist und durch eine rasche Entscheidung das zum Stillstand gebrachte Räderwerk wieder in Lauf gebracht werden muß[10]."

[9] Militärische Werke II, 2, S. 101. Denkschrift von 1868.

[10] Der Krieg in der Gegenwart, Ges. Schriften, Berlin 1913, Bd. I, S. 17. Vgl. auch die vorzüglichen Bemerkungen von Walter Elze, Tannenberg. Das deutsche Heer von 1914, Breslau 1928, S. 366.

Moltke, Schlieffen und Tirpitz bauten ihre Strategie auf der Voraussetzung auf, daß der nächste Krieg nur kurz sein konnte, weil der hochkapitalistische Staat einen langen nicht mehr ertragen konnte. Die Konsequenzen dieses Glaubens waren

1. der Verzicht auf die wirtschaftliche Mobilmachung und auf den Übergang zum Materialkrieg;

2. ein Schwanken zwischen Steigerung und Beschränkung der Größe der Armee.

3.

Die wirtschaftlichen Kriegsvorbereitungen vor 1914 mußten auf einer Zwischenstufe stehenbleiben. Ohne die Einbeziehung der Wirtschaft in die Kriegführung war Krieg nicht mehr zu führen, aber eine wirtschaftliche Kriegsvorbereitung, die einerseits Generalstab und Kriegsministerium als militärische Behörden in einer wirtschaftlich-politischen Gesamtkriegsleitung organisierte, andererseits die mechanische Aufstapelung von Riesenbeständen an Waffen und Geräten unterließ und alles auf „die Feststellung des Typs der Waffe zusammen mit der Vorbereitung der Massenanfertigung im Bedarfsfall"[11] konzentrierte, war ausgeschlossen, solange man den Krieg für so kurz annahm, daß er eher zu Ende war, als die Gesamtkriegsleitung ein Arbeitsfeld fand und die Massenanfertigung des Materials funktionierte.

Gerade dadurch, daß Moltke und Schlieffen bewußt ihre Strategie dem Diktat der Forderungen unterwarfen, die das Lebensinteresse des Staates am Funktionieren seiner nichtorganisierten kapitalistischen Wirtschaft im Kriegsfall an den Feldherrn stellte, gerade durch diese Empfänglichkeit für die Bindung der Strategie an das Funktionieren des Wirtschaftsapparates wurde der Weg zu der Erkenntnis verbaut, daß der nächste Krieg ein Wirtschaftskrieg sein müßte. Damit, daß man die militärische Operation so abzukürzen sich bemühte, daß der Krampf des Kapitalismus im Kriegsfall gar nicht erst eintrat, glaubte man allen Ansprüchen der Wirtschaft gerecht geworden zu sein. Tatsächlich erreichten Moltke und Schlieffen mit dieser Ausrichtung ihrer Strategie auf die äußerste Kürze des Krieges nur, daß die Heeresverwaltung sich keine wirklichen Sorgen um die wirtschaftliche Problematik des langen Krieges zu machen brauchte und auch nicht machte: „Die Frage des Ersatzes des im Felde verbrauchten Materials, nicht aber das Bestreben, durch Höchstanspannung der gesamten Industrie

[11] Generaloberst von Seeckt, Gedanken eines Soldaten, Berlin 1929, S. 99.

neue und immer steigende Mengen an Material in den Kampf zu werfen, beherrschte alle Pläne und Maßnahmen[12]." Und ganz logisch entstand daraus das Problem, was man mit der Million erwarteter Arbeitsloser beginnen sollte, die durch das Stocken der Friedensproduktion und eine sehr schwer eingeschätzte Konsumkrise frei gesetzt wurden, während die Frage, wie man mit den wenigen zurückgebliebenen voll arbeitsfähigen Menschen des Hinterlandes die Landwirtschaft in Gang halten und den Kriegsbedarf produzieren sollte, nicht weiter beachtet wurde. Die wirtschaftliche Mobilmachung und mit ihr die Unterstellung der Industrie unter eine einheitlich geleitete Kriegswirtschaftspolitik war vor 1914 nicht möglich, nicht aus Rückständigkeit des Militärs, sondern gerade als Folge einer modernen Haltung, die die wirtschaftlichen Schwierigkeiten kapitalistischer Staaten im Kriege durch eine rasche und in gewaltigen Offensiven zu Beginn des Krieges erfolgende Entscheidung zu umgehen suchte, weil sie tatsächlich nicht zu lösen waren — wie es erst kürzlich ein New Yorker Bankier formuliert hat: „Die Leute, die im August 1914 sagten, daß der Krieg aus finanziellen Gründen nur vier Monate dauern könnte, und 1918 deswegen ausgelacht wurden, die haben eben doch recht gehabt[13]."

Zugleich wurde die Vorkriegspolitik, den Anforderungen des Zukunftskrieges besonders durch Materialaufstapelung zu begegnen, dadurch gestützt, daß die Kriegsstärken der Armeen noch mehr, als die Bevölkerungsvermehrung betrug, heraufgesetzt wurden. Die besonders in den neunziger Jahren entstehenden Neuformationen zweiter und dritter Linie, für die noch keine Waffen vorhanden waren, übernahmen die aus den aktiven Truppen ausgeschiedenen älteren Bestände und ermöglichten so die stete Neubewaffnung der stehenden Armee trotz ihrer Größe. Armeen in Vorkriegsgröße werden bei stagnierender Bevölkerung, aber rascher Entwicklung der Technik zur finanziellen Unmöglichkeit, wenn die unmodern gewordenen Waffen regelrecht zum alten Eisen geworfen werden müssen.

4.

Die Ernährung der Bevölkerung im Kriegsfall zeigt genau dieselbe Zwischenstellung wie die Waffenproblematik.

[12] Kriegsrüstung Bd. I, S. 395.

[13] Paul Scheffer, Kreditpsychose und ihre Gründe, Berliner Tageblatt, 23. Oktober 1931, Nr. 501.

Nicht die Außenpolitik und das Verlangen des Militärs hat die Frage der Aushungerung im Kriegsfall in Gang gebracht, sondern die Agrarkrise und die Agitation der durch sie in ihrem Besitzstand bedrohten Großlandwirtschaft. Caprivi, der die Getreidezölle senkte und durch den Druck, den er dadurch auf die Landwirtschaft ausübte, eine erhebliche Steigerung sowohl der Ernteerträge wie des Viehbestandes erreichte, sprach 1893 im Reichstag[14] von der Wahrscheinlichkeit, daß im nächsten Kriege eine feindliche Kreuzerflotte die Lebensmittelzufuhr nach Deutschland im englischen Kanal und auf der Höhe von Schottland sperren würde. Aber damit hat er, der zuerst Deutschland als überwiegenden Industriestaat zu bezeichnen wagte, nicht der Landwirtschaft eine national bevorzugte Stellung zuweisen wollen; gegen die Hungerblockade setzte er den Bau einer Blockadebrecherflotte ein und demonstrierte damit die relative Entbehrlichkeit der deutschen Landwirtschaft im Kriege, solange das Reich mit England in erträglichen politischen Beziehungen stand.

Die in eine sekundäre Rolle gedrängte Großlandwirtschaft wurde der soziologische Träger der These von der unzureichenden Nahrungsmittelversorgung Deutschlands im Kriege und Gegner jeder Flotte, die im Kriegsfall die Zufuhrwege offenzuhalten bestimmt war. Die antiagrarischen Protagonisten der „Weltpolitik", Delbrück, Dietzel und in ihrem Gefolge auch das Reichsmarineamt, verteidigten daher die Zulänglichkeit der deutschen Ernährungsgrundlage. Zur Ruhe kam dieser Streit nicht durch wissenschaftliche Überzeugung des Gegners, sondern als die Zölle des Jahres 1902 die Forderungen der Landwirtschaft erfüllten und es ihr damit unmöglich gemacht war, ihre eigene Unzulänglichkeit für den Kriegsfall noch weiter zu behaupten. Bei den offiziellen Stellen drehte sich die Beurteilung der Hungerblockade konsequent um: das Kriegsministerium, in engem Konnex mit der adlig-agrarischen Herrenschicht, glaubte auch bei Feindschaft Englands nicht mit Ernährungsschwierigkeiten rechnen zu brauchen; das Reichsamt des Innern hielt eine Erhebung über die Beziehungen zwischen Verbrauch und Produktion für überflüssig, da der Zollschutz die Agrarproduktion ausreichend steigere. Denn eine grundsätzliche Aufrollung des Ernährungsproblems im Kriegsfall hätte ja nicht mehr und nicht weniger als die Desavouierung der offiziellen Motivierung der Zollgesetzgebung von 1902 mit nationalen Notwendigkeiten bedeutet. Es

[14] 8. März 1893 — eine Äußerung, die merkwürdigerweise von der Forschung regelmäßig übersehen wird.

ist deshalb selbstverständlich, daß das für die Zollpolitik zuständige Reichsamt des Innern das Kriegsministerium, in dem sich allmählich wieder die militärischen Bedenken durchsetzten, je weiter die Phraseologie der Zollkämpfe in die Vergangenheit zurücksank, in der Frage der Ernährungssicherung hinzuhalten suchte, ohne ihm die Gründe dieser scheinbaren Zauderpolitik einzugestehen[15]. Und als 1912 schließlich die Beratungen doch noch in Gang kamen (und einen sehr platonischen Verlauf nahmen), drehten sie sich charakteristisch genug immer um die Versorgung der Bevölkerung mit dem Getreide des Großgrundbesitzes, dem damit die zentrale Bedeutung des Kriegsernährungsmittels zugeschoben wurde, während das Fleisch und Fett der bäuerlichen Veredelungswirtschaft, wie in der Zollpolitik, auch hier „vergessen" wurde. Die Fleischversorgungsfrage konnte agitatorisch sehr bequem erledigt werden mit dem Argument, daß 95 Prozent des konsumierten Fleisches innerhalb der Reichsgrenzen produziert wurden. Daß für diese Produktion hohe Futtermitteleinfuhren nötig waren, fiel unter den Tisch.

Ebenso wurde die Frage der Einfuhrscheine behandelt. Die Einfuhrscheine sollten dem ostelbischen Großgrundbesitz die Ausfuhr des Roggens ermöglichen, die durch zollfreie Auslandseinfuhren im Westen wieder ausgeglichen wurde. In Verbindung mit der Stundung der Zölle bei Getreideeinfuhr nur gegen Zinsen — die Lagerhaltung von Importgetreide im Ausland war daher billiger als im Inland — bewirkte das Einfuhrscheinsystem in den typischen Kriegsgefahrmonaten Mai-Juli eine scharfe Knappheit am deutschen Getreidemarkt: in Südwestdeutschland waren oft nur für 14 Tage Vorräte vorhanden. Das Kriegsministerium lief schließlich gegen diese fortdauernde Entblößung Deutschlands von Getreidevorräten nur im Interesse des Großgrundbesitzes Sturm. Aber 1902 waren diese Methoden mit allen Mitteln nationaler Phraseologie in den Zollgesetzen festgelegt worden, und der Zwang zum Eingeständnis, daß der nationale Schutz der landwirtschaftlichen Produktion nichts weiter war als ein nur im Interesse der Herrenschicht der Rittergutsbesitzer in den Rücken der Armee geführter Dolchstoß, machte die Abschaffung des Einfuhrschein- und Zollstundungssystems trotz aller militärischen Versuche bis 1914 unmöglich.

Die zum mindesten in der ideologischen Grundhaltung, wenn auch nicht bis zu ihren praktischen Konsequenzen durchgeführte, klarste Stellung in der Ernährungsfrage unter allen beteiligten Behörden nahm

[15] Kriegsrüstung Bd. I, 302, 306/7, 313, 320, 322, 334.

das Reichsmarineamt ein. Es war die Behörde, die ihre Politik ganz marxistisch motivierte und in der Konstatierung der Tatsache, daß die Rüstungspolitik des deutschen Reiches nichts als die Funktion von kapitalistischen Interessen sei, mit der Sozialdemokratie sich völlig einig war, wenn auch nicht in ihrer Bewertung. Von diesen Voraussetzungen war das RMA auch die erste deutsche Zentralbehörde, die sich nicht auf die rein fiskalische Erörterung der Frage der Ernährungsbestände im Kriegsfall beschränken wollte, sondern Landwirtschaft, Verkehr und Industrie als einen großen, in sich zusammenhängenden volkswirtschaftlichen Apparat ansah und sein Funktionieren im Kriege als Voraussetzung des Sieges bezeichnete[16]. Und da es außerdem die konkreten Aussichten der Flotte in der Auseinandersetzung mit England skeptisch beurteilte[17], vertrat es von 1905 ab die Hungertheorie. Aber es konnte sich damit nicht durchsetzen, ebensowenig wie die seit 1907 wieder beginnende Diskussion der Ernährungsfrage von der Wissenschaft her, denn grundsätzlich siegte die landwirtschaftliche Gruppe, die die Unzulänglichkeit der Zollpolitik nicht zugeben konnte. Die Problematik blieb Aktendiskussion, und es geschah nichts, was die Großlandwirtschaft hätte bloßstellen können. Im Stellungskrieg zwischen den militärischen und landwirtschaftlichen Interessen wiesen die Agrarier, vom Reichsamt des Innern amtlich gestützt, alle Angriffe des Militärs, sowohl der Flotte wie der Armee, erfolgreich zurück.

Und so geschah für die Vorbereitung der Ernährungssicherung im Kriegsfall, deren Notwendigkeit in den neunziger Jahren von den notleidenden Agrariern immer wieder unterstrichen worden war, bis 1914 unter dem Druck derselben nun zollgeschützten Agrarier gar nichts, außer, daß beraten wurde — nicht aus Nachlässigkeit der Bürokratie, sondern unter dem Zwange einer Machtkonstellation, gegen die jeder einzelne und selbst ein Außenseiterministerium wie das RMA machtlos war. Denn unmittelbar war der Druck der agrarischen Interessen zu stark, und selbst wenn er nicht vorhanden gewesen wäre — der Staat fühlte sich in der Epoche des nichtorganisierten Hochkapitalismus für derartige Aufgaben wie die Verpflegung der Zivilbevölkerung im Kriege noch nicht stark genug. Selbst in den achtziger Jahren, im Beginn des Neomerkantilismus, lehnte das Landwirtschaftsministerium ein „großartiges Magazinierungssystem“ ab, trotz der

[16] A.a.O., S. 310/11.

[17] Weniger, Die Entwicklung des Operationsplans für die deutsche Schlachtenflotte, Marinerundschau 1930.

Unzulänglichkeit der Agrarproduktion, um den Staat nicht in „unerwünschter Weise" in das Getreidegeschäft zu verwickeln[18]. Der hochkapitalistische Staat als kriegführende Institution war nicht mehr imstande, derartige Probleme einfach ad acta zu legen, aber die Machtverhältnisse in dem zu regulierenden Wirtschaftssektor, die unzureichende ökonomische Schulung der Bürokratie und ihr — verglichen mit dem jetzt vorhandenen — noch geringes Herrschaftsbedürfnis machten die Lösung der Probleme praktisch unmöglich.

5.

Die Verteilung der sozialen Machtpositionen im Kaiserreich führte, wie bei der Nichtregulierung der Ernährungsfrage, auch bei dem Grundproblem der deutschen Rüstungspolitik im engeren Sinn, der Heeresvermehrung, zu der Unmöglichkeit, in der Frage: Quantität oder Qualität, eine eindeutige Entscheidung vorzunehmen. Operationstechnisch hat Caprivi das so ausgedrückt: „Zu Anfang eines Feldzuges hat die Qualität der Truppen viel Gewicht, auf die Dauer aber kommen die größeren Zahlen zu ihrem Recht[19]." Aber für Deutschland verbarg sich hinter diesem Dilemma der Strategie, das Caprivi wie vieles andere glänzend erfaßt hat, das Dilemma der sozialen Struktur des Reiches, das die Frage: Masse oder Qualität beeinflußte.

Die Heeresreform seit 1859 hatte die Doppelarmee Linie - Landwehr, von denen die eine Domäne des Adels, die andere des Bürgertums war, ersetzt durch eine zwar vergrößerte einheitliche Linienarmee, die aber durch den Fortfall der antiabsolutistischen Eigenarten der Landwehr[20], die stärkere Beaufsichtigung der Offiziere, Säuberung der Kadettenhäuser von bürgerlichen Elementen und die Beschränkung der Wehrpflicht auf die zwölf jüngsten Jahrgänge ein viel stärker in der Hand der Krone liegendes prätorianerartiges Machtinstrument war als die frühere Armee. Und solange die Machtverteilung hielt — nicht nur politisch, auch gesellschaftlich —, die im Konflikt zwischen Krone und Parlament stabilisiert worden war, solange also die kapitalistischen Interessen nicht direkten Einfluß auf die politischen Entscheidungen

[18] Kriegsrüstung, Bd. I, S. 297.

[19] A.a.O., S. 36.

[20] Am prägnantesten dargestellt in der klassischen Denkschrift Roons: Bemerkungen und Entwürfe zur vaterländischen Heeresverfassung, Kolberg, 21. Juli 1858. Militärische Schriften Kaiser Wilhelms des Großen, Berlin 1897, Bd. II, bes 347-352.

der Staatsspitzen hatten[21], dauerte auch dieser Charakter der preußischen Armee. Bismarck persönlich hielt den rasenden Wagen der von ihm losgelassenen Machtpolitik mitten auf dem Wege an[22] und befreundete sich auch nicht mit dem in den siebziger Jahren beginnenden Wettrüstungsschema, das jedes Bataillon des Gegners durch ein neuaufzustellendes eigenes zu kompensieren verlangte. Aber seine „Friedenspolitik" wird nicht aus diesem Psychologismus verständlich, das Gelingen der Ausbalancierung der Großmächte wird erst dann begreiflich, wenn man sich klar ist, daß von 1873 bis in die neunziger Jahre über allen Staaten der Druck sinkender Warenpreise und Aktienkurse lag. Mit einer Wirtschaft unter den Füßen, die durch eine latente Krise zermürbt ist, geht keine Großmacht in den Krieg; in einer latenten Krise glaubt auch die Rüstungsindustrie nicht, durch große Rüstungsaufträge und neue Flottengesetze die Konjunktur wieder ankurbeln zu können; nur kurze, schlagartige Depressionseinbrüche schaffen diese Chancen der Rüstungsinteressenten[23]. Der Leichtsinn der Nachfolger Bismarcks war viel weniger bedingt durch das Absinken ihrer intellektuellen Fähigkeiten als durch das Hochgehen der Preise, die seit Mitte der neunziger Jahre trotz aller tiefen Depressionstäler in der nächsten Konjunkturwelle stets die Spitze der vorübergehenden übertrafen, und durch das Anziehen der Aktienkurse, wobei der Typ des Standardpapiers an der Börse von den Bank- und Eisenbahnaktien der Zeit bis zur Eisenbahnverstaatlichung und Dividendennivellierung der Banken charakteristisch zu den Montan- und Rüstungswerten hinüberwechselte. Die wirtschaftliche Depression zwang die Politik zum Frieden, die Hochkonjunktur erregte die freudige Hoffnung, der wirtschaftlichen Hochkonjunktur auch eine politisch-militärische folgen zu lassen. Denn es ist kein Zufall, auch wenn es die politische Historie nicht sehen will und mit den ihr zur Verfügung stehenden psychologischen Methoden

[21] Über die indirekte Beeinflussung ließe sich manches sagen, aber das führt hier zu weit.

[22] Hans Rothfels in der Einleitung zu: Bismarck und der Staat. München 1925, S. XXXII f. Aber diese Betrachtung vergißt dabei, daß Bismarck sich den Luxus der Inkonsequenz leisten konnte, solange er im Amt war und die Dinge dirigierte, daß aber mit dem Augenblick seines Abtritts die Logik seines Handelns über sein persönliches Belieben siegte. Der Psychologismus, der das vergißt, liefert die ärgste Vergewaltigung der Wahrheit, die sich überhaupt denken läßt.

[23] Für die deutsche Krise von 1901 vgl. den Brief des Fürsten Salm an Tirpitz vom 3. Dezember 1901 (bei Kehr, Schlachtflottenbau, S. 457) und für die englische von 1908 sehr instruktiv: Fritz Uplegger, Die englische Flottenpolitik vor dem Weltkrieg 1904-1909, Stuttgart 1930.

auch nicht sehen kann, daß die letzten und größten Heeresvermehrungen unmittelbar vor dem Weltkrieg mit einer neuen Konjunkturwelle zusammentrafen, die die Reichsfinanzen so verbesserte, daß die überschüssigen Einnahmen ohne weiteres zur Finanzierung der Rüstungen bereit standen.

Aber die Grundlage der ersten großen Rüstungswelle Ende der achtziger und Anfang der neunziger Jahre war noch nicht ökonomischer, sondern sozialer Natur. Denn als das Bürgertum der achtziger Jahre unter dem Druck der Sozialistengefahr die Oppositionsstellung gegen die Militärmonarchie endgültig aufgegeben hatte und die Koalition mit Dynastie und Adel zur gegenseitigen Sicherung des Besitzstandes eingegangen war, und als dieses feudalisierte Bürgertum ein auch innenpolitisch für die Krone absolut zuverlässiges Reserveoffizierkorps zu liefern begann, war im Wehrgesetz von 1888 die Wiederausdehnung der Wehrpflicht bis zum 45. Jahr und in der Folgezeit auch die starke Vermehrung der Friedensarmee um 27 Prozent, gleich 125 000 Mann, zunächst ohne Gefahr demokratischer Verwässerung der Armee möglich. Die damit und noch mehr durch den Übergang zur zweijährigen Dienstzeit[24] mit ihrer Erhöhung der Rekrutenquote um 30 Prozent mögliche Aufstellung von Neuformationen bei der Mobilmachung führte zum erstenmal zur Ausbildung eines Reservensystems großen Stils. Es gestattete die Bildung der Operationsarmee aus aktiven und zahlreichen Reserveverbänden und führte von der Anhängung vierter Reservebataillone an die aktiven Regimenter über die noch starke Skepsis gegen Reserveverbände zeigende Bildung von „Kriegskorps“ aus aktiven zum Teil überschüssigen Formationen, die bei den abgebenden Truppen durch Reserveformationen ersetzt wurden, bis zur Aufstellung selbständiger Reservedivisionen und Reservekorps, denen 1914 noch ein eigenes Landwehrkorps folgte. Allerdings waren alle diese Reserveformationen mit weniger als der Hälfte der Artillerie der aktiven Verbände versehen: die Menschenmassen wuchsen rascher als die Möglichkeit, sie technisch zureichend auszurüsten. Aber an Zahl der Menschen stieg die Kriegsstärke der deutschen Armee, die

[24] Daß die Beibehaltung der militärtechnisch ganz überflüssigen dreijährigen Dienstzeit durch Wilhelm I. in der Konfliktszeit nur Gründe des Klassenkampfes gegen das Bürgertum hatte, ist bekannt. Sehr hübsch ist auch eine Randbemerkung Bismarcks zu einem Schreiben Moltkes von 1879, in dem Moltke zweifelt, ob die russische Heeresreform gegen das Inland oder das Ausland gerichtet sei: „Gegen Inl(and) nicht, denn sie ist mit Verkürzung der Dienstzeit verbunden“. Kriegsrüstung, Anlagebd. I, S. 25.

schon von 1875 bis 1888 von 750 000 Mann auf 1,2 Millionen gestiegen war, bis 1902 weiter sehr rasch auf 2 Millionen. Der Anteil der Feldarmee an der Gesamtbevölkerung stieg von 1,7 Prozent im Jahre 1875 auf 2,5 Prozent im Jahre 1888 und 3,4 Prozent im Jahre 1902.

Diese außerordentlich starke Vermehrung der Kriegsarmee bis zur Jahrhundertwende, weit über den Schematismus der Bevölkerungszunahme hinaus, trug die Gesetzlichkeit der Auflösung des starren Prätorianercharakters der Armee zwangsläufig in sich und damit entstand von neuem die Frage, wie weit sich der alte Staat auf eine Armee innenpolitisch verlassen konnte, die alle Wehrfähigen und damit auch die sozialistische Arbeiterschaft fast völlig in ihre Reihen einstellte. Die Ersatzmethoden wurden bewußt so gehandhabt, daß die Marge von Diensttauglichen und Eingezogenen nach Stadt und Land verschieden groß gemacht wurde: vom flachen Land wurden fast alle Diensttauglichen auch wirklich eingestellt, aus der Stadt wurden prozentual erheblich mehr Diensttaugliche gleich als überzählig dem Landsturm oder der Ersatzreserve überwiesen[25]. Damit wurde der Prozentsatz der zuverlässigen ländlichen Bevölkerung in der Armee gehoben und der der unzuverlässigen Arbeiterrekruten gesenkt. Stieg die Heeresgröße, so stieg daher, weil die ländliche Bevölkerung schon fast ganz eingestellt wurde, die Zahl der Arbeiter unverhältnismäßig rasch und der Zuverlässigkeitsgrad der Armee sank erheblich schneller, als ihre äußere Vergrößerung erkennen ließ. Etwa zehn Jahre nach der Ausdehnung der Wehrpflicht bis zum 45. Jahr war deshalb das Kriegsministerium schon wieder so weit, daß es ernsthaft die erneute Herabsetzung der Dienstzeit bis zum 32. Jahr vorbereitete und die Feldarmee von etwa 900 Bataillonen auf 750 wieder verkleinern wollte.

Mindestens so gefährlich wie das die wachsende Größe der Armee noch übersteigende Wachstum der Unzuverlässigkeit der Mannschaften war die Frage der Zuverlässigkeit der Offiziere. Die preußische Armee hatte stets ihr Offizierkorps klein gehalten im Gegensatz zu Frankreich, das aus den Unteroffizieren reichlichen Nachwuchs schöpfte und zugleich damit verhinderte, daß das Offizierkorps sich als besondere

[25] Lujo Brentano u. Robert Kuczynski, Die heutigen Grundlagen der deutschen Wehrkraft, München 1898, S. 89, 132. Und zwar selbst noch nach der verstärkten Einziehung von Tauglichen seit der Heeresverstärkung von 1893. Bis dahin hatte jeder Korpsbezirk seine Rekruten selbst beschaffen müssen, und da seit 1867 die Korpsgrenzen nur einmal — in Grenzgebieten — verändert worden waren, hatte sich durch die ungleichmäßige Bevölkerungsvermehrung eine starke Entlastung der später entstandenen Industriegebiete ergeben.

Kaste gesellschaftlich nach unten abschloß. Aber ließ sich in Deutschland auf die Dauer ein zwar kleines, aber abgekapseltes Offizierkorps, das einen eigenen esprit de corps besaß, überhaupt in den Rahmen eines durchgebildeten kapitalistischen Staates einfügen, dessen Interessen und Ideologie niemals die des — an ihnen gemessen — rückständigen Militärs sein können? Doch der Apparat war einmal da, und diese Inkohärenz zu lösen, war nur in einer Revolution möglich. Im Frieden war kritisch nur das akute Problem der Nachwuchsbeschaffung. Die Etatstellen der Infanterieoffiziere konnten 1889 nur zu 91 Prozent besetzt werden. Die Schichten, die das alte Preußen getragen hatten, lieferten für die wachsende Armee nicht mehr ausreichendes Führermaterial, und obwohl mit der fortschreitenden Feudalisierung des Bürgertums der Offiziermangel seit den neunziger Jahren nachließ, tauchte zwangsläufig die Frage auf, ob der vermehrte Nachwuchs sich noch einheitlich zusammenhalten ließ. Wuchs die Armee ins Uferlose weiter, dann war nicht mehr zu verhindern, „in vermehrtem Umfange demokratische und sonstige Elemente aufzunehmen, die für den Stand nicht passen"[26], und „ein Hineingreifen in für die Ergänzung des Offizierkorps wenig geeignete Kreise, das, von anderen Gefahren abgesehen, dadurch der Demokratisierung ausgesetzt wäre"[27], wurde notwendig.

Der Generalstab, der Gegenspieler des Kriegsministeriums, befand sich zwar in der glücklichen Lage einer dem Parlament gegenüber nicht verantwortlichen, staatsrechtlich als kaiserliche Immediatbehörde, nicht als Abteilung des Kriegsministeriums existierende Institution[28], aber er konnte trotzdem die Heeresverstärkungen nicht nur rein von der militärtechnischen und operativen Seite her betrachten, denn trotz aller Gegensätze zwischen Generalstab und Kriegsministerium verband die soziale Einheitlichkeit der Offiziere beide Behörden stärker, als sie der Gegensatz der Verantwortlichkeit für die operative Überlegenheit der Armee und für ihre soziale Zuverlässigkeit trennte. Indessen — Apparate, die einmal aufgezogen sind, folgen eigenen Gesetzen, und so stand die soziale Zuverlässigkeit der Armee für den Generalstab erst in zwei-

[26] Der Kriegsminister von Einem an den Chef des Generalstabs Graf Schlieffen, 19. April 1904, Kriegsrüstung, Anlagebd. I, S. 91.

[27] Der Kriegsminister von Heeringen an den Chef des Generalstabs von Moltke, 20. Jan. 1913, ebenda S. 180.

[28] Günther Wohlers, Die staatsrechtliche Stellung des Generalstabs in Preußen und Deutschland, Bonn 1920.

ter Linie; Schlieffen selbst gab seine um die Jahrhundertwende immer wieder ausgesprochene These von der Unbrauchbarkeit der Reserveformationen in der ersten Schlachtlinie in den folgenden Jahren radikal auf, um dem ersten kriegsentscheidenden Offensivstoß die zur raschen Entscheidung nötige Wucht geben zu können, und mit Ludendorffs Kampf um die Vermehrung der Armee um die drei Armeekorps 1912/13 schloß der Generalstab seine Augen völlig vor der sozialen Problematik der entgegengesetzten Bedenken des Kriegsministeriums.

Aber selbst operativ war die Situation des Generalstabs nicht eindeutig festgelegt. Denn die stark vergrößerte Feldarmee enthielt ziemlich viele Formationen, deren Soldaten über dreißig Jahre alt, die außerdem in die aktiven Korps eingeschachtelt waren und deren Aktionsfähigkeit herabsetzten. Andererseits brauchte er eine sehr große Armee, um operationsmäßig den Russen und Franzosen nicht allzusehr unterlegen zu sein: „Daß unsere Armee", schrieb Schlieffen[29], „besser ist als die französische und russische, ist unsere Hoffnung. Daß sie aber social besser ist, wie etwa Europäer den Indianern und Negern gegenüber, und das wäre doch nötig bei den Zahlenverhältnissen, wäre doch noch nachzuweisen. Bis jetzt haben wir unsere Siege doch wenigstens zum Teil unserer größeren Zahl zu verdanken: 1813—1815, 64, 66, 70."

Zwischen diesen beiden Polen pendelte der Generalstab hin und her, und da aus dem Dilemma: strategisch muß das Heer sowohl groß sein wie nur aus jungen Soldaten bestehen, innenpolitisch muß die Armee klein und zuverlässig sein, es tatsächlich keinen Ausweg gab, kam nach einer langen Auseinandersetzung 1900 ein Waffenstillstand zwischen Kriegsministerium und Generalstab zustande auf der Basis: es bleibt alles beim alten, die lange Wehrpflicht bleibt, die aktive Armee wird von jetzt an nicht weiter vermehrt, auch die Lücken des Organisationsschemas bleiben bestehen. Dementsprechend wurden die Neuformationen im Kriegsfall, die 1888 bis 1902 von 457 auf 575 Bataillone gestiegen waren, zwar nicht heruntergesetzt, wie das Kriegsministerium gewünscht hatte, aber bis 1910 nur noch um 21 Bataillone vermehrt. Die Kriegsstärke stieg in zehn Jahren nur noch von 2 auf 2,3 Millionen, der Anteil der Feldarmee an der Gesamtbevölkerung nur noch von 3,4 auf 3,6 Prozent. Hatten je fünf Millionen Bevölkerungszuwachs 1875/88 die Kriegsstärke um 330 000 erhöht und 1888/1902 um 500 000, so 1902/10 nur noch um 175 000.

[29] Schlieffen an seine Schwester, 13. November 1892, Kriegsrüstung I, S. 43.

6.

Dieser ungeschriebene, aber tatsächlich geschlossene Waffenstillstand und nichts anderes, vor allem nicht etwa die Rücksicht auf den Flottenbau, der um dieselbe Zeit begann[30], war der Grund für den Stillstand der deutschen Heeresvermehrung bis 1911 trotz aller außenpolitischen Krisen. Die Rüstungspolitik wurde nicht von außen her bestimmt, sondern von innen. Nach außen wurde mit wilder Rhetorik die „nationale“ Unmöglichkeit von Rüstungseinschränkungen herausgestrichen, und der üble Eindruck, den Deutschland damit auf der Ersten Haager Konferenz erregte, in Kauf genommen; tatsächlich hörte gerade seitdem die Rüstungssteigerung in Deutschland auf. Und, wie um die — bisher viel zu wenig beachtete — Inkohärenz von Rüstungsvermehrung und Außenpolitik in Deutschland auch dem Widerstrebendsten klarzumachen: bei der Zweiten Haager Konferenz hat sich dasselbe grausige Schauspiel noch einmal wiederholt. Kriegsministerium und Generalstab hatten sich darauf geeinigt, daß die endgültige Formation der Armee nun erreicht sei[31]. Kein sachliches oder wirklich nationales Motiv hinderte Deutschland, für eine Rüstungspause wenigstens auf dem Lande zu kämpfen, da man ja selber nicht weiterrüsten wollte und konnte. Aber man brauchte den Glanz der Rüstung und eine Pseudoautonomie gerade im Militärischen, die sich angeblich weder vom Erbfeind Frankreich noch vom verächtlichen Händler England etwas vorschreiben ließ, aus innenpolitischen und sozialen Prestigegründen, und ließ die Schere zwischen außenpolitischem Säbelrasseln und tatsächlichem Willen zur Rüstungsstagnation sich öffnen[32]. Die deutsche Taktik auf den Haager Konferenzen war beidemal von der Innenpolitik diktiert, aber nicht etwa von einem rüstungsfanatischen „Militarismus“, sondern von der jämmerlichen Rücksichtnahme auf ein politisch unfähiges, feudalisiertes und militarisiertes Bürgertum, das

[30] Es ist psychologisch verständlich, daß das von den Landoffizieren beherrschte Reichsarchiv immer wieder die Flotte als Hindernis für den Ausbau der Armee hinstellen möchte. Aber durch häufige Wiederholung wird eine unrichtige Behauptung nicht richtig.

[31] Kriegsrüstung, Bd. I, S. 91. Anlagebd. I, S. 106.

[32] Der deutsche Flottenbau hatte zur Voraussetzung eine ähnliche Schere, nämlich die Unmöglichkeit, die demonstrative und für den patriotischen Spießbürger besonders eindrucksvolle Rüstungssteigerung durch den Flottenbau zu verbinden mit der direkten Absicht, einen Krieg zu vermeiden in der Hoffnung, daß England nicht merken würde, wenn Deutschland es überrüstete, und daß Deutschland so auf unblutigem Wege die Weltherrschaft in die Hand bekommen könnte. Kehr, Schlachtflottenbau, bes. S. 317.

einen internationalen Vertrag, der das festlegte, was die eigenen Militärbehörden unter dem Druck der inneren sozialen Schwierigkeiten bereits durchführen mußten, als brutalen Eingriff angriffslüsterner Feinde in die deutsche Ehre und das Selbstbestimmungsrecht der deutschen Nation angesehen hätte. Diesem Bürgertum mußte der Glanz der militärischen Autonomie, das Recht zu schrankenloser Rüstungssteigerung täglich in voller Parade vorgeführt werden, auch wenn die Führer der Parade genau sahen, daß diese Autonomie im Interesse gerade dieses selben Bürgertums nicht weiter ausgenutzt werden durfte. Die deutsche Politik auf den Haager Konferenzen war eine Groteske sondergleichen: gerade deshalb, weil Deutschland seine Landrüstung abgestoppt hatte, durfte dieses Abstoppen dem militärbegeisterten Bürgertum nicht zum Bewußtsein kommen und mußte agitatorisch durch die Verweigerung aller internationalen Rüstungseinschränkungen überdeckt werden. Deutschland verweigerte die Abrüstung, weil es selbst aus Furcht, seine Armee proletarisch zu ersetzen, nicht weiterrüsten wollte und konnte, aber zugleich diese Situation seinem eigenen Bürgertum nicht eingestehen durfte.

So deutlich dieser grundlegende Umschwung der Rüstungspolitik zu beobachten ist, so ungeklärt ist die Frage, ob die Rüstungsindustrie mit Kriegsministerium und Generalstab über dieses Abstoppen in Konflikt geraten ist. Ein Versuch des Generaldirektors der Berlin-Karlsruher Industriewerke, von Gontard, die Budgetkommission durch Lügennachrichten zu Rüstungsforderungen an das Kriegsministerium aufzuhetzen[33], ist bekannt, und der König von Italien hielt ein Eingehen Deutschlands auf Rüstungsbeschränkungsvorschläge während der Zweiten Haager Konferenz schon deshalb für ausgeschlossen, weil der Kaiser Krupps Gewinne nicht beschränken würde[34]. Es ist aber anzunehmen, daß die Rüstungsindustrie dem Militär die Nichtvergrößerung der Armee gestattet und damit den Entgang der bei jeder Vergrößerung fälligen Neuaufträge ertragen hat, weil gleichzeitig mit dem zahlenmäßigen Stillstand der Armee die Flotte mit ihren besonders umfangreichen Ansprüchen an Stahllieferungen gebaut und die Neubewaffnung der Feldartillerie mit dem Kompromißrohrrücklaufgeschütz 96nA und der Infanterie mit dem Gewehr 98 vorgenommen wurde. Wie die Rüstungsindustrie sich nach dem Abschluß der Neubeschaffung 1908 verhielt, ob sie auf neue Aufträge drängte oder jetzt

[33] Hans Wehberg, Die internationale Beschränkung der Rüstungen, Stuttgart 1919.
[34] A. Nevins, Henry White, New York 1930, S. 252.

in dem zum Viererbautempo gesteigerten Flottenbau genug Entschädigung fand, bleibt noch offen.

7.

Jedenfalls hat die Flotte nicht etwa mit ihren großen finanziellen Ansprüchen die Entwicklung der Armee gehemmt — der Flottenetat wuchs 1902/11 nur um 240 Millionen gegen 188 des Heeresetats[35] —, höchstwahrscheinlich war es nur dank der Ablenkung der Rüstungsinteressenten auf die Flotte der Armee möglich, ihre unter dem Druck der sozialen Spannungen vorgenommene Einschränkung des Armeeausbaus durchzuführen, ohne mit der Rüstungsindustrie in einen erbitterten Kampf zu geraten. Außer dieser unbeabsichtigten, der Armee auf jeden Fall sehr willkommenen Entlastung hat die Flotte 1911 den Anstoß gegeben für die neu einsetzende zweite Periode des Wettrüstens, die unmittelbar in den Weltkrieg einmündete.

Wie die Periode der Rüstungsbeschränkung, wurde auch diese neue Welle des Wettrüstens nicht von außen durch die Konkurrenz anderer, im Rüsten vorangehender Mächte erzwungen. Rußland war noch schlecht gerüstet, Frankreich schreckte offensichtlich unter dem Druck seines empfindlichen Menschenmangels vor weiteren Rüstungen zurück; Österreich dagegen begann sein arg vernachlässigtes, wenig kriegsbrauchbares Heer zu verbessern. Die Stärkeverhältnisse der Armeen hatten in den letzten Jahren keinerlei Verschiebungen erfahren. Die außenpolitischen Spannungen waren nicht so stark, daß die durch das Präsenzgesetz von 1911 erreichte „ansehnliche Vermehrung und Erweiterung ihrer Organisation" und der Kampfkraftsteigerung ihrer Kriegsformationen[36] von der Armee noch übersteigert werden mußte, und daher wollte das Kriegsministerium eindeutig für das ganze nächste Jahrzehnt bis 1921 an einer Politik sehr langsamer Armee-Entwicklung mit nur besonderer Verstärkung der technischen Truppen festhalten.

Zerstört wurde diese Absicht von der Marine. Auch Tirpitz stellte die Marineentwicklung nicht unter das Gesetz der Außenpolitik. Aber er ließ die Flotte nach dem 1900 festgelegten Schematismus weiter wachsen und nutzte alle außenpolitischen Ereignisse als Argumente für ihre weitere Vergrößerung aus.

Die außenpolitische Niederlage in Marokko, die mit Rüstungsstärke nicht das geringste zu tun hatte, wurde der Vorwand für die neue

[35] Bei diesen Ziffern muß man stets die Preissteigerungen berücksichtigen.
[36] Kriegsrüstung I, S. 152.

Flottennovelle, die das Absinken vom Viererbau- zum Zweierbautempo verhindern sollte: „Sind wir stärker blamiert, so ergibt das eine gewaltige Entrüstung. Die Möglichkeit einer Novelle rückt damit näher." Tirpitz wollte „nur den Eindruck als Tatsache hinstellen, als ob Deutschland aus Mangel an Kriegsschiffen vor Frankreich hätte zurückweichen müssen[37]." Die psychologisch glänzend abgefaßte Novelle hatte alle Chancen des Erfolges für sich — und um sie zu verhindern, blieb der Gruppe der Flottenbaugegner Bethmann-Wermuth kein anderer Ausweg, als — durch eine gleichzeitige große Heeresvermehrung eine derartige Überlastung der Rüstungsansprüche herbeizuführen, daß die Flottenvorlage zur Unmöglichkeit wurde. Es ist ein Schauspiel für Götter, wenn man sieht, wie Wermuth und nach ihm Bethmann den Kriegsminister bearbeiteten, der sich erbittert gegen diese ihm aufgenötigte Heeresvermehrung wehrte[38]. Erst als seine eigenen Untergebenen zur Vermehrungspartei übergingen und nach zwei Jahrzehnten zum erstenmal wieder die These: Qualität statt Quantität ersetzt wurde durch das zugkräftigere Schlagwort der „vollen Ausnutzung unserer Wehrfähigen", und als Tirpitz tatsächlich beim Kaiser die Einsetzung der Flottennovelle in den Etat für 1912 erreichte, da hat wenige Tage später sich Heeringen ganz unvermittelt von dem alten System der Stabilität der Heeresgröße losgesagt und hat die Heeresvermehrung gefordert mit einem Argument, das überdeutlich den wahren Grund dieser Forderung zeigt: das Einbringen einer deutschen Marinevorlage werde „sicher" der Anlaß eines Krieges sein, weil England sich das Überbieten seiner Rüstungen nicht gefallen lassen werde. Aber in diesem Kriege „ruht das Schicksal der Krone der Hohenzollern" und Deutschlands nicht auf dem Wasser, sondern „auf dem Sieg oder Mißerfolg des deutschen Heeres."

Mit diesem Hinweis auf die Gefährdung seiner Krone durch die Flottennovelle war der Kaiser in die richtige Position hineinmanövriert, und von hier aus gelang dem Widerstand des Reichsschatzsekretärs tatsächlich die Reduktion der Marineforderungen. Aber nicht ihre Streichung, denn der Kriegsminister, der die Heeresvermehrung verlangte, weil er sich ohne sie gegen Bethmann und Wermuth nicht mehr halten konnte, der sie aber nicht ernsthaft wollte, hatte ein dringendes

[37] Tirpitz an den Vizeadmiral Capelle, 3. August 1911. A. von Tirpitz, Der Aufbau der deutschen Weltmacht, Stuttgart 1924, S. 200, vgl. S. 208, 209, 222.

[38] September bis November 1911. Das Material ist geordnet (ohne die Schlußfolgerungen zu ziehen) in Kriegsrüstung I, S. 119 und Anlagebd. I, S. 152.

Interesse daran, daß „neben ihr auch eine Marinevorlage eingebracht" wurde[39], um durch die Steigerung der Flottenkosten sich zu einer Verkleinerung seiner Forderungen „zwingen" zu lassen[40].

Die Heeresvermehrung von 1912 war eine wüste Intrige, die durch Tirpitz' allzu rücksichtslose Ausnutzung der Chancen für eine Flottenvermehrung ausgelöst wurde. Die außenpolitischen Folgen dieses Intrigenkampfes waren katastrophal. Frankreich betrachtete diese ohne außenpolitischen Anlaß und „außerplanmäßig" außerhalb des Quinquennats stattfindende Heeresvermehrung um 29 000 Mann als offenbare Vorbereitung eines nahe bevorstehenden deutschen Angriffs, und Rußland schlug bei der Reorganisation seiner Armee ein erheblich schnelleres Tempo ein[41]. Aber noch ehe beide mit Gegenmaßnahmen hervorgetreten waren, bevor also die internationale Rückwirkung auf den innerdeutschen Kampf der Ressorts noch erfolgt war, wurde in Deutschland Ende 1912 eine neue Heeresvermehrung in Gang gebracht, die wie die des vorigen Jahres das Produkt nicht des Druckes der Außenpolitik, sondern von Ressortkämpfen war.

8.

Am 13. Oktober 1912 wurden sich in einer Konferenz Kaiser, Kriegsminister und Generalstabschef darüber einig, daß die Außenpolitik keinerlei Anlaß zu Rüstungsverstärkungen biete. Die letzte Heeresvermehrung sei ausreichend gewesen[42].

Am folgenden Tage erhielt der Kriegsminister vom Generalstabschef ein Schreiben, das eine „wirklich entscheidende" Heeresvermehrung und „sehr erhebliche Mehreinstellungen" verlangte. Der Chef der Aufmarschabteilung, Oberst Ludendorff, hatte das Schreiben aufgesetzt und seinen Chef, der anderer Meinung war, einfach überrannt. Ein energischer, rücksichtsloser Abteilungschef, der sich um nichts als sein Ressort kümmerte, und ein schwacher Leiter des Generalstabs, der

[39] Aufzeichnung Heeringens vom 4. Dezember 1911.

[40] Anweisung an das Allgemeine Kriegsdepartment 29. November 1911: „Ich bitte zu erwägen, in welcher Richtung wir uns erneut einschränken wollen".

[41] Kriegsrüstung, Bd. I, S. 146.

[42] Der Kaiser wollte zunächst noch mehr MG.-Kompanien aufgestellt haben. Ein paar Tage später hat er seine Absicht wieder fallen lassen. Das Reichsarchiv charakterisiert die Lage (S. 154) so: „Alle diese Umstände ließen Deutschlands zeitige militärpolitische Lage in keinem ungünstigen Lichte erscheinen für den Fall, daß sich die Balkanstreitigkeiten zu einem allgemeinen europäischen Konflikt auswachsen würden."

24 Stunden später das Gegenteil einer eben ausgesprochenen Überzeugung unterschrieb — das war der Ansatzpunkt der Vermehrung der deutschen Armee um 20 Prozent, gleich 137 000 Mann. Der vollkommen verblüffte Kriegsminister legte das Schreiben ad acta, weil er es nicht ernst nahm. Als aber Ende November der Balkankrieg sich zur europäischen Krise zuspitzte, stieß Ludendorff noch einmal vor und ließ durch Moltke erneut volle Ausnutzung der Wehrpflicht fordern mit der Begründung, daß Deutschland imstande sein müsse, mit seiner Friedensarmee einen — Einfall der Franzosen oder Russen in deutsches Gebiet zurückzuschlagen[43]. Moltke selbst glaubte seinem Abteilungschef, dessen Brief er selbst unterschrieben hatte, nichts und hielt dem Kriegsminister gegenüber an der alten Heeresstärke fest. Wieder drei Wochen später kam ein neues Schreiben des Generalstabs mit der Forderung, die Heeresstärke um — 300 000 Mann zu erhöhen; wieder war der Kriegsminister völlig überrascht von derartigen Ansichten des Generalstabs, und wieder war der Chef des Generalstabs mit seinen eigenen Forderungen nicht einverstanden.

Damit standen die Fronten: der Abteilungschef im Generalstab, der rein mechanisch die Bataillonszahlen der feindlichen Armeen mit denen der eigenen verglich, für den es nichts gab als den zahlenmäßigen und materiellen Ausgleich unter allen Umständen, und auf der anderen Seite der Kriegsminister, der drei Jahre hintereinander mit Heeresvorlagen vor den Reichstag treten sollte — 1911 das übliche Quinquennat, Anfang 1912 die Konkurrenzvorlage gegen die Flotte und Ende 1912 die Forderungen des Generalstabs — und jetzt alle organisatorischen und sozialen Bedenken gegen eine rasche und starke Vergrößerung der Armee, die seit einem halben Menschenalter im Kriegsministerium herrschten, über Bord werfen sollte. Setzte sich der Generalstab durch, war eine Demokratisierung des Offizierkorps nicht mehr aufzuhalten[44], dann war das gesamte Herrschaftsystem in Preußen erschüttert, die Herrenschicht konnte sich gegen die zu große Masse der neu in sie aufzunehmenden Offiziere anderer Schichten nicht mehr halten, ihre schon nicht mehr völlig funktionierende Assimilationsfähigkeit mußte versagen und — die Revolution „binnen wenigen Jahren“[45] war da.

[43] Moltke an Heeringen, 25. November 1912. Konzept Ludendorff.
[44] S. o. Anm. 27.
[45] General Wandel, Chef des Allgemeinen Kriegsdepartements, zu Ludendorff. Hans Herzfeld, Die deutsche Rüstungspolitik vor dem Weltkrieg, Bonn 1923, S. 77.

Der Kriegsminister kämpfte mit der größten Rücksichtslosigkeit gegen den Generalstab, dessen mechanisch-militärisches Denken die sozialen Grundlagen des Reiches in die Luft zu sprengen drohte. Alles konnte er nicht verhindern, aber die geforderten 300 000 Mann wurden auf fast ein Drittel heruntergedrückt, und Oberst Ludendorff, der Führer der Vermehrung im Generalstab, schleunigst in die Provinz versetzt. Das neue Heeresgesetz brachte für das Etatsjahr 1913/14 eine Ausgabensteigerung für die Armee um nur 550 Millionen, rund 50 Prozent des bisherigen Heeresetats.

Ende Januar 1913 wurde die neue Rüstungssteigerung Deutschlands in der Öffentlichkeit bekannt. Am 6. März veröffentlichte die französische Regierung den Entwurf eines Gesetzes über die Wiedereinführung der dreijährigen Dienstzeit, im Dezember 1913 erhielt Rußland eine französische Anleihe von 2½ Milliarden Franken zum Ausbau des Eisenbahnnetzes, und die Methode, den letzten ausgedienten Jahrgang noch den ganzen Winter in der Kaserne zu behalten, die während der Balkankriegswirren einmal angewandt worden war, wurde in einer jetzt friedlicher scheinenden Zeit beibehalten.

9.

Ranke sagt einmal in den „Päpsten“[46]: „Auf den ersten Blick bietet der Gang der Weltereignisse, der Fortschritt einer angefangenen Entwicklung den Anblick des Unabänderlichen dar. Tritt man aber näher, so zeigt sich nicht selten, daß das Grundverhältnis, auf welchem alles beruht, leicht und zart ist, fast persönlich, Zuneigung oder Abneigung, nicht so schwer zu erschüttern.“

Und sieht man auf die Geschichte der Heeresvorlagen von 1912 und 1913 mit ihren persönlichen Voraussetzungen, mit ihrem Mangel an aller sachlichen Notwendigkeit, so scheint diese Auflösung des historischen Prozesses in das Hin und Her des persönlichen Zufalls zu stimmen. Aber tatsächlich spielten sich diese persönlichen Rivalitäten ab im Rahmen großer Apparate, und das Problem der Geschichte ist nicht die Labilität der diese Apparate scheinbar bewegenden Menschen, sondern ihr Eingefangensein in die Gesetzlichkeit ihrer Apparate und ihrer Klassen und ihr Unterworfensein unter deren Interessen, ohne daß sie von diesen Abhängigkeiten etwas wissen. Die Strategie Moltkes und Schlieffens war die Funktion der Labilität der nichtorganisierten kapitalistischen Wirtschaft; die Behandlung der Ernährungsfrage

[46] Sämtl. Werke, Bd. 38, S. 345.

war die Funktion der überragenden Machtposition der Großagrarier, und bei den Heeresvorlagen 1911/13 sind zwei Punkte nicht zu übersehen:

1. In einer Zeit schlechter Finanzen hätte weder Tirpitz seine Novelle durchbringen können, noch hätte Ludendorff 300 000 Mann auch nur zu fordern gewagt.

2. In diesen Ressortkämpfen und persönlichen Auseinandersetzungen siegten die Protagonisten der Heeresvermehrung nur deshalb, weil sie für ihre Konterminen 1911 und ihre mechanistischen Vorstellungen vom Rüstungsausgleich 1912 im deutschen militarisierten und feudalisierten Bürgertum den idealsten Nährboden besaßen. Der Reichstag hat der Rüstungssteigerung so gut wie überhaupt keine Schwierigkeiten gemacht; er war bereit, alles zu schlucken, was, aus dem Machtkampf der Ressorts übrigbleibend, ihm als nationale Notwendigkeit vorgesetzt wurde. Der Reichstag hätte auch die 300 000 Mann Ludendorffs bewilligt.

Die Akteure glaubten zu handeln und taten doch nichts, als in ihren Intrigen auszuführen, was von den sozialen Machtverhältnissen vorgeschrieben war. Wie in der ökonomischen Ebene der Kapitalismus sich selbst aufhebt, so in der sozialen das militarisierte Bürgertum. Ein internationaler Zusammenstoß von der Schwere, die auch vor 1914 vorhergesehen wurde, bedeutete unter allen Umständen die Erschütterung des sozialen Gefüges des Nationalstaats[47]. Das militarisierte Bürgertum aber forderte und bewilligte eine Rüstungspolitik, die keinerlei außenpolitische Gründe hatte und die schwersten Bedenken des Militärs über die Zuverlässigkeit solcher Riesenheere blind beiseite schob.

[47] Vgl. dazu die Äußerung Bethmanns zu dem bayerischen Gesandten Graf Lerchenfeld am 4. Juni 1914, daß „ein Weltkrieg mit seinen gar nicht zu übersehenden Folgen die Macht der Sozialdemokratie, weil sie den Frieden predigt, gewaltig steigern und manche Throne stürzen könnte". Bayerische Dokumente zum Kriegsausbruch und zum Versailler Schuldspruch. Herausgegeben von Pius Dirr, 3. Aufl. München 1925, S. 113.

Die deutsche Flotte in den neunziger Jahren und der politisch-militärische Dualismus des Kaiserreichs[1]

Das, was das Charakteristische und Singuläre der Bismarckschen Reichsgründung ausmacht, ist gewiß die eigenartige Ordnung des Verhältnisses von Staat und Nation, die Art, wie die Beziehungen der Bundesstaaten untereinander reguliert wurden, die Verteilung der Souveränität auf den rechtlichen Souverän Bundesrat und die Hegemoniemacht Kaiser-Preußen. Aber wenn man diese Problematik als die eigentlich primäre auch für die Zeit ansehen will, nachdem das Reich geschaffen war, legt man doch den Akzent auf Dinge, die nicht mehr die volle lebendige Aktualität hatten. Denn die eigentlichen Brennpunkte der Politik in dem einmal geschaffenen Reich waren nicht mehr so sehr die Nachwirkungen und Ausläufer jener Kämpfe — wie rasch ist das Reich von 1871 zu einer Selbstverständlichkeit geworden, und wie bald hat man seine Individualität und damit seine Relativität vergessen —, sondern vielmehr der Klassenkampf des Proletariats, die Abwehr des Staates und der anderen Klassen gegen ihn, ein Prozeß, in dessen Verlauf die ganze Innenpolitik zur Klassenpolitik wurde, und neben ihm, für die Menschen dieser Generation ganz zurücktretend, aber nicht minder bedeutsam, der Dualismus zwischen der politischen und der militärischen Gewalt, also zwischen all dem, was von der Verfassung umschrieben war, und einem Bezirk des Staates, der sich, einem altdeutschen Muntbezirk oder der russischen Opritschnina vergleichbar, fremd neben den Bezirk des Verfassungsmäßigen im engeren Sinne stellte: neben dem Bezirk des „Militärs".

Über diesen Dualismus zwischen der militärischen und der politischen Macht, der uns hier allein interessiert, sind wir bisher nur ganz unzulänglich unterrichtet. Das Buch Marschall von Biebersteins über die „Verantwortlichkeit und Gegenzeichnung bei Verordnungen des Obersten Kriegsherrn"[2] behandelt nur ein Sonderproblem, wenn es auch unter hohem Gesichtspunkt angefaßt wird. Auch leidet es dar-

[1] Die in der Arbeit niedergelegten Auffassungen sind völlig unabhängig von der Ansicht amtlicher Stellen.

[2] Berlin 1911.

unter, daß es noch vor dem Kriege verfaßt worden ist, in einer Zeit also, die dem politisch unbeeinflußten Erkennen des Problems nicht günstig, ganz abgesehen davon, daß die Kenntnis der Tatsachen noch nicht tief genug war. Wohlers, der nach der Katastrophe über die staatsrechtliche Stellung des deutschen Generalstabes schrieb[3], hatte schon den Vorteil vor Marschall von Bieberstein voraus, daß der Weltkrieg mit der scharfen Herausarbeitung des Gegensatzes von Oberster Heeresleitung und Reichsleitung - Reichstag den politisch-militärischen Dualismus als politisch-historisches Problem allgemein zum Bewußtsein gebracht hat. Er lenkte daher sein Augenmerk auf die allmähliche Herauslösung des Generalstabes aus dem politischen Aufbau des Reiches und seine Konstituierung als militärischer Sonderbezirk. Aber im Zusammenhang ist für die Friedenszeiten die Frage des politisch-militärischen Dualismus bisher noch nicht untersucht worden, auch nicht, wo die Verbindungslinien hinüberlaufen zu der allgemeinen Geschichte des Reiches.

Es waren zunächst drei Quellen, denen — in ganz verschiedener Schwere — die Autonomie der militärischen Macht entsprang. Ein Rest des Absolutismus mit seiner strengen Trennung der Stände und ihrer Funktionen, der sich mit dem Prinzip Friedrich Wilhelms IV. verband, sich neben den eigentlichen Ministern noch mit Generalministern wie Radowitz und Leopold von Gerlach zu umgeben. Dann der Konflikt, in dem die Krone sich auf die Armee stützte gegen die Opposition des Parlaments und die durch dieses repräsentierte Nation. Schließlich die Durchführung der Einigung in Kriegen, die es dem Strategen Moltke ermöglichte, den von ihm geführten Generalstab neben die politische Einflußsphäre Bismarcks zu stellen.

Aber diese Entstehungsgründe erklären noch nicht das Fortdauern dieses Systems, das den Staat in eine politische und eine militärische Hälfte teilte. Bei der Betrachtung des Verhältnisses von Politik und Militär in Deutschland ist stets der Unterschied bewußt zu halten, daß die Psyche aller stehenden Armeen eine Sonderpsyche ist — das hat Lorenz von Stein fein herausgearbeitet —, daß also der Dualismus nicht in dem einfachen Gegensatz von Zivil und Uniform erschöpft ist, daß er vielmehr in der Koordinierung zweier heterogener Staatsteile besteht, deren Verhältnis zueinander das autonomer Staaten ist. Die deutsche Geschichte birgt in sich nicht nur die Dualismen der religiösen

[3] Die staatsrechtliche Stellung des Generalstabs in Preußen und Deutschland, Bonn 1920.

Zerspaltung, des preußisch-österreichischen Gegensatzes, des Gegensatzes von Staat und Nation wie der bürgerlichen und der proletarischen Klasse. In einer ebenso dualistischen Form tritt hier auch das Verhältnis von militärischer und politischer Macht im Staate auf. Und zwar derart, daß eine neue Form des Dualismus entsteht, wenn die alte verblaßt. Denn Leopold von Gerlach starb zugleich mit seinem Könige. Der Dualismus der sechziger Jahre beruht aber auf anderen Grundlagen als der der fünfziger Jahre. Auch die hervorragende Stellung des Generalstabes ist nicht so sehr die Folge dieses Dualismus aus innerpolitischen Motiven, als vielmehr die Konsequenz der siegreichen Kriege, die mit dem Konflikt zwar in engstem Zusammenhang stehen, die aber diese Machtsteigerung des Generalstabes nicht bezweckt hatten.

Hinter diesen politisch-pragmatischen Gründen, die der exakten Tatsachenforschung zunächst bewußt geworden sind, liegt aber als entscheidende Konstante der Druck der sozialen Lage. Die Regierungen des Absolutismus wurden durch das Bürgertum, das politische und soziale Macht forderte, auf die Seite des Militärs gedrängt, das nach dem liberalen Intermezzo der preußischen Reform dem Absolutismus treu blieb. Erst durch die Folgen der französischen Revolution entstand dieser Dualismus, der den deutschen Staat in zwei Hälften teilte, die sich nicht mehr verstanden.

Erhalten hat sich dieser Dualismus in der Zeit des Kaiserreiches, als der Gegensatz von Staat und Nation seine Schärfe verlor und an seine Stelle sich der Konflikt zwischen bürgerlichem Staat und Proletariat schob, deshalb, weil nun sich Bürgertum und Militär wieder alliierten gegen die Mächte der Tiefe. Und wieder verbanden sich mit diesem sozialen Motiv Gründe, die teils noch sozialer, dann aber auch organisatorischer und persönlicher Art waren.

Moltke hatte eine Generation hervorragender Offiziere herangezüchtet, die in ihrem Fach Großartiges leisteten. Die Eigentümlichkeit der militärischen Disziplin schuf aus ihnen eine straffe Hierarchie mit gleichen Anschauungen in politicis sowohl wie in militaribus. Der preußische Generalstab war ein einheitlicher Block geworden, in dem nicht die ausgeprägte Individualität den Charakter des einzelnen bestimmte, sondern die Tatsache des Eingeordnetseins. Die politische Führung dagegen, sowohl in der Form der Diplomatie wie der innerpolitischen Ministerialbürokratie, verfügte zwar auch nach Bismarcks Abgang noch über hervorragende Köpfe, brachte sie aber nicht mehr zum Zusammenspiel. In ihr herrschte eine ausgesprochene Diffusität, ein konstanter Wechsel der Auffassung von Aufgaben und Zielen der

Außen-, der Sozial-, der Handelspolitik. Es ist zwar noch nicht hinreichend Material gesammelt, um abschließend die Niveaustufen beurteilen zu können, aber vielleicht darf man doch schon sagen, daß die Zahl der — rein fachmäßig gesehen — guten Köpfe am zahlreichsten war in der aufstrebenden Wirtschaft, dann im Militär und am wenigsten zahlreich in der politischen Bürokratie.

Aber selbst dieses innere Übergewicht des Militarismus über die politische Führung — denn „Militarismus" bedeutet nicht die zahlenmäßige Stärke der Rüstung, sondern das Vorhandensein einer der politisch-parlamentarischen Kontrolle entzogenen Sondermacht im Staate, des militärischen Standes als autonomer Gruppe — hätte noch nicht dem Dualismus seine Dauer verliehen, wenn nicht allmählich das ganze Regierungssystem sich in der Richtung einer möglichst tiefgehenden Emanzipation des militärischen Gebiets von dem Parlament und der Nation entwickelt hätte. Die scharfe Betonung der Septennate als unbedingte „militärtechnische" Notwendigkeit — die Umwandlung in Quinquennate und damit ihre Anpassung an die Dauer der Legislaturperiode des Reichstags war nur eine Scheinkonzession und ein Oberflächenvorgang, der das Wesen des sich immer stärker ausbildenden Dualismus nicht berührte, vielmehr den Reichstag durch die scheinbare Befriedigung seiner Wünsche nur unaufmerksam machte —, die Benutzung und agitatorische Übertreibung außenpolitischer Schwierigkeiten besonders bei den Kartellwahlen, wirkten in dieser Linie. Diese Entwicklung ging aber nicht so sehr dahin, das Militär durch die Entziehung des parlamentarischen Einflusses zu einer Hausmacht der Krone gegen die Nation umzuschaffen, wie die sechziger Jahre das anzukündigen schienen, sondern nur zu einer selbständigen Macht neben der politischen, die zwar durch die Konstruktion der Vasallentreue und des Obersten Kriegsherren in ein besonderes Verhältnis zu dem Monarchen trat, von dem der Staatsbürger ausgeschlossen blieb, die aber letzthin auch dem Monarchen als eine Macht von eigenen Gnaden gegenüberstand und in ihrer Konsequenz zur Militärdiktatur führen mußte unter Ausschaltung des Monarchen — sei sie juristischer, sei sie nur tatsächlicher Art.

Ihren staatsrechtlichen Ausdruck — wenn dieses Wort gestattet ist für einen politischen Prozeß, der sich gerade außerhalb des „Staatsrechts" vollzog und von dem kein Lehrbuch des deutschen Staatsrechts Kenntnis genommen hat, der aber das Recht des Staates, seine Verfaßtheit, seinen konstruktiven Aufbau einschneidend bestimmt hat — fand die Ausbildung des politisch-militärischen Dualismus in den

Kabinettsorders von 1883, 1889 und 1899, welche dem Chef des Generalstabes das Recht zum Immediatvortrag gaben, das Militärkabinett aus dem Verband des Kriegsministeriums lösten, es autonom machten und nur, um dem Reichstag die tatsächliche Lage zu verheimlichen, es weiter in der Rangliste als Personalabteilung des Kriegsministeriums aufführten; welche die Admiralität in Reichsmarineamt, Oberkommando der Marine und Marinekabinett zerschlugen und schließlich 1899 das zehn Jahre zuvor geschaffene Oberkommando der Marine wieder beseitigten und innerhalb der Flotte den Primat des Reichsmarineamts herstellten.

Diese letzten Vorgänge sind schon Akte, die die Stellung der Marine im Dualismus betreffen[4].

Nach der Teilung der Flottenführung während der sechziger Jahre in Oberkommando und Kriegsministerium war 1871 die Admiralität geschaffen worden, deren Chef die militärischen Befugnisse eines Flottenkommandeurs mit denen eines politischen Marineministers verband. Hier war eine eigenartige Form gefunden, um den Dualismus zu überbrücken. Die Bedeutung der Auflösung der Admiralität durch Wilhelm II. ist nun nicht bloß darin zu suchen, daß der Kaiser selber regieren wollte. Subjektiv war das allerdings sein Bestreben. Er steigerte sogar noch die Emanzipation der bewaffneten Macht, indem er das Marinekabinett nicht nur tatsächlich, sondern auch formell dem Staatssekretär entzog. Bedeutungsvoller aber ist, daß diese Zerschlagung der Admiralität die Zwitterstellung ihres Chefs als militärischer und politischer Chef der Marine aufhob und diese beiden Funktionen selbständigen Behörden zuwies. Der Kaiser gewann zwar durch die Möglichkeit, seinem Kommandierenden Admiral nach Belieben zu befehlen, größeren Einfluß auf die Marine — und er hat diese Machtsteigerung auch energisch ausgenutzt —, aber nur auf ihre innere und militärtechnische Ausgestaltung. Der Reichstag aber gewann gleichzeitig auf den Staatssekretär einen größeren Einfluß als auf den Chef der Admiralität, weil diesem der direkte militärische Rückhalt und damit die absolute Deckung durch die kaiserliche Kommandogewalt fehlte. Mit dieser Neuordnung war der Dualismus zwischen Generalstab, Kriegsministerium und Militärkabinett als militärtechnischem, politischem und personalem Armeeministerium auf die Marine übertragen und ein Zustand geschaffen, der zu Machtkämpfen zwischen dem Staat

[4] Zum Folgenden die Belege in E. Kehr, Schlachtflottenbau und Parteipolitik, Berlin 1930.

einerseits — d. h. dem Kaiser und dem Kommandierenden Admiral, die durch ihr Bündnis mit der persönlichen Autokratie, die durch den Kabinettschef vertreten wurde, zu Vertretern der militärischen Seite des Dualismus wurden —, und der Nation andererseits — d. h. dem Staatssekretär und dem Reichstag — herausforderte. Die Lage komplizierte sich noch dadurch, daß der Staatssekretär in die politische Bürokratie hineingehörte und diese in dem Konflikt von Nation und Staat bzw. Militär zwischen den feindlichen Kräften hin und her schwankte, teils mit dem Militär gegen das Parlament sich verbündete, teils mit dem Parlament gegen das Militär ging.

Es ist kein Zufall, daß die Kämpfe um die Flottenvermehrung, die beim ersten Zusehen ein Zanken „um jeden Kahn und jeden Kessel" scheinen, gerade in die Zeit der scharfen Zerteilung der Marineverwaltung in politische und rein militärische Gewalt fielen und mit dem Ende dieses Dualismus ebenfalls ihr Ende fanden. Die Aufhebung des Oberkommandos 1899 beseitigte den Dualismus und gab die Macht dem Staatssekretär, der allmählich der Vertrauensmann des Parlaments in der Reichsleitung wurde.

In engem Zusammenhang mit der Eingliederung der Marine in den Dualismus durch die Regelung von 1889 steht die Ausbildung der Flotte zu einem kampffähigen Kriegsinstrument. Die Armee war schon vorhanden, als der Dualismus sich auftat und sie brauchte ihren Aufbau als autonome Macht neben der politischen nicht erst als notwendig zu beweisen: sie wirkte durch die Tatsache ihrer bloßen Existenz. Die Marine dagegen mußte sich erst zu einer gewissen Größe entfalten, ehe sie sich in den Dualismus eingliedern und in ihm ein fühlbares Gewicht werden konnte, und weiter noch: sie mußte ihr Recht zu dieser Expansion erst noch motivieren, mußte aus der Selbstzweckinstitution herauswachsen und zu einer Funktion des modernen sozialen Lebens werden, und zwar unter den schwierigen Umständen, daß die kapitalistische Rechenhaftigkeit immer mehr von den Menschen des Kaiserreichs Besitz ergriff und die Rüstung deshalb als unwirtschaftliche Ausgabe erscheinen mußte. Aber gerade dieser kapitalistische Geist war auch die Voraussetzung zu der späteren Popularität der Marine. Denn während die Armee sich im Konflikt durch ihre irrationale Macht, die sie dem Parlament und der Nation entgegensetzte, als dualistischer Faktor ausbildete, erhob sich die deutsche Flotte nicht nur in einem scharfen Kampfe mit der Nation bis zu der Höhe, die sie 1914 erreicht hatte, sondern gerade in allerengster Verbundenheit mit den modernsten Mächten der Nation, mit dem Parlament und der kapitalistischen

Wirtschaft. Die Flotte wurde in den wirtschaftlichen Prozeß und die wirtschaftliche Expansion des Reiches eingegliedert, und die großen Industrieführer und Reeder wußten, weshalb sie in Briefen und Petitionen Reichstag und Reichsmarineamt um Durchführung und Erweiterung der Flottengesetze bestürmten. Wenn auch die staatsrechtlichen Formen bei beiden dieselben waren: die Marine war ein Teil der auf kapitalistischen Motiven beruhenden Weltpolitik, die Armee ein Teil der der agrarischen Verfassung parallelen Kontinentalpolitik. Die Motivierung des Flottenbaus war ihr Einsatz in die industriell-kommerzielle Expansion, die Unterordnung der militärischen Macht unter das kapitalistische Profitinteresse. Die Armee wurde mit dem „Feinde ringsum" motiviert, stand aber außerhalb der wirtschaftlichen Interessengegensätze der Nationen. Die Flotte war ein Teil der kapitalistischen Profitwirtschaft, die Armee höchstens ein Teil einer Bedarfsdeckungswirtschaft. Die Flotte als „Funktion der Seeinteressen" konnte nur von der marxistischen Ideologie her als „Kriegsinstrument des Finanzkapitals" definiert werden.

Jedoch darf diese wirtschaftliche Motivierung, die für die Öffentlichkeit der entscheidende Punkt wurde, an dem sie die Flottenvermehrung und damit unbewußt ihre Eingliederung in den Dualismus akzeptierte, nicht über die andersartigen Motive zum Ausbau der Marine täuschen, die bei den entscheidenden Stellen tatsächlich wirksam gewesen sind. Es ist schwer zu sagen, welche Motive den Kaiser zu seiner Vorliebe für die Flotte bestimmt haben: wirtschaftliche waren es sicherlich nicht. Selbst an dem anscheinend rein marinetechnischen Bestreben des Kapitäns zur See Alfred Tirpitz, des Chefs des Stabes bei dem Oberkommando, die Flotte zu vergrößern, kann man irre werden, wenn man die ersten Worte der großen Dienstschrift IX vom 15. Juni 1894 liest, in der er die „allgemeinen Erfahrungen aus den Manövern der Herbstübungs-Flotte" zusammenfaßte: „Die über das Wesen und die Aufgabe einer Flotte herrschende Unsicherheit hat seit dem Entstehen unserer Marine viel dazu beigetragen, ihre Entwicklung zu erschweren. Wenn durch Allerhöchste Willensmeinung hierin auch eine Änderung eingetreten ist, so kann der Natur der Dinge nach der Erfolg doch erst nach jahrelanger Arbeit für jedermann erkenntlich zutage treten." Neben diese persönlichen Einflüsse des Kaisers, der die „Schweinerei" in der Marine beseitigen wollte, schoben sich aber unzweifelhaft doch militärische Überlegungen ernsterer Art, sowohl das Bestreben, für den Zweifrontenkrieg eine Flotte zu schaffen, die imstande war, der französischen und russischen einzeln standzuhalten, wie die Tendenz des Kapitäns Tirpitz, die Zahl der vorhandenen Typen zu verringern und eine kriegsbrauchbare Seetaktik zu ermitteln. Der Zweifrontenkrieg zur See hat noch im Frühjahr 1897 den Kaiser zu der Normierung der Flottenstärke auf die Hälfte der vereinigten russisch-französischen Flotte bewogen, und das war auch die Grundlage der großen Flottenmanöver von 1896, bei denen eine französische Flotte die Elbe zu forcieren hatte, und wo die Anpassung an den Kriegsfall so weit ging, daß die Angriffsschiffe die Namen französischer Panzer und Kreuzer trugen und mit deren Gefechtswerten gezählt wurden. Noch nicht unter dem Einfluß einer gegen England gerichteten öffentlichen Meinung, noch nicht unter dem Gesichtspunkt der Weltpolitik ist von Tirpitz der Gedanke der Schlachtflotte konzipiert worden, sondern, so charakteristisch die Schlachtflotte später für die imperialistische Epoche werden sollte: sie ist zuerst geplant und durch Manöver vorbereitet worden durchaus in der vorimperialistischen Zeit Deutschlands, als das Reich noch Kontinentalpolitik trieb und Frankreich der Gegner war, den man in der Seeschlacht vor Cherbourg niederringen wollte. Diesem Ziel, der Seeschlacht mit der französischen Panzerflotte, bei der die französische Vorliebe für die guerre de cours völlig unbeachtet blieb, entsprach die Normierung, die Tirpitz 1894 der Organisation der geplanten Schlachtflotte gab: 17 Linienschiffe, 6 Kreuzer I. und 12 Kreuzer III. Klasse nebst 6 Torpedobootsflotillen und dem entsprechenden Troß und einer gewissen Materialreserve an Panzern und Kreuzern.

Als Tirpitz 1897 das Reichsmarineamt übernahm und er gefragt wurde, welche Forderungen er dem Reichstag stellen werde, gab er die stolze Antwort: „Das, was in der Dienstschrift IX steht." Aber diese Antwort enthält eine Selbsttäuschung. Denn statt etwa 21 Kreuzer bei 19 Linienschiffen, wie er 1894 geplant hatte, forderte Tirpitz in dem ersten Flottengesetz schon 42, von denen 13 zum Auslandsdienst bestimmt waren, eine Ziffer, die sich 1900 bis zu der Forderung von 26 Auslandkreuzern steigerte. Bei der Verdoppelung der Kreuzerziffern lag zwar immer noch der Akzent auf der Linienschiffsflotte, während die Wiesbadener Pläne vom Mai 1897 mit 54 Kreuzern — davon bis zu 21 im Ausland — stärker die Kreuzerflotte betonten. Aber die ursprüngliche Beschränkung der Flotte auf Linienschiffe mit dem allergeringsten Anhang von Kreuzern war auch für Tirpitz vorbei. Seine Schlachtflotte ist niemals die reine Ausführung der Ideen von 1894 gewesen: die Weltpolitik hatte neue Aspekte eröffnet und neue Forderungen gestellt, deren Konsequenzen sich in der schärferen

Herausarbeitung der Auslandsflotte neben den heimischen Schlachtgeschwadern und Aufklärungsgruppen zeigten.

Die Flottenpläne von 1894 waren also noch viel tiefer nur militärisch fundiert, als die späteren, deren Akzentuierung der Kreuzer mehr an die imperialistischen und wirtschaftlichen Motivseiten dieser Rüstungsvermehrung erinnerte.

Aber schon damals hat Tirpitz die entscheidenden Formeln gefunden, mit denen er später die Agitation speisen konnte, wenn auch das Wort, daß die Flotte nur die Funktion der Seeinteressen sei, erst Ende 1895 geprägt und erst von Ernst von Halle mit Leben erfüllt wurde: „Ein Staat, der See-, oder was hierfür gleichbedeutend ist, Weltinteressen hat, muß sie vertreten und seine Macht über seine Territorialgewässer hinaus fühlbar machen können. Nationaler Welthandel, Weltindustrie, bis zu gewissem Grade auch Hochseefischerei, Weltverkehr und Kolonien sind unmöglich ohne eine der Offensive fähige Flotte. Die Interessenkonflikte der Nationen und das alsdann mangelnde Zutrauen des Kapitals und der Geschäftswelt würden diese Lebensäußerungen eines Staates im Laufe der Zeit ersterben oder überhaupt nicht aufkommen lassen, wenn nicht nationale Macht auf den Meeren, also jenseits unserer Gewässer, ihnen das Rückgrat gibt. Hierin liegt der vornehmlichste Zweck der Flotte überhaupt." Er scheute nicht vor den kühnsten Umdeutungen des historischen Ablaufs zurück, um sein Ziel zu erreichen, die militärische Macht in die kapitalistische Wirtschaft einzugliedern und so aus dem lähmenden Dualismus herauszuheben: „Deutschland war als See- und Weltstaat untergegangen, als die Seemacht der Hansa brach. Der Welthandel Hollands sank von seinem ersten Platz in die siebente Stelle, nachdem De Ruyters Flotten definitiv geschlagen waren. Umgekehrt können wir heute sehen, wie das kaufmännische Amerika sich eine offensive Kriegsflotte schafft, um Seehandel und Seeinteressen sich damit zu erwerben. Für die europäischen Nationen mit ihrer entwickelten Kultur, die, um zu bestehen, sich nicht mehr auf den einfachen Ertrag ihres Bodens beschränken können, gilt dies in besonders hohem Maße."

Hier liegen schon die Grundlinien vollkommen deutlich zutage. Aber noch waren sie nicht ganz zur Durchbildung gekommen. Die wirtschaftliche Unterbauung des Kriegsinstruments ist später nur noch in Details verstärkt und verbessert worden; aber unausgeglichen war noch die Frage der Taktik, der Artillerie, der Panzerung. In der Taktik war die Geschwadertheorie schon fertig und bei den Manövern mußten oft uralte Kreuzerfregatten heran, um den Platz zu füllen. Andere Schiffe hatten durch Flaggen anzuzeigen, daß sie eigentlich doppelt oder dreifach oder gar fünffach vorhanden seien. Aber die Lineartaktik war noch nicht völlig ausgebildet: Kiellinie und Dwarslinie stritten sich um den Vorrang, ohne daß eine eindeutige Entscheidung erfolgte. Das Kompromiß der T-Formation vermochte nur einen komplizierten Ausweg zu schaffen. Durch diese taktischen Schwierigkeiten waren Tirpitz' Ideen über die Aufstellung der Artillerie bedingt: die Mittelartillerie am Bug und Heck massiert für die Annäherungskämpfe der in Dwarslinie fahrenden Flotten, die schwere Artillerie nur mittschiffs, als Breitseitartillerie für das Passiergefecht der Linien gedacht. Die Stärke des Panzers berechnete er nur nach der Durchschlagskraft der Mittelartillerie, hatte also sein Prinzip des schwer gepanzerten Linienschiffes noch nicht. Aber schon damals legte er auf die Geschwindigkeit geringen Wert und bedauerte die Unmöglichkeit von Sprengversuchen mit Torpedos an neuen Schiffen.

Auf einer höheren Ebene wiederholte sich dieser Rest einer Ungeklärtheit der Auffassungen in seinen Ansichten von der Flotte als Offensivflotte. Denn eine Seemacht schien ihm nur möglich, wenn sie im Besitz eines aggressiven Kriegsmittels war; eine Küstenverteidigungsflotte hatte „nur einen schwachen Boden ihrer Daseinsberechtigung". Er führte den Beweis für die Notwendigkeit der Offensivflotte zunächst militärisch: „Erst wenn die Seeherrschaft erreicht ist, bieten sich die eigentlichen Mittel, den Feind zum Frieden zu zwingen": Landungen, die Schaffung von Operationsbasen für die Armee, die Blockade, Schädigung der transatlantischen Seeinteressen des Gegners und — hier war er Schüler der jeune école — die Zerstörung der feindlichen Küstenstädte. Er hob auch die taktischen und strategischen Motive aus ihrer militärischen Isolierung heraus und verband Offensivflotte und Weltwirtschaft miteinander. Aber er blieb doch der Militär, der in sein Ressort, in die eine Seite des Dualismus gebannt war, der wohl den Unterschied zwischen dem defensiven Charakter der heutigen Volksheere und den aggressiven Tendenzen der zu erbauenden Flotte betonte, der aber doch diese Aggressivflotte nicht in das politische System der Mächte hineinstellte und über die konkreten politischen Folgen seines Flottenplanes offenbar nicht tiefer nachgedacht hat. Er muß sich auch der revolutionierenden Wirkungen nicht bewußt geworden sein, die sein Flottenbau in der Außenpolitik nach sich ziehen mußte, und erst recht nicht seiner revolutionierenden Wirkungen in der Innenpolitik, seines Einflusses auf die soziale Gliederung der Nation. Die Zusammenhänge zwischen Politik und Rüstungsvermehrung, werden Ende 1895 zuerst ihm deutlich geworden sein, als er durch seine Flottenpläne in den politischen Kampf hineingezogen wurde. Da gab er als eines der Motive zum Flottenbau die Unlösbarkeit der sozialen Frage an: „In der neuen großen nationalen Aufgabe und dem damit verbundenen Wirtschaftsgewinn liegt ein starkes Palliativ gegen gebildete und ungebildete Sozialdemokraten." Hier tut sich ganz knapp und flüchtig ein Durchblick auf, der die Verbindungen zwischen dem politisch-militärischen Dualismus und dem Dualismus des Klassenkampfes ahnen läßt. Wie das eigentliche principium movens der Entstehung des militärisch-politischen Dualismus im vormärzlichen Preußen die Abwehr des konservativ-feudalen Staats gegen das revolutionäre Bürgertum gewesen war, so war das letzte Motiv seiner Fortdauer im kaiserlichen Deutschland die Furcht vor dem proletarischen Umsturz, der Militär und nun feudalisiertes Bürgertum wieder zusammenführte.

Aus der Beschränkung des Kapitäns Tirpitz auf das Ressortmäßige heben sich einige geniale Vorausblicke des Strategen scharf heraus. Ist es nicht möglich, so fragte er sich, daß der Feind im Seekriege gar nicht zum Angriff auf die deutschen Küsten vorgeht, daß er sich weit draußen auf der See vorsichtig zurückhält und damit „der eigenen Flotte nur die Wahl bleibt zwischen Untätigkeit, d. h. moralischer Selbstvernichtung, und dem Entscheidungskampf auf offener See." Für diesen schwersten Fall aber mußte die Flotte gerüstet sein, um den Feind nun selber aufsuchen und zur Schlacht stellen zu können. Wie erinnert das, was er da weiter sagt, an die seestrategische Lage im Herbst 1914: „Man muß sich besonders davor hüten, die Stärke des Feindes zu überschätzen. Die Neigung hierzu ist tief in der menschlichen Natur begründet, und die Anspannung aller seelischen und geistigen Kräfte im Kriege, das Moment der Gefahr, das Gefühl der Verantwortlichkeit tragen dazu bei, diese Neigung zu verstärken. Es kommt hinzu, daß wir über unsere eigenen Schwächen und Unvollkommenheiten personeller und materieller Art, über Ausfälle von Schiffen usw. bei der Mobilmachung oder später durch Maschinen- und Kesselhavarie usw. hervorgerufen, genau unterrichtet sind, während uns vom Feinde Nachrichten hierüber fehlen. Aus vorstehenden Gründen und nach den Erfahrungen der Kriegsgeschichte erscheint es daher minder notwendig, vor dem entgegengesetzten Fehler, die Stärke des Feindes zu überschätzen, zu warnen. In dem Bestreben, beide Fehler zu vermeiden, wird man in den meisten Fällen der Wahrheit näher kommen, wenn man sich bemüht, die Stärke des Feindes, gegen die eigene durch das

Gefühl beeinflußte Überzeugung, lieber zu unterschätzen." Aus den Erfahrungen der englischen Blockadeflotten zog er den Schluß, „daß die moralische Überlegenheit des Angreifers in der ersten Zeit am größten ist. Längerer tatenloser Aufenthalt im feindlichen Gebiet, bei der trotzdem unvermeidbaren Anstrengung von Personal und Material, kann diese moralische Überlegenheit verschwinden lassen und sogar in das Gegenteil verwandeln."

Klarheit und Präzision über die politisch-wirtschaftlichen, taktischen und strategischen Aufgaben der Flotte zu schaffen, Ordnung in den Wirrwarr der Typen zu bringen: das war das Ziel, das sich Tirpitz gesetzt hatte. Er wollte ganz bewußt eine neue Ära der Flottenentwicklung herbeiführen. In negativer Form sprach er das aus, als er an der italienischen Flotte tadelte, „daß infolge nationaler Charaktereigenschaften und innenpolitischer Verhältnisse Arbeit und Geld bisher in offenbar unrichtigem Verhältnis mehr auf die Schaffung zahlenmäßiger Stärke und auf die Entwicklung des Materials verwendet worden sind, als auf die Organisation der Flotte und deren Leistung in militärischer Hinsicht, wie dies übrigens bis vor kurzem mehr oder weniger in allen europäischen Marinen der Fall war."

Aber all dieses anscheinend militärisch-technische Suchen ist doch nur zu begreifen auf dem Hintergrunde eines verborgenen Rationalismus. Es war zwar nicht das Suchen nach dem „besten Staat", aber nach der „besten Flotte": durch die Manöver „verschaffen wir uns für die im Frieden nicht lösbaren Fragen wenigstens einen Schatz von Überlegungen, welcher im Kriege richtiges Handeln erleichtert." Und genau wie der Rationalismus den gefundenen besten Staat verabsolutierte, so Tirpitz seine beste Flotte, die Linienschiffsflotte: „Nach den Erfahrungen unserer Manöver bestätigt sich, daß das Linienschiff der Jetztzeit in ganz ähnlicher Weise den Kern der Flottenmacht darstellt wie zur Segelzeit. Nicht ohne Berechtigung werden auch die taktischen Stärken der Flotten verschiedener Nationen in überschläglicher Weise verglichen nach der Zahl der verfügbaren Schiffe, welche Linienqualität besitzen." Wie das Heil der Menschheit oder des Individuums nur realisierbar war in dem besten Staate, so die Erringung der Seeherrschaft nur mit dieser „besten Flotte", nicht nur in dem technischen Sinne einer möglichst kampfkräftigen, sondern in dem spezifisch rationalistischen Sinne, daß sie als eine Art von absolutem Sieggarant aufgefaßt wurde. Nur aus dieser Ideologie von der besten Flotte ist Tirpitz' Pessimismus über des Kaisers Flottenpläne vom Januar 1896 zu erklären; an der Forderung von Kreuzern werde der ganze Plan scheitern, meinte er damals zu Senden. Nur so wird auch seine Theorie von der Risikoflotte überhaupt verständlich: mit der Schlachtflotte als der besten Flotte geht eben der Sieg.

Die Grundlagen der militärischen Seite des Dualismus waren nicht weniger rationalistisch als die der parlamentarisch-politischen Seite, wenn auf beiden Seiten von der irrationalen Tatsache des einfachen Existierens abgesehen wird. Moltke hatte durch die strenge Ausbildung und Fortbildung napoleonischer Schlachtideen ein rationales Gebäude der Strategie errichtet; Tirpitz suchte sich selber ein solches System zu schaffen, wobei er aber viel weniger von Lehrmeistern der Vergangenheit unterstützt wurde. Neben die rational durchkonstruierte politische Seite des Dualismus stellte Moltke seine Armee mit ihrer rationalen und systematischen Strategie, und Tirpitz seine Flotte, die noch weit stärker als die Armee rationales Gepräge trug: sie besaß nicht nur eine rationale Taktik und Strategie, die ihr bis zum Anfang der neunziger Jahre gefehlt hatte, sie beruhte als Flotte von Eisenschiffen auf der Technik und der mathematischen Konstruktion, schließlich wurde sie für die Öffentlichkeit mit der These motiviert, daß sie ein Faktor sei im rechenhaften kapitalistischen Produktionsprozeß.

In den ersten Jahren des letzten Jahrzehnts vor der Jahrhundertwende, noch bevor die Flotte äußerlich zu erstarken begann, bildete sich so ihre innere Kraft, fand ihr zukünftiger Leiter den Weg, den er sie führen, schuf er die Argumente, mit denen er ihre Vergrößerung durchsetzen wollte, schuf er Taktik und Strategie für die Seeschlacht der Zukunft. Wie aber gestaltete sich das Verhältnis dieser Flotte zum Reichstag, wie bildete sich Spannung und Entspannung zwischen den beiden Polen des Dualismus?

Ohne es auszusprechen, aber mit deutlich fühlbarer Anspielung auf die deutschen Verhältnisse, hatte Tirpitz 1893 in der Dienstschrift II, die die letzten italienischen Flottenmanöver besprach, konstatiert, daß man in Italien jetzt tatsächlich erkannt habe, „daß für die Stellung Italiens als Mittelmeermacht die Flotte in erster Linie ausschlaggebend sei ... Das dieser Auffassung entsprechende Vertrauen auf die wachsende Stärke der italienischen Flotte und die feste Absicht, diese Stärke zu schaffen, wird man in Italien bei der Mehrzahl der Personen von Bedeutung finden.“ Für die Stellung der deutschen Marine in dem Dualismus von Militär und Politik aber war es entscheidend, daß dem beginnenden inneren Ausbau der Flotte die entsprechende Vertretung nach außen vollständig fehlte.

Während es Stosch gelungen war, eine für seine Zeit ansehnliche Flotte zu schaffen, und zwar im engsten Zusammenarbeiten mit der Reichstagsmehrheit, hatte Caprivi den weiteren Flottenausbau unter dem Druck der völlig ungeklärten Typenfrage eingestellt und sich auf die Pflege des Torpedobootswesens beschränkt. Während nun innerhalb der Flotte sich von 1892 bis 1894 wieder einige Klarheit über Taktik und Typen herausbildete, tappte die politische Vertretung der Marine, das Reichsmarineamt — nach den kurzen Intermezzi des Grafen Monts und des Konteradmirals Heusner, die 1888 und 1889 Caprivi folgten, war 1890 Admiral Hollmann Staatssekretär geworden — bis 1897 darüber noch völlig im Dunkeln und forderte plan- und ziellos vom Reichstag, was gerade einige Aussicht auf Annahme im Parlament zu bieten schien, heute Küstenpanzer, morgen Panzerschiffe, übermorgen Kreuzer, und wenn infolge dieser Politik die Hoffnung auf Bewilligung der planlosen Forderungen gar zu gering wurde, weil selbst der gutmütige Reichstag sich eine derartige Wirtschaft nicht gefallen lassen wollte, so wurde ihm mit unendlichem Phrasenschwall eine Jeremiade über den Niedergang deutscher Seemacht vorgejammert, ein Schiff mit prunkendem Titel wie „Admiralschiff für den großen Ozean“ gefordert oder ganz ungeniert ihm etwas vorgeschwindelt über die Aufgaben des geforderten Schiffes: „Avisos für höhere Kommandoverbände“. Über die Frage Linienschiffsflotte oder Kreuzerflotte war Hollman sich ganz unklar, und legte je nach der wechselnden Stärke des Druckes von seiten des Kaisers, des Oberkommandos und des Reichstags mehr Gewicht auf Panzer oder auf Kreuzer. Der Ausdruck Marasmus, mit dem ein hoher Beamter der Ära Hollmann den Gesamtzustand des Reichsmarineamtes bezeichnet hat, ist nicht zu scharf gewählt.

Der Reichstag war naturgemäß in der Typenfrage selber sehr unklar, und was da an Ansichten über Panzerschiffe und Kreuzer vorgebracht wurde, war mehr als wirr. Aber der Reichstag beanspruchte gar nicht in dieser Frage den Richter zu spielen. Er forderte von den Fachleuten des Reichsmarineamts, daß sie ihm sagten, was sie eigentlich wollten. Der Reichstag schrie förmlich nach einem brauchbaren militärischen Plan über den Flottenausbau und war bereit, sich jeder Führung, die überhaupt wußte, was sie wollte, unterzuordnen. Aber mit entwaffnender Naivität, in völliger Verkennung seiner Situation dem Reichstag gegenüber erzählte ihm Hollmann immer wieder, daß die Marine gar keinen Plan habe, daß sie von der Hand in den Mund lebe, ja, daß ein solcher Plan überaus schädlich sei, weil er nur den

Reichstag binde, die technische Verwaltung aber nicht. Hollmann hat niemals begriffen, daß dieses anscheinend so widerspenstige Parlament ihm nur deshalb Schwierigkeiten machte, weil er nicht imstande war, es zu führen. Nicht gegen den Druck einer so schweren Autorität hat sich der Reichstag aufgelehnt, sondern gegen den Mangel an Autorität.

Der Reichstag forderte einen klaren und eindeutigen Plan. Aber es war schwierig, die Form dieses Planes zu bestimmen. War er nur locker, unverbindlich, wie die Pläne von 1873, 1884, 1887, 1889, so mußte die Regierung fürchten, daß der anarchisch gewordene Reichstag diesen neuen Plan nicht ausführte. Wurde aber der Plan in Gesetzform dem Reichstag vorgelegt, so war das eine Beschränkung seines Budgetrechts zugunsten des kaiserlichen Absolutismus. Und das ist auch das Motiv des Kaisers gewesen, als er am 19. Mai 1897 in Wiesbaden die Einbringung der im März vom Reichstag abgelehnten Pläne Hollmanns für den Winter als Gesetzvorlage befahl. Für den Dualismus charakteristisch ist die Zusammensetzung des Kreises, in dem das Einbringen des Gesetzes beschlossen wurde. Von den eigentlich politischen Organen des Reiches waren nur vertreten der Kaiser und der stellvertretende Staatssekretär des Reichsmarineamts, Konteradmiral Büchsel: diese beiden standen aber tatsächlich auf der militärischen, nicht auf der politischen Seite des Dualismus. Die übrigen Teilnehmer waren entweder reine Vertreter der militärischen Seite oder der persönlichen Autokratie: der Kommandierende Admiral von Knorr, der Chef des Marinekabinetts von Senden-Bibram, der Chef des Zivilkabinetts von Lucanus, der Chef des kaiserlichen Hauptquartiers von Plessen. Primär politisch und staatlich eingestellte Personen haben an dieser bedeutungsvollen Beratung nicht teilgenommen. Das militärtechnische Argument setzte sich über die politischen Bedenken hinweg und hat auch nicht die eigentlich politische Notwendigkeit eines Flottenbaus für das Deutsche Reich in der gegebenen außenpolitischen Situation mit der Schärfe in Betracht gezogen, wie es ein Politiker getan hätte. Das war auch bei Tirpitz noch so. Er fühlte sich als Militär in seinem Bestreben, die Flotte zu vergrößern, durch die überflüssige Institution des Reichstags nur gehemmt und verstand nicht, daß die Bindung des Etatsrechts mehr war als eine technische Frage. Schon im Januar 1896, als die ersten großen Flottenpläne akut wurden, hatte er, der sich später so bitter über die Kabinettswirtschaft beschweren sollte, mit Hilfe des Chefs des Marinekabinetts seine Absichten zu verwirklichen und eine Agitation ins Leben zu rufen gesucht. Er hatte damals durchaus mit der persönlichen Autokratie gegen das Parlament und die politische

Leitung zusammengearbeitet. Auch bei dem ersten Gesetz hat er den Gedanken, daß dem widerspenstigen Parlament im Interesse einer gedeihlichen Entwicklung des Militärs die Hände fest zusammengeschnürt werden müßten, noch voll durchzuführen gesucht. Das Septennat sollte das Parlament von der Teilnahme an der Flottenvermehrung ausschalten und diese Aufgabe dem allein dafür zuständigen Militär überlassen. Von einer eigentlichen Feindschaft gegen das Parlament ist indessen bei ihm nichts zu merken; er hielt aber dessen Eingreifen in die technische Frage der Flottenentwicklung dieser für abträglich und wußte nur kein anderes Mittel, dieses Eingreifen zu verhindern, als das Septennat. Er fühlte sich damals noch ganz als Offizier, aber nicht einmal als politischer Offizier, sondern als reiner Militärtechniker, der die politischen Probleme vor allem unter dem Gesichtswinkel ihrer militärtechnischen Tragweite ansah. Als er 1897 das Kreuzergeschwader abgab, sagte er in seiner Abschiedsrede auf der „Irene", daß er ein Frontmensch und im Grunde für das Staatssekretariat nicht geschaffen sei.

Als technische Frage der Front hat Tirpitz das Septennat des ersten Gesetzes eingebracht, nicht als politische. Aber er mußte bald seine Einstellung ausweiten, mußte umlernen, mußte mehr politisches Denken und Fühlen in sich aufnehmen, wenn er die militärtechnische Flottenvergrößerung durchführen wollte. Denn das Parlament lehnte sich gegen seine Ausschaltung aus der Fürsorge für die nationale Wehrkraft auf und band, als es das Septennatsjoch nicht abschütteln konnte, seinerseits durch den Limitparagraphen, der die Höchstausgaben des neuen Septennats auf 407 Millionen Mark begrenzte, nun der Regierung derartig die Hände, daß Tirpitz infolge ungeschickter Vergebungspolitik die geplante Anzahl der Schiffe nicht bauen konnte. Ohne daß er formell etwas verweigert hätte, übte durch diese Bestimmung der Reichstag in verhüllter Form der halbabsoluten Regierung gegenüber sein Budgetverweigerungsrecht aus. Die Erzwingung des Limitparagraphen ist eine der parlamentstechnisch feinsten Leistungen Ernst Liebers gewesen.

Sie erhebt sich über das Niveau des parlamentarischen Kampfes dadurch, daß sie einer der Ansatzpunkte geworden ist, an dem sich der Dualismus von Politik und Militär auszugleichen begann. Denn unter dem Druck dieser parlamentarischen Gegenwehr, die nicht als brutale Obstruktion dem Staate seine Forderungen versagte, sondern sie ihm unter Kautelen bewilligte, die sein Mißtrauen gegen das Parlament empfindlich straften, hat Tirpitz sich bei dem zweiten Flottengesetz über die militärtechnische Taktik des ersten Gesetzes erhoben und den Reichstag von sich aus enger an Staat und Militär herangeholt. Er verzichtete auf den Versuch, den Staat und seine Wehrmacht zu sichern durch die Unterdrückung der jakobinischen Neigungen des Parlaments, verzichtete auf die Fessel des Septennats und stellte ein freies Verhältnis zwischen Reichstag und Regierung her. Damit schien der Reichstag ungebundener zu sein und gerade aus dieser Freiheit, die Tirpitz dem Reichstag ließ und zu der sich die Armee nicht hat aufschwingen können, stammt dessen große Sympathie für die Flotte und seine Geneigtheit, der Marine eher etwas zu bewilligen als der Armee. Vom Staat und vom Militär aus gesehen, hat sich die preußische Art, das Militär schroff dem Reichstag, der Nation, dem Zivil fernzuhalten, dem Parlament möglichst wenig Einfluß auf die Armeen zu gewähren, weit schlechter rentiert als diese Methode, die Tirpitz anwandte und die er in den Besichtigungsreisen der Reichstagsabgeordneten bis zu dem Schein zu steigern verstand, als ob der Reichstag tatsächlich eine Art Kontrollorgan über die Leistungen der Marine sei, ein Schein, der bezeichnend genug schon zornige Proteste des preußischen Staatsministeriums zur Folge hatte. In Wirklichkeit sind die Beziehungen zwischen Reichsmarineamt und Reichstag, auf die kleineren Verhältnisse übertragen, durchaus die des Perikles zum athenischen Demos geblieben: „Es entstand zwar dem Wort nach eine Demokratie, in Wirklichkeit die Herrschaft des ersten Mannes."

Die Zeit, in der Tirpitz das Staatssekretariat des Reichsmarineamts innehatte, hat in der neueren Geschichte am meisten Ähnlichkeit mit den Regierungsformen, die sich am Ende des Weltkrieges in England und Frankreich ausbildeten und diesen Mächten die Festigkeit verliehen, dem letzten deutschen Ansturm vom Frühjahr 1918 standzuhalten: die Führung des großen Demagogen, um mit Max Weber zu sprechen, und die Regierung des parlamentarischen Diktators. Aber die Form Tirpitzscher Regierung unterscheidet sich von der Lloyd Georges und Clémenceaus grundsätzlich dadurch — damit rühren wir an den tiefsten Punkt des deutschen Dualismus —, daß Tirpitz diese Stellung sich nur für den engen Kreis seiner Marineverwaltung errungen hat, aber nicht für die gesamte Leitung des Staates und seiner Politik. Und der letzte Grund dafür, daß er dieses sein Reichsmarineamt durch die Zerschlagung des Oberkommandos zwar stark nach der militärischen Seite hin ausbauen und ihm innerhalb der Marine den Primat verschaffen, daß er es aber nicht zu dem großen Reichshandelsamt hat erweitern können, von dem er Stosch schrieb und für dessen

Mißlingen die Unterstellung von Kiautschou nur ein schwacher Ersatz war; daß er noch viel weniger zum Reichskanzleramt aufgestiegen ist, und in dieses seine als Staatssekretär erworbene Stellung zu den Parteien mit hinüber genommen hat, ist, daß Tirpitz zwar auch politisch denken konnte, daß er aber dabei doch stets Militär geblieben ist. Der Dualismus des Reiches machte aber die parlamentarische Diktatur eines Offiziers unmöglich und gestattete nur die beiden sich ausschließenden Möglichkeiten: parlamentarische Diktatur mit Unterordnung des Militärs oder die reine antiparlamentarische Diktatur des Militärs.

Ohne einen Bruch mit den Prinzipien der Bismarckschen Verfassung, die viel stärker auf diesem Dualismus beruht, als es gemeinhin scheinen mag, war der politisch-militärische Dualismus überhaupt nicht befriedigend zu lösen, weder nach der parlamentarischen noch nach der militärischen Seite hin. In diese tragische Kontrastierung ist Tirpitz hineingestellt worden; er hat trotzdem das Problem zu lösen gesucht, als einziger der deutschen Staatsmänner der Vorkriegszeit. Die Armee ist innerlich ein Zwitter geblieben, der sich erschöpft hat in dem unablässigen Ringen der in ihm kämpfenden alten und neuen Tendenzen. Die Marine war ganz modern und einheitlich. Sie stützte sich bewußt auf die Wirtschaft und auf das Parlament. Als Tirpitz 1912 mit Bethmann um die Haldanevorschläge kämpfte, vertrat er die militärische Seite des Dualismus in einer ganz anderen Form als es etwa der Generalstab 1913 bei der Heeresvermehrung tat. Daß Tirpitz 1908 bis 1912 neben Bethmann als gleichstarke politische Macht stand und die Politik beeinflußte, hatte seinen, man möchte sagen technischen Grund in den persönlichen Qualifikationen des Admirals und des Reichskanzlers. Aber die Historie muß tiefer dringen: war der Dualismus von Armee und Parlament die Militarisierung des Gegensatzes von Staat und Nation auf dem staatspolitischen, des Gegensatzes von Konservatismus und Liberalismus auf parteipolitischem Gebiet, so war die Marine die militärische Seite des Dualismus nur insoweit, als sie wie die Armee Kampfinstrumente des deutschen Staates waren. Stets ökonomisch motiviert, aufgebaut im engsten Zusammengehen mit den anderen Mächten der Industrie und des Handels — man denke nur an die Finanzierung des Flottenvereins und an die Vorstöße der Schwerindustrie vom Mai 1899 und Dezember 1901 zur Erlangung neuer Flottengesetze —, fehlte der Marine durchaus das preußisch militärische Mißtrauen gegen den Jakobinismus einer von populären Leidenschaften getragenen Politik. Von welch jakobinischer Bedenkenlosigkeit wurde doch die Flottenagitation getragen, wie meisterhaft verstand sie es, die nationalen

Leidenschaften und die Beuteinstinkte des Volkes in Bewegung zu setzen! Gerade die Marine verkörperte am meisten die moderne, demokratisch-nationale und kapitalistisch-imperialistische Machtidee, in der das 20. Jahrhundert die außenpolitischen Konsequenzen aus den Menschenrechten der französischen Revolution zog, während die politische Führung des Reiches vor dem Kriege nur zu sehr der matten und hilflosen konservativen Außenpolitik vor 1848 ähnelte.

Ebensowenig sind die Ausschaltung des Staatssekretärs und das Nichtzustandekommen einer einheitlichen Obersten Seekriegsleitung im August 1914 in persönlichen Intrigen und persönlichen Unfähigkeiten begründet. Sie sind vielmehr die Folge der Organisation, die sich auf dem politisch-militärischen Dualismus aufbaute. Mit der Ausschaltung des Parlaments aus der politischen Aktion und dem Übergang der Kriegführung an den von ihm im Interesse seiner parlamentarischen Macht und des Ausgleichs des Dualismus bekämpften Admiralstab — den Rest der einstigen Oberkommandos — verlor auch Tirpitz seine Macht. Er wurde plötzlich in den leeren Raum gestellt. Die Schwere des Problems wird zwar angedeutet, aber noch nicht voll erfaßt, wenn man den Grund für die organisierte Anarchie der Seekriegsleitung in der Zerschlagung des Oberkommandos und der Übernahme der Macht durch das Reichsmarineamt sehen will. Bereits bei seinem Amtsantritt war Tirpitz nicht mehr frei, nicht nur in dem Sinne, daß die Behördenorganisation der Marine bis 1899 schon rein technisch unhaltbar war und deshalb einer Änderung bedurfte, sondern noch mehr dadurch, daß er in den Dualismus hineingestellt wurde. Nicht erst die Lage von 1914 war die zwangsläufige Folge jener Ordnung von 1899; diese Neuorganisation der Marine war selber nur ein Versuch, den Druck des einmal vorhandenen politisch-militärischen Dualismus zu überwinden, und zwar in den beiden Richtungen, daß er innerhalb der Marine selber beseitigt und das Verhältnis zwischen Wehrmacht und Parlament auf eine neue Basis gestellt wurde. Das Problem sowohl der Führung des Landkrieges und der Politik im allgemeinen, der Seeschlacht 1914 und der Seekriegsführung des Weltkrieges im besonderen spitzt sich zu auf die Frage nach der Stellung der deutschen Armee und der deutschen Flotte im politisch-militärischen Dualismus des Kaiserreiches und damit auf eine ganz entscheidende, wenn auch nicht in Paragraphen formulierte Ordnung des Staates durch die Bismarcksche Reichsgründung.

Soziale und finanzielle Grundlagen der Tirpitzschen Flottenpropaganda

„Die Parteifinanzen sind für die Forschung aus begreiflichen Gründen das wenigst durchsichtige Kapitel der Parteigeschichte und doch eines ihrer wichtigsten[1].“ Wenn auch die deutsche Parteigeschichte erst in ihren Anfängen steckt, diese Anfänge aber mehr Anfänge sind einer Ideengeschichte der Parteien als der Geschichte ihres konkreten Agierens, ihrer Taktik und ihrer Abhängigkeit von sozialen oder finanziellen Mächten, die hinter ihnen stehen, so ist es gerade deshalb nur politische Selbstbegrenzung der Forschung, nicht hinauszugehen und die im Hintergrunde liegende finanzielle Seite der Parteigeschichte zu betrachten.

Nun wird allerdings noch auf lange Zeit hinaus keinerlei Aussicht bestehen, die Finanzgeschichte einer großen deutschen Partei erforschen zu können: so wenig sich der moderne Staat der von den Parteien verlangten Publizität seines Haushaltes entziehen kann (mindestens theoretisch nicht), so sehr halten die Parteien selber an dem System des absolutistischen Staates der Nichtpublizität der Finanzen fest. Das tun sie um so stärker, je weniger sie auf dauernde, regelmäßige „Steuern“ ihrer Untertanen, d. h. auf Mitgliederbeiträge rechnen können und dafür auf einmalige, zufällige, von der Geschicklichkeit ihres Finanzministers und der Gunst der Situation der Geldgeber abhängige Einnahmen angewiesen sind. Eher bietet sich die Möglichkeit, durch einen Türspalt einen raschen Blick auf die Finanzierung einzelner politischer Aktionen zu werfen. Über die Finanzierung der Bismarckschen Pressepropaganda der achtziger Jahre aus dem Reptilienfonds sind erst neuerdings die Akten aufgefunden worden, aber ihre Veröffentlichung steht noch dahin. Außerdem wurden erst die neunziger Jahre des vorigen Jahrhunderts für Deutschland das erste Jahrzehnt großer und weitreichender politischer und sozialer Propagandaaktionen, die umfassender Finanzierung bedurften.

[1] Max Weber, Wirtschaft und Gesellschaft, Grundriß der Sozialökonomik III, 1., 2. Aufl. Tübingen 1924, S. 169.

Die sozialen Propagandaaktionen der vom Sozialistengesetz befreiten Sozialdemokraten und der unter der zweiten Agrarkrise leidenden Agrarier beruhten finanziell auf dem System der Mitgliederbeiträge, bei den Sozialdemokraten ausschließlich, beim Bund der Landwirte doch so weit, daß die außerordentlichen Zuwendungen ostelbischer Rittergutsbesitzer nicht eine besondere, von den übrigen Beiträgen abgeteilte Kategorie bildeten, sondern nur ihre Steigerung waren: sie waren erhöhte Mitgliederbeiträge; und die 492 000 Mk., die der Bund der Landwirte z. B. 1897 vereinnahmte[2], stammten aus einer in diesem Sinne einheitlichen Quelle. Dagegen fiel in den neunziger Jahren bei der Bismarckschen Pressepropaganda die finanzielle Seite fort: die reine Individualitätsagitation des verabschiedeten Reichskanzlers hatte es nicht nötig, die „Hamburger Neuesten Nachrichten" sich durch Geldzuwendungen gefügig zu machen.

Mit dem Beginn der neunziger Jahre begann auch die Reichsleitung sich für die Pressepropaganda zu interessieren — die Agitation der achtziger Jahre war im wesentlichen Privatagitation Bismarcks gewesen —, Caprivi, der als Chef der Admiralität jede Betätigung der Marineoffiziere in den Zeitungen nachdrücklich verboten hatte[3], bemerkte als Reichskanzler sehr rasch die Bedeutung der Presse und berief Otto Hammann zum Pressechef der Reichsregierung. Über die Herstellung einer offiziösen Atmosphäre hinaus gewann diese neue Pressetätigkeit der Reichsregierung Bedeutung vor allem in der Frage der Rüstungsverstärkung, zunächst der Vermehrung der Armee in den vier großen Vorlagen von 1887, 1888, 1890 und 1893, später beim Flottenbau von 1896 bis 1900.

Bei den Rüstungsvermehrungen, die das deutsche Kriegsbudget seit den achtziger Jahren teils relativ, teils absolut über den Etat der anderen Großmächte hinaustrieben, zeigt sich ein interessanter Gegensatz ihrer Finanzierung. Der Staat selber fand nicht die Möglichkeit, die durch die Erhöhung der Bestände entstehenden Mehrausgaben ordnungsgemäß zu decken; statt aus den Steuern bestritten zu werden, wurden die Kosten, da ihre Abschiebung auf die Bundesstaaten mittels der Matrikularbeiträge nicht mehr möglich war, auf die folgende Generation abgeschoben: die exaltierte Anleihewirtschaft des Reiches

[2] Von Kiesenwetter, Zum 18. Februar 1903. Zehn Jahre wirtschaftlichen Kampfes, Berlin 1903, S. 102.

[3] Paul Koch, General von Caprivi als Chef der Admiralität, Berlin 1927, S. 25.

begann mit dem Rüstungssprung von 1887[4]. Bis zum Eingreifen des Reichsschatzsekretärs Wermuth wurden auch die Kriegsschiffe zu den „werbenden Anlagen“ gerechnet, deren Bau auf Anleihe zu übernehmen war. Dagegen bildete sich eine auf die Dauer immer bessere Grundlage für die Finanzierung der Agitation, die der Rüstungssteigerung voranging und die Kämpfe im Parlament begleitete. Wenn auch für die Rüstungsagitation 1893, die der damalige Major Keim leitete[5], die finanzielle Grundlage noch nicht im Detail erkennbar ist, so läßt sich doch schon sehen, daß sie zu umfangreich war, um ohne Inanspruchnahme beträchtlicher Mittel durchgeführt zu werden. Um so mehr können wir schon — auch ohne die Geheimakten — Grundzüge und Einzelheiten der Tirpitzschen Flottenagitation und ihrer Finanzierung erkennen.

Die Flottenpropaganda hat sehr viel früher begonnen, als man bisher vermuten konnte. Die ersten Anweisungen des Kaisers, der die Erfolge der Heeresagitation 1893 gesehen hatte, datieren vom Januar 1894[6]. Aber diese Propaganda ist ein kümmerlicher Versuch geblieben. Es gelang zwar dem Oberkommando der Marine, Verbindung mit der nationalliberalen Presse aufzunehmen und durch einen Redakteur der Stummschen „Post“ Artikel in die nationalliberale Provinzpresse zu lancieren; es gelang auch, eine Korrespondenz zu gründen. Aber es kam kein Leben in die Agitation. Tirpitz, damals noch Stabschef des Oberkommandos, versuchte vergeblich die Marinerundschau lebendiger zu machen, ihre Devise blieben die Gründungsrichtlinien[7] mit der bezeichnenden Bestimmung, sie solle die eigene Marine nicht besprechen und die fremden, „nur soweit, als das Publikum keine müßigen Kommentare über die deutsche Marine daran knüpfen“ könne. Seine These der Dienstschrift IX vom 16. Juni 1894, die die ideologische Grundlage des Flottenbaus geworden ist[8], von der Rentabilität der Rüstungsausgaben: „Das für die Flotte angelegte Geld kann schon im Frieden indirekt Zinsen bringen, während die Ausgaben für die Armee im wesentlichen doch nur eine Art Versicherungsprämie für den Krieg

[4] Wilhelm Gerloff, Die Finanz- und Zollpolitik des Deutschen Reiches, Jena 1913, S. 311.

[5] A. Keim, Erlebtes und Erstrebtes, Hannover 1925, S. 50, 67 f., 73. Waldersee, Denkwürdigkeiten, Bd. II., Stuttgart 1922, S. 270, 355.

[6] Akten des ehemaligen Oberkommandos der Marine, jetzt im Reichswehrministerium [= RWM].

[7] Vom 16. März 1890 (RWM).

[8] Unvollständig und tendenziös abgedruckt im Nauticus 1926.

darstellen“[9], blieb eine Theorie, um die sich niemand kümmerte. Und für den Eifer, mit dem die Marine ihre Sache weiter propagierte, ist bezeichnend, daß sie ihre Aufgabe für beendet ansah, wenn „sich ein jeder, der sich für Marineangelegenheiten interessierte“[10], über irgendeine technische Frage in der Marinerundschau unterrichten konnte. Der Staatssekretär des Reichsmarineamts, Admiral Hollmann, kümmerte sich, im täglichen Aktenbetrieb versunken, prinzipiell nicht um Agitationsfragen, die er ausdrücklich den einzelnen Abteilungen des Amtes zur Erledigung überwiesen hatte.

Der entscheidende Punkt für das Versagen dieser Agitation, soweit es sich um ihre technische Durchführung handelte, war nicht nur der völlige Mangel an Interesse bei den mit ihrer Durchführung beauftragten Stellen. Der Agitation fehlte die finanzielle Basis, und diese bildete sich nicht etwa deshalb nicht, weil die unmittelbar interessierten Kreise der Schwerindustrie nicht bereit gewesen wären, für ihre Interessen Propaganda zu machen. Die Seewerften haben, obwohl ihr Auftragsbestand infolge des Überganges der Linienreedereien zum Großschiff ansehnlich war[11], ihren „Mangel an Aufträgen“ schon damals in der Presse als nationales Unglück hingestellt[12], und Krupp, in dessen Werk eben die neue Methode der Panzerhärtung erfunden war — die bald an alle fremden Kriegsflotten gegen Lizenz weitergegeben wurde[13] — und der wenig später die Germaniawerft in Kiel zum Bau größter Schiffe ausgestaltete, zeigte seinen Unmut, wenn auch vorerst nur harmlos, durch die Herstellung eines Büchleins, das außen den Titel trug: „Was hat der Reichstag 1893/94 für die Marine getan?“ und innen leere Blätter hatte[14]. Aber schon die Hanseaten waren bis 1897 noch Gegner des Flottenbaus: die Bundesratsbevollmächtigten der Hansestädte wußten nicht, was man mit einer Flotte gegen das frei-

[9] Kapitänleutnant Ingenohl an den Chefredakteur der Post, Dr. Groddeck, 17. August 1894 (RWM).

[10] Korvettenkapitän Pohl an Frau Korvettenkapitän Hirschberg. 24. März 1896 (RWM).

[11] Jahresbericht der Hamburger Handelskammer für 1895, S. 5. Vgl. Kurt Wiedenfeld, Die nordwesteuropäischen Welthäfen in ihrer Verkehrs- und Handelsbedeutung, Berlin 1903, S. 31 ff.

[12] Hamburger Neueste Nachrichten vom 25. Sept. 1894 u. 17. Febr. 1895.

[13] Friedrich Alfred Krupp und sein Werk, Braunschweig 1904, S. 20. Wobei unklar bleibt, ob gegen einmalige Zahlung oder Zahlung nach dem Umfange der Produktion.

[14] Eugen von Jagemann, Fünfundsiebzig Jahre des Erlebens und Erfahrens, 1849 bis 1924, Heidelberg 1925, S. 131.

händlerische England ausrichten wolle[15], und Adolf Woermann, der seit 1879 in Hamburg den Umschwung zur Kolonialfreundlichkeit herbeigeführt hatte[16], erreichte als Handelskammerpräsident und Vorsitzender des Vereins Hamburger Reeder, von dem Grafen Dürkheim angespornt[17], nicht mehr als einige lahme Petitionen um den Ausbau der Flotte[18]. Die Agitation konnte nicht in Gang kommen, weil dem Flottenbau der Resonanzboden fehlte: die Flotte war eine technische Angelegenheit wie etwa die Reichspost oder der Straßenbau und hatte noch keine Möglichkeit, im sozialen Aufbau des Reiches eine Rolle zu spielen und dadurch „populär" zu werden. Bautechnisch war keinerlei Klarheit vorhanden, man schwankte hilflos zwischen Kreuzern und Linienschiffen, und selbst strategisch war die Flotte kein Eigenwert, sondern höchstens der Seeflügel der siegreich gegen Frankreich vorgehenden Armeen[19]. Die wehmütige Erinnerung einiger alter Liberaler an ihre Flotte von 1848 hatte nicht mehr viel zu sagen. Es war Tirpitz' Bestreben von Anfang an — und das hat ihn zum Erfolg geführt — die Flotte aus ihrer Isolierung zu befreien und sie in Zusammenhang zu setzen mit der „wirtschaftlichen Entwicklung Deutschlands seit 1871". Daß er die Gesamtentwicklung seit 1871 kurzerhand mit der Hochkonjunktur seit 1895 identifizierte, ist eine Sache für sich, aber ehe diese Identifizierung im populären Bewußtsein und die Einordnung der Flottenfrage in einen wirtschaftlichen und sozialen Zusammenhang gelungen war, gab die Industrie kein Geld für eine Agitation.

Der Mangel eines sozialen Rückhaltes ließ die weiteren Ansätze einer Flottenpropaganda rasch scheitern. Karl Peters, der sich durch eine Reichstagskandidatur und durch eine dem Kaiser genehme Flottenagitation vor der Strafverfolgung wegen seiner afrikanischen Missetaten schützen wollte, begann Ende 1895 seine Kampagne[20], aber er hatte ebensowenig Erfolg mit ihr wie der ehemalige Führer der Polen im Reichstag, Herr von Kosciol-Koscielski, der infolge seiner merkwürdigen Flottenliebhaberei den Spitznamen Admiralski führte und dem Reichsmarineamt Druckkostenzuschüsse für eine Propaganda-

[15] Jagemann.

[16] Vgl. etwa Ernst Baasch, Die Handelskammer zu Hamburg 1665 bis 1915. Hamburg, 1915, II, S. 320.

[17] Graf Dürkheim an Admiral Hollmann, Schloß Neumühlen bei Ottensen, 14. Aug. 1894 (RWM).

[18] Jahresbericht der Hamburger Handelskammer für 1894, S. 4. Petition des Vereins Hamburger Reeder vom 10. März 1897, Archiv des Reichstags.

[19] Vizeadmiral Valois, Seemacht, Seegeltung, Seeherrschaft, Berin 1899, S. 52.

[20] Karl Peters, Lebenserinnerungen, Hamburg 1918, S. 103 ff.

broschüre leistete, und wie der Chef des Marinekabinetts, Admiral von Senden, der im Zusammenhang mit größeren Flottenbauplänen seit Januar 1896 „im Reichstagsplenum aufzuklären und im ganzen Lande Stimmung zu machen suchte[21]." Außer dem Negativum der fehlenden Unterstützung seitens der Ruhr und der Hanseaten hatte die Flotte 1895/96 positiv die Agrarier gegen sich: von Werdeck-Schorbus prägte im Februar 1895 das Wort: „Kein Kanitz — keine Kähne", und von Levetzow motivierte den Widerstand der Konservativen gegen des Kaisers Flottenpläne im Januar 1896 mit den klassischen Worten: „Die Agrarier hätten kaum das tägliche Brot[22]."

Der Flottenbau, seit 1892 von Tirpitz taktisch, strategisch, bautechnisch und agitatorisch-ideologisch vorbereitet, wurde aus dem Phantasiewunsch eines Offiziers zur Wirklichkeit erst durch die beiden großen Umschwenkungen in der politischen und sozialen Struktur Deutschlands in der zweiten Hälfte der neunziger Jahre: durch den Übertritt des von Lieber geführten, durch die Wahlen von 1893 entfeudalisierten und demokratisierten Zentrums aus der Opposition ins Regierungslager und die Aussöhnung der in schwerem Kampf verstrickten Landwirtschaft und Industrie unter dem Eindruck der immer weiter um sich greifenden Sozialdemokratie und als Folge der jahrelangen Hochkonjunktur seit 1895, die den agrarischen Widerstand aushöhlte. Mitte 1897 leitete Miquel seine Sammlungspolitik ein, die Staatssekretäre des Äußeren, des Inneren und der Marine wechselten. Der „Neue Kurs", der unter dem Zeichen des Kampfes zwischen Industrie und Landwirtschaft um die Macht über die Gesetzgebungsmaschine gestanden hatte, wurde abgelöst von der Sammlung der Industrie und Landwirtschaft gegen das Proletariat, die über momentane und verfehlte Maßnahmen hinaus, wie die Zuchthausvorlage, ihren Höhepunkt fand in dem Zolltarif von 1902 und in den Flottengesetzen. „Jede erfolgreiche imperialistische Zwangspolitik nach außen stärkt normalerweise mindestens zunächst auch ‚im Innern' das Prestige und damit die Machtstellung und den Einfluß derjenigen Klassen, Parteien, Stände, unter deren Führung der Erfolg errungen ist[23]." Der Flottenbau sollte die machtpolitische Grundlage einer erfolgreichen Außenpolitik liefern, und diese sollte die innenpolitische und soziale

[21] Tagebuch des Admirals Frhr. von Senden-Bibran, 14. Januar 1896. (Mir vom jetzigen Besitzer zur Verfügung gestellt.).

[22] Tagebuch Senden, 14. Januar 1896.

[23] Max Weber, Grundriß der Sozialökonomik III, 2, Tübingen 1922, S. 626.

Stellung der herrschenden, von der Sozialdemokratie bedrohten Schichten stabilisieren[24].

In diesen Umschwung müssen wir auch die agitatorische Wirkung der Flottenliebhaberei Wilhelms II. stellen. Es ist dem Kaiser nicht dadurch gelungen, seine private Neigung für Kriegsschiffe zum Flottenbau werden zu lassen, daß er als Monarch für sie eintrat und ihre „Notwendigkeit zehn Jahre den Ochsen von Reichstagsabgeordneten alle Tage predigte"[25], sondern dadurch, daß der bürgerliche Teil der Nation, der des Kaisers Marineenthusiasmus bis 1897 teils mit resignierter Hilflosigkeit, teils mit Ärger angesehen hatte, plötzlich in der Weltpolitik und im Flottenbau des Kaisers ein soziales, gute Erfolge versprechendes Kampfmittel gegen das Proletariat entdeckte. „Es wird zuviel von der ‚Impulsivität' und sonst von der Person des Kaisers gesprochen. Die politische Struktur ist daran schuld[26]." Die personalistische Auffassung von dem entscheidenden Einfluß Wilhelms II. auf die Verwirklichung des Flottenbaus erklärt nicht, weshalb der Kaiser erst seit 1897 und gerade seit dieser Zeit mit seinen Plänen durchdringen konnte[27]; sein Sieg war die Konsequenz der gesellschaftlichen Konsolidierung der herrschenden Schichten in der Sammlungspolitik.

Aus der neuen Situation wird es verständlich, weshalb die seit Mitte 1897 anspringende Flottenpropaganda großen Stils plötzlich zu wirken begann. Der Alldeutsche Verband[28] und die Deutsche Kolonialgesellschaft[29] — deren Agitation Anfang 1896 trotz theoretisch sehr brauchbarer Richtlinien nicht in Gang gekommen war — zogen umfangreiche Propagandaapparate auf. Die Hanseaten wurden flottenfreundlich. Bei einem Diner im Hamburger Rathaus[30] besprachen Tirpitz, Heerin-

[24] Vgl. den Brief Tirpitz' an Stosch, 21. Dez. 1895, Tirpitz, Erinnerungen, S. 52.

[25] Randbemerkung zu einem Bericht Bülows vom 1. April 1899, Große Politik, Bd. XIV, S. 592.

[26] Max Weber, Politische Schriften, S. 456. Vgl. auch den Hinweis Carl Brinkmanns (Gesellschaft 1926/II, S. 137) auf diesen oft übersehenen Zusammenhang von persönlicher kaiserlicher Politik und gesellschaftlicher Umschichtung.

[27] Sie erklärt auch nicht den Bau einer Linienschiffs- statt der vorgesehenen Kreuzerflotte. Der Kaiser war sich in der Frage, ob Linienschiffe oder Kreuzer zu fordern waren, völlig unklar.

[28] 10. Juni 1897.

[29] Der Propagandachef der Kolonialgesellschaft, Gesandter a. D. von Kusserow, hatte die Agitation schon seit April vorbereitet: Kusserow an Hohenlohe, Bassenheim, 29. Juni 1897 (RWM). Offizieller Beschluß 12. Juni 1897, Beginn der Propaganda im September.

[30] 26. Sept., Hamburger Staatsarchiv.

gen — der neue Propagandachef des Reichsmarineamts — und Adolf Woermann ihr weiteres Vorgehen. Woermann suchte schon am nächsten Tag den Deutschen Handelstag durch Überrumpelung zu gewinnen[31], doch stieß er auf den Widerstand der Berliner Banken, die mit Hilfe der Wahlberechtigung aller Prokuristen der Großbanken in der Korporation der Kaufmannschaft von Berlin den Ausschlag gaben und, politisch dem Freisinn beider Richtungen angehörend, die Sammlung höchst ungern sahen und keine Neigung hatten, ihr Handlangerdienste zu leisten. Aber dieser Widerstand war von vornherein nur gering. In der Öffentlichkeit wagten die Ältesten der Kaufmannschaft überhaupt nur als Motiv ihrer Ablehnung anzugeben, daß „die Sache politischer Natur ist und ihre Behandlung leicht den Handelstag sprengen könnte", und „daß das Kollegium als solches keinerlei Stellung zu dieser Frage genommen, vielmehr lediglich einer seiner Vertreter im Ausschuß des Handelstages von einer Stellungnahme in dieser politischen Frage abgeraten habe[32]." Nur in einem Schreiben an den Handelstag[33] äußert Max Weigert seine Ansicht, daß „auch die Meinungen darüber auseinandergehen dürften, ob gerade in der gegenwärtigen Zeit der Handelsverträge[34] die Kriegsflotte als besonders wirksames Mittel zur Hebung der deutschen Ausfuhr hinzustellen sei, sowie ob der jetzige Bestand der deutschen Kriegsflotte nicht als ausreichend zu erachten ist zum Schutze des deutschen Handels, soweit er überhaupt auf diesem Wege zu erreichen ist, und zur Hebung des Ansehens unseres Vaterlandes."

Die Opposition hat nicht mehr lange angehalten: wenn auch am Flottenverein — soviel sich sehen läßt — nur das Bankhaus Mendelssohn aktives Interesse genommen hat, so haben wenigstens die anderen Berliner Banken Flottendemonstrationen des Handelstages beim zweiten Gesetz 1900 keinen Widerstand mehr entgegengesetzt[35]. Noch im

[31] Das Protokoll der Ausschußsitzung des Deutschen Handelstages vom 27. Sept. 1897 (Mitteilungen an die Mitglieder, Jahrgang 37, Nr. 8, Berlin, 14. Okt. 1897) schweigt darüber, da der Vorstoß Woermanns erst am Schluß der Sitzung erfolgte. Vgl. die Darstellung Woermanns (in den Tageszeitungen am 25. Jan. 1898 erschienen, auch als Manuskript gedruckt) und: Der Deutsche Handelstag 1861 bis 1911. Herausgegeben vom Deutschen Industrie- und Handelstag, Berlin 1911, Bd. II, S. 335.

[32] Sitzungsprotokolle der Ältesten der Kaufmannschaft von Berlin vom 16. Nov., 13. Dez. u. 17. Jan. 1898. Akten der Industrie- und Handelskammer Berlin.

[33] Die Ältesten der Kaufmannschaft an den Deutschen Handelstag, 16. Dez. als Antwort auf dessen Anfrage vom 6. Okt. 1897.

[34] Soll wohl heißen: Vorbereitung von Handelsverträgen im agrarischen, dem Handel schädlichen Interesse.

[35] Resolution des Handelstages vom 6. April 1900.

Juni 1897 protestierte die Abteilung Hamburg der Deutschen Kolonialgesellschaft gegen deren Teilnahme an der Flottenagitation[36], aber das Diner am 26. September hat die Hanseaten so gut wie restlos auf die Seite der Flottenfreunde hinübergeführt. Gerade die Hamburger Handelskammer wurde für die Propaganda des ersten Gesetzes die Zentrale der interessierten Agitation. Der wissenschaftliche Agitationsleiter des Reichsmarineamts, Privatdozent Dr. Ernst Levy von Halle, blieb mit ihr in dauernder Fühlung[37] und ließ sich in Hamburg und Bremen die Materialien zusammenstellen, die er für den Nachweis der „deutschen Seeinteressen" in den amtlichen Denkschriften brauchte. Um nicht von der Opposition wegen des Zusammenarbeitens mit der Privatwirtschaft angeklagt werden zu können, wurden offizielle Schreiben des RMA an die Handelskammern Hamburg und Bremen prinzipiell nur an die betreffenden staatlichen Deputationen gesandt[38]. Die Handelskammern, an die dann die Schreiben weitergegeben wurden, stellten dann in entsprechender Form durch Rundfrage bei den Firmen ihres Bezirks deren Auslandsinteressen fest, die dann über die Senatskommissionen an das RMA zurückgingen. Wurden die so ermittelten Auslandsinteressen dort für zu nichtig befunden, so wurden sie nach Bedarf erhöht. Zwar ärgerte man sich in Hamburg über diese Methode des RMA, die Hamburger Ziffern zu „verbessern", ebenso wie über sein Bestreben, bei den Rüstungsetats anderer Länder eine Steigerung zu konstruieren, wo entweder eine Senkung eingetreten oder die Steigerung hinter der deutschen Rüstungsvermehrung zurückgeblieben war[39], aber man ließ deshalb nicht nach im propagandistischen Eifer. Als der Versuch der Agitation durch den Deutschen Handelstag gescheitert war, wurde wenigstens in Hamburg der ganze „Ehrbare Kaufmann" mobil gemacht[40]. Um die deutschen Wirtschaftsführer, die man nicht durch den Handelstag hatte zusammenfassen können, wurden durch ein rasch gebildetes Komitee zu einer selbständigen Kundgebung im Kaiserhofe am 13. Januar 1898 versammelt, die sogar die Opposition der „Frankfurter Zeitung" erschütterte und deren Resolu-

[36] Tägliche Rundschau, 16. Juni 1897.

[37] v. Halle an Woermann vertraulich, 7. Nov. 1897; an den Handelskammersekretär Dr. Gütschow 17. Nov. 1897. Über weitere Zusammenarbeit: Dr. Gütschow an Ad. Woermann, 10. Febr. 1898, Archiv der Handelskammer Hamburg.

[38] 17. Aug., 9. Nov. 1897, 9. Febr. 1898, Staatsarchiv u. Handelskammer Hambg.

[39] Brief Dr. Gütschows an Adolf Woermann, 10. Febr. 1898, Handelskammer Hamburg.

[40] Die Opposition betrug ganze sieben Stimmen.

tion im engsten Einvernehmen mit dem Chef des Marinekabinetts[41] festgestellt worden war.

In der folgenden Zeit trat die Bedeutung der Hanseaten für die Agitation aber mehr hinter dem Einfluß zurück, den die Schwerindustrie gewann. Die Hanseaten haben in die Agitation des zweiten Gesetzes nur noch durch eine Petition der Handelskammern aller Seestädte eingegriffen, die eine interessante Vorgeschichte hat.

Die Beschlagnahme einiger deutscher Dampfer unter dem Verdacht der Kriegskonterbandetransporte für die Buren Ende Dezember 1899 durch einen übereifrigen englischen Kreuzerkommandanten vor der Delagoabay rief in Deutschland bei dem englandfeindlichen Bürgertum eine große Erregung gegen diese Anmaßung des „perfiden Albion“ hervor. Die kapitalistische Presse[42] hatte für diese ideologische Entrüstung nur ein verächtliches Achselzucken übrig, dieser Zwischenfall sei für die praktische Politik ganz belanglos. Die Hanseaten aber benutzten die nationale Ideologie geschickt zur Durchführung einer privatwirtschaftlichen Kapitalsaktion. In der Anfang Januar 1900 stattfindenden Aufsichtsratssitzung der Deutsch-Ost-Afrika-Linie, die über eine Kapitalverstärkung von zehn Millionen für den Bau neuer Dampfer beriet, erklärten die fünf beteiligten Bankiers, „daß, bevor die Frage der Entschädigung für das uns jetzt zugefügte Unrecht entschieden ist, kein Mensch daran denken könne und würde, neues Geld in die Unternehmung hineinzustecken[43].“ Obwohl Adolf Woermann an dem Aktienkapital der DOAL von sechs Millionen nur mit einer Million beteiligt war[44], übernahm er es in seiner primitiv-brutalen Draufgängerart, für die Fortschaffung des Hindernisses zu sorgen durch — den Bau einer deutschen Flotte, die den Engländern solche Übergriffe in Zukunft untersagen konnte. Eine einheitliche Petition sämtlicher am Seehandel interessierter Handelskammern sollte auf den Reichstag den nötigen Druck ausüben, und gerade in der öffentlichen Erwähnung der Schwierigkeiten, die die Delagoabayaffäre der Kapitalserhöhung der DOAL bereitete, erhoffte er eine besonders kräftige Wirkung auf das deutsche Volk und den deutschen Reichstag — eine Plumpheit, die man ihm aber nachher noch ausreden konnte. Die Peti-

[41] Telegramm des Präsidenten der Handelskammer Carl Ferdinand Laeisz an die Handelskammer Hamburg, Berlin, 7. Jan. 1898, über eine Besprechung zwischen Krogmann und Senden. Handelskammer Hamburg.

[42] Deutsche Industriezeitung, Organ des Zentralverbandes, Jan. 1900, Nr. 4, S. 41.

[43] Ad. Woermann an Dr. Gütschow, 10. Jan. 1900. Handelskammer Hamburg.

[44] O. Mathies, Hamburgs Reederei 1814 bis 1914, Hamburg 1924, S. 121 f.

tion zeichnete sich sogar durch Abstreiten der vom Reichsmarineamt propagierten These aus, daß der Flottenbau die Funktion der kapitalistischen Expansion sei, und erklärte ihn für eine rein staatliche, machtpolitische Notwendigkeit.

Von dieser vereinzelten Aktion abgesehen, wurde die Propaganda des zweiten Gesetzes nicht von den Hanseaten, sondern von der Schwerindustrie geführt. Schon die Kaiserhofkundgebung war natürlich auch mit dem Zentralverband deutscher Industrieller verabredet gewesen[45], aber damals hatte der Zentralverband sehr gern Woermann die Führung überlassen und damit auch die Attacken der Opposition. Krupp hatte den Herren vom Zentralverband vorsichtige Zurückhaltung empfohlen[46], am Aufruf zur Versammlung hatte er sich nicht beteiligt, nur ein unpolitischer Heißsporn wie Emil Kirdorf hatte mit unterschrieben. Doch diese Zurückhaltung bedeutete nicht den Verzicht auf Bearbeitung der öffentlichen Meinung zugunsten der Industrie. Man wartete nur die Zeit ab. Schon als der Lebertranfabrikant Stroschein im März 1898[47] die Gründung eines Flottenvereins auf der Basis eines braven, kleinbürgerlichen Nationalgefühls versuchte und die Berliner Bankiers die Finanzierung ablehnten, griff Krupp durch die Vermittlung von Victor Schweinburg, des Herausgebers der „Berliner Politischen Nachrichten", ein. Unmittelbar war Stroschein nicht für industrielle Zwecke eingefangen; so wurde ein Gegenkomitee aufgestellt, unter Führung Schweinburgs und des Generalsekretärs des Zentralverbandes, Landtagsabgeordneten Bueck, und da man den schwerindustriellen Inhalt durch einen idealen Glanz verdecken mußte, nahm man noch den freikonservativen Führer Octavio Freiherrn v. Zedlitz-Neukirch hinzu und machte den Fürsten Wied zum Präsidenten der Agitationszentrale, die „Deutscher Flottenverein" firmierte, mit dem Gründungsdatum des 30. April 1898.

Diese Kaschierungstechnik gelang zunächst höchst unvollkommen, zwar konnte Stroschein zum Eintritt in den neuen Verein bewogen werden, aber als Schweinburg sich an die Berliner Universitätsprofessoren wandte, stieß er auf eisiges Mißtrauen gegen seine „Interessenvertretung von Konservativen, Großindustriellen und Finanziers[48]."

[45] Bueck an Tirpitz, 21. Dez. 1897 (RWM.).

[46] Zwei Briefe an Geheimrat Jencke, Mitteilung des Direktoriums der Firma Krupp.

[47] Rundschreiben und als Manuskript gedruckte Broschüre vom 16. März.

[48] Der Briefwechsel zwischen Hans Delbrück und Schweinburg ist publiziert in den Berliner Neuesten Nachrichten vom 7. Jan. und der Post vom 8. Jan. 1900. Vgl. Brief Delbrücks an Heinrich Rippler, Tägliche Rundschau vom 1. Dez. 1899.

Die Professoren hatten das Verhalten des Freiherrn von Stumm, der Adolf Wagners nationalökonomische Ansichten mit dem Revolver hatte korrigieren wollen[49], doch noch in zu frischer Erinnerung. Die Psychologie der Schwerindustrie bei der Beeinflussung der öffentlichen Meinung war noch viel zu grob, um Erfolg zu haben. Sie verfuhr in der primitiven Weise, die sich bis zum Ankauf der „D. A. Z." durch Stinnes gehalten hat und erst durch Alfred Hugenbergs Taktik, den von ihm beherrschten Zeitungen eine Halbfreiheit zu gewähren und innerhalb der Publizistik selbst Geschäft und Politik nicht jedem friedlichen Bürger bemerkbar zu verquicken, überwunden. Sowohl die „Post", die Stumm beherrschte, wie die „Berliner Neuesten Nachrichten", auf die damals infolge ihrer schlechten Finanzen Krupp Einfluß gewann und die er durch Schweinburg reorganisieren ließ, wurden ebenso wie der Flottenverein ausgeprägt einseitige Aktienorgane für ganz bestimmte, sehr begrenzte Interessen der Großindustrie und ließen, wie sie nur zu bald zu ihrem Schaden entdecken mußten, die ideologisch-patriotische Empfindlichkeit weiter Kreise außer acht[50].

Schon knapp zwölf Monate nach ihrer Gründung konnte die neue Agitationszentrale der Schwerindustrie ihre Feuerprobe bestehen. Seit dem März 1899 war zwischen England und Deutschland ein ärgerlicher Streit um den Besitz von Samoa ausgebrochen. Tirpitz begann zu bereuen, daß er sich 1897 mit einer so kleinen Flottenvermehrung begnügt und noch im Dezember 1898 weitere Flottenpläne entschieden in Abrede gestellt hatte, verhandelte mit Hohenlohe über ein neues Flottengesetz[51] und inspizierte vorsorglich die Privatwerften auf ihre Leistungs- und Ausbaufähigkeit. Die Inspektion hatte sofort den Erfolg, daß seit Anfang Mai eine lebhafte Agitation der beiden industriellen Blätter und der Alldeutschen einsetzte, die sich auf die Samoaaffäre stützte, und zwar nicht das Reichsmarineamt bedrängte, das Flottengesetz zu durchbrechen — der Versuch wurde für hoffnungslos gehalten —, aber vom Reichstag verlangte, er solle als Beweis einer nationalen Gesinnung von sich aus die Bindung des Flottenbaus auf sechs Jahre preisgeben. Im RMA aber wurde man, als diese Agitation,

[49] Vgl. Wagners Schrift: Mein Konflikt mit dem Freiherrn v. Stumm-Halberg, 1895.

[50] Die Methoden dieses Aufkaufs verkrachter Zeitungen durch die Schwerindustrie und ihre schlechten Erfolge hat Ludwig Bernhard, Der „Hugenberg-Konzern", Psychologie und Technik einer Großorganisation der Presse, Berlin 1928, bes. S. 57/58, in sehr interessanter Weise geschildert.

[51] Bericht des hanseatischen Gesandten Klügmann über die Bundesratssitzung vom 2. Nov. 1899, Staatsarchiv Hamburg.

die man selber angestachelt hatte, zu lebhaft wurde, mit ihr unzufrieden, weil man — gar keine Vorlage für den Winter vorbereitet hatte[52], und weil man merkte, daß sich diese Agitation, die von der Schwerindustrie finanziert wurde und der „das geschäftliche Interesse höher steht als sachliche Bedenken"[53], sich nicht mehr so leicht lenken ließ wie der Eifer der Hanseaten 1897/98.

Dieser erste Vorstoß der Industrie gegen Reichsmarineamt und Reichstag verpuffte vollständig; was blieb, war eine Spannung zwischen Flottenverein und Marineverwaltung. Als kurz nach der Kaiserrede vom 18. Oktober 1899, die Deutschlands Zukunft auf das Wasser verlegte und das zweite Flottengesetz ankündigte, der Skandal um Schweinburg losbrach, verhielt sich das RMA ganz ruhig und griff nicht zur Verteidigung des Flottenvereins ein. Es ließ die heftigen Angriffe Heinrich Ripplers in der „Täglichen Rundschau" gegen die Interessenpolitik des Vereins zu, die im November und Dezember trotz heftigen Widerstandes des Fürsten Wied und lebhaften Ärgers des Kaisers zum Ausscheiden von Bueck, Schweinburg und von Zedlitz führten. Die Berliner Professoren gründeten einen Gegenausschuß zur Bekämpfung des Flottenvereins und gleichzeitig ideologischer und moralisch einwandfreier Propagierung der neuen Vorlage. Aber der Geldmangel gestattete dieser „Freien Vereinigung für Flottenvorträge" nur eine sehr beschränkte Wirksamkeit in halbvollen Versammlungen — die Erhebung eines Eintrittsgeldes wurde durch die berühmtesten Namen der Redner nicht kompensiert —, während der Zulauf zu den populären Phrasenveranstaltungen des Flottenvereins ohne Eintrittsgeld ungestört anhielt. Und als im Februar 1900 die Redner der „Vereinigung", die in 19 von der Sozialdemokratie gegen die Weltpolitik einberufenen Kundgebungen auftraten, einen eklatanten Mißerfolg erlitten, gab Stumms „Post" ihrer Schadenfreude über die Niederlage der verhaßten Professoren gegen die Arbeiter lauten Ausdruck. Sie konnte das um so ungenierter, als sich inzwischen herausgestellt hatte, daß die Sammlungspolitiker die Professoren nicht mehr für ihre Flottenpropaganda nötig hatten, daß durch die „chinesische Stellvertretungsjustiz"[54] der Ausschiffung Schweinburgs der im Hintergrund bleibende Einfluß der Schwerindustrie auf den Flottenverein nicht die geringste Schmälerung erlitten hatte, und daß die Kursentwicklung der Montanpapiere durch die Ankündigung der Flottenvermehrung aus

[52] Aufzeichnungen Hollweg, 3. Juni, Heeringen 8. Juni 1899 (RWM).

[53] Aktennotiz vom 26. Juni 1899 (RWM).

[54] Vorwärts vom 3. Dez. 1899, Nr. 283.

ihrer sinkenden Tendenz wenigstens für einige Zeit wieder nach oben umgebogen worden war. Es stiegen oder fielen die Aktien von

	vom 31. Aug. bis 17. Okt.		vom 17. Okt. bis 7. Nov.	
Baroper Walzwerk	von 107 auf 111	= + 4 Pkt.	auf 136	= + 25 Pkt.
Bismarckhütte	von 326 auf 290	= —36 Pkt.	auf 311	= + 21 Pkt.
Bochumer Gußstahl	von 265 auf 245	= —20 Pkt.	auf 257	= + 12 Pkt.
Charlottenhütte	von 208 auf 164	= —44 Pkt.	auf 194[55]	= + 30 Pkt.
Eschweiler Bergwerk	von 238 auf 222	= —16 Pkt.	auf 245	= + 23 Pkt.
Hasper Eisenwerk	von 385 auf 335	= —50 Pkt.	auf 368	= + 33 Pkt.
Howaldtwerft	von 142 auf 125[56]	= —17 Pkt.	auf 142	= + 17 Pkt.

Der auch für das RMA überraschend große Erfolg der Agitation des zweiten Gesetzes beruhte nicht auf einem besonders tiefen Eindringen der Erkenntnis von der „Notwendigkeit einer starken Seemacht" in die breiten Massen des Bürgertums; er war vielmehr bedingt einmal durch das allgemeine Gefühl, ein günstiges Ablenkungsobjekt nach der einen Niederlage der antisozialistischen Sammlung beim Scheitern der Zuchthausvorlage[57] und der anderen Niederlage, die die Agrarier ihrer preußischen Regierung mit der Ablehnung der Kanalvorlage bereitet hatten, dringend nötig zu haben. Der zweite Grund war die organisierte Arbeit einer gut finanzierten Agitationszentrale außerhalb des RMA, die Propaganda des schwerindustriellen Flottenvereins, der auch nach dem Ausscheiden der kompromittierten Gründer in der Hand Krupps blieb. Wieder zeigte sich der Gegensatz von schlechter Finanzierung der Rüstungsvermehrung und glänzender privater Finanzierung der Rüstungsagitation. Der unfähige Reichsschatzsekretär Thielmann griff beim zweiten Gesetz nicht weniger skrupellos, wie er es beim ersten getan hatte, zu dem bewährten Mittel, das schon oft dazu hat dienen müssen, soziale Krisen zu beschwichtigen und Revolutionsgefahr zu bannen: die Reichsfinanzen, die schon wieder auf eine Defizitära zutrieben, wurden in blendender bengalischer Beleuchtung gezeigt, man wisse gar nicht, wohin mit dem Geld[58], und an dem passiven Widerstand der Regierung scheiterte die Absicht des Reichstags, den Flottenbau finanziell zu konsolidieren[59]. Die guten finanziellen Grundlagen der Agitation dagegen lassen sich feststellen, wenn man den Fehler der

[55] Kurs vom 6. Nov.

[56] Kurs vom 18. Okt.

[57] Tirpitz, Erinnerungen, S. 105. Auch Bericht des hanseatischen Gesandten v. 2. Nov. 1899.

[58] Protokoll der Budgetkommission vom 1. Mai 1900. Archiv des Reichstags.

[59] Wilh. Gerloff, S. 350 und 359.

Amerikaner[60] vermeidet und den finanziell-organisatorischen Unterbau der imperialistischen Propaganda nicht im Alldeutschen Verband sucht, dessen Ausweisungen über seinen finanziellen Status deutlich starke Retuschen zeigen. Der Alldeutsche Verband war außerdem eine Art politisch-ideologischer Holding-Company, die den anderen Agitationsvereinen — Kolonialgesellschaft, Flottenverein, später Wehrverein usw. — „geistige" Waffen lieferte. Die geringe Kapitalkraft der Alldeutschen Dachgesellschaft besagt für die wirkliche finanzielle Stärke der imperialistischen Propaganda gar nichts[61]. Als Zentrale der Flottenagitation war viel mehr eigens der „Deutsche Flottenverein" gegründet worden, und die Finanzpolitik der Propaganda um die Jahrhundertwende läßt sich nur aus den Finanzen der wirklichen Kampforganisation erkennen. Nach den Bilanzen, die der Flottenverein für die Jahre 1900 bis 1903 in seinen Jahresberichten veröffentlicht hat[62], betrugen in abgerundeten Ziffern

	die Mitgliederbeiträge	die außerordtl. Zuwendungen
1900 . . .	348 000 Mk.	412 000 Mk.
1901 . . .	225 000 Mk.	170 000 Mk.
1902 . . .	247 000 Mk.	410 Mk.
1903 . . .	262 000 Mk.	23 000 Mk.

Wer im einzelnen die außerordentlichen Zuwendungen gestiftet hat, hat der Verein nicht bekanntgegeben. Das Bankhaus Mendelssohn, dessen Chef Schatzmeister des Vereins war, übte die Finanzkontrolle. Von wem die Gelder stammten, zeigt eine kleine Szene aus der Vorstandssitzung vom 24. Januar 1901: Dietrich Schäfer suchte die weitere Annahme von Geldern aus Interessentenkreisen, als des nationalen Flottenvereins unwürdig, zu inhibieren. Aber mit einem homerischen Gelächter und dem Ruf: Non olet, beantwortete die Versammlung diesen naiven Vorschlag, dessen Annahme das Ende des Flottenvereins bedeutet hätte[63].

[60] Mildred S. Wertheimer, The Pangerman League 1890-1914, New York 1924.

[61] In einer längeren Unterhaltung hat Miß Wertheimer meine Bedenken gegen ihre isolierte Behandlung des Alldeutschen Verbandes anerkannt.

[62] Die Finanzakten des Flottenvereins sollen nicht mehr vorhanden sein.

[63] Die Flotte, Februar 1901, S. 22/23. — Tirpitz, Erinnerungen, S. 97, betont, daß „der ganze Werbefeldzug mit freiwilligen Spenden durchgeführt wurde". Eine Liste in den Akten der Nachrichtenabteilung führt etwa 100 000 Mk. Spenden von ideologischer Seite auf, davon 60 000 Mk. von einem Deutsch-Amerikaner. Diese Gelder sind später zum Bau eines Kanonenbootes verwendet worden. Die Bezahlung der Agitation ist danach also nicht aus „patriotischen Spenden" erfolgt, sondern von interessierter Seite.

Das Fehlen von Bilanzen für das Gründungsjahr 1898 und das Jahr der ersten großen Aktion 1899 läßt das Verhältnis der wohl meist aus ideologischen Motiven gegebenen Mitgliederbeiträge zu den „außerordentlichen Zuwendungen" der Interessenten gerade für die Anfangsjahre undurchsichtig. Das Jahr 1900, in dem das zweite Flottengesetz verhandelt wurde, zeigt ein Überwiegen der Zuwendungen mit 412 000 Mk. über die Mitgliederbeiträge mit 348 000 Mk., wobei aber beide Ziffern höchst problematisch bleiben: es erscheint durchaus nicht als ausgeschlossen, daß etwa 100 000 Mk. Zuwendungen als Mitgliederbeiträge ausgewiesen worden sind und selbst daß damit die wirkliche Höhe der Zuwendungen immer noch nicht erreicht ist, da die Kosten für die Versammlungsagitation unerklärlich niedrig ausgewiesen sind[64]. Die Bilanz für 1903 weist mit 23 000 Mk. außerordentlichen Zuwendungen bei 262 000 Mk. Mitgliederbeiträgen eine durchaus normal erscheinende Gestaltung der Einnahmeseite aus. Auffallend sind das Jahr 1901, das, unmittelbar nach der Bewilligung der Flottenverdoppelung, noch 170 000 Mk. Zuwendungen aufweist, und das Jahr 1902, dessen Zuwendungen jäh auf 410 Mk. absinken.

Diese Ziffern erfahren eine reizvolle Beleuchtung durch eine bisher unbekannte Episode aus dem Dezember 1901, die uns einen zwar nur knappen, aber höchst instruktiven Einblick in die Zusammenhänge von Konjunkturentwicklung und Rüstungsvermehrung gestattet.

In denselben Wochen, in denen das Schicksal des zweiten Flottengesetzes entschieden wurde, im Frühjahr 1900, brach die jahrelange Hochkonjunktur zusammen, die den Hintergrund der aus grauer Sorge vor dem proletarischen Umsturz und oberflächlich-unproblematischem Genießen der neu zuströmenden Gewinne gemischten Stimmung am Ende des Jahrhunderts gebildet hatte. Die kritische Lage, in die die deutsche Wirtschaft durch diese Krise geriet, ist bekannt. Es boten sich zwei Auswege zu ihrer Überwindung. Als den einen bezeichnete Emil Rathenau, daß „die kräftigeren Unternehmungen durch zweckmäßige Organisation und rationelle Arbeitsteilung die Versuchs-, Fabrikations- und Verkaufsspesen auf das geringste Maß herabmindern" und gute Handelsverträge „unseren Waren die Märkte befreundeter Nationen

[64] Für 3000 Vorträge 87 000 Mk. gleich 9 Mk. je Vortrag (Die Flotte, Februar 1901, S. 18/19). Ein Landesausschuß brauchte je Vortrag 150 bis 200 Mk. (Die Flotte 1900, Nr. 7/8, S. 10), auch die deutsche Kolonialgesellschaft hatte höhere Vortragskosten (Jahresbericht für 1899, S. 61).

offenhalten[65]." Im Ruhrgebiet aber erinnerte man sich der Kursgewinne im Gefolge der Ankündigung des zweiten Flottengesetzes in einer Zeit schon abbröckelnder Kursgestaltung und beschloß, diese Entwicklung durch Einwirkung auf das Reichsmarineamt mechanisch zu wiederholen. Schon im Januar 1900 hatte Maximilian Harden[66] die drohende Krise als den Hauptgrund der lebhaften Industriepropaganda für die Flotte bezeichnet — aber damals mit Unrecht: soweit sich schon erkennen läßt, ist die Industrie vom Ausbruch der Krise im April völlig überrascht worden. Erst 1901 läßt sich ein Zusammenhang von Krise und Flottenbau feststellen. Von Mitte Oktober bis Mitte November[67] erhoben Krupps „Berliner Neueste Nachrichten" in einer Reihe von Artikeln die Forderung an das Reichsmarineamt, den Bauplan, der die Schiffsbauten ziemlich gleichmäßig auf die Zeit bis 1917 verteilte, dahin abzuändern, daß eine größere Zahl von Schiffen sofort in Angriff genommen wurde. 14 Tage später schrieb der Präsident des Deutschen Flottenvereins — dem Fürsten Wied war unterdessen der Fürst Salm-Horstmar gefolgt — an den Staatssekretär des Reichsmarineamts folgenden Brief:

Schloß Varlar, den 3. Dezember 1901

Ew. Exzellenz
glaube ich im Folgenden eine erfreuliche Mitteilung machen zu können:

Von Herren verschiedener Parteirichtungen bin ich gebeten worden, eine Bewegung einzuleiten, welche dahin geht, den Reichstag zu veranlassen, an die Regierung die Bitte zu richten, angesichts der schlechten Konjunktur u. der ungünstigen Geschäftslage von Handel u. Industrie u. der damit zusammenhängenden Arbeitslosigkeit vieler Tausender von Arbeitern den auf einen längeren Zeitraum verteilten Bau von Kriegsschiffen in möglichst beschleunigtem Tempo herbeizuführen.

Dadurch, daß der Bau der durch die letzte Marine-Vorlage bewilligten Schiffe so beschleunigt würde, wie es die deutschen Werften überhaupt leisten könnten, würden viele Industriezweige neue Aufträge erhalten, wodurch nicht nur diese über Wasser gehalten, sondern auch in den Stand gesetzt würden, ihre Arbeiter zu beschäftigen u. bereits entlassene wieder einzustellen. Einer der wichtigsten Faktoren, die hier zur Sprache kommen, wäre aber der, daß durch den Auftrag neuer Kriegsschiffe u. die dadurch herbeigeführte Belebung von Han-

[65] Im Geschäftsbericht der AEG. für 1900/01, abgedruckt bei Felix Pinner, Emil Rathenau und das elekrische Zeitalter, Leipzig 1918, S. 229.

[66] Zukunft, 13. Jan. 1900, Bd. 31, S. 93.

[67] 20. und 22. Oktober, 6., 7. und 19. November 1901.

del u. Industrie die betreffenden Börsen-Kurse steigen, viele Werthe gerettet u. eine Konsolidierung des Marktes eintreten würde[68].

Eine einzelne Partei mag nun nicht mit dieser Bitte an die Regierung hervortreten, weil ihr sonst leicht selbstsüchtige oder parteipolitische Motive untergeschoben werden könnten.

Man hat daher geglaubt, eine diesbez. Anregung von neutralem Gebiet ausgehen lassen zu sollen u. hat daher den Deutschen Flottenverein, in dem alle Parteien vertreten sind, für den geeignetesten Boden gehalten, auf dem sich die Parteien in dieser Frage vereinigen können, um den Reichstag zu einer bez. Petition an die Regierung zu veranlassen. — Wenn ich ja auch fest überzeugt bin, daß der Regierung ein diesbez. Beschluß des Reichstages in höchstem Maße erwünscht sein wird, so möchte ich es doch nicht unterlassen, Ew. Exzellenz hierüber zu verständigen und die Bitte auszusprechen, dem Herrn Reichskanzler von diesem Schreiben Kenntnis zu geben, damit ich erfahre, wie sich die Reichsregierung zu einem Vorgehen meinerseits in der bezeichneten Richtung stellen würde. Bejahendenfalls wollte ich gleich nach Weihnachten versuchen, diese Sache in Fluß zu bringen und durch die Organe des DFV. agitieren zu lassen.

Wenn es der Herr Reichskanzler wünscht, bin ich zu einer vorherigen Besprechung gerne bereit und zeichne mit dem Ausdruck der vorzüglichsten Hochachtung als

Ew. Exzellenz sehr ergebener
Otto Fürst zu Salm

Auf diese Zumutung, die schwerwiegendsten Rüstungssorgen kurzerhand aus dem Gesichtspunkt, „ob die betreffenden Börsenkurse steigen", zu erledigen, antwortete Tirpitz dem Präsidenten des Deutschen Flottenvereins:

Berlin, 14. Dezember 1901.

Eurer Durchlaucht

danke ich verbindlichst für Ihren Brief vom 3. Dezember d. J. Ihrem Wunsche gemäß habe ich denselben zur Kenntnis des Herrn Reichskanzlers gebracht.

Wenn es möglich wäre, eine Majorität des Reichstages für eine Resolution zu gewinnen, in der die Reichsregierung um Beschleunigung der Schiffsbauten gebeten wird, so wäre dies für die Stärkung der vaterländischen Wehrkraft ja von allergrößter Bedeutung.

[68] Von mir gesperrt, E. K.

Euer Durchlaucht werden sich aber vergegenwärtigen müssen, daß es mit einer Beschleunigung des Schiffsbaues allein nicht getan ist. Nebenhergehen muß die beschleunigte Vergrößerung der Marine-Werften und -Hafenanlagen sowie eine Beschleunigung in der Bereitstellung des Personals und eine Vermehrung der Indiensthaltungen.

Wenn dauernd nur ein Linienschiff im Jahr mehr auf Stapel gelegt würde, wie dies im Bauprogramm des Flottengesetzes vorgesehen ist, so bedingt dies mit den vorerwähnten Nebenkosten eine Mehraufwendung von jährlich 30 - 35 Mill. Mark. Sollten aber, wie Eure Durchlaucht schreiben, die deutschen Werften so beschäftigt werden, wie sie es überhaupt zu leisten vermögen, genügt nicht ein Mehr von 1 Schiff, sondern es würde ein jährliches Mehr von 2 - 3 großen Schiffen in Frage kommen und dementsprechend ein jährlicher Mehraufwand von 65 bzw. 100 Mill. Mark.

Es scheint nun leider ganz ausgeschlossen, bei der heutigen politischen Konstellation der Parteien und bei der so überaus schwierigen Finanzlage im Reichstage eine Majorität für eine derartige Resolution zu gewinnen. Unter diesen Umständen muß die Regierung zu ihrem größten Bedauern von jeder direkten oder indirekten Förderung einer Agitation für Erhöhung des jetzigen Bautempos Abstand nehmen. Die Zeit für eine derartige Beschleunigung ist noch nicht gekommen.

Mit der ausgezeichnetsten Hochachtung habe ich die Ehre zu sein

Euer Durchlaucht sehr ergebener
Tirpitz.

In der Öffentlichkeit zeigten nur zwei kleinere Zeitungsnotizen an, was hinter den Kulissen vor sich gegangen war — übrigens ein hübsches methodisches Beispiel für die Möglichkeit, aus indirekten Bemerkungen der Presse die Wirklichkeit wenigstens in Umrissen zu rekonstruieren: Am 28. Dezember 1901 brachte die Münchener „Allgemeine Zeitung“ die Nachricht, daß die maßgebenden Stellen sich gegen die von einem Teil der Presse „zur Behebung des wirtschaftlichen Notstandes“ angeregte Vermehrung der Flotte ablehnend verhielten. Am 11. Januar 1902 quittierte die „Rheinisch-Westfälische Zeitung“ mit dem Bedauern über den fehlenden Wagemut der Regierung „im Interesse der Industrie, der Arbeiterschaft und der deutschen Kriegsflotte.“

Die außerordentlichen Zuwendungen des Deutschen Flottenvereins fielen von 170 000 Mk. im Jahre 1901 auf 410 Mk. im Jahre 1902.

Englandhaß und Weltpolitik

Eine Studie über die innenpolitischen und sozialen Grundlagen der deutschen Außenpolitik um die Jahrhundertwende

1.

Die Gründung des Bismarckschen Reiches durch den Staat gegen die Gesellschaft hatte für die politische Theorie und Publizistik des Kaiserreiches die Folge, daß sie ihr Auge von den Problemen der sozialen Bewegungen ab- und sich der Geschichte der politischen Organisation des Staates zuwandte[1]. Und in der Geschichte des Staates schien ihr vor allem die Außenpolitik als spezifisch staatliche Machtäußerung den Schlüssel zu liefern, der alle übrigen Zweige des staatlichen, wirtschaftlichen und sozialen Lebens erklärt. Man darf sagen, daß die These von dem Primat der Außenpolitik in der Geschichtsschreibung und der politischen Publizistik des deutschen Kaiserreiches allgemeine Anerkennung gefunden hat, durchaus im Gegensatz zu der Auffassung in den anderen Ländern, sobald sie nicht, wie etwa Seeley, unter deutschem Einfluß standen und nun von Deutschland als ausländische Bestätigung der eigenen Anschauungen aufgefaßt wurden.

Es ist aber sehr die Frage, ob diese deutsche These, die versucht, die Außenpolitik als ein dem sozialen und innenpolitischen Kampf entrücktes Gebiet autonomer objektiv-politischer Normen zu konstituieren, nicht sehr mit dem innenpolitischen und sozialen Aufbau des Bismarckschen Reiches verknüpft ist und ob nicht gerade für die Zeit, in der sie in der deutschen Wissenschaft siegte, sich im Gegensatz zu ihr in der wirklichen Politik ein starker Einfluß, wenn nicht der Primat der Innenpolitik und der sozialen Schichtung vor der Außenpolitik aufzeigen läßt.

Der große Wendepunkt in der Außenpolitik des imperialistischen Zeitalters ist die Entscheidung der deutsch-englischen Bündnisverhandlungen um die Jahrhundertwende[2]. Wenn auch in der Aktenpublikation

[1] Diesen Einfluß der Bismarckschen Politik auf die Historie unterschätzt Troeltsch, Der Historismus und seine Probleme, Tübingen 1922, S. 216, zu sehr.

[2] Hermann Bächthold, Der entscheidende weltpolitische Wendepunkt der Vorkriegszeit, Weltwirtschaftliches Archiv 20, 1924; Fr. Meinecke, Die Geschichte des deutsch-englischen Bündnisproblems, München 1927.

des Auswärtigen Amts das innenpolitische Motiv außenpolitischer Entscheidung nur zwischen den Zeilen zu lesen ist; auch in ihr lassen sich genug Stellen finden, die die Rücksicht der deutschen leitenden Kreise auf die öffentliche Meinung zeigen. In der Miquelschen Sammlungspolitik liegen die letzten Gründe der Außenpolitik des Deutschen Reiches, die den Krieg steuerte. Es handelt sich ganz grundsätzlich nicht darum, ob in einem Nebenpunkt einmal die innenpolitische Rücksicht die außenpolitische Linie umbiegt, sondern um mehr: um die Frage, wieweit die deutsche Außenpolitik der Vorkriegszeit in ihrer ganzen Linienführung von dem sozialen Aufbau des Reiches bedingt war. Die Beurteilung der deutschen Außenpolitik um die Jahrhundertwende bleibt nicht nur dann in der Luft hängen, wenn man die englische Politik nicht berücksichtigt[3]. Eine Außenpolitik hat — es klingt trivial, aber es wird gern übersehen — nicht nur einen Gegner vor sich, sondern auch eine Heimat hinter sich. Eine Außenpolitik kämpft nicht nur gegen den Gegner, sondern auch für die Heimat, sie wird nicht nur nach den Schachzügen des Gegners orientiert, sondern auch — und oft mehr — nach dem Willen und Bedürfnis der primär nicht außenpolitisch empfindenden Heimat. Die Frage der erweiterten Kriegsschuld richtet sich nicht nur auf die Schaffung der allgemeinen Situation von 1914 durch Englands außenpolitische Bündnisaktionen, sondern auch auf den Einfluß, den die soziale Struktur Deutschlands auf die Außenpolitik gehabt hat, allerdings nicht in dem Sinne jener lächerlichen französischen These[4], die das mystische Ungeheuer: le generalstab prussien, für den Krieg verantwortlich machen will, wohl aber in dem Sinne, daß die soziale Auseinandersetzung der neunziger Jahre dem außenpolitischen Kurs die Richtung des Flottenbaues und der Ablehnung des englischen Bündnisses gab. Wir müssen noch einen Schritt hinausgehen über die mutige These Brentanos, daß auch der deutschen Zollpolitik ihr Anteil am Kriegsausbruch zuzuweisen sei[5], und die Frage nach den sozialen Grundlagen dieses aggressiven Zollsystems stellen.

Es ist eine Selbstverständlichkeit, daß die Außenpolitik auch die Parteien und die Klassen in ihrer Haltung bestimmen kann. Dafür sind nicht nur irische, ägyptische, indische, chinesische Unabhängig-

[3] H. Rothfels, Zur Beurteilung der englischen Vorkriegspolitik, Archiv für Politik u. Geschichte, 1926/II, S. 602.

[4] Die selbst von Seignobos vertreten wird.

[5] Lujo Brentano, Ist das „System Brentano" zusammengebrochen? Berlin 1918, S. 67.

keitsparteien Beweis (so sehr auch diese nationalen Unabhängigkeitskämpfe soziale Motive haben), auch in den europäischen Nationalstaaten sind oft genug Regierungen vom Parlament ihrer Außenpolitik wegen gestürzt worden, und oft genug hat sich der parlamentarische Vertrauensentzug zur Revolution der Massen gesteigert. Der Sturz des Kabinetts Cuno und der Sturz der Hohenzollerndynastie sind nur dem Grade, nicht dem Wesen nach verschieden. Aber für die Klassen und Parteien sind die Einwirkungen der Außenpolitik stets sekundär. Viel intensiver ist bei ihnen die Benutzung der außenpolitischen Situation, um innenpolitische, soziale und wirtschaftliche Vorteile zu erringen.

Die Parteien gehen in ihren Entscheidungen von den Interessen der Innen- und Wirtschaftspolitik aus. Die Außenpolitik ist ihnen nur das Mittel zum Zweck ihrer innenpolitischen Ziele. Bei den Konservativen ist diese Taktik das Grundprinzip ihres nationalen Agierens, trotz der agitatorisch stets geübten Umkehrung von Mittel und Zweck. Für die liberal-bürgerlichen Parteien des 19. Jahrhunderts lassen sich aber — und das ist das Entscheidende — zwei diametral sich gegenüberstehende Epochen in der Verwendung der Außenpolitik als Funktion der Innenpolitik unterscheiden.

Der Konservatismus benutzt seit seinem Entstehen in der vormärzlichen Zeit die Staatsmacht mit Vorliebe als Mittel seiner eigenen Konservierung, und zwar zur Konservierung einer dem Bürgertum gegenüber rückständigen Sozial- und Wirtschaftsform. In jedem Augenblick, in dem der Konservatismus die politische Macht besitzt, verwendet er sie rücksichtslos im agrarpatriarchalischen oder später im agrarkapitalistischen Interesse gegen den industriellen und kommerziellen Kapitalismus. Die Außenpolitik wird so geführt, daß die Interessen der Agrarier gewahrt werden ohne Rücksicht auf die in den Städten konzentrierte Unternehmer- und Arbeiterschaft.

Dagegen fehlt der Verwendung der Außenpolitik zu innenpolitischen Zwecken durch den bürgerlichen Liberalismus diese absolute Einseitigkeit der Abwehr gegen die vorgeschrittenere Wirtschaftsform. Der bürgerliche Nationalismus hat stets innenpolitische Motive gehabt, ist stets Funktion sozialer Verhältnisse gewesen, und zwar nicht nur in dem engen Sinne — was ganz selbstverständlich ist —, daß er von innenpolitischen und sozialen Gruppen getragen wird, sondern auch in dem weiteren, daß er von diesen als Mittel zur Erringung oder Steigerung innenpolitischer und sozialer Macht benutzt wurde, daß die Außenpolitik und ebenso die Vorstellungen von der Außenpolitik Kampfmittel im innenpolitischen und ökonomischen Kampf waren.

Bekannt ist die Opposition der preußischen Liberalen 1859 gegen die Regierung, die ihnen nicht genügend die nationalen Interessen vertrat.

Neben diese sozial offensive Verwendung des Nationalismus als innenpolitisches Kampfmittel der bürgerlichen Klasse trat aber — und damit wurde das revolutionäre Bürgertum konservativ — auch eine sozial defensive. Neben die Forderung einer nationalen Außenpolitik als Kampfmittel gegen den Feudalismus und Absolutismus der Dynastien, also als Kampfmittel, um die soziale Entwicklung vorwärts zu stoßen, trat die Forderung nach Nationalismus als Kampfmittel gegen das Proletariat, also als Kampfmittel, um die soziale Entwicklung aufzuhalten oder rückwärts zu revidieren. Hier ist der psychologisch oft unbewußte, aber soziologisch tiefste Grund für den allgemeinen Sieg der Rankeschen These von dem Primat der Außenpolitik gerade in der offiziösen und offiziellen Machtphilosophie und politischen Theorie des deutschen Kaiserreichs, die mit der Historie stets eng liiert war, zu suchen. Denn die Forderung der nationalen Machtpolitik wandelte sich immer mehr aus einer des vorwärtseilenden Bürgertums gegen den feudalabsolutistischen Staat zu einer Forderung des Bürgertums als Kampfmittel gegen das zur Macht strebende Proletariat.

Damit wird die Bedeutung der sozialen Rückständigkeit der herrschenden Klasse für die Außenpolitik des Kaiserreichs deutlich; aber es sind genau die beiden verschiedenen Motive des Primärsetzens der Innenpolitik bei dem agrarischen Konservatismus und bei dem ursprünglich revolutionären, später nach rechts abwandernden Bürgertum auseinanderzuhalten.

2.

Um die Jahrhundertwende war das außenpolitische Problem für den Konservatismus das Verhältnis von Agrar- und Industriestaat einerseits — Deutschland - England —, das Verhältnis konkurrierender Agrarstaaten andererseits — Deutschland - Rußland. Diese Auffassung der Außenpolitik entstammte der innenpolitischen und sozialen Sphäre, der Industrialisierung Deutschlands und der durch sie bedingten Entwicklung der Großstadt.

Denn der deutsche Konservatismus übertrug seinen Haß gegen die Stadt und die Industrie auf die Außenpolitik. England war das Land, dessen Industrie und Handel am intensivsten durchgebildet und das als Beispiel und Vorbild weitaus gefährlicher war als das ferne liegende Amerika, das um 1900 außerdem noch über weite unaufgeschlossene Prärieflächen verfügte, oder wenigstens zu verfügen schien. Weil der Engländer einen sozial avancierten Typus darstellte, blieb an ihm nichts Gutes; deshalb war seine Politik „krämerhaft“. Deshalb sah der Engländer, wo der Deutsche angeblich tiefste ethische Werte empfand, nur „business as usual“. Man bildete sich viel darauf ein, daß das verfluchte „time is money“ noch nicht in Deutschland Eingang gefunden hatte, aber man mußte mit schmerzlichem Zucken im selben Augenblick konstatieren, daß die alte deutsche Treue und Ehrlichkeit vor dem Ansturm der korrupten neuen Zeit zerbrochen, und man daher eigentlich verpflichtet war, wie Adolf Wagner es einmal mit bezaubernder Naivität ausgedrückt hat, als „edler Geist und vornehme Natur beim Vergleich des Jetzt mit dem Einst, mit der Zeit vor hundert Jahren, der Zeit Goethes und Schillers, Schleiermachers und Wilhelm von Humboldts den Kopf zu schütteln, in das laute Lob der Gegenwart nicht einzustimmen, sich abgestoßen zu fühlen und das ‚odi profanum vulgus et arceo‘ einsam, stolz und arm im Herzen zu tragen[6].“ Die Buren wurden gelobt und gepriesen, weil sie es verstanden hatten, ein Land, das immense Bodenschätze in sich barg, vor der schrecklichen Industrialisierung zu bewahren. Aber die Hochschätzung des patriarchalischen Prinzips in Wirtschaft und Politik war mit der Verteidigung ganz unpatriarchalischer Momente verknüpft. Diese agrarischen Konservativen waren die entschiedensten Vertreter des modernen, auf Rationalität, auf städtischer und bürgerlicher Gesellschaft aufgebauten Machtstaates. Sie haben sich nie die Frage gestellt, wie ein überwiegend agrarischer Staat auch nur seine Armee bezahlen sollte. Sie haben es nie begriffen, daß der moderne nationale Machtstaat industrieller — kapitalistischer oder sozialistischer — Machtstaat sein muß, wenn er überhaupt Machtstaat sein will.

Gerade diese völlige Inkonsequenz des Denkens, die die außenpolitische Haltung des deutschen Konservatismus bestimmte, zeigt, daß es sich nicht um den Gegensatz ideeller Werte handelte, der in der deutsch-englischen Spannung zum Ausdruck kam, nicht um das Problem „Händler und Helden“, sondern um den Versuch, sich coûte que coûte aufrechtzuerhalten gegenüber der kapitalistisch-industriellen Entwicklung. Der englische Sieg über die Buren bedeutete innenpolitisch und sozial für die Konservativen das, was Königgrätz für Napoleon III. bedeutet hatte. Die Niederlage des Metternichschen Interventionsprinzips an den südamerikanischen Verhältnissen fand ihre Wiederholung, als die Engländer mit ihren Siegen vor Kimberley und

[6] Vom Territorialstaat zur Weltmacht. Kaisers Geburtstagsrede 1900.

am Modderriver auch die sozialen Verbündeten der Buren besiegten: die preußischen Konservativen. So sehr die Konservativen die Flotte als „Funktion der Seeinteressen" haßten und sie die „gräßliche Flotte" nannten, so war die Flotte doch auch das militärische Kampfinstrument des von ihnen beherrschten Agrarstaates gegen das siegreiche Industrieengland. Der burische Agrarstaat war besiegt worden von dem kapitalistischen England: der deutsche Agrarstaat mußte gegen das England geschützt werden, dessen Siege eben bewiesen hatten, daß Gott nicht mit der rückständigen Wirtschaftsverfassung, sondern mit den stärkeren Bataillonen und sogar mit der gräßlichen Flotte war. Die antienglische Stimmung der Konservativen war nicht aus dem Nationalismus als der außenpolitischen Haltung des vom Bürgertum beherrschten Nationalstaats geboren, sondern aus der vor- und antinationalen Furcht der Beherrscher eines Agrarstaates, daß der Sieg des englischen Industriestaates über die Buren der Selbstverständlichkeit ihrer Herrschaft einen sehr gefährlichen Schlag versetzen, daß die südafrikanische Entscheidung einen für Ostelbien vom konservativen Standpunkt aus verhängnisvollen Präzedenzfall schaffen würde. Die Konservativen hätten ohne den englischen Sieg in Südafrika sich niemals mit der Flotte aussöhnen können, sie wäre für sie stets das Kampfinstrument der Industrie geblieben. In den neunziger Jahren war die Abneigung gegen die Weltpolitik in den konservativen Kreisen groß; um die Jahrhundertwende erfolgte der Umschwung; die bedingungslose Anerkennung der Weltpolitik war erst die Folge des endgültigen englischen Sieges. Erst der englische Transvaalsieg zwang sie dazu, sich gegen das industriell-kommerzielle England selbst mit Hilfe eines so bedenklichen Mittels wie der Flotte zu wehren. Seitdem erst klammerten sie sich mit der letzten Kraft, die das Gefühl der Niederlage geben kann, an den deutschen Industriestaat. Sie haßten ihn, weil er ihre eigene Klassenherrschaft zu zerbrechen drohte; aber sie brauchten ihn auch, um durch seine Flotte und durch seine überlegene Steuerkraft den Feind England fernzuhalten. Erst der Transvaalsieg der Engländer machte den Konservativen die Flotte erträglich, ließ sie nicht nur mit äußerstem Widerstreben die Weltpolitik billigen und garantierte den Erfolg der Sammlungspolitik, indem er die heftigen Restriktivmaßnahmen der Agrarier gegen den deutschen Kapitalismus zurückdämmte. Die Außenpolitik, der Flottenbau, die erfolgreiche Weltpolitik war für die Konservativen nicht eine Funktion des Staates oder der — wenn auch nur theoretisch als einheitlich gesetzten, praktisch nicht mehr vorhandenen — Nation, sondern ein Mittel zur Bewahrung ihrer

Klassenherrschaft. So sehr der Konservatismus sich auch mit dem modernen rationalen Machtstaat ausgesöhnt hatte, er wandte sich rücksichtslos gegen ihn, wenn er nicht genügend Einfluß in ihm behielt und scheute sich nicht, die in Worten immer wieder verlangte Rüstung zu schwächen, wenn es gegen konservative, bürokratische Interessen ging. Die preußische Regierung hat gegen die Methode von Tirpitz, den Reichstagsabgeordneten von Zeit zu Zeit einige Kriegsschiffe zu zeigen und durch solche zu nichts verpflichtenden Gesten eine günstige Stimmung im Reichstag herzustellen, heftig protestiert, weil „sie leicht zu einer Überschreitung der für die gesetzgebenden Körperschaften verfassungsrechtlich bestehenden Grenzen und zu einer Schwächung der staatlichen Exekutive führen kann[7]." Das entscheidende Motiv für den preußischen Kriegsminister von Heeringen, die Forderung des Generalstabs nach den berühmten drei Armeekorps abzulehnen, war die Rücksicht auf die Erhaltung eines konservativen Offizierkorps, denn bei einer starken Heeresvermehrung mußten „wenig geeignete Kreise" zum Offiziersersatz herangezogen werden, wodurch das Offizierskorps, „von anderen Gefahren abgesehen, der Demokratisierung ausgesetzt wäre[8]." Das schon bekannte Material ist völlig ausreichend, um den Klassencharakter des konservativen Nationalismus feststellen zu können, und mit einer Deutlichkeit, die für die historische Entscheidung genügt, läßt sich auch schon der Primat der Innenpolitik und der agrarischen Klassenlage über die Außenpolitik in der Stellung der Konservativen gegen England um die Jahrhundertwende erkennen.

Das wird noch deutlicher, wenn man die Haltung der Agrarier zur Politik der Bagdadbahn auf ihre innenpolitischen Grundlagen und ihre außenpolitischen Konsequenzen hin beobachtet. Die Agrarier haßten den Industriestaat England und fanden sich deshalb selbst mit der deutsch-industriellen Institution der Flotte ab. Diese anti-englische Orientierung war das genaue Korrelat des Kampfes gegen die Bagdadbahn. Die Aussicht, daß die russische Getreidekonkurrenz, gegen die sie sich so verzweifelt wehrten, nun auch noch in Mesopotamien innerhalb eines größeren Deutschlands erneut entstehen sollte, trieb sie zum erbitterten Kampf gegen die türkenfreundliche Politik der deutschen Regierung und der Deutschen Bank. Wenn die deutsche Politik durch die Bindung, die eine englische Feindschaft ihr auferlegen mußte, an

[7] Der Kriegsminister an den Generalstab, 20. Jan. 1913, Herzfeld, Die Deutsche Rüstungspolitik vor dem Weltkrieg, Bonn 1923, S. 63.

[8] Hans Rothfels, Bismarcks englische Bündnispolitik, Stuttgart 1924, S. 126.

solchen Experimenten nationaler Getreideproduktion gehindert wurde, dann hatten sie allen Grund, auch die gräßliche Flotte zu bewilligen, um die englische Feindschaft zu steigern und ihr ostelbisches Getreidemonopol auf diese Weise aufrechtzuerhalten.

Die deutsche Außenpolitik der Vorkriegszeit hatte keine Wahl zwischen englischer und russischer Orientierung. Solange in Deutschland die Konservativen politischen Einfluß hatten und solange die ganze Wirtschaftspolitik primär auf die staatliche Subventionierung der agrarkapitalistischen Getreideproduktion durch Zölle eingestellt war, hätte eine außenpolitische Entscheidung für England oder für Rußland sozial in der Luft geschwebt. Mit dem sozialen Aufbau des Bismarckschen Reiches harmonierte, seitdem es in Deutschland eine Krisis des politisch mächtigen verschuldeten Grundbesitzes östlich der Elbe gab, nur die Entscheidung der Außenpolitik gegen England und gegen Rußland.

3.

Es ist eine Unmöglichkeit, die Feindschaft gegen England, die um die Jahrhundertwende die ganze nationale Hälfte des deutschen Volkes gefangen hatte und die aus dieser Hälfte stammende Regierung in ihrer antienglischen Entscheidung wesentlich beeinflußt hat, zu trennen von den sozialen Grundlagen dieser Hälfte. Es umfaßt noch nicht die volle Komplexheit der deutsch-englischen Beziehungen, wenn man von ihrem antinomischen Charakter im Sinne einer außenpolitischen Entscheidung spricht[9] und damit die Diplomatie von der Schuld, daß das Bündnis nicht zustande gekommen sei, entlastet. Diese außenpolitische Antinomie ist nur ein Teil der Gesamtantinomie und diese entspringt aus dem sozialen Aufbau des Bismarckschen Reiches. Sie war vorhanden schon vor 1890 und hat schon in Bismarcks Außenpolitik eine Rolle gespielt, wurde aber in dem Jahrzehnt 1890/1900 in der veränderten sozialen und innenpolitischen Lage besonders brennend und bestimmte seitdem die Außenpolitik.

Als das eine Motiv für die Auffassung von der Außenpolitik war für den Konservativen, den Agrarier, den Beamten, den Akademiker die soziale Rückständigkeit gegenüber England, das teils lebendige, teils wenig bewußte Wissen von ihr und die aus ihr kommende Auflehnung gegen den überlegenen, wirtschaftlich höher entwickelten Feind

[9] Das preußische Staatsministerium, gez. Studt, an den Reichskanzler, 27. Juli 1906. Akten des Reichswehrministeriums.

entscheidend. Das andere Motiv des Englandhasses war die sehr banale Tatsache, daß diese außenpolitisch englandfeindlichen nationalen Kreise innerhalb des Reiches die herrschende Schicht bildeten, und daß sie über eine zwar noch beherrschte, aber in dauernder sozialer und geistiger Rebellion befindliche Klasse geboten, gegen die sie weder geistig noch sozial und politisch ein wirksames Repressiv wußten. Die Klassenspaltung des deutschen Volkes in Bürgertum und Proletariat steht im engsten kausalen Zusammenhang mit der Durchführung der Weltpolitik im Gegensatz zu England und zum Bau der deutschen Schlachtflotte.

Wenn man von der These des Primates der Außenpolitik ausgeht, müßte man außenpolitische Motive der Englandfeindschaft aufdecken. Oder anders gesagt, man müßte eine mehr oder minder der ganzen Nation eigene Grundlage ihrer außenpolitischen Einstellung finden. Denn wenn es sich zeigen sollte, daß die außenpolitischen Forderungen der Nation gespalten sind, so wird die Frage nach dem Grunde dieser Spaltung akut und damit das weitere Problem ihrer Verknüpfung mit der innenpolitischen und sozialen Lage.

Die Außenpolitik der deutschen Nation sollte nach den Forderungen der beiden öffentlichen Meinungen Deutschlands, der bürgerlich-nationalen und der proletarisch-sozialistischen, ganz verschieden sein. Ebenso leidenschaftlich wie die bürgerliche Hälfte die Todfeindschaft gegen England predigte, forderte die Sozialdemokratie den Abschluß des Bündnisses. Die herrschende Schicht forderte eine Außenpolitik, die der von der beherrschten Klasse geforderten diametral entgegengesetzt war. Mit einer Einheitlichkeit, die die öffentliche Meinung selten, und bei der relativen Ferne der Außenpolitik für den Durchschnittsmenschen auch nur unter ganz realen Verhältnissen erreichen kann, die diese Ferne in die Nähe umsetzen, aus der Außenpolitik in die Innenpolitik übertragen, deckten sich die Forderungen des Kampfes gegen England und des englischen Bündnisses mit der Teilung der Nation in die beiden Klassen. Es ist ein methodisch unmögliches Verfahren, das durch die Aktenpublikation des Auswärtigen Amtes nur zu viel Nahrung gefunden hat, die Außenpolitik zu isolieren und als eine Angelegenheit der Kabinette zu betrachten. Das stimmt für den Detailverlauf und die Technik einer einzelnen Unterhandlung, die sich aus den Akten ersehen läßt, aber es stimmt nicht für die Grundlagen der Außenpolitik eines ganzen Zeitalters. Die großen Erforscher des Absolutismus haben den engen unlösbaren Zusammenhang zwischen Außenpolitik und Heeresverfassung, Innenpolitik und Merkantilismus stets als Zentralproblem herausgearbeitet und haben die Staatenbildung im Zeitalter des Absolutismus als eine lebendige Totalität angesehen, bei der jedes Glied in das andere paßt und keines ohne das andere möglich wäre. Diese Auffassung von dem Zusammenspiel aller Kräfte fehlt uns noch für das Zeitalter des Imperialismus, und es wird eine bedeutsame Aufgabe der historischen Forschung der nächsten Zeit sein, diese Isolierung der Außenpolitik seit 1871 durch die Nachkriegsforschung, die ein bedenkliches Absinken von der Höhe, die die Erforschung des Absolutismus vor dem Krieg erreicht hatte, bedeutet, wieder zu beseitigen und die Analyse der diplomatischen Technik zur Geschichtsschreibung der Außenpolitik zu erheben.

Ehe wir an das Problem: Bürgertum, sozialistische Gefahr und Außenpolitik kommen, ist es nötig, noch einmal auf die Agrarfrage zurückzukommen, aber nicht mehr wie oben unter dem Gesichtspunkt der außenpolitischen Beziehungen, vielmehr als innenpolitische und soziale Angelegenheit. Entscheidend ist die Frage nach den Motiven der Zollgesetzgebung von 1902. Nach allem, was wir bisher über die Auffassung der Außenpolitik durch die deutsche Regierung um die Jahrhundertwende wissen[10], ist es sehr unwahrscheinlich, daß der chinesisch-japanische, der spanisch-amerikanische und der Transvaalkrieg als „Vorboten eines Zeitalters weltpolitischer Kriege gebieterisch auf die Notwendigkeit hinwiesen, sich auch wirtschaftspolitisch für den Kriegsfall einzurichten[11]." Vielmehr boten sie nur der wirtschaftlich interessierten Agitation einen trefflichen Vorwand, ihr Partikularinteresse in das Nationalinteresse einzuwickeln und den tatsächlich entscheidenden Primat der Innenpolitik und des Klasseninteresses agitatorisch und ideologisch umzukehren. Gerade weil infolge der Entspannung der kontinentalen Beziehungen, die das russisch-englische Rencontre im Fernen Osten mit sich brachte, die deutsche Regierung die außenpolitische Lage überaus ruhig und vertrauensvoll betrachtete, ist es doppelt schwierig, ein außenpolitisches Motiv für den Flottenbau und die Zollpolitik zu konstruieren. Die Außenpolitik hatte für die Parteien schon bei der Heeresvorlage von 1893 keine Rolle gespielt, um die Jahrhundertwende wurde eine ad hoc frisierte Außenpolitik Kampfmittel der Innenpolitik und des Klassenkampfes. Die Agrarier

[10] Vgl. z. B. ganz komprimiert Bülows Absicht, „im Besitze einer starken Flotte und unter Wahrung guter Beziehungen nach der russischen wie nach der englischen Seite die weitere Entwicklung der elementaren Ereignisse mit Geduld und Sammlung abzuwarten", 24. Nov. 1899, Große Politik, XV, S. 420.

[11] Fritz Hartung, Deutsche Geschichte 1870 bis 1912, 2. Aufl. Leipzig 1922, S. 203.

pflegten zwar in den neunziger Jahren das Gespenst einer Aushungerung Deutschlands durch eine Blockade an die Wand zu malen, aber lange ehe der Osten wieder Roggen exportieren konnte (1909), hörte bei ihnen diese Sorge auf: nämlich in dem Augenblick, als die Getreidezölle im Reichstag angenommen waren. Es war nicht die Erkenntnis vom Primat der Außenpolitik und der Versuch, außenpolitische Notwendigkeiten des deutschen Staates durch Flottenpolitik und Zolltarif zu sichern, welche die Haltung der agrarischen Klasse Deutschlands bestimmte, wohl aber die Erkenntnis vom Primat der Weltwirtschaft über die Nationalwirtschaft. Aber im entgegengesetzten Sinne. Gerade weil die Agrarier sahen, daß ihre Position in der Weltwirtschaft nicht mehr zu halten war, sie aber ihr Leben noch nicht aufgeben wollten, verteidigten sie erbittert die durch Zölle gegen die Weltwirtschaft abzuschließende Nationalwirtschaft. Zolltarif und Flottenbau sollten für sie nicht Mittel der Durchsetzung der deutschen Nationalwirtschaft in der Weltwirtschaft sein, sondern Mittel zu ihrer Abschließung von der Weltwirtschaft. Und selbst die Existenz dieses Nationalstaats war ihnen überhaupt nur sekundär, war ihnen nur Mittel, um durch sie ihre wirtschaftliche Lage zu verbessern. Mit demselben Eifer, mit dem sie um die Jahrhundertwende sich wieder für den Nationalstaat erwärmten, weil im Gefolge der Sammlungspolitik auch die Erhöhung der Getreidezölle in Aussicht stand, hatten sie fünf Jahre vorher die paneuropäische oder wenigstens die mitteleuropäische Zollunion gefordert[12], weil der Nationalstaat sich nicht mehr auf die Landwirtschaft, sondern auf die Industrie zu stützen begann. Bei der Industrie spielte das außenpolitisch-nationale Motiv ebensowenig eine primäre Rolle: sie hatte sich für die Zollerhöhung gerade in einer Zeit entschieden, in der sie in voller Sorglosigkeit sich dem Genuß ihres raschen Aufstiegs hingab, in der sie keinerlei außenpolitische Sorgen hegte und lange bevor sie durch die schwere Krisis von 1900 aus ihrem grenzenlosen Optimismus aufgescheucht wurde[13].

Die Zeit um 1900 ist methodisch in hervorragendem Maße geeignet, nicht nur die These vom Primat der Außenpolitik an einem entscheidenden Punkte zu erschüttern, sondern auch die Bedenklichkeit der

[12] J. Pentmann, Die Zollunionsidee, Jena 1917, S. 87 f.

[13] Voßberg-Rekow, Bericht über die 2. Gv. in den Schriften der Zentralst. f. Vorbereitung von Handelsverträgen, Heft 11; Ernst Loeb, Die Berliner Großbanken in den Jahren 1895 bis 1902 und die Krisis der Jahre 1900 und 1901 (Schriften des Vereins für Sozialpolitik, Bd. 110), Leipzig 1903, passim; F. Pinner, Emil Rathenau und das elektrische Zeitalter, Leipzig 1918, S. 223 ff.

Methode, außenpolitische Motive zu konstruieren, wo eindeutig innenpolitische nicht nur mitspielten, sondern die Entscheidung bestimmen, aufzuhellen. Denn Zollpolitik und Flottengesetze sind im Reichstag nicht aus dem Motiv der Sorge um die Wohlfahrt des Nationalstaates durchgekommen, sondern als Kampfmittel des Klassengegensatzes, der in die Außenpolitik übersprang und der mit außenpolitischen Mitteln ausgefochten werden sollte, weil er mit innenpolitischen nicht zu bewältigen war.

Der Einfluß der öffentlichen Meinung, soweit man sie trotz aller ihrer Nuancen als einen einheitlichen Ausdruck des nationalen Willens und als einen labilen, von den Regierungstendenzen relativ unabhängigen Faktor mit autonomer Stoßkraft ansehen kann, darf aber — und das ist das Interessanteste an dem Problem — bei der Frage der Entscheidung über Annahme oder Ablehnung des englischen Bündnisses nicht überschätzt werden. Die deutsche Regierung hatte um die Jahrhundertwende Rückgrat genug, um die Erregung der Massen über die ihren Lebensstandard sehr empfindlich treffende Zollpolitik zu ertragen und die von ihr für richtig gehaltene Zollpolitik ruhig gegen alle Angriffe zu einem siegreichen Ende zu führen. Sie hat nicht aus Schwäche der antienglischen Stimmung nachgegeben[14]. Denn zwischen der Hartnäckigkeit der Regierung gegen die stimmungsmäßigen Folgen des Zolltarifs mit ihrem gewaltigen Anschwellen der Sozialdemokratie, zwischen ihrer starken Entschlossenheit, eine Maßnahme durchzuführen, die sie für richtig hielt, unbekümmert um die sozialen und innenpolitischen Konsequenzen und ihrer scheinbaren Nachgiebigkeit gegen die antienglischen Tendenzen der öffentlichen Meinung besteht nur dann ein Bruch, wenn in die Haltung der Reichsleitung das Interesse des einheitlichen Nationalstaats als Grundlage der Entscheidung hineinkonstruiert wird. In Wahrheit ist diese scheinbar differenzierte Haltung gegenüber den Forderungen des imperialistischen und des sozialistischen Teils der Nation eine entschieden klassenmäßig festgelegte Politik zugunsten der imperialistischen und zuungunsten der sozialistischen Hälfte des sozialen Dualismus gewesen. Die Entscheidung der sozialen Krisis der neunziger Jahre, die in der Sammlungspolitik für die Industrie und Agrarier und gegen das Proletariat ausfiel, ist mit der außenpolitischen Entscheidung des Verzichts auf die englische Bündnispolitik untrennbar verbunden. Die positive oder negative Stellungnahme zur Außenpolitik bedingt zugleich die Stellungnahme

[14] Meinecke, Bündnisproblem, S. 258/59.

zur Innenpolitik und zur Lösung der sozialen Krise. Sie lassen sich so wenig voneinander trennen wie die Politik der antiken Polis von der Erschaffung der antiken Statue. So sehr ein eingewurzeltes oder besser: eingepflanztes Gefühl beide zu trennen wünscht, um den peinlichen, verstaubt altehrwürdige Vorurteile zerstörenden Konsequenzen des Historismus zu entrinnen, so wenig darf das historische Bewußtsein sich von ihnen zur Unwahrhaftigkeit verführen lassen.

4.

Wie war — in großen Zügen — die Entwicklung gewesen, die zur Sammlungspolitik führte?

Mit der Sammlungspolitik wurde eine Periode des Klassenkampfes abgeschlossen. Die neunziger Jahre sind für Deutschland die Jahre der entscheidenden sozialen Kämpfe. Die große innenpolitische Schwenkung des Jahres 1879 hatte die Landwirtschaft, deren Ziel noch 1873 bei der Aufhebung der Eisenzölle die Ruinierung der deutschen Industrie gewesen war[15] — auch ihre Unterstützung der Sozialpolitik in den siebziger Jahren kam teilweise aus diesem Motiv — in gewissem Umfange mit der Industrie ausgesöhnt. Diesem Block gegenüber war das Proletariat machtlos. Es war ziffernmäßig noch schwach. Auch in sich war der Block stark. Divergenzen in ihm zeigten sich noch nicht, denn die Industrie nahm zwar infolge der Erschließung der Vereinigten Staaten — nicht etwa infolge des imaginären „Schutzes der nationalen Arbeit", wie ja überhaupt die Industrialisierung West- und Mitteleuropas nur der „Reflex der Erschließung weiter Landstriche ist"[16] — einen enormen Aufschwung, aber dem parallel ging die ebenso enorme Steigerung der Getreidezölle von 1 Mark über 3,50 Mark auf 5 Mark. Industrie und Landwirtschaft verdienten beide und beklagten sich deshalb nicht über die Politik des Staates. Hier liegt der tiefste Grund zu dem Ausruf des Landwirtschaftsministers Lucius: Juvat vivere. Außerdem sorgte die vorkapitalistische diplomatisch-technische Politik Bismarcks dafür, daß die Klassenkämpfe sich nicht zu hemmungslos austobten. Die Jahre 1890/92 bedeuten einen grundsätzlichen Umschwung. Mit Bismarcks Sturz fiel der Diktator weg, dessen politisch-staatlicher Machtwille den sozialen Kampf unter unökonomischem Gesichtspunkt leiten zu können geglaubt und versucht

[15] Elisabeth von Richthofen, Über die historischen Wandlungen in der Stellung der autoritären Parteien zur Arbeiterschutzgesetzgebung und die Motive dieser Wandlungen, Diss. Heidelberg 1901, S. 37.

[16] Sering, Agrarkrisen und Agrarzölle, Berlin 1925, S. 17.

hatte, der aber unter den großen außenpolitischen Problemen die Bildung des britischen Empire nicht mehr verstanden und in der Innenpolitik andauernd das Problem des Fabrikproletariats mit der Landarbeiterfrage verwechselt hatte. Und mit dem Nachlassen des staatlichen Druckes, begann der auch durch Bismarck nicht erstickte, sondern nur oberflächlich abgedeckte Kampf der Klassen um die Macht offene Formen anzunehmen. Der erbitterte Kampf der hochkapitalistischen Industrie und der sich kapitalistisch umstellenden Landwirtschaft um die Gesetzgebungsmaschine setzte nun ein. Die Industrie hatte eben erst die Krisis von 1888 überwunden, die Landwirtschaft, die seit Jahrzehnten die Güterpreise in planmäßiger Politik hochgetrieben hatte[17], erlebte seit 1892 einen katastrophalen Preissturz des Getreides. Es handelte sich für die Industrie so gut wie für die Landwirtschaft um die Existenz, die für jede schon auf dem Spiel stand, wenn der Einfluß des anderen auf die Gesetzgebung nur noch um ein geringes stieg. Die Chaotik des neuen Kurses besteht nicht so sehr in dem Einsetzen hemmungsloser Intrigen und kleinlicher Machtkämpfe, als in dem dauernden Kampf, den diese beiden Stände um die Macht führten. Die „Politik" des neuen Kurses ist nichts als die Funktion dieses Kampfes. Dieser übermächtige Einfluß der sozialen und wirtschaftlichen Entwicklung auf die Politik und die Parteien zeigt sich frappierend, wenn man einmal präzise die Frage stellt: Haben sich die Politik und die Parteien für die politische oder wirtschaftliche Seite entschieden, wenn Politik und Wirtschaft miteinander kollidierten? Die Konservativen hätten ihrer Ideologie und Staatstheorie nach mit dem russischen Zarismus gegen die französische Demokratie gehen müssen. Ihre wirkliche Politik aber war der erbitterte Kampf gegen das agrarische Konkurrenzland Rußland und der Versuch, die französische Handelspolitik — die sich unter Méline damals gerade für die Kleinbauern und gegen die Industrieentwicklung entschied — nach Deutschland zu importieren. Ideologie und Praxis, Staatspolitik und Wirtschaftspolitik standen bei ihnen in einem schneidenden Gegensatz zueinander und von ein paar Outsiders abgesehen, haben die Konservativen sich einmütig gegen das russische Staatsvorbild und für das Vorbild der französischen Handelspolitik, gegen die Staatsideologie und für die Wirtschaftspraxis entschieden[18].

[17] Theodor v. d. Goltz, Geschichte der deutschen Landwirtschaft, Stuttgart 1903, Bd. II, S. 354, 405 ff.

[18] Das tritt auch bei Meineckes Bündnisproblem zu sehr in den Hintergrund. Die

Derselbe Gegensatz von Ideologie und Wirtschaftspraxis zeigt sich bei den Liberalen (wobei man alle Gruppen von Richter bis Bennigsen einheitlich fassen kann, ohne den Nuancen zuviel Gewalt anzutun). Der Liberalismus tendierte ideologisch stets zu England als dem Land angeblicher Freiheit, gegen Rußland, als das Land angeblicher Unfreiheit. Aber wirtschaftlich sah er umgekehrt in England den Konkurrenten und in Rußland das Land, dessen Getreideexport die Existenz der ostelbischen Rittergutsbesitzer, seiner sozialen und innenpolitischen Gegner, nicht nur theoretisch überflüssig machte, sondern auch praktisch aus dem Sattel hob. Die Caprivischen Handelsverträge wurden von der Linken gegen die Rechte angenommen. Ihre Absicht war nach ihrer offiziellen Begründung: die Offenhaltung der Auslandsmärkte für die deutsche Exportindustrie, nach ihrer tatsächlichen Bedeutung die Aufnahme des Konkurrenzkampfes mit England in der Weltwirtschaft. Sie waren in der wirtschaftlichen Sphäre etwas Ähnliches wie in der militärischen später die Flottengesetze. Ein ideologischer Agrarier wie Johannes Haller sieht vollkommen mit Recht — wie überhaupt die antikapitalistisch-orthodoxen Konservativen die Dinge oft sehr gut durchschauen —, daß das „Unglück" Deutschlands nicht erst mit der antienglischen Welt- und Flottenpolitik beginnt, sondern schon mit der Caprivischen Handelspolitik[19]. Als Pendant des Kampfes, den der kapitalistische Liberalismus gegen den industriellen und kommerziellen Konkurrenten England aufnahm, wandelte sich die Stellung des Liberalismus zu Rußland. Das Zarenreich, der Hort der Reaktion und Barbarei, wurde das Getreideexportland. War es in der ideologischen Sphäre den Liberalen unmöglich, Rußland zu lieben, in der kapitalistischen tat er es. Rußland war, seitdem es durch seinen staatskapitalistischen Eisenbahnbau überhaupt erst einmal Getreideexportland geworden war, der beste Alliierte des deutschen Liberalismus bei seinem Kampf gegen die Vormacht der Ostelbier.

Die deutsche Außenpolitik hatte die zwei Stoßrichtungen gegen England und Rußland, gegen den Industrie- und Handelsstaat sowohl wie gegen den Agrarstaat, gegen den liberalen wie gegen den despotischen Staat. Auf der ganzen Linie erfolgte die Entscheidung für und gegen Rußland sowohl wie für und gegen England nicht nach der politischen, sondern nach der wirtschaftlichen Form des Gegners. Die antirussische

Konservativen waren Rußland gegenüber sehr zwiespältig und nicht unbedingt für ein politisches Bündnis mit Rußland zu haben.

[19] Die Ära Bülow, Stuttgart 1922.

Politik Deutschlands hat ihre soziale Motivierung nicht in dem Kampf des freiheitlichen Liberalismus gegen die Despotie, sondern der ostelbischen Agrarier gegen das agrarische Konkurrenzland Rußland. Die antienglische Politik Deutschlands ist ebenso sozial motiviert nicht in dem Kampf der autoritären Konservativen gegen das parlamentarische England, sondern einerseits der westdeutschen Industrie und der hanseatischen Reederei gegen das kapitalistische Konkurrenzland, andererseits der deutschen Landwirtschaft, die sich gegen den Industriestaat zur Wehr setzte. Nicht der politische Gegensatz bestimmte die feindliche Doppelfront der Reichspolitik, sondern der wirtschaftliche. Viel tiefer als der momentane Wille der diplomatischen Technik hat der anonyme soziale Druck von innen her die Grundlinien der Außenpolitik bestimmt.

5.

Außenpolitisch und innenpolitisch verfolgten Industrie und Landwirtschaft entgegengesetzte Ziele. Sie waren die herrschenden Schichten, sie bestimmten die Führung der Gesamtpolitik. Aber ehe nicht agrarisches und industrielles Interesse auf denselben Nenner gebracht war, ließ sich keine einheitliche Politik treiben.

Miquel ist es gelungen, die sich bekämpfende Industrie und Landwirtschaft zusammenzufassen. Diese Politik der „Sammlung“ erhielt ihr charakteristisches Aussehen dadurch, daß sie keine parteibezogene Politik war, d. h., daß nicht der über den parlamentarischen Parteien stehende Autoritätsstaat durch seine staatliche Macht den Kampfwillen der Parteien zurückdrängte, sondern daß sie reine Klassenpolitik war: Industrie und Landwirtschaft einigten sich darauf, den Staat nicht jeder für sich allein zu beherrschen und den Unterliegenden von dem Nießnutz der Gesetzgebungsmaschine auszuschalten, sondern ein agrarisch-industrielles Kondominium mit der Spitze gegen das Proletariat zu errichten.

Das entscheidende Motiv für diesen Zusammenschluß und den Verzicht jeder der beiden Stände auf den absoluten Primat und statt dessen die Begründung des Kondominiums mit gegenseitigen Liebesgaben wurde das dem dauernden Anwachsen des Proletariats parallelgehende Versagen aller Mittel, es zurückzudrängen und dem Staat zu gewinnen, sowohl der Sozialpolitik wie der Umsturz- und Zuchthausvorlagen, des Zuckerbrots so gut wie der Peitsche, und das aus diesen dauernden Niederlagen resultierende Gefühl der Ohnmacht und Hoffnungslosigkeit. Aber ein Kampfmittel gegen das Proletariat war vor der Sammlungspolitik noch nicht versucht worden: das war, die unhaltbare soziale und innenpolitische Lage durch außenpolitische Erfolge wiederherzustellen, die von der herrschenden und vom Proletariat schwer bedrohten sozialen und politischen Ordnung errungen wurden. Die Sammlungspolitik hat die Bismarcksche Methode, innenpolitische Probleme durch Benutzung, gegebenenfalls rücksichtslose Konstruierung der außenpolitischen Situation zu lösen, zum mindesten eine momentane und Scheinlösung zu erreichen, grandios übersteigert, da es sich jetzt nicht um die Erzielung eines nur momentanen Erfolgs mit einer innenpolitischen Augenblickswirkung handeln sollte, sondern da man die ganze Außenpolitik aus der kontinentalen Enge des Bismarckschen Zeitalters in die Weltpolitik des Flottenbaus zu überführen beabsichtigte. Tirpitz selber schreibt einmal an Stosch, daß Deutschland zur Weltpolitik übergehen müsse „nicht zu geringem Grade auch deshalb, weil in der neuen großen nationalen Aufgabe und dem damit verbundenen Wirtschaftsgewinn ein starkes Palliativ gegen gebildete und ungebildete Sozialdemokraten liegt[20]." Die Weltpolitik und die von ihr zu erringenden Erfolge sollten ein Mittel sein, die sozial bedrohte Stellung der herrschenden Schichten zu sichern und zu stärken[21]. Ob das möglich war, ist eine Frage für sich. Es handelt sich hier nur darum, daß man durch die Suggestion einer bestimmten Außenpolitik die innere Lage wieder herstellen wollte. Jedoch: die Geister, die man rief, wuchsen der Regierung über den Kopf und bestimmten nachher wirklich die Außenpolitik. Denn dieser innenpolitisch und sozial bedingte Kurswechsel im Gesamtaufbau der Außenpolitik ist das entscheidende Motiv geworden für die Ablehnung der englischen Bündnisangebote.

Wenn man der Kriegsschuldfrage — ganz abgesehen von der juristischen Opposition gegen das Versailler Schulddiktat — unter dem Gesichtspunkt einer erweiterten Kriegsschuld nahetreten will, so ist nicht nur die Frage nötig, ob England, dem höchsten Gebot seiner Staatsräson folgend, den Kontinent unter die verhängnisvolle Spannung, die zum Weltkrieg führte, setzte, um sein Weltreich in Ruhe beherrschen zu können. Diese englische, gegen Deutschland gerichtete Politik ist nichts Primäres, sondern erst die Reaktion auf das deutsche Verhalten. Und deshalb muß zunächst, ehe man Englands Schuld nachrechnet, der Frage nachgegangen werden, weshalb denn die deutsche

[20] 21. Dez. 1895, Tirpitz, Erinnerungen, S. 52.

[21] Vgl. auch die Formulierung Max Webers in Wirtschaft und Gesellschaft. Grundriß der Sozialökonomik III, 2; 2. Aufl. Tübingen 1924, S. 626.

Regierung unter dem Druck der öffentlichen Meinung England von der Lösung seines Weltreichproblemes im Bunde mit Deutschland abgebracht und zu der antideutschen Lösung hingetrieben hat. Und bei dieser Fragestellung stoßen wir unweigerlich auf die Problematik der sozialen und wirtschaftlichen Kämpfe im Deutschland der neunziger Jahre. Die antienglische und zugleich antirussische Außenpolitik der Jahrhundertwende war die außenpolitische Konsequenz der Sammlungspolitik mit ihrer Errichtung des agrarisch-industriellen Kondominiums gegen die Sozialdemokratie.

Der konkrete Ausdruck dieses Doppelkampfes der industriell-agrarischen Koalition gegen die Nachbarstaaten und gleichzeitig der Ausdruck ihrer innenpolitischen Sammlung gegen das Proletariat waren das zweite Flottengesetz von 1900 und die Zollvorlage von 1902. Die Agrarier bewilligten der Industrie die gräßliche Flotte, und die Industrie bewilligte den Agrariern als Kompensation dafür die preissteigernden Zölle. Die Agrarier unterstützten den von der Industrie getragenen kapitalistischen Konkurrenzkampf mit England und die Industrie den von den Agrariern geführten Kampf gegen die russische Roggenproduktion. Zwar hat schon in der Zeit der Entscheidung Walther Lotz (in seiner „Handelspolitik des Deutschen Reiches unter Graf Caprivi und Fürst Hohenlohe", 1901) und später Gerloff (in seiner „Finanz- und Zollpolitik des Deutsches Reiches", 1913) auf die enge Verbindung von Zolltarif und zweitem Flottengesetz hingewiesen. Aber dieser Zusammenhang von Macht- und Handelspolitik, der viel bedeutsamer ist als die übliche These vom Schutz des überseeischen Handels durch Kriegsschiffe, ist nicht ins allgemeine Bewußtsein eingedrungen, und bisher hat man noch nicht die gegenseitige Abhängigkeit von Zollvorlage und Flottengesetz als Mittel zum Ausgleich des agrarisch-industriellen Kampfes um den Besitz des Staates erkannt[22] oder man hat sie zu Maßnahmen gesamtstaatlicher Machtpolitik umgedeutet. Wenn jemals die nationale Sicherheit das agitatorische Kampfmittel der herrschenden Klasse gegen die beherrschte war, so war es die Bewilligung des zweiten Flottengesetzes durch die Agrarkonservativen. Bis auf die Tage genau — es waren der 27. April und der 1. Mai 1900 — läßt sich aus den Protokollen der Budgetkommission des Reichstages[23] feststellen, wie die Konservativen die deutsche Schlacht-

[22] Jetzt jedoch Fr. Meinecke, Bündnisproblem, S. 260.

[23] Im Archiv des Reichstags, aber auch in der Presse seinerzeit ausführlich besprochen. Vgl. die zitierten Schriften von W. Lotz und W. Gerloff.

flotte deshalb bewilligten, weil sie, taktisch sehr vorsichtig operierend, als Kompensation für dieses Opfer, das ihnen schwer genug fiel, das Versprechen der Getreidezollerhöhung bekamen.

Die Industrie brauchte die Flotte, um sich mit Hilfe der militärischen Macht auch in einem Kriege gegen den Konkurrenten England durchsetzen und Deutschland in einen Industriestaat verwandeln zu können. Die Landwirtschaft brauchte die Zölle, um mit ihrer Hilfe die zu Beginn der neunziger Jahre zerbrochene alte Politik der Preistreiberei für die Rittergüter wieder beginnen und gleichzeitig Deutschland als Agrarstaat konservieren zu können. Das Kompromiß der Sammlungspolitik, unter dem Druck des Proletariats zustande gekommen, beruhte darauf, daß die Agrarier den innenpolitischen und sozialen Sieg der Industrie verhinderten, aber dafür auf ihre antiindustrielle und agrarpatriachalische Ideologie und auf ihre Attacken gegen den Kapitalismus einschließlich der Börse[24] verzichteten, der Industrie mit der Bewilligung des Flottenbaues den Weg zur Expansion nach außen wiesen und sich selber, vom Transvaalsieg erschreckt, an der antienglischen Politik beteiligten. Die preußische Binnenwirtschaftspolitik, die ihre außenpolitische Basierung seit dem 18. Jahrhundert nicht in der Beherrschung von Kolonien und überseeischen Interessengebieten, sondern in der mit dem preußisch-polnischen Handelsvertrag von 1775 einsetzenden Exploitierung des industriell unerschlossenen Ostens fand, änderte in der Agrarkrise seit 1875 ihre Tendenz. Bismarcks Zollpolitik von 1879 hatte außenpolitisch die Wirkung, daß Rußland seine deutsche Einfuhr in den achtziger Jahren fast auf die Hälfte drosselte[25], in den neunziger Jahren mit äußerster Anstrengung an die Währungsreform und an den Aufbau einer eigenen Industrie ging, um von der deutschen Handelspolitik unabhängig zu werden, und durch eigene hohe Schutzzollmauern die Politik der 1820er Jahre wiederholte: Teile der deutschen, durch die russischen Repressalien am Export nach Osten gehinderten Industrie zum Übertritt über die Grenze und zum Ver-

[24] Gerade im Januar 1900 mußte praktisch das Börsengesetz von 1896 preisgegeben werden, W. Pinner, Der Getreideterminhandel in Deutschland vor und seit der Reichsbörsengesetzgebung, Berlin 1914, S. 62.

[25] Während die Ausfuhr nach Deutschland von 1876 bis 1895 ständig um 160 Millionen Rubel schwankte, sank der Import aus Deutschland rd. 230 Mill. Rubel 1871/75 und 1876/80 auf 176 Mill. 1881/85, 115 Mill. 1886/90 und 124 Mill. 1891/95. In Proz. der Gesamteinfuhr fiel der Anteil Deutschlands von 44 Proz. 1876/80 auf 20 Proz. 1886/90. Mertens, 1882-1911: Dreißig Jahre russische Eisenbahnpolitik und deren wirtschaftliche Rückwirkung, Archiv für Eisenbahnwesen 41. 1918, S. 448.

lassen des deutschen Nationalgebietes zu zwingen[26]. Schon Bismarcks politische Russenfreundschaft und wirtschaftliche Russenfeindschaft widersprechen sich vollständig und lassen in viel stärkerem Umfange als meist eingestanden wird, das kunstvolle Gebilde seines außenpolitischen Systems als eine anachronistische künstliche Konstruktion einer diplomatischen Kabinettspolitik erscheinen, neben der isoliert eine autonome Wirtschaftspolitik steht, deren entgegengesetze Wirkungen nicht ins Kalkül eingestellt werden. Bismarck hat diesen Bruch in seinem System nur zu sehr gefühlt, andere mit der These von der Inkohärenz der wirtschaftlichen und politischen Außenpolitik zu beruhigen und sich selber mit ihr eine Rückzugsbrücke zu bauen gesucht.

Die wirtschaftliche Rücksicht auf die politisch rußlandfreundlichen Agrarkonservativen hat eine zunächst wirtschaftliche und dann auch politische Feindschaft zwischen Rußland und Deutschland hervorgerufen. Bismarck hat die wirtschaftliche Grundlinie des preußischen Staates: Exploitierung des industriell unerschlossenen Ostens durch die eigene Industrie umgebogen und, da ein ausländisches Absatzgebiet nötig war, die Industrie auf die überseeische Expansion hingezwungen. Der deutsche Imperialismus hat sein letztes Motiv nicht im Kapitalismus, sondern in der Machtstellung der Agrarier, die der Industrie die Expansionsrichtung vorschrieben. Und die deutsche Industrie, deren Führer sich dem Staate anglichen — die oft geschilderte Feudalisierung des deutschen Bürgertums —, fügte sich dem agrarischen Willen, der vom Staat gestützt wurde. Während in England der Adel so viel Rücksicht auf das Bürgertum hatte nehmen müssen, daß er ihm seine unmittelbarsten wirtschaftlichen Interessen, die landwirtschaftlichen, opfern mußte, obwohl auch in England das Bürgertum niemals direkt die politische Macht in der Hand hatte, opferten in Deutschland um die Jahrhundertwende sowohl die Industrie wie das Finanzkapital ihre Interessen, die die kapitalistische Durchdringung des russischen Agrarreiches waren, den Interessen der adlig-konservativen Landwirtschaft, die die möglichste Unterbindung der deutsch-russischen Wirtschaftsbeziehungen forderten. Es war nicht so sehr der kapitalistische Gegensatz Deutschlands gegen England, der die Entscheidung von 1900 bestimmte, als die Vereitelung der kapitalistischen Expansion nach Rußland durch die Landwirtschaft, welche die Expansion über See und damit den militärischen Gegensatz gegen England zur Folge hatte.

[26] W. Lotz, Handelspolitik, S. 65. Sehr vorsichtig formuliert Schmoller ein im Grunde vernichtendes Urteil: Staatenbildung und Finanzentwicklung, Schmollers Jahrbuch 33. 1909, S. 55.

Schon in den neunziger Jahren blieb die deutsche Kapitalinvestition in Rußland nicht nur hinter der belgischen und französischen zurück, sondern auch hinter der deutschen der achtziger Jahre. Und auf die russische Geldkrise vom Herbst 1899 reagierte bezeichnenderweise der deutsche Markt viel stärker als der Pariser und Brüsseler im Sinne gesteigerter Zurückhaltung. Mit dieser russischen Krisis wurde die Stoßrichtung der deutschen Kapitalexpansion ausschließlich die Konkurrenz mit England. Von 26 Milliarden deutscher Auslandswerte entfielen 1906 nur 4 auf das Nachbarland Rußland[27]. Daß das deutsche Kapital anstatt des kampflosen Einströmens in das kapitalbedürftige Rußland den Weg des gefährlichen Kampfes mit England wählte, das war ihm aus der sozialen Lage mit ihrem Primat der Agrarier vorgeschrieben. Die unmittelbar nach dem Scheitern der englischen Bündnisverhandlungen, das Deutschlands Seefront mit der englischen Feindschaft belastete, inaugurierte Zollpolitik hatte die außenpolitische Wirkung, daß der von Bismarcks Zollmaßnahmen geschaffene Gegensatz zu Rußland die Form einer unlösbaren Feindschaft annahm. Denn der Zolltarif von 1902 beseitigte die Roggenkonkurrenz Deutschlands und Rußlands nur dadurch, daß den Russen einfach der Roggenexport unterbunden wurde und sie seit 1905 gezwungen wurden, die deutsche Viehzucht durch gesteigerte Gersteausfuhr hochzubringen[28]. Das war keine feine internationale agrarische Arbeitsteilung in Europa, wie man es in geradezu grotesker Verzerrung der wirklichen Lage genannt hat[29], das war ein außerordentlich scharfer Eingriff in die Wirtschaft Rußlands, und zwar ein so scharfer, daß, falls ein anderer Staat Deutschland gegenüber Ähnliches auch nur versucht hätte, die deutschen Agrarkonservativen am ehesten den Ausdruck der wirtschaftlichen Vergewaltigung gebraucht hätten. Und England, dessen Eintritt in die russisch-französische Entente erst den Ausgang des Weltkrieges entschied und das um die Jahrhundertwende nicht aus Handelsneid Deutschland, sondern unter dem Gesichtspunkt seiner Kolonialpolitik Europa einkreisen wollte, wie es Hans Rothfels mit feiner paneuropäischer Spitze formuliert hat[30], wurde durch die deutsche Außenpolitik

[27] Ischchanian, Die ausländischen Elemente in der russischen Volkswirtschaft, Leipzig 1913, S. 252.

[28] Vgl. die Tabelle bei Leo Inrowsky, Der russische Getreideexport (Münchener Volkswirtschaftliche Studien 105), Stuttgart 1910, S. 175.

[29] Fritz Beckmann, Die agrarische internationale Arbeitsteilung in Europa, Jena 1926.

[30] aaO.

aus dem Anschluß an Deutschland zum Anschluß an Frankreich und Rußland hinübergedrängt. Das hat seine soziale Unterbauung darin, daß in der Englandfeindschaft Kapitalismus und Agrarier in Deutschland sich trafen. So sehr unter den Agrariern etwa Diedrich Hahn gegen die „gräßliche Flotte" intrigierte[31] und Gustav Roesicke behauptete, die Flotte sei das Messer, mit dem man die deutsche Landwirtschaft „abschlachten" wolle[32]: die Agitation gegen England haben die Agrarier genauso gut finanziert, wie die Industrie die Flottenpropaganda. Im Kampfe gegen England glich sich das Interesse der Landwirtschaft mit dem der Industrie aus. Innenpolitisch, sozial, ökonomisch waren sie Todfeinde, aber außenpolitisch waren sie als Englandgegner Verbündete. Die Englandfeindschaft ist das Ventil gewesen, das gezogen wurde, um den aufeinander prallenden Kräften der Industrie und der Landwirtschaft einen außenpolitischen Ausweg zu ermöglichen, der beiden dabei eine „nationale" Haltung gestattete. Die Englandfeindschaft war alles andere als ein überspannter ideologischer Nationalismus von Leuten, die die außenpolitische Lage nicht übersahen, und die Burenschwärmerei war alles andere als ein Ausdruck der „unpolitischen" Natur des ideologischen Deutschen, der für die Freiheit unterdrückter Völker eintreten wollte. Sie wäre in diesem Fall eine mehr oder minder akademische Angelegenheit geblieben. Sie hat ihre erbitterte Schärfe und vor allem ihre Dauer nur durch ihre Bedeutung als Funktion des Kampfes der Industrie und der Landwirtschaft um die Staatsmacht gegen das Proletariat erhalten. Es waren nicht die trüben Volkseigenschaften, die über die klare Staatsräson triumphierten, sondern die ganz klaren Klasseninteressen der Agrarier, der Industrie, der Reeder, deren innenpolitisch, wirtschaftspolitisch und sozial bedingte Englandfeindschaft über die ebenso klaren Interessen des deutschen Volkes den Sieg davontrugen, weil sich die deutsche Reichsleitung in der Sammlungspolitik mit den Interessen dieser Klassen gegen das Interesse des deutschen Volkes identifiziert hatte.

Die innenpolitische Wirkung des Flottenbaues und der Weltpolitik war die Stärkung der kapitalistischen, liberalen, bürgerlichen Elemente; die Flottengesetze wurden gerade von der Regierung mit der Notwendigkeit des Schutzes kapitalistischer Expansion motiviert. In die Außenpolitik übertragen aber hieß dieser innenpolitische Liberalismus nicht politische Angleichung an die sozial ähnlich aufgebauten Westmächte,

[31] Reichstagsverhandlungen 10. Febr. 1900, X, 1; Bd. 5, S. 4025, 4028, 4043/45.

[32] Reichstag, 14. Dez. 1899. X, 1, Bd. 4, S. 3386, Vgl. sein Gespräch mit Tirpitz am 12. Aug. 1915. Tirpitz, Erinnerungen, S. 492.

sondern Feindschaft gegen sie. Wie in den sechziger Jahren die nationale Einigung Deutschlands, d. h. seine Angleichung an den politischen Status Frankreichs, im Gegensatz zu Frankreich unter Rückendeckung durch das zaristische Rußland erfolgt war, so rief in den neunziger Jahren die deutsche Industrialisierung, d. h. die Angleichung an den wirtschaftlichen Zustand Englands, dessen Feindschaft hervor und erforderte genau wie in den sechziger Jahren die Aufrechterhaltung der russischen Freundschaft und das politische Bündnis mit einem Staat, das jetzt, in der scharfen agrarischen Krise, unter der Europa litt, aber nur bei der genauesten Abpassung der beiderseitigen wirtschaftlichen Bedürfnisse zu realisieren war. Doch 1900 fehlte diese Realisierungsmöglichkeit. Die fiskalische Schutzzollpolitik Wyschnegradskis, der forcierte Getreideexport bei scharfer Drosselung des Imports aus Deutschland als Antwort auf Bismarcks Zollpolitik und die Einführung des kapitalistischen Rentabilitätsprinzips in die russische Eisenbahnwirtschaft haben schon 1890 in einem bisher von der Forschung zu sehr vernachlässigten Maße den Hintergrund bei der Nichterneuerung des Rückversicherungsvertrages gebildet, und ebenso lassen sich 1900, ohne einerseits das Finanzsystem Witte in seiner ganzen Kompliziertheit und andererseits die antirussische Konkurrenzpolitik der deutschen Landwirtschaft, d. h. des verschuldeten kleineren Großgrundbesitzes Ostelbiens, zu berücksichtigen, die Aussichten für ein deutsch-russisches Bündnis, das mehr als eine Episode der diplomatischen Technik sein sollte, nicht abschätzen. Dieses Bündnis war die Voraussetzung jeder antienglischen Politik, aber dieses Bündnis zu schließen, war auf deutscher Seite unmöglich, solange die deutsche Regierung ihre Agrarpolitik sich von den Rittergutsbesitzern Ostelbiens diktieren ließ. So blieb die Flotten- und Weltpolitik in der Luft hängen, da die Agrarier dementsprechend auch für die politische Außenpolitik eine antirussische Haltung vorschrieben, und da es im Zusammenhang der Sammlungspolitik den kapitalistischen, antienglischen Kräften innerhalb des Reiches nicht gelang, durch politische Freundschaft mit den Russen diese finanziell und industriell zu beherrschen. Die Russen haben aus ihrer tiefen Befriedigung über den Bau der deutschen Flotte in Berlin kein Hehl gemacht[33], aber 1902 dürfte in den Engländern das deutsche Zolltarifgesetz dieselbe Freude ausgelöst haben. Denn anstatt daß Deutschland für die antirussische Politik, die England 1898 bis 1901 von ihm

[33] Bericht des Hamb. Bevollm. z. Bundesrat, Senator Dr. Burchard, an den Senator Dr. Lappenberg 21. Nov. 1899, Staatsarchiv Hamburg. Vgl. Tirpitz, Erinnerungen, S. 105, und jetzt Meinecke, Bündnisproblem, S. 122, 142.

gefordert hatte, Entschädigungen von England verlangt hätte, beteiligte es sich freiwillig nach dem Scheitern des englischen Bündnisses an der von England betriebenen Einkreisung Rußlands. Der deutsche Zolltarif gegen die russische Landwirtschaft und das englisch-japanische Bündnis gegen die russische Position im Fernen Osten sind im selben Jahre perfekt geworden. Wenn auch England und Deutschland seit dem Scheitern der Bündnisverhandlungen in die entscheidende Feindschaftsstellung von 1914 gerieten, so leistete Deutschland unter dem Druck seiner ostelbischen rußlandfeindlichen Agrarier der gegen Rußland gerichteten englischen Politik noch unschätzbare Dienste.

Innenpolitisch stellte der Flottenbau und die gegen England gerichtete industrielle und kommerzielle Konkurrenzpolitik die Frage, wie ein Staat, der politisch und sozial von den Agrariern regiert wurde, eine ausgeprägt kapitalistische Außenpolitik treiben konnte, ein Staat, der im Innern durch seine Getreidepolitik die Fabrikarbeiter in Lebensmittelkrawalle hineintrieb und ihre Reallöhne senkte[34], nach außen sich aber ganz auf die Industrieentwicklung verließ. Außenpolitisch stellte sich die Frage nach der Haltbarkeit eines der antienglischen Politik korrelativen Bündnisses mit Rußland, denn Deutschland war nicht nur kapitalistischer Konkurrent Englands, sondern ebenso heftiger agrarischer Konkurrent Rußlands. Was man oft die ungünstige geographische Situation Deutschlands genannt hat, ist zum guten Teil Produkt nicht der Geographie, sondern der Wirtschaftspolitik, ist nicht statisch für immer festgelegt, sondern durchaus dynamisch. Es wird zwar oft gesagt, daß die industrielle Konkurrenz zwischen Deutschland und England nicht unbedingt die politische Feindschaft zwischen beiden Ländern nach sich ziehen mußte. Die agrarische Konkurrenz zwischen Deutschland und Rußland aber mußte notwendig die politische Feindschaft zur Folge haben, denn die — mehr oder minder erfolgreiche — Sperrung des deutschen Marktes für den russischen Roggen, der bei der internationalen Bedeutungslosigkeit des Roggenkonsums sonst nur noch in Skandinavien Absatz finden konnte, warf das Finanzsystem Witte um, senkte den schon erschreckend dürftigen Lebensstandard des russischen Bauern noch mehr und erschwerte durch diese Vernichtung des inneren Marktes den Aufbau der russischen Industrie auf äußerste. Man darf doch niemals vergessen, daß Deutschland in den neunziger Jahren durch seine Wirtschaftspolitik Rußland gegenüber in genauso derselben Position gewesen ist wie heute [1928] Amerika durch den

[34] Sering, Agrarkrisen und Agrarzölle, S. 80/81.

Dawesplan gegenüber dem geschlagenen Deutschland. Ein politisches Bündnis unter derartigen wirtschaftlichen Voraussetzungen wäre, von Rußland aus gesehen, nur ein Schachzug der russischen Diplomatie gewesen, wie schon der Rückversicherungsvertrag von 1887 und die russischen Versuche zu seiner Erneuerung 1890 nur Aushilfsoperationen der russischen Diplomatie, eines ganz kleinen Kreises um den machtlosen Außenminister v. Giers gewesen sind, der offensichtlich vor einer „inneren Kabinettskrise" stand, wenn er außenpolitisch dem eigentlichen Diktator der russischen Gesamtpolitik, dem Finanzminister, keine Erfolge vorweisen konnte. Giers suchte also Deutschland politisch-technisch bei der Stange zu halten, selbst als Wyschnegradski die nötigen Gelder sich von Deutschlands Feinden in Paris beschaffte. Wenn aber Deutschland um 1900 als Antwort auf ein ultimatives englisches Bündnisangebot eine russische Allianz hätte versuchen wollen[35], so hätte es vorher nicht nur die internationale Agrarkrise beseitigen müssen (die aus ganz anderen Gründen zu Ende ging als durch deutsche Schutzzollmaßnahmen[36]), es hätte ebenso die ostelbischen Rittergüter — die am schwersten unter der Agrarkrise litten und deshalb trotz aller politischen und sozialen Sympathie mit dem zaristischen Despotismus die schärfsten Vorkämpfer der antirussischen Politik waren —, in Kleinbauerngüter aufteilen müsen, denn wie hätte ein politisches Bündnis Bestand haben können, wenn die deutsche Wirtschaftspolitik dem Bundesgenossen Schaden zufügte[37]? Und vor allem: Deutschland hätte das französisch-belgische Kapital in Rußland durch eigenes ersetzen müssen. Bismarck hatte sich gegen solche kapitalistische Fesselung des Bundesgenossen nicht nur in der reichlich bekannten Geldpolitik von 1887 gewandt, sondern seine ganze Zollpolitik seit 1879 schon hatte die russische Wirtschaft geschädigt. Die Vorbedingung, Rußland politisch zu fesseln, war stets die Kreditgewährung. Nicht nur die russisch-französische Allianz, ebenso — was bis jetzt wenig beachtet wird — die englisch-russische Entente von 1907 sind im höchstmöglichen Umfange nachträgliche politische Bestätigungen finanzieller Beziehungen, die jeweils erst ganz wenige Jahre bestanden. Aber war Deutschland in seiner damaligen Verfassung überhaupt in der Lage, sich mit Ruß-

[35] Rothfels, Archiv für Politik und Geschichte, 1926/II, S. 613.

[36] Großartig bei Sering zusammengefaßt.

[37] Das von Meinecke (Bündnisproblem) herausgearbeitete Hindernis Österreich-Ungarn, bes. „die Tschechoslowakei", bleibt daneben natürlich in vollem Umfang bestehen. Hier handelt es sich aber vor allem um die sozialen Hindernisse der außenpolitischen Entscheidung.

land zu alliieren? Mit Rußland konnte ein konservativer Staat kein Bündnis mehr abschließen. Denn viel stärker als die antiquierte Dynastenfreundschaft und die feudale Gegnerschaft gegen die Revolution wog die Ergänzungsbedürftigkeit des russischen Agrarstaates durch das Geld eines kapitalistischen Staates; ein konservativ-agrarisch-schutzzöllnerisches Deutschland sucht aber in seinen russischen Beziehungen stets die agrarischen Interessen über die kapitalistischen zu stellen. Als der Zar die Marseillaise stehend anhörte, war das ein Ausdruck des Bündnisses des russischen Agrarstaates mit dem Gelde Frankreichs nicht nur gegen Deutschland als politische Macht, sondern mehr noch: die praktische Widerlegung aller monarchischen Solidarität der Ostmächte durch den überlegenen Zwang der wirtschaftlichen und bei Deutschland nicht zu befriedigenden Ergänzungsbedürftigkeit Rußlands.

Jedoch, selbst den Fall gesetzt, daß Deutschland seiner Politik gegenüber Rußland auch finanziell einen gesunden Boden zu geben versucht hätte: der Petersburger Börsenkrach vom 23. September 1899, der die Wittesche Gründerperiode abschloß, machte jede Politik unmöglich, die mit einem Hineinpressen deutschen Kapitals nach Rußland verbunden war. Und wie an dieser Lage des russischen Geldmarktes, so wäre jede deutsch-russische Bündnispolitik zur diplomatisch-technischen Episode verurteilt geblieben durch die soziale Machtverteilung innerhalb des Deutschen Reiches. Die Agrarkonservativen waren Feinde des Getreide exportierenden Rußland; auf sie nahm seit 1897 die Innen- und Wirtschaftspolitik jede nur denkbare Rücksicht. Sollte plötzlich in der Außenpolitik eine Ausnahme gemacht werden? Wie sollte ein Reichskanzler auf die Idee kommen, die Agrarier innenpolitisch zu liebkosen und außenpolitisch zu ohrfeigen? Nicht nur das englische, auch das russische Bündnis verlangte von dem Lenker der deutschen Außenpolitik, daß er zuvor die Quadratur der Zirkel gelöst hatte: die Zustimmung der ostelbischen Agrarier, die man für die Sammlungspolitik nicht entbehren konnte, zu einer ihnen aufs äußerste verhaßten Außenpolitik zu erzwingen.

Schon aus dieser Tatsache, daß der Reichskanzler zugleich die Außenpolitik und die Innen- und Wirtschaftspolitik leitete, ergibt es sich, daß die deutsche Außenpolitik (wie die jedes anderes Staates auch) niemals verständlich wird, wenn sie nur als diplomatische Technik mit Hilfe der Akten des Auswärtigen Amts und der Diplomatenmemoiren analysiert wird. Die Frage der englischen Bündnisangebote ist keine isolierte diplomatische Aktion, nicht nur in dem Sinne, daß sie ein

Glied einer langen außenpolitischen Entwicklung ist; sie ist ebenso unlöslich verknüpft mit den Fragen, die sich aus den schweren sozialen und wirtschaftlichen Erschütterungen der neunziger Jahre ergeben und die eine — mehr oder minder unzureichende — Gesamtlösung in der Sammlungspolitik erfuhren. Innen- und Außenpolitik — diese in ihren zwei Formen der wirtschaftlichen und der diplomatischen Außenpolitik — verfolgten um die Jahrhundertwende in aller scheinbaren Zerfahrenheit doch ein gemeinsames Ziel: diese Gesamtlösung zu erreichen. Die Zollvorlage ist die wirtschaftspolitische, die Zuchthausvorlage die sozialpolitische, das zweite Flottengesetz die machtpolitische und die Kombination der antienglischen mit der antirussischen Politik die außenpolitische Seite ein und derselben Tendenz: der Sammlungspolitik.

Deutsch-englisches Bündnisproblem der Jahrhundertwende

Seitdem 1919 der ehemalige Botschaftsrat an der deutschen Botschaft in London, Freiherr von Eckardstein, seine Lebenserinnerungen veröffentlichte und darin zum ersten Male — vorher waren nur schwache und undeutliche Andeutungen in die Öffentlichkeit gedrungen — der Welt die sensationell wirkende Kunde mitteilte, daß um die Jahrhundertwende, zur Zeit der Burenbegeisterung, des erbittertsten Englandhasses und der ersten Flottengesetze, zwischen der deutschen und englischen Regierung geheime Verhandlungen über ein Bündnis geführt worden sind, seit dieser Zeit hat es immer wieder die neueren Fachhistoriker gereizt, das deutsch-englische Verhältnis in seiner grundsätzlichen Bedeutung für die Entstehung des Weltkrieges und das heutige Schicksal Deutschlands aufzuhellen. Wir haben seitdem scharfsinnige Untersuchungen von Rothfels über Bismarcks Englandpolitik und geistvolle Konstruktionen von Bächtold über die Grundlinien der englischen Außenpolitik um die Jahrhundertwende erhalten, um nur die wichtigsten zu nennen. Die Veröffentlichung der deutschen Vorkriegsdokumente hat dann gezeigt, mit welcher Phantasie Herr von Eckardstein seine Memoiren geschrieben und selbst den Text der abgedruckten Dokumente umgestaltet hat. Auf den deutschen Dokumenten beruht auch die Veröffentlichung von Eugen Fischer mit dem aufregenden Titel: Holsteins großes Nein, die ein strenges, dogmatisch-juristisches „Schuldig der schwersten Strafe“ über die deutsche Vorkriegspolitik aussprach. Auf ihr beruht auch das neueste Buch über diese Zentralfrage der Vorkriegsgeschichte: Friedrich Meineckes Geschichte des deutsch-englischen Bündnisproblems 1890/1901[1].

Meinecke ist bisher bekannt geworden durch seine ideengeschichtlichen Werke. Der Biographie Boyens, die ihn noch im Werden zeigt, folgte 1907 „Weltbürgertum und Nationalstaat“, das seinen Ruhm

[1] Frhr. v. Eckardstein, Lebenserinnerungen, 3 Bde, Leipzig 1919/20; Hans Rothfels, Bismarcks Englische Bündnispolitik, Stuttgart 1924; Hermann Bächtold, Der entscheidende weltpolitische Wendepunkt der Vorkriegszeit, Weltwirt. Archiv 20. 1924; E. Fischer, Holsteins großes Nein, Berlin 1925; F. Meinecke, Bündnisproblem, München 1927.

begründete und wenige Jahre später der konkretere Band über Radowitz. 1924, aus Krieg und Niederlage, aus der Vergangenheit des Bismarckschen Reiches und der Gegenwart einer tiefen Umbildung der Staaten entstanden, folgte „Die Idee der Staatsräson in der neueren Geschichte". „Weltbürgertum und Nationalstaat" zeigte den Beginn des großen Prozesses, der das 19. Jahrhundert füllt, die Einfügung des deutschen Geistes, der in einem leeren Raum stand, in die Realität der Politik und die scheinbare Vereinigung beider in der Bismarckschen Reichsgründung. Der Weltkrieg brachte ein Eingreifen des Ideenhistorikers in die Politik im Kampf gegen die Vaterlandspartei. Die zwanzig Jahre nach „Weltbürgertum und Nationalstaat" erschienene „Geschichte des deutsch-englischen Bündnisproblems" führt die Entwicklung Meineckes einen Schritt weiter: zur Kritik der Außenpolitik des deutschen Kaiserreiches.

Mit der unendlichen Zartheit und Feinheit der langen ideengeschichtlichen Schulung nimmt er Stellung zu dieser Vergangenheit mit Worten, bei denen man doch weiß, woran man ist — noch heute ist nur zu sehr in der Fachhistorie die Untugend verbreitet, nur ganz zart und verborgen ein schüchternes Urteil zu fällen, ohne daß mit dieser Zurückhaltung im Sprechen und Schreiben auf die ganz konkrete Grundlage der Urteilsbildung verzichtet wäre — und kommt zu dem Ergebnis, zu dem in der Zeit der politischen Entscheidung unter den deutschen Parteien neben Eugen Richter nur die Sozialdemokratie gekommen war: daß das Bündnis mit England eine Notwendigkeit für Deutschland bedeutete, daß es zwar keine Patentlösung für alle weltpolitischen Schwierigkeiten sein konnte, daß aber die höchste Wahrscheinlichkeit dafür spricht, daß durch seinen Abschluß das deutsche Kaiserreich vor der Katastrophe bewahrt geblieben wäre.

Die Atmosphäre des Bündnisproblems atmet stärkste Freiheit von jenem Nationalismus, der unter dem Mantel wissenschaftlicher Tendenz und Argumentationstechnik doch immer das eigene Land entlasten will, die Fehler des eigenen Staatsmannes vielleicht zugibt, ihm aber die Gloriole einer nationalen Besorgtheit zu verleihen strebt und die taktischen Manöver des Gegners in die Nähe eines finsteren Macchiavellismus rückt, an dem gemessen die Ehrlichkeit der eigenen Politik um so stärker hervortritt. Unter diesem Gesichtswinkel gemessen, gehört Meineckes Buch, so „politisch" auch sein Objekt ist, zu den seltenen unpolitischen, d. h. wirklich historischen Werken. Wenn wir straff die Grundlinien durch die Überfülle wohl abgewogener und feinfühliger Bemerkungen über das Verhalten der deutschen und der englischen

Staatsmänner hindurchziehen und dabei die vorsichtige, oft relativistische Formulierung des Urteils beiseite lassen, so ergibt sich etwa folgendes Bild: Wir sehen, wie das ungeheure Mißtrauen, das durch Bismarcks sogenannte Realpolitik gegen Deutschland in der Welt großgezüchtet und infolge der wahllosen Zornes- und Liebesausbrüche Wilhelm II. gegen ziemlich alle Großmächte der Welt noch berechtigter geworden war, die fremden Staatsmänner beherrschte und sie bei jeder unruhigen Bewegung Deutschlands voll Sorge nach Hilfe gegen diesen unberechenbaren Koloß sich umschauen ließ. Und zugleich — ein wahrhaft groteskes Schauspiel — zitterte dieser Koloß vor England und seinen Diplomaten, denen er nur den einen Gedanken zutraute: wie sie wohl Deutschland in den großen Kontinentalkrieg, der angeblich ihr oberstes Ideal und das oberste Gebot ihrer Staatsräson war, hineinhetzen, in seinem Verlauf möglichst schädigen und am Schlusse schmählich im Stich lassen könnten. Die Wilhelmstraße traute den Engländern mit diesem Willen zur Opferung des Bundesgenossen nicht viel mehr zu, als was sie selber mit dem Verbündeten Österreich vorhatte: wenn es dadurch möglich war, die russische Freundschaft wieder zu gewinnen, war sie bereit, den Russen Konstantinopel in die Hände zu spielen und Österreichs Lebensinteressen auf dem Balkan preiszugeben. England wurde zwar bedroht und beleidigt mit dem Hintergedanken, es dadurch an Deutschland heranholen zu können — dies war die Grundlage der Krüger-Depesche —, aber stets suchte sich Deutschland mit Rußland gut zu stellen, und wenn man — besonders in wirtschaftspolitischen Angelegenheiten — auch Rußland gegenüber oft wenig liebenswürdig auftrat, so ließ man sich dafür auch, wie Metternich bemerkte, von Rußland wieder viel mehr gefallen als von England. Holstein — und mit ihm die ganze öffentliche Meinung des bürgerlichen Teiles der deutschen Nation — vertrat zwar mit Feuereifer die berüchtigte „Kastanientheorie", die Englands Vertragsfähigkeit bezweifelte, aber Deutschland tat seinerseits nicht das geringste, dies sehr berechtigte Mißtrauen Englands in die deutsche Vertragstreue zu beseitigen. Welchen Grund hatte England denn überhaupt, einem Deutschland zu trauen, das hartnäckig darauf bestand, es mit dem zerbrechenden Österreich zu alliieren und außerdem dauernd auf dem Sprunge stand, sich wieder mit Rußland zu vertragen? Dabei glaubte die Wilhelmstraße fest, daß England eine kontinentale Allianz viel stärker nötig habe als das von zwei feindlichen Großmächten eingekeilte Deutschland das englische Bündnis, und daß England nur für Deutschland, aber nicht für Rußland optieren könne.

Und ebenso deprimierend wie der Einblick in die tiefe Sorge der fremden Diplomatie um die Abenteuerlichkeit der deutschen Politik ist der Einblick in die Grundhaltung der deutschen Außenpolitik der Zeit. Ihre taktische Durchführung war ein leichtherziges Plätschern in den Wellen, ein oberflächlicher Versuch, sich, wie Bülow schrieb, „bald mit einer Verbeugung vor dem britischen Löwen, bald mit einem Knix vor dem russischen Bären" durch die politischen Antinomien „hindurchzuschlängeln", die Absicht, „die weitere Entwicklung der elementaren Ereignisse mit Geduld und Sammlung abzuwarten." Ihre Psychologie war „der geistige Hochmut jener in Deutschland nun aufkommenden Richtung, die sehr realpolitisch sein wollte und sehr doktrinär dabei wurde", oder nach der Formulierung des Bündnisgegners Hans Rothfels „jene Mischung von unproduktivem Mißtrauen und illusionärem Leichtsinn, die den Mangel dieser Generation an Schicksalsgefühl erschütternd belegt." Aus diesem Fehlen des politischen Fingerspitzengefühls entstand dann die starre und lebenslose Auslegung des Souveränitätsprinzips, die nie ein Nachgeben, ein taktisches Zurückweichen, einen Verkauf provisorischer Machtstellungen gegen besseren Gewinn, den Verzicht auf eine Welt- und Flottenpolitik im Stil des Phaeton — was nützt der jetzigen Generation das zweifelhafte Lob: magnis tamen excidit ausis? — zugunsten rationellerer Erfolge gestattete, weil das die „nationale Ehre" verletzte, über die der Alldeutsche Verband und der Flottenverein mit ihren industriellen und hanseatischen Hintermännern eifersüchtig wachten.

Das ganze Lebenswerk Meineckes ist durchzogen von einer bewußten und disziplinierten Einschränkung seiner Problemstellungen. Auch in der Geschichte des Bündnisproblems findet sich diese freiwillige Grenze seiner intensiven Arbeit, die er nur an wenigen Stellen andeutend überschreitet: sie läuft hier genau auf der noch nicht exakt abgesteckten und in ihrer Linienführung höchst problematischen Grenze entlang, die die Gebiete Innen- und Außenpolitik scheidet und zugleich verbindet. Wenn er auch einmal davon spricht, daß in der innenpolitischen Situation „eine der tiefsten Ursachen für das Scheitern der Bündnisverhandlung" liegt, die Frage bleibt zuletzt doch offen, wieweit, um mit Alfred Weber zu sprechen, bei dieser entscheidenden Krisis in der deutschen Außenpolitik „die innenpolitische Dynamik in die außenpolitische Formung eingebrochen" ist; die Analyse der Außenpolitik bleibt innerhalb des Hin und Her der diplomatischen Aktion und Konteraktion und zeigt im ganzen dies Spiel als eine in sich geschlossene Welt. Aber ist dieses Spiel schon die Gesamtheit der Außenpolitik?

Auf beiden Seiten leben die Diplomaten in einer innerpolitischen Atmosphäre — das hebt auch Meinecke einmal hervor —, die in den Akten, den schriftlichen Weisungen nicht wiederzufinden ist. Und hinter dem Oszillieren der täglichen Weisungen, das in den Akten seinen Niederschlag findet, stehen ohne schriftliche Fixierung, aber eminent wirksam, die sozialen Welten, deren außenpolitische Techniker die Diplomaten sind, auch wo sie glauben, dem rein diplomatischen Gesetz der Staatsräson zu gehorchen. Ohne daß es dem großen Historiker zu nahe treten hieße, sei es uns deshalb erlaubt, einige ausweitende Bemerkungen zu dieser von ihm nur gestreiften Seite des deutsch-englischen Bündnisproblems nachzutragen und unsere Auffassung darzulegen, die der innenpolitischen und sozialen Lage des Reiches einen entscheidenden Anteil an der außenpolitischen Entscheidung gibt.

Die deutsche Englandfeindschaft wird im allgemeinen auf die viel erörterte Expansion der deutschen Nationalwirtschaft in der Welt zurückgeführt: niemand stärker als das Reichsmarineamt hat in seiner großangelegten Agitation die vulgär-marxistische These vertreten, daß die Flotte die „Funktion der Seeinteressen", d. h., daß die Rüstung die Funktion der kapitalistischen Interessen sei. Aber mit dieser Theorie wird noch nicht erklärt, wie die Reichspolitik in Feindschaft zu Rußland geriet. Die schwierige außenpolitische diplomatische Lage des Reiches war durch die Kündigung des Rückversicherungsvertrages und durch die Wandlung der englischen Außenpolitik gegenüber der Türkei entstanden; die innenpolitische und soziale Klammer aber, die die Doppelfeindschaft des Reiches gegen England und Rußland zugleich zusammenhielt, war nicht die kapitalistische Expansion oder auch die allgemeine politische Mentalität, sondern die ganze Sozialverfassung des Reiches. Und diese Sozialverfassung wurde in den neunziger Jahren von zwei Krisen erschüttert, der Agrarkrise und der proletarischen Krise.

Die von der Agrarkrise betroffene Schicht war, ökonomisch ausgedrückt, der durch eine unsinnige Güterpreispolitik seit Jahrzehnten überschuldete mittlere Großgrundbesitz Ostelbiens, sozial ausgedrückt, der Kleinadel, der das wichtigste Kontingent des Beamtentums und Offizierkorps stellte. Durch diese Verknüpfung von Grundbesitz und Verwaltung drückte die Agrarkrise ganz automatisch auf den Staatsapparat in der Richtung innenpolitischer Hilfsmaßnahmen und gleichzeitig — da die Agrarkrise ein internationales Phänomen war — in der Richtung einer analogen Außenpolitik. Die wichtigste innenpolitische Hilfsmaßnahme war — negativ — die Zurückdrängung des

Kapitalismus, des Handels einerseits — des Getreideterminhandels wegen —, der Industrie andererseits — der Landflucht wegen — und positiv: nach dem Versagen der „großen“ und der „kleinen“ Mittel die Erhöhung der Getreidezölle. Die von den Agrarkonservativen mit allen Mitteln einer skrupellosen Demagogie geforderte Außenpolitik war genau dieser Situation angepaßt. England war für sie die außenpolitische Parallelerscheinung des deutschen Kapitalismus, es wurde reich und ging nicht zugrunde, obwohl es seine Landwirtschaft hatte verfallen lassen. In Südafrika erfocht diese als „gottlos“ gebrandmarkte Gesellschaftsordnung ihre Siege über die sozialen Verbündeten der Konservativen, die Buren. Die Außenpolitik der Konservativen richtete sich weniger gegen das liberale und parlamentarische England, als gegen das vorgeschrittene kapitalistische Vorbild der eigenen Industrieentwicklung. Die Englandfeindschaft war alles andere als ein überspannter ideologischer Nationalismus von Leuten, die die außenpolitische Lage nicht übersahen, und die Burenschwärmerei war alles andere als ein Ausdruck der „unpolitischen“ Natur des ideologischen Deutschen, der für die Freiheit unterdrückter Völker eintreten wollte. Sie wären in diesem Falle eine mehr oder minder akademische Angelegenheit geblieben; ihr kompakter Einfluß war nur die Folge ihrer kompakten Motive. Sie war nicht aus dem Nationalismus als der außenpolitischen Haltung des vom Bürgertum beherrschten Nationalstaates geboren, sondern aus der vor- und antinationalen Furcht der unter der Krise leidenden Beherrscher eines Agrarstaates, die mit Sorge auf die Erfolge des englischen Industriestaates in der Welt sahen.

Zu der antienglischen Haltung der Agrarkonservativen gesellte die Agrarkrise die Feindschaft gegen Rußland. Hier sieht man deutlich, wie die ökonomischen Motive die politischen und sogar die sozialen in den Hintergrund drängen. Denn sozial und politisch waren die Agrarkonservativen Freunde Rußlands, wirtschaftlich aber — das hat schon Carl Brinkmann mehrfach betont — mußten sie in Rußland den gefährlichsten Konkurrenten ihrer Roggenproduktion sehen. Politisch mochte ihnen ein Bündnis mit Rußland sehr sympathisch sein, wirtschaftlich haben gerade sie durch den Zolltarif von 1879, später noch mehr durch den von 1902, die russische Wirtschaftsentwicklung schwer geschädigt und die wirtschaftlichen Gegenmaßnahmen zur politischen Entfremdung steigern helfen.

Erst sekundär nach diesen agrarischen Forderungen haben Industrie, Finanz und Handel einen Druck auf die Richtung der Außenpolitik ausgeübt. Die Berliner Banken haben schüchtern dem ersten Flottengesetz zu widersprechen versucht, aber des hanseatischen Reeders Adolf Woermann rücksichtslose Machtpropaganda hat sie rasch zum Schweigen gebracht. Der hanseatische Handel hat sich gegen England trotz alles ehemaligen Freihandels sehr feindselig gestellt und die Schwerindustrie des Westens nicht minder. Die antienglische Tendenz des Kapitalismus ist nicht zu bestreiten, aber sie drang nur deshalb siegreich durch, weil die Agrarier ebenfalls gegen England auftraten. Die der Englandfeindschaft entsprechende Freundschaft des Kapitals für das geld- und industriearme Rußland ist bis auf die eigenwillige Anleihepolitik des Bankhauses Mendelssohn völlig ohne praktische Folgen geblieben: es kapitulierte vor den Zollforderungen des Großgrundbesitzers und unterließ es, größere Kapitalien in dem leicht zugänglichen Nachbarlande zu investieren.

Mit der Agrarkrise als Richtungsweiser der deutschen Außenpolitik verband sich noch ein ganz anderes Moment: die soziale Krise. Sie zeigte sich in den neunziger Jahren in den beiden Formen eines Kampfes zwischen den beiden „besitzenden" Klassen, Agrarier und Industrie, um die Staatsmacht und eines gleichzeitigen Kampfes des aufsteigenden Proletariats gegen die Herrenklassen. Unter dem Druck der „öffentlichen Meinung" sind die Leiter der deutschen Außenpolitik zu der verhängnisvollen Forderung gekommen, daß England sein Bündnis mit dem Dreibund, d. h. mit Österreich, nicht nur mit Deutschland, abzuschließen habe. Aber was war die Grundlage dieser öffentlichen Meinung? Sie war innenpolitisch vollständig in das Problem der Sammlungspolitik gebannt: Zusammenfassung des bedrohten, aber noch miteinander ringenden Besitzes gegen die soziale Revolution des vierten Standes. Und wer im Reich Englandhaß predigte und Weltpolitik verlangte, der war — von einer ganz kleinen einflußlosen Gruppe von Sozialreformern abgesehen — auch für die Unterdrückung des „vaterlandslosen Umsturzes", wobei nicht einmal das wichtigste war, ob die Gefahr der proletarischen Revolution in der Wirklichkeit bestand, als vielmehr was man auf der herrschenden Seite befürchtete. Schon Ende 1895 hatte Tirpitz die Worte geschrieben, die programmatisch über der Eingangstür der Flottenbauära stehen, daß „energisch, ohne Zeitverlust und systematisch die allgemeinen Seeinteressen vorwärts getrieben werden" müßten, „nicht zu geringem Grade auch deshalb, weil in der neuen großen nationalen Aufgabe und in dem damit verbundenen Wirtschaftsgewinn ein starkes Palliativ gegen gebildete und ungebildete Sozialdemokraten liegt." So griffen Agrarkrise und soziale Krise wie Zahnräder ineinander, um die Entwicklung vorwärtszutreiben, die außenpolitisch zur Feindschaft mit Rußland und England und zum Flottenbau, innenpolitisch zur Zuchthausvorlage und zum Zolltarif von 1902 führte. Entscheidend war, daß eine Politik erstrebt wurde, die die soziale Herrschaft der bisher im Kampfe liegenden Agrarier und Industriellen befestigte und ihnen dabei außenpolitisch eine „nationale" Haltung ermöglichte. Im Innern geschah das durch den Verzicht der Agrarier auf Doppelwährung und Zurückdrängung der kapitalistischen Entwicklung einerseits, in der Bewilligung der preis- und lohnsteigernden Getreidezölle durch die Industrie an die Agrarier andererseits. Außenpolitisch verzichtete der Kapitalismus auf seine prorussische Politik zugunsten der agrarischen Rußlandfeindschaft und fand dafür die Unterstützung der Agrarier für den von ihm propagierten Flottenbau, den diese bis dahin gern verhindert hätten. Die antienglische plus -russische Politik war der außenpolitische Ausweg, den die Sammlungspolitik den in ihr vereinigten Klassen zeigte und die Reichsleitung seit der Jahrhundertwende auch ging.

Nicht so sehr die diplomatische Technik hat über die Ablehnung des englischen Bündnisses entschieden; wir möchten Meineckes kurze Formulierung, daß, „vielleicht doch eine der tiefsten Ursachen für das Scheitern der Bündnisverhandlungen" in der gesamten innenpolitischen Situation zu suchen ist, noch einmal wiederholen und hinzufügen, daß die Geschichte des deutsch-englischen Bündnisproblems die Gefahren grell beleuchtet, die der außenpolitischen Führung des deutschen Volkes aus der sozialen Machtverteilung gerade des Bismarckschen Reiches erwachsen sind.

Die Rüstungsindustrie

Seit der frühen Wirtschaft primitiver Stämme, die nur geringe Unterschiede zwischen den Gegenständen des täglichen Gebrauchs und Waffen kannten, entwickelte sich ein Handwerk, das der Herstellung von Verteidigungs- und Angriffswaffen gewidmet war. Das Schwert- und Rüstungsgewerbe des Mittelalters bewegte sich nicht über diese Stufe hinaus, selbst wenn es für den Export arbeitete. Die Herstellung von Pulver und Kanonen blieb im Grunde auch ein Handwerk, selbst wenn in kurzer Zeit verhältnismäßig große Mengen von Geschützläufen gegossen oder geschmiedet wurden und das Eisen, das man für die Kanonen brauchte, aus Bergwerken gewonnen wurde, die auf einer primitiv-kapitalistischen Grundlage betrieben wurden. Bis in das Zeitalter des Absolutismus hinein wurde die geringe Nachfrage nach Waffen auf eine Weise erfüllt, die alles andere als einheitlich war. Ein geringer Teil wurde in staatlichen Fabriken hergestellt, während der Rest aus Fabriken kam, die der Staat an Unternehmer, die unter dem Verlagssystem Arbeiter anwarben, verpachtete, oder aber er wurde durch gelegentliche große Käufe im Ausland gedeckt, je nachdem wie die Nachfrage zu einer bestimmten Zeit gestillt werden konnte. Amsterdam war als Herstellungsort für Musketen bekannt, während zahlreiche Kanonen aus Stockholm kamen. Die französischen und schwedischen Geschützwerke des 18. Jahrhunderts befanden sich zum großen Teil in der Hand des Hochadels, der mit ihnen große Profite machen konnte.

Die Entwicklung der Rüstungsindustrie zu einem besonderen Zweig der vollentwickelten kapitalistischen Produktion mit beträchtlicher ökonomischer und politischer Bedeutung ging weitgehend während der zweiten Hälfte des 19. Jahrhunderts vonstatten. In dieser Zeit führte in jedem Lande die wachsende technische Präzision, die von dem gelieferten Material verlangt wurde, und die große Ansammlung von Kapital, die für die Massenproduktion notwendig war, zur Ausmerzung der meisten kleineren Betriebe und zur Konzentration der Produktion in wenigen Fabriken, die in der Lage waren, Waffen von hoher Qualität unter modernen Bedingungen herzustellen. Der dauernde technische Fortschritt in der Industrie und die Geschwindigkeit, mit der die Waffentypen wechselten, verschärfte den Wettbewerb noch mehr und vergrößerte die Anzahl der industriellen Bankrotte. Auf dieser Linie führte die weitere Entwicklung unvermeidbar in jedem bedeutenden Staat zu einer Tendenz zum Monopol. Geschützwerke haben in der Rüstungsindustrie immer eine führende Rolle gespielt, während Handfeuerwaffen-Fabriken nur gelegentlich aufgestiegen sind, obwohl sie sich manchmal zu großen Konzernen mit beträchtlichem politischem Einfluß und wirtschaftlicher Bedeutung entwickelt haben, wie im Falle der Firmen Mauser, Ludwig Loewe und der Berlin-Karlsruher-Industriewerke unter der Leitung von Paul von Gontard. Für Gewehrfabriken ist es jedoch zunehmend schwieriger gewesen, einflußreiche Positionen ohne Verbindung mit Geschützwerken zu gewinnen. Als Ganzes ist die Rüstungsindustrie trotz ihrer politischen Bedeutung ein so geringer Teil der gesamten Großindustrie, daß ihre Bedeutung als nationalökonomischer Faktor in Friedenszeiten relativ gering ist.

Die Begründer der modernen Rüstungsindustrie begannen ihre Laufbahn nicht mit der Absicht, Rüstungsindustrielle zu werden. Einige von ihnen, wie z. B. Ehrhardt, Alfred Nobel, Armstrong, Andrew Noble, Whitehead, Maxim und Zaharoff, traten in sie als Folge von Erfindungen, die sich für die Kriegsführung als nützlich erwiesen, oder aber einfach auf der Suche nach Profiten ein. Andere wieder, wie Krupp, Schneider, Vickers, Skoda, Whitworth, Carnegie, Schwab und Harvey, besaßen ursprünglich Industriebetriebe, die Konsumgüter herstellten. Sie wandten sich später zur Rüstungsindustrie, für die ihre Betriebe besonders geeignet waren.

Oftmals entwickelte sich die Verbindung zwischen der Herstellung von Kriegsmaterial und friedlichen Konsumgütern aus dem parallelen Anwachsen des Qualitätsstandards, der die zweite Hälfte des 19. Jahrhunderts kennzeichnete. Diejenigen Auftraggeber, die beide Arten von Material anforderten, wünschten wiederholt, daß große Aufträge besonders schnell und mit größter Präzision geliefert werden konnten. Bei der Herstellung großer Kanonen wurde das gleiche Material benutzt, das für zahlreiche qualitativ hochstehende Konsumgüter gebraucht wurde. Die Herstellung von Schiffsschraubenwellen, Eisenbahnschienen und Waggonrädern gehörte gleichzeitig mit der Gewinnung von Flußstahl für große Kanonen und Panzerplatten zu den ersten großen Problemen der Stahlindustrie. Eine Anzahl der älteren Rüstungsbetriebe stellte deshalb sowohl hochqualifiziertes Eisenbahn- wie auch Rüstungsmaterial her.

Die Kriegs- und Friedensproduktion hatten noch andere Verbindungspunkte als nur das Streben nach Qualität. Bedeutende Güter aus der Stahlproduktion für friedliche Zwecke dienten automatisch auch für Kriegszwecke. Die Schiffsschrauben schneller Dampfschiffe trieben auch Hilfskreuzer in Kriegszeiten an, und seitdem Eisenbahnen bei militärischen Operationen im deutsch-dänischen Krieg von 1864 und im amerikanischen Bürgerkrieg eine Rolle gespielt haben, sind Eisenbahnwagenräder und -schienen indirekt ebenfalls Kriegsmaterial. Seit dem Ende des 19. Jahrhunderts ist die Herstellung für Kriegs- und Friedenszwecke immer enger aneinander gerückt. Alle Generalstäbe waren an der Entwicklung des Automobils zu einem nützlichen Lastwagen sehr interessiert. Die Telegrafie kann praktisch überhaupt nicht in eine Kriegs- und Friedenstelegrafie unterschieden werden. Die chemische Industrie ist in einem solchen Ausmaß zur Herstellung von Kriegsmaterial herangezogen worden, daß es keine chemische Industrie mehr gibt, die nicht zugleich zur Rüstungsindustrie gehört, während bei der Herstellung von Flugzeugen und Flugmotoren der letzte Unterschied zwischen der Produktion für Kriegs- oder Friedenszwecke verschwunden ist. In Fabriken dieses Typs kann die Produktion für Friedenszwecke diejenige für Kriegszwecke übertreffen oder es kann der umgekehrte Fall eintreten. Das ist nicht so sehr eine Frage der Quantität jedes Produktionszweigs, als vielmehr seiner relativen Bedeutung für die Fabrik. Obwohl ungefähr sechzig Prozent der Gesamtproduktion der Firma Vickers im Jahre 1913 friedlichen Zwecken gewidmet waren, trug die Fabrik trotzdem den Stempel eines Rüstungskonzerns.

Während die Entwicklung der Rüstungsindustrie auf diese Weise Antriebe aus den Fortschritten der Konsumgüterindustrie empfangen hat, hat die Industrie im allgemeinen aus der Kriegserfahrung der Rüstungsindustrie gelernt. Die Entwicklungen in der Rüstungsindustrie während des Weltkriegs z. B. haben Licht auf die Probleme der Arbeiterschaft, der Arbeitszeit, der Arbeitslöhne, der betrieblichen Wohlfahrt und der bis dahin zum großen Teil unbekannt gebliebenen Möglichkeiten der Verwendung von Frauen in neuen Arbeitsbereichen geworfen. Ebenso ist die Bedeutung der Facharbeiter, der halbausgebildeten und der Hilfsarbeiter in ein neues Licht getreten. Die Möglichkeiten industriellen Fortschritts durch die Unterstützung der Wissenschaft, vor allem der Chemie, hat der Krieg klar herausgestellt, und auch das Ingenieurwesen ist stark angeregt worden.

Seit dem Beginn einer Rüstungsindustrie im modernen Sinne bis in die 1890er Jahre gab es nie eine Zeit gewöhnlichen Wettbewerbs zwischen Firmen, die die gleichen Produkte herstellten, sondern vielmehr einen erbitterten Kampf zwischen zwei verschiedenen Geschützarten und ein Wettrennen zwischen Kanonen und Panzerplatten. Die beiden rivalisierenden Methoden der Geschützherstellung bis zum Weltkrieg waren der Armstrong- und der Krupp-Prozeß. Beide Prozesse wurden während der 1850er Jahre entwickelt und schufen die Ausgangsposition für das Wachstum der größten britischen und deutschen Rüstungsfirma. In einem höchst erbitterten Wettbewerb versuchte jede Firma, Aufträge von der Artillerie des eigenen Landes zu erhalten und zugleich den Konkurrenten aus dessen eigenem Markt zu vertreiben. Armstrong gelang es, die Aufträge für die britische Flotte zu erhalten, aber nur für eine kurze Zeit, da technische Veränderungen die Firma vollständig auf Auslandsmärkte anwiesen. Durch die Verwendung eines hochgradigen, obwohl sehr teueren Tiegelstahls gewann Krupp die Aufträge der preußischen Armee verhältnismäßig leicht. Auf diese Weise war er in der Lage, sein Monopol bis zum Erscheinen des Ehrhardtschen Rohrrücklaufgeschützes zu behalten. Krupps anhaltender, aber schließlich erfolgloser Widerstand gegen die Übernahme des Rohrrücklaufs kostete seiner Firma auf dem Weltmarkt die führende Position bei der Herstellung von Feldgeschützen, obwohl diese Entwicklung nicht ihre Stellung im Hinblick auf die schwere Artillerie und die Panzerplattenherstellung beeinflußte. Bei der Konstruktion von Feldgeschützen übernahm Schneider-Creusot die Führung.

Der andere große Rüstungswettbewerb des 19. Jahrhunderts spielte sich zwischen Kanonen und Panzerplatten ab. Während der Flottenrüstung der 1860er Jahre entwickelten Frankreich und England hochseefähige bewaffnete Fregatten, die „Gloire" (1859) und den „Warrior" (1861). Ihnen folgten andere Schiffe mit zunehmend stärkerer Panzerung und Kanonen größeren Kalibers. Dieser Wettlauf zwischen Kanonen und Panzerplatten beruhte auf der rein mechanischen Zunahme in der Dicke der Panzerplatten und einem ähnlichen Anstieg des Geschützkalibers, ohne daß sich ihre Qualität verbessert hätte, bis die gigantischen 45-cm-Kanonen nicht länger bedient werden und die Schiffe das Gewicht der Panzerplatten nicht länger tragen konnten. Die Art dieses Wettbewerbs veränderte sich während der 1880er Jahre, als das Kaliber der Kanonen zugunsten verbesserter Qualität herabgesetzt wurde, während eine kompliziertere Herstellungsmethode die einfachen Eisenplatten durch legierte oder reine Stahlplatten zu ersetzen gestattete. Nach einer kurzen Pause, in der man den Harveyschen Härtungsprozeß anwandte, wurde 1893 das Wettrennen in seiner ursprünglichen Form durch Krupps Panzerplatte aus Zementstahl entschieden. Dieser Panzerplattentyp wurde so allgemein übernommen, daß in der Schlacht am Skagerrak sowohl die britische wie die deutsche Schlachtflotte mit Kruppschen Panzerplatten ausgerüstet war.

Als dieser Wettbewerb gegen Ende des 19. Jahrhunderts ausgetragen war, gewann in der Rüstungsindustrie die Konzentrationsentwicklung, die in den 1850er Jahren begonnen hatte, ein beschleunigtes Tempo. Die Erfindung des rauchlosen Pulvers ermöglichte es, das Schwarzpulver aufzugeben, und gab den Pulverfabriken eine neuartige Bedeutung für die Rüstung. Im Jahre 1886 verschmolz Alfred Nobel seine weltweiten Dynamit- und Pulverinteressen zur Nobel Dynamit Trust Company Ltd. in London, die unmittelbar den internationalen Sprengstoffhandel kontrollierte.

Kurz danach begann die Konzentrationsbewegung in der britischen Rüstungsindustrie, als die Monopole der älteren Firmen von jüngeren Wettbewerbern zerstört wurden. Da Armstrong die Preise für Kanonen und Brown und Cammell die Preise für Panzerplatten erhöht hatten, wobei beide Firmen gleichzeitig die Qualität ihrer Produkte senkten, unterstützte die Admiralität die Entwicklung der Firma Vickers, die in Leutnant Dawson einen begabten Konstrukteur besaß. Sie stellte eine verbesserte Stahlpanzerplatte anstelle der legierten Panzerplatte her, während sie ihre finanzielle Position für große Rüstungsaufträge dadurch verbesserte, daß sie ihr Geschäftskapital von 150.000 £ auf 750.000 £ anhob. Wenige Jahre später, im Jahr 1891, gestattete die Admiralität einer fünften Firma, William Beardmore & Company, sich an den Angeboten für Panzerplatten zu beteiligen. Die Schlacht zwischen diesen Firmen endete mit einem Konzentrationsprozeß großen Stils. 1897 absorbierte Armstrong den unabhängigen Panzerplattenbetrieb von Whitworth; Vickers kaufte die Maxim-Nordenfeldt-Betriebe und Brown die Clydebank-Werft. Unmittelbar nach dem Tode von Sir William Armstrong gelang Zaharoff, dem Direktor von Vikkers, die größte Fusion der Rüstungsindustrie, indem er Vickers, Armstrong und Beardmore zusammenbrachte. Vickers gab die Herstellung von Kanonen auf, Armstrong verzichtete auf die Herstellung von Panzerplatten, und Beardmore wurde eine untergeordnete Position auf den Werften des Trusts zugewiesen, indem Vickers einen ausschlaggebenden Anteil seines Aktienkapitals übernahm. Ein rivalisierender Konzern von geringerer Größe, die Coventry Ordnance Works, bildete sich, um diesen Giganten das Feld zu bestreiten, jedoch war die Zaharoffgruppe in der Lage, bis 1910 ihren neuen Wettbewerber vollständig vom Bau der großen Schlachtschiffe auszuschließen. In den letzten Jahren vor dem Ausbruch des Weltkriegs florierte jedoch das Geschäft der Coventry Works, vor allem, da sie sich an der Expansion der russischen Flotte beteiligen konnten. Sie waren jedoch nicht in der Lage, ernsthaft die Suprematie der Zaharoffgruppe zu bestreiten.

Verglichen mit der ungeheuren Konzentration der englischen Rüstungsindustrie unter Zaharoff nimmt sich der Einfluß des Krupp-Konzerns sowohl nach Größe wie Kapazität zweitrangig aus, obwohl er gleichfalls die alleinige Herstellung von schweren Geschützen in den 1890er Jahren aufgegeben und sich zu einem Produzenten von Rüstungsmaterial aller Art entwickelt hatte. 1893 kaufte Krupp die Grusonwerke in Magdeburg, die sich auf die Herstellung von Panzertürmen für ausländische Käufer spezialisiert hatten, und begann dort die Herstellung der Kruppschen Panzerplatten. 1896 kaufte er die kleine Germania-Schiffswerft in Kiel und eine Maschinenfabrik, die er zu Großbetrieben ausbaute. Im internationalen Geschäft jedoch wurde Krupp von der Zaharoffgruppe bei weitem übertroffen. Seine verhältnismäßige Schwäche wurde dadurch verstärkt, daß er dem finanziell schwachen Skoda-Konzern, der armselige Geschütze herstellte, 1902 Patentlizenzen überließ. Skoda gelang es allmählich, den österreichischen Markt zu kontrollieren, aber es mißlang ihm vollständig, die Balkanstaaten für sich zu sichern. Krupp wurde mehr und mehr auf die Herstellung von Schlachtschiffen und schweren Geschützen zurückgeworfen, wobei der Anteil der deutschen Werften an Kriegsschiffaufträgen für fremde Länder entsprechend sank. Kurz vor Ausbruch des Weltkrieges verlor Krupp einen seiner bedeutendsten Märkte, die Türkei, an die Zaharoffgruppe.

In den Vereinigten Staaten hatte sich in der Zwischenzeit die Rüstungsindustrie in etwas anderer Form entwickelt. Hier wuchs sie in prägnantem Maße aus der bereits bestehenden Industrie hervor, so daß der typische europäische „Kanonenkönig“ vollständig fehlte. Die zahlreichen kleinen Hochöfen und Eisenschmelzereien, die während des Unabhängigkeitskrieges Kanonen und Kanonenkugeln herstellten, und die kleinen Pulverfabriken der gleichen Zeit errangen keine ökonomische oder politische Bedeutung. Der Bürgerkrieg regte eine Zeit lang eine ausgedehnte Produktion von Rüstungsmaterial an, dennoch entwickelte sich aus ihm keine dauerhafte Rüstungsindustrie, da die amerikanische Armee und Flotte nach dem Krieg eine halbe Generation lang weder Kanonen noch Schiffe in Auftrag gaben. Erst als die Vereinigten Staaten 1886 ihre moderne Flotte zu bauen begannen, wurden den großen Betrieben Aufträge vermittelt. Kanonenaufträge wurden an die Midvale Steel Co., die sich später an dem erbitterten Wettbewerb um Panzerplatten ebenfalls beteiligte, vergeben, während Kanonen und Panzerplatten bei der Bethlehem Iron Company (später der Bethlehem Steel Corporation) in Auftrag gegeben wurden. Als Hayward A. Harvey, der Präsident der Harvey Steel Company in Newark, N. J., 1890 den Harveyprozeß zur Härtung von Panzerplatten erfand, begann auch die Stahlfabrik von Carnegie Panzerplatten herzustellen. In den Vereinigten Staaten sind Geschützfabriken gewöhnlich Zweigunternehmen der großen Stahlbetriebe gewesen. Da sich in Amerika das Interesse an der Rüstungsindustrie später als in Europa entwickelte, wurde auch der Konzentrationsprozeß hinausgezögert. Erst im Jahre 1913 kaufte die Bethlehem Steel Corporation eine Werft, auf der große Schlachtschiffe bis hin zum kleinsten Detail gebaut werden konnten.

Die Jahre unmittelbar vor dem Weltkrieg stellten für die Rüstungsindustrie eine Zeit ungeheurer Aktivität dar, da die beiden großen europäischen Allianzen ihre Armeeen und Flotten ausbauten. Der Ausbruch des Krieges verursachte zunächst keinen Wandel, da alle Länder glaubten, es reiche das vorhandene Material oder aber die Produktionskapazität der bestehenden Fabriken aus. Erst 1915 trat klar zutage, daß der Krieg eher ein sich lang hinziehender Kampf sein werde, der alle Reserven des Kontinentes in Anspruch nahm, als eine kurze scharfe Kampagne, die mit einem plötzlichen Sieg für die eine oder die andere Seite enden werde. Eine gewaltige Expansion der Kriegsproduktion folgte, die alle Industrien der kriegführenden Länder in Rüstungsbetriebe verwandelte. Zu Beginn behandelten die Regierungen die Rüstungsindustrien wie Privatunternehmen, mit denen man einen Vertrag schloß, wie das vor dem Krieg der Fall gewesen war. Man fand jedoch bald heraus, daß diese jüngst geschaffene gigantische Maschinerie neue Formen der Organisation und Betriebsleitung verlangte, die in allen Ländern eine Verbindung zwischen Regierungs- und Privatunternehmen ergab. Dadurch wurde dem Staat eine beispiellose Kontrolle über die Produktion, die Preise und die Arbeitnehmerpolitik gegeben.

Die Rüstungsbetriebe auf beiden Seiten waren überhaupt nicht auf die ungeheure Nachfrage nach Kanonen und Munition aller Art, sowie auf die Produktion neuer Waffen, die während des Krieges entwickelt wurden, vorbereitet. Zu Beginn litt Deutschland unter diesem Mangel weniger als die Alliierten. Der deutsche Generalstab war, was die Dauer des Krieges betraf, undogmatischer als der französische gewesen. Infolgedessen standen ihm größere Materialreserven zur Verfügung. Dennoch fehlte in Deutschland nach der Marneschlacht für eine Reihe von Monaten hinreichende Munition. Der hohe Entwicklungsstand seiner metallurgischen Industrie und die Sorgfalt, die man bei der Mobilisierung angewandt hatte, um die notwendigen Facharbeiter in den Kriegsbetrieben zurückzubehalten, versetzten es jedoch in Stand, mit der Rüstungsproduktion in hinreichendem Ausmaß zu einer Zeit zu beginnen, ehe die Alliierten in der Lage waren, das gleiche Ergebnis zu erzielen. Erst als die alliierte Blockade wesentliche Rohstoffe fernzuhalten und die deutsche Arbeiterschaft unruhig zu werden begann, konnten die deutschen Rüstungsbetriebe der Nachfrage nicht mehr nachkommen.

Frankreich war weniger gut vorbereitet. Ende August 1914 trat Munitionsmangel auf. Die Anstrengungen, in größerem Ausmaß Rüstungsmaterial zu produzieren, litten unter dem Nachteil, daß die Deutschen gerade den Teil Frankreichs besetzt hatten, der den Kern seiner metallurgischen Industrie enthielt. Außerdem machte sich der Mangel an Facharbeitern deshalb bemerkbar, weil man die Mobilisierung unwissenschaftlich durchgeführt und Arbeiter in die Armee eingezogen hatte, ohne auf ihre Unabkömmlichkeit für die Kriegsindustrie zu achten. Die Regierung begann sofort die regierungseigenen Fabriken bis zum äußersten auszunutzen, und beauftragte gleichzeitig Privatbetriebe mit der Herstellung von Munition. Diese Anstrengungen waren derart schnell von Erfolg gekrönt, daß Frankreich im März 1916 98mal soviel Maschinengewehre, 237mal soviele Gewehre, 4½mal soviel Pulver und 25mal soviel Sprenggranaten wie zu Beginn des Krieges produzierte.

England trat ebenfalls mit geringen Reserven an Rüstungsmaterial in den Krieg ein. Die Allianz mit Frankreich hatte seinen Beitrag zu einem Krieg dahin bestimmt, daß die britische Flotte und ein kleines Expeditionskorps eingreifen sollten. Als sich in England die Einsicht durchsetzte, daß es stattdessen notwendig sei, eine Millionenarmee aufzustellen und auszurüsten, trat der Ernst des Rüstungsproblems zutage. Es gab nur drei Regierungsbetriebe, die Rüstungsmaterial produzierten: die Gewehrfabriken Woolwich Arsenal und Enfield, und Waltham Abbey, die königliche Pulverfabrik. Es gab außerdem eine Gruppe privater Rüstungsbetriebe, Vickers, Armstrong, Whitworth, Birmingham Small Arms, Coventry Ordnance Works, Beardmore, Firths, Hadfields und Cammell Laird. Diese Betriebe wurden ausgebaut, neue wurden dazu errichtet, und die privaten Fabriken, die auf Rüstungsproduktion umgestellt werden konnten, wurden derart ausgenutzt, daß es im dritten Viertel des Jahres 1918 — wenn man sich auf die Schätzungen von G. A. B. Dewar verläßt — 2 871 000 Männer und Frauen gab, die unmittelbar in der Rüstungs-, der Metall- und chemischen Industrie beschäftigt waren. Einschließlich der Zahl der mittelbar Beschäftigten beziffert sich die Gesamtzahl auf 3 400 000. Dewar berechnet, daß es während der Periode der größten Produktivität zwischen 8000 und 9000 Firmen gab, die mit der Herstellung von Rüstungsmaterial beschäftigt waren.

Die Vereinigten Staaten waren weniger als alle anderen beteiligten Staaten auf Krieg eingestellt. Vor 1914 gab es nur sechs Regierungsmagazine und zwei große private Geschützwerke, die überhaupt in der Lage waren, schwere Geschütze herzustellen. Die alliierten Aufträge führten in den frühen Jahren des Krieges zu einer gewissen Expansion dieser Betriebe, aber sogar 1917 gab es nur ein Dutzend Firmen, die Artilleriemunition, schwere Geschütze, Gewehre, Maschinengewehre und andere bedeutende Rüstungsmaterialien herstellten. Als jedoch der Waffenstillstand unterzeichnet wurde, gab es in den Vereinigten Staaten fast 8000 Fabriken, die Rüstungsaufträge bearbeiteten.

Das Ende des Weltkrieges leitete eine vollständige Veränderung der Bedingungen für die Rüstungsindustrie ein. Die russische Industrie wurde von westlichem Einfluß befreit und von der Sowjetregierung auf- und ausgebaut. Krupp fiel eine Zeit lang aus dem internationalen Wettbewerb aus, aber 1920 kaufte die Firma die Bofors Geschützwerke in Schweden. Seitdem hat sie ausländische Kunden mit Kanonen versorgt, die in Schweden unter ihren Patenten hergestellt werden. Der einzige Betrieb, der in Deutschland übrigblieb, war die Ehrhardtsche Fabrik in Düsseldorf, die Krupp ebenfalls für einige Zeit besaß. Sie wurde aber, nachdem sie sich ausgedehnt hatte, 1929 von der deutschen Regierung gekauft. Die alte Zaharoffgruppe zerfiel ebenfalls. Die britische Rüstungsindustrie, die vor allem durch die Massenherstellung von Schlachtschiffen einen mächtigen Einfluß erlangt hatte, erlitt einen ernsthaften Rückschlag durch das Washingtoner Flottenabkommen von 1921/22. Vickers und Armstrong mußten beide 1925/26 reorganisiert werden. 1927 verbanden sich die Rüstungsfabriken beider Firmen zur Firma Vickers-Armstrong Ltd., wobei Vickers den neuen Konzern beherrschte. Die Firma Ansaldo, die während des Krieges hervorgetreten war, brach zusammen, nachdem die Feinseligkeiten aufgehört hatten; sie wurde nur mit Hilfe staatlicher Subvention erhalten. Schneider-Creusot wurde die unbestritten führende Firma der gesamten kontinentalen Rüstungsindustrie. Diese Rüstungsfabrik dehnte sich zum größten industriellen Konzern Frankreichs mit weiten Interessen an der Produktion von Konsumgütern aus. Die Skodawerke, bei denen Schneider 1919 eine Aktienmehrheit erwarb, dehnten sich beträchtlich aus, um Rüstungsmaterial und Konsumgüter herzustellen; sie wurden ein mächtiger Zweigbetrieb, der vor allem die Aufträge der „Kleinen Entente" erfüllte. Energische Anstrengungen der Tschechen, den Betrieb zu verstaatlichen, scheiterten 1930. In den Vereinigten Staaten übernahm die Bethlehem Steel Corporation 1923 ihren Konkurrenten, die Midvale Steel und Ordnance Company; dadurch gewann sie praktisch ein Rüstungsmonopol.

Die politischen, ökonomischen und sozialen Probleme, die von der Rüstungsindustrie aufgeworfen werden, sind mannigfaltiger Art. Am offensichtlichsten vielleicht sind die Verbindungen mit der nationalstaatlichen Diplomatie. Die Unterstützung durch die Diplomaten des eigenen Landes ist für diese Industrie immer von größter Bedeutung gewesen. Sie hat diese Hilfe regelmäßig empfangen, obwohl die veröffentlichten diplomatischen Akten das Material, das sich auf diesen Gegenstand bezieht, schlechthin unter den Tisch fallen lassen. Der monopolistische Grundzug der Rüstungsindustrie hat die Diplomatie stets dazu bestimmt, den Monopolbetrieb zu unterstützen und den Außenseiter ohne jede Beihilfe zu lassen. Militärmissionen achten immer darauf, daß das im eigenen Lande hergestellte Rüstungsmaterial von der Regierung, bei der sie akkreditiert sind, gekauft wird. Die Monarchen haben ebenfalls eine kräftige Propaganda für die Rüstungsbetriebe ihrer Länder betrieben. Wilhelm II. war lebhaft daran interessiert, daß die chinesischen Kriegsschiffaufträge auf deutschen Werften ausgeführt wurden; er setzte sich persönlich bei Zar Nikolaus II. dafür ein, daß die Konstruktion russischer Kriegsschiffe deutschen Firmen übertragen werde.

Trotz dieser engen Verbindung mit der nationalen Diplomatie erkennt die Rüstungsindustrie keine nationalen Grenzen an. Sie wird an jeden Käufer verkaufen, sei er ein Verbündeter der eigenen Regierung oder ein potentieller Feind. Hans Wehberg erklärt, daß die englischen Truppen 1915 auf den Dardanellen von einer Artillerie besiegt wurden, die die Türken von englischen Rüstungsfirmen gekauft hatten. Lehmann-Russbüldt stellt fest, daß die Krupp-Werke im Verlaufe eines

Jahrhunderts die Hälfte ihrer Gesamtproduktion an Kanonen nach 52 Ländern exportierten, die später während des Krieges Handgranaten und todbringende Geschosse auf die Deutschen und ihre Verbündeten herabregnen ließen.

Die diplomatischen Beziehungen der Munitionsindustrie sind jedoch nicht die einzige Quelle der sozialen Probleme dieser Industrie. Ihr Einfluß auf die Innenpolitik ist ebenfalls bedeutend. Wenn auch die Verwendung von Lobbyisten und die Ausübung von wirtschaftlichem und politischem Druck durch die Rüstungsindustriellen nicht größer zu sein braucht als die ähnliche Aktivität anderer Industriezweige, so macht doch die besondere Natur der Rüstungsindustrie ihr Vorgehen zu einem dringenderen sozialen Problem. Sie verbleibt nicht innerhalb einer reinen Geschäftssphäre und stürzt diejenigen Klassen, die weniger in der Lage sind, die Regierung zu beeinflussen, in wirtschaftliche Notlagen. Sie gewinnt ihre Profite zum Teil dadurch, daß sie auf das Abschlachten von Menschenmassen spekuliert, zum Teil durch den Massenmord selber. Die Gewinne der einzelnen Rüstungsbetriebe stehen in einem auffälligen Gegensatz zu der allgemeinen Zerstörung der Werte, die durch die von ihnen hergestellten Produkte verursacht wird. Gelder für die Rüstungsindustrie werden von den Parlamenten oft nicht im Interesse des Staates als Ganzem, sondern im Interesse einer oder mehrerer Gruppen bewilligt. Die Rüstungsindustrie gewinnt daher ihre Aufträge nicht als ein Ergebnis einer allgemeinen, vorausschauenden Regierungsplanung für eine nationale Außenpolitik, sondern als Folge einer bestimmten Verteilung der sozialen und politischen Macht im Staate. So besaß der Aufbau der deutschen Schlachtflotte um 1900 keine Ursache in der Außenpolitik, sondern fand statt, ehe ein Gegner für die Flotte gefunden worden war. Die Flottengesetze von 1898 und 1900 waren Bestandteil eines größeren politischen und wirtschaftlichen Konfliktes zwischen der Schwerindustrie und den Großagrariern, die sich schließlich gegenseitig die Flotte und die Schutzzölle gewährten und sich in der gemeinsamen Unterdrückung der Sozialdemokratie fanden, anstatt miteinander um die Regierungsmacht zu kämpfen.

Der besondere Einfluß von Gruppen auf die Ausdehnung der Rüstungen kann soweit gehen wie in Japan, wo der Flottenbau nach 1910 einmal von Geschäftsleuten und Industriellen in Osaka und Kobe, dann von der Zaharoffgruppe, die phantastisch hohe Bestechungen bezahlte, und schließlich von den hohen Flottenoffizieren des Satsuma-Klans — einschließlich General Yamamotos, des Premierministers, —

die finanziell an den Mitsui-Betrieben in Nagasaki beteiligt waren, vorangedrängt wurde.

Ein weiteres Problem rührt aus der Tatsache her, daß die Rüstungsindustrie nicht abwartet, bis ihr die Interessen der führenden Schichten Aufträge zuspielen; sie bemüht sich, die Rüstung der Großmächte in Übereinstimmung mit ihren eigenen wirtschaftlichen Ambitionen zu kontrollieren. Statistiken über die Anzahl der Artikel in amerikanischen Zeitschriften, die Flottenprobleme behandeln, weisen auf einen rapiden Anstieg während der Zeit fallender Eisen- und Stahlpreise und geringer Werfttätigkeit hin, während die Zahl dieser Artikel geringer wird, wenn die Preise steigen und die Prosperität zurückkehrt. Als nach dem zweiten Flottengesetz von 1900 die Krise in Deutschland einbrach, beschwor der Präsident des deutschen Flottenvereins, Fürst Salm-Horstmar, den Admiral von Tirpitz, er möge ein neues Flottengesetz vorlegen, da „durch den Auftrag neuer Kriegsschiffe und die dadurch herbeigeführte Belebung von Handel und Industrie die betreffenden Börsenkurse steigen, viele Werte gerettet und eine Konsolidierung des Marktes eintreten würde.“ Als Deutschland nach der Wirtschaftskrise von 1907/08 den Bau von jährlich vier anstelle von drei Schlachtschiffen beschleunigte, während England von vier im Jahre 1906 auf drei im Jahre 1907 und zwei im Jahre 1908 herabfiel, eröffneten die Zaharoffgruppe und Coventry Works eine großangelegte Pressekampagne, die mit Hilfe von stark entstellten Zahlen zu beweisen versuchte, daß Deutschland bald mehr Großschlachtschiffe als England besitzen werde. Tatsächlich gelang es ihr zu erreichen, daß im Jahre 1909 acht Dreadnoughts gebaut wurden. Aber da den Coventry Works hiervon nur die Kanonenaufträge für ein einziges Schiff zugesprochen wurden, waren sie, um den finanziellen Zusammenbruch zu vermeiden, gezwungen, ihre Banken dazu zu bewegen, Australien und Neuseeland Anleihen zu geben, so daß diese zwei zusätzliche Schlachtkreuzer bestellen konnten.

Dieses Problem entsteht nicht nur in einer Zeit wirtschaftlicher Depression, sondern ist zwangsläufig mit der Existenz einer privaten Rüstungsindustrie verbunden, die Regierungsaufträge ausführt. Ihre Produktion hängt von zwei gegeneinander wirkenden Faktoren ab: die Industrie ist an einer genauen Berechnung der Produktionskosten und der Kapitalnutzung sowie an einer einheitlichen Produktion interessiert, um die Kosten zu reduzieren. Den Regierungen ist daran gelegen, in größtmöglicher Eile ihre Aufträge, von denen gewöhnlich eine ganze Zahl zur gleichen Zeit zugesprochen wird, erfüllt zu bekommen. Der Staat verlangt während des Krieges kurze Lieferfristen, aber auch in Friedenszeiten führen neue Erfindungen in der Waffentechnik zu Massenaufträgen unter Zeitdruck, während dann wieder lange Pausen folgen, in denen es überhaupt keine Aufträge gibt. Auf diese Weise werden die Rüstungsbetriebe dazu gezwungen, sich stark auszudehnen, und zugleich müssen sie darum bemüht sein, ihre Betriebe jederzeit beschäftigt zu halten. Das führt unvermeidlich dazu, daß dauernd Druck auf die Regierungen ausgeübt wird, neue Aufträge zu erteilen.

Der Standort der Rüstungsbetriebe hat ebenfalls wirtschaftliche und politische Bedeutung. Falls sie aus Betrieben hervorwachsen, die Konsumgüter herstellen und solche Produkte nebenher oder in starkem Maße weiterherstellen, so müssen sie einen guten Standort besitzen, der es ihnen gestattet, erfolgreich am Wettbewerb teilzunehmen. Als Rüstungsbetriebe können sie jedoch diesen Faktor nicht berücksichtigen. Sie müssen ein gutes Stück von der Grenze entfernt liegen, damit sie nicht im Falle einer Invasion in die Hand des Gegners fallen. Obwohl die Rüstungszentren als Angriffsziele besonders ausgezeichnet sind, haben sie nie eine bedeutende Rolle in der Strategie gespielt. Moltke hat diesem Gegenstand 1870 einige Überlegungen gewidmet, im allgemeinen haben jedoch die kontinentalen Militärtheoretiker vor dem Kriege nicht weiter über die Rüstungszentren als Angriffsziele nachgedacht und sich darauf konzentriert, zu Beginn des Krieges einen schnellen und kurzen Angriff zu führen und schnelle militärische Entscheidungen auf dem Schlachtfeld herbeizuführen.

Der Völkerbund hat sich mit geringem Erfolg bemüht, den Einfluß der Rüstungsindustrie auf die Politik zu reduzieren. Das chinesische Waffenembargo von 1919 ist niemals wirksam gewesen. Ebenfalls hat die Konvention von Saint Germain, daß keine Waffen an Revolutionäre geliefert werden sollten, versagt. Im Gegenteil, die Revolutionen und kalten Kriege der Nachkriegszeit haben zu einer weiteren Kräftigung der Rüstungsindustrie geführt. Das Waffenhandelsabkommen von 1925 wurde zwar unterzeichnet, aber niemals von der nötigen Anzahl Staaten ratifiziert. Kein Staat ist bereit, seine Handelsbilanz dadurch zu gefährden, daß er Rüstungsexporte ausschließt. Die Veröffentlichung von Statistiken über den Rüstungsimport und -export ist von rein akademischem Interesse. Die Statistiken führen zahlreiche Exporte auf, die niemals das Bestimmungsland erreicht haben, ebenso auch Importe, die niemals aus dem angeblichen Lieferungsland exportiert worden sind. Die Rüstungsindustrie selber bekämpft hartnäckig jede Begrenzung der Rüstungen, vor allem der Flottenrüstungen, wie sich im Shearer-Fall herausgestellt hat. Eine numerische Herabsetzung der Landstreitkräfte würde sie nicht stark beeinflussen, da sogar kleine Armeen große Reserven an Rüstungsmaterial benötigen, um sich auf Kriegsstärke umstellen zu können.

Literaturhinweis:

L. Beck, Die Geschichte des Eisens in technischer u. kulturgeschichtlicher Beziehung, 5 Bde, Braunschweig 1891-1903; J. T. W. Newbold, How Europe armed for War, London 1916; W. J. Berry, Armour Plates, u. J. G. M. McHardy u. G. G. Templer Ordnance, in: Encyclopaedia Britannica II, 14. Aufl. London 1929, 388-92 u. XVI, 856-70; O. Lehmann-Russbüldt, Die blutige Internationale der Rüstungsindustrie, 4. Aufl. Berlin 1930; J. Rossmann, War and Invention. American Journal of Sociology 36. 1930/31, 625-33; Ch. O'Neil, The Development of Modern Ordnance and Armor in the United States, Engineering News and American Railway Journal, 48. 1902, 451-53, 485-88; J. D. Long, The New American Navy, 2 Bde, New York 1903; H. Croly, M. A. Hanna, New York 1912; A. P. Van Gelder u. H. Schlatter, History of the Explosives Industry in America, New York 1927; W. Millis, The Martial Spirit, Boston 1931; B. J. Hendrick, The Life of A. Carnegie, 2 Bde, New York 1932; H. Garbett, Naval Gunnery, London 1897; H. Bessemer, An Autobiography, London 1905; F. T. Jane, The British Battle-Fleet, London 1912; H. S. Maxim, My Life, London 1915; R. Lewinsohn, Der Mann im Dunkel. die Lebensgeschichte Sir Basil Zaharoffs, Berlin 1929; F. Uplegger, Die englische Flottenpolitik vor dem Weltkrieg, Stuttgart 1930; H. R. Murray, Krupp's and the International Armaments Ring, London 1915; W. v. Tirpitz, Wie hat sich der Staatsbetrieb beim Aufbau der Flotte bewährt? Leipzig 1923; W. Berdrow, A. Krupp, 2 Bde, 2. Aufl., Berlin 1928; E. Kehr, Soziale und finanzielle Grundlagen der Tirpitzschen Flottenpropaganda, Die Gesellschaft 5. 1928/II, 211-29, s. u. S. 130-48; ders., Schlachtflottenbau u. Parteipolitik 1894-1901, Berlin 1930; C. Dumba, Dreibund- und Ententepolitik in der Alten u. Neuen Welt, Zürich 1931; S. J. v. Romocki, Geschichte der Explosivstoffe, 2 Bde, Berlin 1895/96; R. Hennig, A. Nobel, Stuttgart 1912; A. Stettbacher, Die Schieß- und Sprengstoffe, Leipzig 1919; History of the Ministry of Munitions, 8 Bde, London 1918-22; S. Brown, The Story of Ordnance in the World War, Washington 1920; B. Crowell u. R. F. Wilson, The Armies of Industry, 2 Bde, New Haven 1921; G. A. B. Dewar, The Great Munition Feat 1914-1918, London 1921; G. D. H. Cole, Trade Unionism and Munitions, Oxford 1923; D. Carnegie, The History of Munitions Supply in Canada, 1914-1918, London 1925; O. Goebel, Deutsche Rohstoffwirtschaft im Weltkrieg, Stuttgart 1930; Völkerbund, Armaments Year Book, Genf 1924 ff; H. Wehberg, Die internationale Beschränkung der Rüstungen, Stuttgart 1919; R. Hanslian, Der chemische Krieg, 2. Aufl. Berlin 1927; United States Congress, Senate Committee on Naval Affairs, Alleged Activities at the Geneva Conference, Hearings before a Subcommittee of the Committee on Naval Affairs, 71st Congress, 1st Session, Washington 1930; G. H. Perris, The War Traders, London 1914.

Krieg und Geld im Zeitalter der Maschinenrevolution

Fragmente

... Auch das Zentrum der europäischen Gewehrindustrie im 18. und 19. Jahrhundert, Lüttich, wo z. Z. des Krimkrieges nicht weniger als 90 große und kleine Manufakturen für den Export arbeiteten, arbeitete bis in die zweite Hälfte des 19. Jahrhunderts noch völlig in handwerksmäßigem Betrieb. Dieses Handwerkssystem hatte den Vorteil, daß im Kriegsfall beliebig viele kleine neue Firmen zum Kanonenguß herangezogen werden konnten, zeigte aber auch, daß diese neuen Kanonengießereien trotz der Einfachheit der Arbeitsmethoden sehr schlecht arbeiteten und z. B. England im Krimkrieg mit nicht schußsicheren Geschützen belieferten. Es ist sehr charakteristisch, daß im Anfang der Revolution der Waffentechnik sich überall eine große Zahl von Firmen mit der Produktion von Kanonenrohren versuchte — in Preußen z. B. Wohlert, Schwartzkopff, Bochumer Verein, in England Forrester & Co., Horsfall & Co., Maire usw. — die alle nicht die Qualitätsanforderungen der neuen Zeit erfüllen konnten, weil zum Durchsetzen in dieser Zeit entweder (beim handwerksmäßigen Betrieb wie bei Krupp) die Verwendung eines ganz ungewöhnlich hochstehenden Rohmaterials Voraussetzung war, oder (wie bei Armstrong & Noble) ungewöhnliche konstruktive Fähigkeiten der Industriellen. Nur wenn diese Eigenschaften der produzierenden Firmen vorhanden waren, konnten sie die Chancen ausnutzen, die die Umwandlung des Rüstungshandwerks zur modernen Rüstungsindustrie bot. Die Voraussetzung dieser Entwicklung war erstens die Vergrößerung der Heere auf über 100 000 Mann und damit die Entstehung von Massenaufträgen, die häufig in kurzer Zeit erledigt werden mußten, und zweitens, die Entwicklung der technischen Wirtschaften, der Ballistik einerseits, der Metallurgie andererseits.

Außer in diese Entwicklung gehört die Rüstungsindustrie in eine zweite hinein, in die des Kriegsgewinnlers, in der sie die dritte Stufe darstellt. Der älteste Typ des Kriegsgewinnlers fiel noch nicht unter die moderne Arbeitsteilung; er vereinigte noch die Spezies des Soldaten und des Geschäftsmanns. Der Soldat, der Offizier, als Beruf, hatte sich noch nicht aus der allgemeinen wirtschaftlichen Arbeit, aus dem einfachen Lebenmüssen und darum Geld verdienen ausgesondert, Offizier und Soldat hatten noch keine Sonderehre, sondern waren Handwerksgesellen und Handwerksmeister, die das Handwerk „Krieg" führten. Aber es war ein sehr irrationelles Handwerk und die Chancen starken Beutemachens führten in einigen Fällen zur Bildung von großen Vermögen. Auf der Grundlage dieser im Kriege erworbenen Vermögen bildete sich der Stand der Landsknechtsobersten um zu einer Schicht gewerbsmäßiger Kriegsunternehmer, die auf der Grundlage ihres Geldbesitzes dem Fürsten Regimenter und Fähnlein für die Kriegsführung lieferten.

Die Kriegsführung war dabei Nebensache, das Entscheidende war der Wille, Geld zu machen. Und zwar Geld zu machen in der irrationalsten Weise, durch Raub, Mord, Totschlag, Plünderung. Einen Unterschied zwischen diesen Condottieri in Italien, den Landsknechtsobersten in Deutschland und größeren Räuberhauptleuten zu finden, ist schwierig.

Das Ende dieses ältesten Types, des Menschenlieferanten, kam mit der Entstehung des absoluten Staats, der die Armee zum dauernden Gebrauch in eigene Verwaltung nahm. Der Landsknechtsoberst verschwand genau wie die einzelnen Kapitalisten, die gleichzeitig mit ihm zu wucherischen Bedingungen die Staatsanleihen herbeigeschafft hatten. Seit der Mitte des 17. Jahrhunderts wurde die Kriegsführung und die Kriegsfinanzierung Staatssache. Der Staat suchte die Gelder für seine Armee herbeizuschaffen durch die Entwicklung eines neuen Steuersystems einerseits, durch die Aufwälzung von Naturallieferungen auf die Untertanen andererseits. Der Kriegslieferant wurde in Preußen nach Möglichkeit ausgeschaltet, die absolutistische Verwaltung betrachtete ihn als bösen Feind, dem sie nichts gönnte; in Frankreich behielt er größere Bewegungsfreiheit, wie dort auch das ganze 18. Jahrhundert hindurch auch die Steuerpacht noch im Gange blieb. Dafür bildete sich eine neue Klasse von Kriegsgewinnlern bzw. Militärgewinnlern, das ist der Adel. Der Adel wird als Klasse Nutznießer des neuen militärischen Systems, und zwar in der verschiedensten Hinsicht. Als die kurmärkischen Stände 1653 dem Großen Kurfürsten den miles perpetuus bewilligten, dauernde Steuern zum dauernden Unterhalt der stehenden Armee genehmigten, erreichten sie als Kompensation die Leibeigenschaft der Bauern. „Die Leibeigenschaft ist vielerorts erst aufgrund dieses Landtagsrezesses eingeführt oder anerkannt worden." Diese Bindung des Bauern an den Rittergutsbesitzer brachte dem Adel das Verfügungsrecht über die menschliche Arbeitskraft in einem Umfange, wie er es vorher nicht gehabt hatte. Die Leibeigenschaft in Preußen ist im großen und ganzen ein Gewinn des Adels als Folge der Bewilligung seiner Armee, ist also Kriegsgewinn oder Gewinn aus der Existenz des neuen militärischen Systems. Aus diesem Verfügungsrecht über die Bauern entstand dann konsequent weiter, als der Adel auch die Offiziere der Armee zu stellen begann, daß er seine Bauern, die ihm sozial und wirtschaftlich untertänig waren, kurzerhand als Soldaten in die Kompanien einstellte, und daß sich so das soziale System der preußischen Armee im Absolutismus bildete.

Der zweite Punkt des adligen Militärgewinnlertums war die finanzielle Versorgung der Offiziere mit den Spoils, die der Staat zu vergeben hatte. Die These von der Knappheit des friderizianischen Preußen ist eine schöne Legende; die Offiziers- und Beamtengehälter erreichen gerade im Absolutismus eine phantastische Höhe durch die nicht etatsmäßigen Zuschläge zu den etatsmäßig nicht sehr hohen Grundgehältern und sind erst im Laufe des 19. Jahrhunderts allmählich abgebaut worden, im Zusammenhang mit dem Steigen der Silberpreise als Folge des Versagens der mexikanischen Silberproduktion und des Sinkens der Lebenskosten.

Diese soziale Struktur des absoluten Staates war gewissermaßen der Kriegsgewinn des niederen Adels, und es war mehr ein friedensmäßiger Kriegsgewinn als ein direkter Kriegsgewinn. Direkt an den Kriegsgewinnen beteiligt war stärker der Hochadel. Der Hochadel findet meistens leichter den Anschluß an den Kapitalismus als der niedere, und stellt als Folge seines starken politischen Einflusses sehr tragfähige Verbindungen zwischen Staat und Rüstungsindustrie her. Dem entspricht es, daß einerseits Männer, die gute Geschäfte mit dem Staat gemacht haben, leicht in den höheren Adel aufgenommen wurden — in Preußen wurde 1799 der Heereslieferant Eckart aus dem Hannoverschen als Freiherr von Eckartstein nobilitiert, 1810 der getaufte Jude Delmar aus der großen Bankfirma S. M. Levy Erben zum Freiherrn erhoben — und daß andererseits die ältere Rüstungsindustrie im 18. Jahrhundert vom Hochadel beherrscht wurde. Nur in Amerika stützt sich die Armee im Unabhängigkeitskrieg auf eine ganze Reihe kleiner Eisenhütten und Hochöfen ohne adlige Besitzer für ihren Materialbedarf. In Frankreich besaß in der ersten Hälfte des 18. Jahrhunderts der Herzog von Nevers, in der zweiten der Marquis de Montallembert große Geschützwerke in Perigord, die die Marine belieferten, in Schweden fabrizierte Baron Stakelberg Geschütze für den Export.

In der bürgerlichen Gesellschaft bleibt diese Erscheinung durchweg erhalten, am stärksten natürlich in den noch feudalen Staaten. Im Rußland der 1850er Jahre war speziell der Hochadel an den neuen Industriegesellschaften beteiligt, und die Rücksicht auf diesen Adel zwang nach der Ansicht eines scharfen und kühlen Beobachters wie Moltke das Zarentum zum rechtzeitigen Abbruch des Krimkrieges, um die für den Fall einer noch schwereren Niederlage als unvermeidlicher Ausgleich drohende Bauernbefreiung zu vermeiden. Im Japan des 20. Jahrhunderts sind die Clane Satsuma und Tschochu, die die hohen Marine- und Landoffiziere stellen, auch maßgebend an den Mitsubishi- und Mitsui-Unternehmungen beteiligt. Aber auch in Deutschland ist im 20. Jahrhundert das finanzielle Interesse des Hochadels an Kapitalunternehmungen stark geblieben. Es war konsequent, das Alfred Krupp ein Gegner des Liberalismus war, der bei der Lösung der deutschen Frage ohne Blut und Eisen auszukommen hoffte. Und es war im allgemeinen ein leichtes Mittel für die Regierungen, liberale und antiimperialistische Neigungen der Industrie zu beseitigen durch Erteilung von großen Stahlaufträgen für Rüstungszwecke.

Auf der anderen Seite kam die Rüstungsindustrie, die Aufträge suchte, den feudalen Tendenzen in den Regierungen und der kapitalistischen Gesellschaft weit entgegen. Die Rüstungsindustrie setzte die Politik der Rothschilds fort, sich auf das engste finanziell mit den Spitzen der herrschenden Schicht zu verbinden: die Rothschilds halfen Metternich und dem österreichischen Hochadel freigebig mit Privatanleihen aus, die sehr nachsichtig oder auch gar nicht zurückgefordert wurden, wenn dafür der Staat eine große Anleihe zu guten Bedingungen für die Rothschilds aufnahm. Die Rüstungsindustrie leiht der herrschenden Schicht nicht mehr. Sie bezahlt sie bereits direkt, indem sie sie in die Aufsichtsräte hineinnimmt — als aktive Bestechung seitens der Rüstungsindustrie — oder durch eine von den herrschenden Schichten geübte freiwillige passive Bestechung, indem sie Aktien kaufen, was übrigens auch der kleine Mann gerne tat, weil die Dividenden häufig ansehnlich hoch waren. Bei Armstrong z. B. gehörten zu den Aktionären fünf Bischöfe, acht Unterhausmitglieder und sechzig Adlige.

Aber der Adel war nicht der einzige Kriegsgewinnler des neuen Systems der stehenden Heere. Der Fürst, der Monarch, besaß den absoluten Staat als sein Privateigentum; die Staatsverwaltung war die Verwaltung des fürstlichen Privattrusts, der allmählich seine persönliche Spitze verlor und damit zum modernen „Staat“ wurde. Die Entwicklung des absoluten Staates beruht auf einem der größten Enteignungsprozesse der Weltgeschichte vor dem Bolschewismus.

Überall, sagt Max Weber, komme die Entwicklung des modernen Staates dadurch in Fluß, daß von seiten des Fürsten die Enteignung der neben ihm stehenden selbständigen „privaten“ Träger von Verwaltungsmacht: jener Eigenbesitzer von Verwaltungs- und Kriegsbetriebsmitteln, Finanzbetriebsmitteln, und politisch verwendbaren Gütern aller Art in die Wege geleitet wird. Der ganze Prozeß ist eine vollständige Parallele zu der Entwicklung des kapitalistischen Betriebs durch allmähliche Enteignung der selbständigen Produzenten. Am Ende sehen wir, daß in dem modernen Staat tatsächlich in einer einzigen Spitze die Verfügung über die gesamten politischen Betriebsmittel zusammenläuft, kein einziger Beamter mehr persönlicher Eigentümer des Geldes ist, das er verausgabt, oder der Gebäude, Vorräte, Werkzeuge, Kriegsmaschinen, über die er verfügt. Vollständig durchgeführt ist also im heutigen „Staat“ — das ist ihm begriffswesentlich — die Trennung des Verwaltungsstaates: der Verwaltungsbeamten und der Verwaltungsarbeiter von den sachlichen Betriebsmitteln.

Aber während der Fürst des Absolutismus die militärische Selbständigkeit seiner Menschenlieferanten, deren letzter, größter und selbständigster Wallenstein war, beseitigte, die Anwerbung des Menschenmaterials auf von ihm abhängige Offiziere übertrug und die Hierarchie seiner Armee fest in die Hand nahm, gestattete er ökonomisch noch starke Freiheiten. Die „Kompaniewirtschaft“ in Preußen verschaffte den Kompaniechefs hohe Sondereinnahmen, die paradox genug ihren Charakter als Kriegsgewinne verloren und zu Friedensgewinnen wurden, da im Kriege große Ersparungen durch Beurlaubungen und Lieferung schlechter Monturen nicht möglich waren. Und ebenso blieb die Rüstungsindustrie, die in anderen Ländern hocharistokratisch war, konsequent auch in Preußen, wo sie wenig soziale und wirtschaftliche Bedeutung hatte und wo sich der Hochadel an den hohe Dividenden versprechenden Kompanien Friedrich des Großen beteiligte, in einem Zustand vorabsolutistischer Freiheit. Gewehre und Geschütze wurden bei auftretendem Massenbedarf wie im Siebenjährigen Krieg in starkem Umfange im Ausland freihändig angekauft: Gewehre in Lüttich, Kanonen in Stockholm nahe den schwedischen Produktionsstätten, oder in Amsterdam, dem Zentrum des Kanonenhandels.

Auch die regelmäßige Waffenproduktion wurde in Preußen nicht verstaatlicht. Die erste Gewehrfabrik wurde 1722 nicht nur einer

Privatfirma Splittgerber & Daum übergeben, deren Rechnungen den Einfluß der Kriegskonjunkturen auf ihre Gewinne sehr deutlich widerspiegeln. Die Hälfte des 1763 vorhandenen Kapitals der Firma war in der zweiten Hälfte des Siebenjährigen Krieges gebildet worden. Der Unternehmer betrieb die Fabrik auch noch nicht als Fabrik, sondern im Verlag: „Die Arbeiter konnten arbeiten, wann und wo sie wollten, sie hatten nur die Benutzung der großen Werkzeuge frei, mußten aber das für jedes Gewehr erforderliche Eisen, die Holz- und Steinkohlen an die Unternehmer bezahlen, wofür sie dann wiederum einen entsprechenden Preis für jedes abgelieferte brauchbare Gewehr erhielten." Erst mit der Einrichtung der staatlichen Gewehrfabrik Neisse 1809 wurde entsprechend auch Fabrikarbeit eingeführt.

Rücksicht auf die Kriegsunternehmer wurde in Preußen nicht viel genommen, wenn sie ihre Forderungen nicht mit Gewalt geltend machten. Auf ihre Beschwerde erhielten die Entrepreneure der Gewehrfabrik die Antwort: „Der Heere wird geldt krigen wan es Zeit Sein wirdt, er und seine Consorten Sie Sein wehr Sie wollen, belieben Sich zu gedulden." Aber das war nicht die Regel, denn wir haben nur solche ablehnenden Bescheide schriftlich. Die Gewinne der Lieferanten, die in mündlicher Aussprache festgelegt wurden, lassen sich schwerer feststellen.

Auch England stellte sein Kriegsmaterial im 18. Jahrhundert nicht in eigener Regie her. Die Werke von Woolwich waren das ganze Jahrhundert hindurch in Privatbetrieb und wurden erst 1805 zum Royal Arsenal umgewandelt. Damit entwickelte sich die der kontinentalen Vorstellung vom „Nachtwächterstaat" widersprechende englische Rüstungspolitik, die sowohl im Kriegsschiffbau einen großen Teil der jährlichen Aufträge den staatlichen Werften Davenport und Portsmouth gab, die in der Geschützherstellung auch die schwersten Geschütze im Staatsarsenal Woolwich produzierte und so stets eine relative Unabhängigkeit von den Konzernen sich bewahren konnte. Auch die Produktion der Armstrong-Geschütze in Elswick erfolgte 1858 bis 1865 nicht in einer Privatfabrik, sondern in einem Staatswerk, dessen Direktor Armstrong war. Erst nach der Ablehnung seiner Geschütze durch die Regierung übernahm Armstrong dann den Privatbetrieb. Erst seit den 1880er Jahren, als die englische Marine wieder auf den Hinterlader zurückgriff, mußte sie auch dem Privatbetrieb wieder mehr Spielraum gewähren.

Frankreich zeigt eine starke Uneinheitlichkeit in der Methode, das Heer zu beliefern. Die Heereslieferungen waren im allgemeinen sehr lukrativ, denn hohe Protektion, die von vornherein nötig war, um überhaupt Aufträge zu erhalten, schlug auch konsequent später jede Kontrolle der Lieferungen nieder. Also sowohl die Protogees wie die Protekteurs bereicherten sich: A cet epoche de plaisir, l'argent était necessaire pour soutenir un train de maison que ne permettait pas de supporter le Rapport seul des heures, et le besoin rendait moins delicat sur la façon de se procurer la richesse.

Die Schmiergelder der Lieferanten waren ein Zusatz zu den Einkünften aus den Landgütern für den Adel, außerdem funktionierte die gesamte Armee als Versorgungsanstalt für ihn: Sie hatte 36 000 Offiziere, von denen nur 13 000 aktiv waren und 23 000 Titular-Offiziere mit Pensionsberechtigung. „Les officiers seuls coutaient plus cher que tout le reste de l'armée, 47 millions de livres au lieu de 44.“ Die Offiziersgehälter waren praktisch Staatsrente für die dem Staat beim Kauf der Stellen bezahlten Summen resp. gewährten Anleihen: Bei fünf Prozent machte die Kapitalsumme dieser 47 Millionen 937 Millionen Livre aus. Eine derartige Summe ließ sich praktisch nicht wieder zurückzahlen und infolgedessen mußte jedes Amt wieder neu verkauft werden zur Ablösung der darauf lastenden Rente, so daß ohne die völlige Zerstörung des absolutistischen Finanzapparates eine Änderung dieser Nobilitätskorruption nicht möglich war.

An der Waffenlieferung wurde einerseits der hohe Adel beteiligt, ein zweiter Teil wurde im Notfall aus dem Ausland bezogen, ein dritter, besonders die Geschütze für die Armee, wurde in Staatswerkstätten hergestellt. Dieser Zweig wurde in der Revolution stark ausgebaut. Die Revolutionskriege zeigten die Schwäche des absolutistischen Systems nicht nur in der Armeeorganisation, sondern auch in der Frage des Kriegsmaterials, und der Wohlfahrtsausschuß mußte außer einer neuen Armee mit neuer Taktik und Disziplin auch eine neue Rüstungsindustrie aus der Erde stampfen, die für das Bohren der Kanonenrohre auch mit einer neuen Technik operierte. Das führte im 19. Jahrhundert zu einem konsequenten Ausbau des Staatsbetriebs und zu einer vollständigen Anfertigung des Artilleriematerials in staatlichen Werkstätten, auch der Experimentiergeschütze der Zeit Napoleons III. Erst die Niederlage von 1870, die das Resultat einer großen Überlegenheit der preußischen Artillerie über das an sich gute französische Gewehr und das schlechte französische Geschütz war und zu heftiger Kritik an dem zu schwerfälligen Staatsbetrieb führte, führte zum Privatbetrieb in der Geschützherstellung: Das Bebange-Geschütz von 1876 war das erste Schneider-Geschütz. Nur in Deutschland bestand das Privatmonopol der Firma Krupp für schwere Geschütze, da die staatliche Kanonenfabrik Spandau nur die Kruppschen Rohre ausbohrte und fertigmachte, aber keine ganzen und vor allem keine schweren Geschütze herstellte.

Die zweite Stufe des Kriegsgewinnlers vom Ende des 18. bis zur Mitte des 19. Jahrhunderts wird repräsentiert durch den Geld- und Lebensmittellieferanten. Geldlieferanten und Lebensmittellieferanten sind nicht streng geschieden: Ouvrard versuchte sich in Geldoperationen, Herüberschaffung der spanischen Piaster, Anleihe während der hundert Tage und in Lebensmittellieferungen 1796 wie 1823. In Preußen entwickelte sich das größte Vermögen vor 1806, das Leipmann Meyer Wulffs aus Getreidelieferungen für die Armee unter dem Minister Grafen Schulenburg, denen, als Schulenburg einen Teil der wirtschaftlichen Departements des Generaldirektoriums übernahm, die sehr profitablen Monopollieferungen des Silbers für die Münze folgten. Daß Wulff nicht auch der große Geldlieferant wurde, lag ausschließlich an der Finanzpolitik des antisemitischen Ministers von Stein, der Wulffs Machtposition brechen wollte, die Finanzierung des beabsichtigten Krieges von 1805 und des Krieges von 1806 anderweitig und gegen Wulff versuchte und damit völlig scheiterte. In Amerika finden wir als große Geldlieferanten John Jacob Astor und Stephen Girard im Kriege von 1812, in England während der Kontinentalkriege das Haus Baring, eng liiert mit dem größten holländischen Bankhaus Hope & Co. und dem größten amerikanischen, Bingham in Philadelphia, mit diesen durch Heirat verbunden (Lord Ashburton, Gesandter in Washington 1840). Die Amerikaner hatten zwar zweimal gegen England gekämpft, aber die Barings brachten die Anleihen, mit denen der Unabhängigkeitskrieg und der Krieg von 1812 finanziert worden war, später in England unter zu einem Zinssatz von über acht Prozent, und die Vereinigten Staaten haben in den 1830er Jahren sich ihre Unabhängigkeit von England durch die Rückzahlung dieser Anleihen noch einmal erkauft.

Nathan Rothschild finanzierte den in Spanien kämpfenden Wellington, finanzierte den Transfer der englischen Subsidien nach dem Kontinent, und nach 1815 den Transfer der französischen Kontribution soweit diese nicht aus der Gruppe der Baringschen Anleihe in den siegreichen Ländern selbst aufgebracht wurde. Die Rothschilds entwickelten als erste die Methode, derartig riesige Summen durch Wechsel anstatt durch Barsendungen zu transferieren und modernisierten damit entscheidend den internationalen Zahlungsverkehr.

Aber nicht die Existenz dieser einzelnen großen Bankiers ist charakteristisch für die neue Zeit, große Bankiers mit großen politischen Geschäften hat es stets gegeben, und besonders in dem Jahrhundert vor dem Entstehen des absoluten Staates, als zur Finanzierung der gestiegenen politischen Ansprüche der Fürsten noch kein ausreichender Finanzapparat aufgebaut war und die großen Ausgaben fast alle mit Krediten finanziert werden mußten. Entscheidend ist, daß sich seit der französischen Revolution die soziale Basis des Kriegsgewinnlertums verschob. Im 18. Jahrhundert hatte der Adel von dem neuen militärischen Aufbau der Staaten Gewinn gehabt, im 19. Jahrhundert ist es überall das Bürgertum, das Kriegsgewinne macht und von dieser Grundlage aus politische Macht will, teilweise gegen den Adel und dessen Besitzprivilegium: da wo diese das bürgerliche Gewinnstreben stören, teilweise mit ihm zusammen, da wo sich aus dieser Allianz größere Verdienstchancen ergeben.

Im Kriege 1806/07 gaben die Berliner Bankiers Kredite an die Kurmärkischen Stände und die Stadt Berlin zur Bezahlung der Besatzungskosten und der lokalen Kriegskontribution, 1809 und 1810 an den Staat zur Abtragung der großen Kontribution an Frankreich von 120 Millionen Franks, 1811 zur Finanzierung der Rüstungen, 1812 zur Finanzierung des französischen Durchmarsches nach Rußland, 1813 bis 1815, da die Papiergeldausgabe nicht möglich war, zur Finanzierung der Freiheitskriege. Die Kredite wuchsen in bis dahin unbekannte Größen, aber der Staat zahlte unpünktlich zurück. Praktisch waren die Stadt Berlin und die Stände willenlose Puppen in der Hand der Bankiers, die die Bedingungen diktierten. Aber die Bankiers hatten das stolze Gefühl, Kapitalisten mit exakter rechenhafter Kalkulation zu sein, der Unzuverlässigkeit der politischen Bürokratie die Sorgfalt und Exaktheit des kapitalistischen Zahlungsverkehrs und des Wechselrechts entgegensetzen zu können. Sie pochten auf die Heiligkeit der Verträge, und das, solange es ein Wechselrecht gab, das von staatlichen Richtern exekutiert wurde, mit Grund. Wenn die politische Macht sich nicht freiwillig dieser Heiligkeit der Verträge unterwerfen wollte, dann mußte sie mit Zwang soweit gebracht werden, daß sie die empfangenen Kredite auch pünktlich zurückzahlte, und nicht auf die Mahnung zur Zurückzahlung noch mit Grobheiten reagierte. Allmählich wuchs das Gefühl, daß nur der Kredit verdiente, den man kontrollieren konnte, und daß der Staat, der so viel Geld erhalten hatte und gegen den man mit Wechselklagen vor Gericht nichts erreichen konnte, nicht von der Bürokratie zu kontrollieren war, sondern von den Bankiers. Schon 1809 standen die Papiere der öffentlichen Körperschaften so tief im Kurs, daß sie fünfzehn bis zwanzig Prozent Rendite brachten, bei einem im Handel üblichen Satz von etwa acht Prozent. Hier wuchs der Anspruch auf Beherrschung der politischen Institutionen, die man finanziert hatte. Aber hier wuchs auch der Widerstand der Bürokratie gegen diese Beherrschung. Eben erst hatte sie die Macht dem König entrissen, die Ernennung Steins zum Wirtschaftsminister hatten 1804 die Geheimräte des Generaldirektoriums mit offener Streikdrohung erzwungen, die unerhörte Patronage einzelner Minister gegenüber großen jüdischen Monopolisten hatte sie im Kriege gebrochen. Diese Bürokratie besaß einen liberalen, kapitalistischen, und zwar ausgesprochen freiwirtschaftlichen Antisemitismus. Und sie wandte sich mit rücksichtslosester Schärfe gegen den Versuch der Bankiers, von den Kriegsgewinnen aus in den Staat einzudringen, obwohl es sich für diese viel weniger um primär politische Machtaspirationen handelte als um die Sicherung des geliehenen Geldes. Stein war ein unbeherrschter Antisemit aus verschwommenem aristokratischem Gefühl, dem es Freude machte, die Juden zu ärgern, auch wenn die Folgen schwere finanzielle Schädigungen des Staates waren, dessen Interessen er als Minister wahrzunehmen hatte. Unter seinen Nachfolgern, dem Ministerium Dohna-Altenstein, kam der Klassenkampf der Bürokratie gegen das Leihkapital zu reinerer Entfaltung. Ohne die Kredite der Juden konnte der Staat zwar die Kontribution an Frankreich nicht bezahlen, aber deshalb wurden sie wie auch ihre christlichen Kollegen nicht etwa höflich behandelt, sondern mit der ausgesuchtesten Grobheit und dazu in der sinnlosesten Weise vor den Kopf gestoßen. Im Sommer 1809, als zur Sanierung des dicht vor dem Bankrott stehenden Ministers Freiherr von Hardenberg an die 100 000 Taler aus der Staatskasse flüssig gemacht werden konnten, war für die Rückzahlung eines seit einem halben Jahr fälligen Kreditrestes von 8000 Talern an zwölf jüdische Bankiers kein Geld vorhanden und man dachte den Juden ob ihrer Kühnheit, die Rückzahlung anzumahnen, schon eine zwanzigprozentige Vermögenssteuer zu. Unter dem Staatskanzler Hardenberg (1810 bis 1823) änderte sich das wenigstens zeitweise. Die Bankiers begrüßten den Sturz des Ministeriums Altenstein mit einer Hausse der Staatspapiere und Hardenberg schlug einen versöhnlichen Ton ihnen gegenüber an. Denn mit ihm wurde der größte Schuldner Preußens Leiter der Politik, und der hatte Verständnis für die Illiquiditätssorgen auch anderer Leute und half ihnen mit großzügigen Staatssubventionen — auch wenn die Valutareserve der Seehandlung für die

Kontributionszahlung empfindlich dadurch angegriffen wurde — wie sich selbst. Der Zorn des Geheimrat Heinrich von Beguelin, der bei den Kontributionsverhandlungen in Paris 1810 bis 1812 genug Geld verdient hatte, um sich aus dem Besitzer schwerer Schulden zum Besitzer zweier preußischer Domänen zu verwandeln, über des Staatskanzlers Liaison wurde erst durch 24 000 Taler in Pfandbriefen abgekauft, und als Beguelin einige Monate später wieder mit Skandaldrohungen anfing, wurde er zum Finanzminister ernannt. Ein anderer großer Schieber, der Oberkammerherr und Polizeiminister, Fürst von Wittgenstein, erreichte aber, da diese Situation in der ganzen Bürokratie von Berlin durchschaut wurde, im letzten Augenblick die Zurückziehung der schon ausgestellten Kabinettsorder.

Aber diese persönlichen Verbindungen des mächtigen Staatskanzlers konnten den Klassengegensatz zwischen Bürokratie und Bankiers nicht beseitigen. Die Bürokratie war durch die Politik kurzfristiger Kredite in ihrer unumschränkten politischen Macht bedroht, und als sie nach dem zweiten Pariser Frieden wieder etwas Luft bekam und als England den Segen seiner im Kriege vom Publikum behaupteten, nun wieder zum Vorschein kommenden Goldsovereigns über den Kontinent ausschüttete, erhielt auch Preußen seinen Anteil daran. Die Bürokratie zahlte Staatsschulden zurück, um diese Situation nicht wieder herzustellen. Die Frage der Steuerpolitik und Anleihepolitik eines diktatorisch-bürokratisch regierten Staats ist ganz anders als die Treitschke-Politik behauptet.

In derselben Zeit wurde die Macht des Großgrundbesitzes ungeheuer erschüttert, nicht durch die Angriffe „der Reformer" und ihre idealistischen Pläne, nicht durch die sogenannte Bauernbefreiung, sondern durch den Zusammenbruch des Agrarkapitalismus, der Überhöhung der Güterpreise, des niedrigen Zinsniveaus. Es war die schwerste Belastung, die der preußische Adel je auszuhalten gehabt hat. Die Kriegsgewinne der Jahre 1806/07 konnten die Verluste der späteren Jahre nicht kompensieren. Die schamlos hohen Getreidepreise, mit denen der Adel die hungernde und arbeitslose Bevölkerung der Städte und Weberdörfer ausplünderte, während er sich selbst durch ein die ganze kapitalistische Wirtschaft erschütterndes Zahlungsmoratorium dagegen geschützt hatte, daß der Druck der hohen Zinsen auch ihn traf, machten rasch niedrigen Getreidepreisen Platz, als die französische Armee Ende 1808 abmarschiert war und damit der Großkonsument wegfiel, der zwei Jahre lang England als Abnehmer des preußischen Getreideüberschusses reichlich ersetzt hatte. Bis 1815 verhinderte das Moratorium den Besitzwechsel der Güter. Aber als in den 1820er Jahren die große Agrarkrise hereinbrach, wurden die Güter massenhaft verkauft, und der Rittergutsadel des 19. Jahrhunderts ist zum großen Teil nicht mehr derselbe wie im 18., er stammt von Leuten, die in den Freiheitskriegen und später ihre Kriegsgewinne in Landbesitz anlegten, und von geadelten Beamten, die zu Geld gekommen waren, sei es durch direkte Beteiligung an Geschäften, sei es durch die Heirat einer reichen Frau. Die Heiratspolitik der preußischen Bürokratie wie übrigens auch des Offizierkorps zu untersuchen, würde als Ergebnis das Vorhandensein von starken persönlichen Beziehungen zwischen der als Klasse antikapitalistischen Bürokratie mit dem Kapitalismus aufdecken und würde viele gute Geschäfte erklären.

Politische Macht als Folge der Kriegsgewinne sehen wir auch im amerikanischen Sezessionskrieg. Der Norden diskontierte seinen politischen Sieg lange ehe er militärisch entschieden war, als Lee noch unbesiegt im Felde stand, mit einer Konjunktur allergrößten Stils. Der Westen nahm eine sprunghafte Entwicklung, Chicago verdoppelte seine Einwohnerschaft in vier Jahren.

Angetrieben war diese Konjunktur durch die Geldverschlechterung, die greenbacks, davon abgesehen aber echte Kriegskonjunktur. Je größer die Armeen wurden, je weniger ihre Materialbedürfnisse aus aufgestapelten Friedensbeständen befriedigt werden konnten und je größer ihr Materialbedarf mit dem Wachsen des Munitionsverbrauchs wurde, desto stärker entfaltete der Krieg und die Vorbereitung auf ihn seine Wirkung auf die Wirtschaft. Die Armeen wurden Großabnehmer. Und diese Großkonsumenten entwickelten auf der Produktionsseite entsprechend große Betriebe für ihre Unterhaltung. Die Textilindustrie des Merkantilzeitalters war mächtig entwickelt worden durch die Aufträge an Uniformen für die Armeen, die schon über 100 000 Mann stark zu werden begannen. In der französischen Revolution entwickelte der Massenbedarf des neuen Riesenheers an Nahrungsmitteln den preußischen Agrarkapitalismus reicher, steigerte die Getreidepreise und ermöglichte die Aufrechterhaltung der spekulativen Pfandbriefinflation, die von den Rittergutsbesitzern gegen den Staat durchgesetzt wurde. Lange vor 1806 war aus dem vorkapitalistischen Adligen Ostelbiens gar kein rationell rechnender Ackerbauer geworden, aber ein geldgieriger Spekulant, der mit seinen Gütern schacherte und sein Getreide zu höchsten Preisen in das Ausland exportierte. Der Krieg hat an der Wandlung Ostelbiens zu einem kapitalistischen Land mit vor- und antikapitalistischer Ideologie Anteil gehabt.

In Amerika wurde für ein halbes Menschenalter zum Tabakexport, der einzigen Quelle des bescheidenen Reichtums der dreizehn Staaten, der Getreideexport hinzugefügt: Die Armeen Europas brauchten Brot. Einige große Pflanzer, Washington, Jefferson, Madison, begannen die alte Methode aufzugeben, den Boden so lange zu bearbeiten, bis er ausgehungert war, und dann weiterzuziehen. John Binns und John Taylor agitierten für die Einführung der Fruchtwechselwirtschaft, aber 1814 mit dem Frieden im englisch-amerikanischen Krieg wurde das alte ökonomische Elend wiederhergestellt, und vergebens hofften die Amerikaner auf einen neuen Napoleon, dessen Kriege ihrer Kümmerlichkeit etwas abhelfen sollten. Aber weder in USA noch in Preußen wurde das Elend durch neue Kriegsgewinne beseitigt, die doch nur für kurze Zeit Abhilfe gebracht hätten. Die preußischen Ostprovinzen mußten noch Jahrzehnte schlimmsten Hungerdaseins durchmachen, und ehe in den Vereinigten Staaten einerseits in den zwanziger Jahren die Industrialisierung des Ostens einsetzte, andererseits im Süden die neue Baumwollproduktion, die für den Export arbeitete, große Vermögen schuf und auch die mit Ruffin beginnende Bodenanalyse die Hektarerträge des Getreidebaus hob, sah das Land vielfach aus, als ob ein „angel of desolation had cursed the land."

Seit den 1850er Jahren wurde der letzte grundsätzliche Schritt in der Erweiterung des Massenbedarfs der Heere getan, speziell mit der Einführung des Stahls in die Rüstungsindustrie, allgemein mit der dieser Verwendung des Stahls parallelgehenden Steigerung der Bedeutung der Geschütze für die Kriegsführung. Das technische Material der Heere erforderte von da ab eine ungewöhnlich hohe und exakte Präzisionsarbeit, die weit über die Sorgfalt beim Guß der gußeisernen oder bronzenen Vorderladerkanonen hinausging. Gleichzeitig begann die Menge des Heeresbedarfs zu wachsen, zwar noch nicht relativ in der Zahl des Materials pro Kopf — man hatte 1900 ebenso noch vier Geschütze auf 1000 Mann Infanterie — als absolut entsprechend dem Wachsen der Heeresgrößen. Außerdem wurden die Geschütze jetzt schneller erneuert, da die sich rastlos entwickelnde Technik etwa alle zwanzig bis dreißig Jahre eine vollständige Neubewaffnung der Armeen erzwang. Diese Umbewaffnung mußte sehr schnell geschehen, weil es stets mißlich war, eine große Armee mit Material verschiedener Schußwirkung ins Feld rücken zu lassen. Und die Industrie lernte allmählich auch, solche Umbewaffnungen rasch zu erledigen, weil die ungeheure Bevölkerungsvermehrung im 19. Jahrhundert wachsende Größen aller Art nach sich zog.

Die moderne Rüstungsindustrie entstand, und sie wurde mit als erste Großindustrie, denn Rüstungsbedarf ist Massenbedarf, der nur von Riesenwerken befriedigt werden kann.

Ebenso wie der Rüstungsindustrielle erst in seinen Beruf von außen hereinkommt, ist auch der umgekehrte Fall möglich, daß ein Industrieller seinen historischen Ruf erst durch den Verzicht auf die Betätigung im Rüstungsgeschäft erhält. Ludwig Nobel, der Bruder Alfred Nobels, liquidierte 1859 seines Vaters Emanuel erfolglose Kriegsschiffwerft in St. Petersburg und wandelte sie in eine Maschinenfabrik um, von der aus er nach 1875 seine Ölinteressen im Kaukasus auszubauen begann.

Noch charakteristischer ist Henry Bessemer, der nach dem Krimkrieg sich mit der Fabrikation von Stahl für ein von ihm erfundenes Geschütz beschäftigte und bei dem Suchen nach einem Material, das besser war als Gußeisen, aber billiger als Tiegelstahl, sein berühmtes Verfahren erfand.

Der zweite Typus des Rüstungsindustriellen ist der Industrielle, der in seinem vorhandenen Werk zur Friedensproduktion die zusätzliche Produktion von Rüstungsmaterial aufnimmt. Ihre Vertreter sind Schneider, Krupp, Vickers, Harvey, Skoda, Schwab, Carnegie, Whitworth. Krupp ist 1812, Vickers 1828, Whitworth 1833, Schneider 1836, Skoda 1859 gegründet worden. Krupp produzierte Spezialstähle und Eisenbahnräder, Vickers Eisenbahnmaterial, Whitworth Präzisionsmaschinen, Schneider Eisen- und Stahlwaren, Skoda Maschinen, Schichau baute kleine Fluß- und Seedampfer, als sie aus verschiedenen Anlässen ins Rüstungsgeschäft kamen. Schichau war der erste Erbauer von Compoundmaschinen für hohe Geschwindigkeiten und war daher besonders geeignet, sich in den 1880er Jahren für den Torpedobootsbau zu spezialisieren.

Die modernen Sprengstoffe, die auf Nitrozellulosen mit hohem Stickstoffgehalt beruhen, während Nitrozellulosen mit niedrigem Stickstoffgehalt Zelluloidfilm, Kunstseide, Kunstleder liefern, waren schon 1845/46 entdeckt worden. Die Schießbaumwolle gleichzeitig durch Schönbein und Böttger, das Nitroglyzerin durch Sobrero. Während die von einzelnen Militärs in den 1850er Jahren angestellten Versuche, Schießbaumwolle statt Pulver zu verwenden, noch ohne Resultat blieben, geriet das Nitroglyzerin wieder in Vergessenheit und wurde 1859 durch den schwedischen Ingenieur wieder entdeckt, der 1865 in Krümmel bei Lauenburg auf Hamburg eine Dynamitfabrik anlegte, die zur größten des Kontinents wurde.

Die amerikanische Rüstungsindustrie weist nicht wie die europäische den Typ des Kanonenkönigs auf, dem die großen Rüstungswerke ihr Entstehen verdankten. Die wenigen Industriekapitäne, die vor dem Weltkrieg Kriegsmaterial herstellten, sind groß geworden ausschließlich als Großproduzenten von Friedensmaterial und haben dann erst an sehr große Werke relativ kleine Kriegsmaterialabteilungen angegliedert. Das hat seinen Grund in der Entstehungsgeschichte der amerikanischen Rüstungsindustrie, die nicht wie in Europa zusammenfällt mit der Einführung des Stahls in den Industriebetrieb. Die amerikanische Rüstungsindustrie entwickelte sich viel langsamer und später als die europäische. Nicht einmal der Sezessionskrieg schuf oder beförderte eine Rüstungsindustrie, wie in Deutschland Krupp durch die Kriege 1864, 1866, 1870/71 einen mächtigen Aufschwung nahm. Der Krieg schuf ungeheure Rüstungsgewinne. So stiegen 1860 bis 1864 die Preise für Walzeisen von $ 58.00 auf $ 146.00 die Tonne, die für Roheisen nur von $ 22.00 auf $ 59.00. Die Differenz, die dem Verarbeiter zugute kam, stieg also von $ 37.00 auf $ 88.00 — aber keine Rüstungsindustrie. Das kleine Werk von Klomann in Midvale, in das Andrew Carnegie eintrat, hatte z. B. große Gewinne durch die rasche Ausführung hochbezahlter Regierungsaufträge für Lafetten, setzte aber später die Produktion nicht fort. Der Erfinder der Revolverkanone, Hotchkiss, verlegte sein Werk nach dem Frieden außer Landes. Auf die Entwicklung der Technik hat der Sezessionskrieg keinen bedeutenden Einfluß gehabt. Während des Krieges war die amerikanische Eisenindustrie noch so rückständig, daß sie nicht imstande war, Platten von mehr als einem Inch Dicke zu walzen. So wurden für die Monitore zehn Platten mit Holz dazwischen übereinandergelegt. Der Panzer der Südstaatenfregatte „Merrimac" bestand aus gewalzten Eisenbahnschienen. Daß die Stahlindustrie später Besseres leistete, hatte andere Gründe, nicht den Antrieb durch den Krieg.

Nach einem verunglückten Versuch mit einem Bostoner Werk 1880 erhielten die Midvale Steel Co., die der Pionier der amerikanischen Geschützschmiedekunst war, und 1887 die Bethlehem Iron Co., die noch aus der Zeit vor dem Bürgerkrieg stammte, aber Anfang der 1880er Jahre von John Fritz technisch zu den modernsten Stahlwerken Amerikas entwickelt worden war, die ersten Aufträge für schwere

Geschütze. Aber diese beiden Werke hatten keinen sehr großen Absatz: in den letzten Jahren vor 1914 konnten sie nur etwa 55 Geschütze jährlich verkaufen und hatten ihre Produktionskapazität auch nicht erheblich über diese Zahl hinaus erhöht. Das gelieferte Material war aber dem europäischen durchaus gleichwertig. Neben ihnen bestand noch die ebenfalls in den 1880er Jahren errichtete Staatliche Geschützmanufaktur in der Washington Navy Yard und die Heeresgeschützfabrik Waterfleet Arsenal.

Der 1886 beginnende Bau der modernen amerikanischen Flotte, die Schiffe des Sezessionskrieges waren allmählich so unbrauchbar geworden wie ihre Kanonen, führte zum Ausbau einer eigenen Rüstungsindustrie, denn die Amerikaner führten ihre ersten gezogenen Geschütze zwar schon 1861 ein, verwandten aber als Material nur Gußeisen und behielten nach der reichlichen Produktion der Kriegsjahre, die in der Westpointfoundry in Goldspring, N.Y., unter Parrot betrieben wurde, genug Geschütze über, um über ein halbes Menschenalter keine Neuanfertigungen nötig zu haben.

Der Ersatz dieser überalterten Kanonen durch Schmiedestahlgeschütze begann erst in den 1880er Jahren, und damit erst setzte die Entstehung der modernen Ordnance Works in den Vereinigten Staaten ein. Nach einem verunglückten Versuch erhielten 1882 die Midvale Steel Co., die der Pionier der amerikanischen Geschützschmiedekunst wurden, und 1887 die Bethlehem Iron Co., die noch aus der Zeit vor dem Bürgerkrieg stammte, den Gesamtauftrag für alle Platten und Geschütze der ersten amerikanischen Kriegsschiffe. Der Harveypanzer, von einem Amerikaner erfunden, und im Augenblick der bei weitem beste Panzer der Welt, gab der Stahlindustrie die Anregung zu eigener Plattenproduktion: 1891 begann Carnegie, Panzerplatten herzustellen und fand auch im Ausland, speziell in Rußland, relativ guten Absatz für sie. Der eigenen Regierung gegenüber operierten Carnegie und Bethlehem, die seit 1898 beide die Krupp-Patente benutzten, zusammen. Beide boten ihren Panzer zu denselben Bedingungen und denselben ziemlich hohen Preisen an. Diese Lage suchte 1900 die Midvale Steel Co. auszunutzen, als für die letzten acht Schlachtschiffe und sechs Panzerkreuzer zugleich die Panzer ausgeschrieben wurden — ein Objekt von über fünfzehn Millionen Dollar — um auch ins Plattengeschäft zu kommen und unterbot die beiden erheblich, obwohl sie erst ein Panzerplattenwerk einrichten mußte. Da sie aber lange Lieferzeit verlangen mußte, einigte sich diesmal noch die Regierung mit Carnegie und Bethlehem, wenn auch zu erniedrigten Preisen mit Hilfe der

Drohung, ein staatliches Plattenwerk zu errichten. Die Midvale Co. setzte aber hartnäckig ihre Angebote zu niedrigen Preisen fort und kam 1906 tatsächlich ins Geschäft hinein. Indessen erhielt sie nur die Hälfte der Lieferung, und die andere Hälfte wurde zum erniedrigten Preise gegen die klaren Ausschreibungsbedingungen an die höher bietende Carnegie-Bethlehem-Gruppe gegeben.

Der politische Einfluß der Rüstungsindustriellen ist bei derartigen Aktionen leicht zu erkennen. Geltend gemacht hatte er sich auch schon früher: 1892 gab die Werft von Cramp in Camden, die einen großen Teil der amerikanischen Kriegsschiffe gebaut hat, zur Präsidentenwahl $ 400.000.00 „upon the assurance that he would be reimbursed from the contracts for naval construction." Das für die Vereinigten Staaten noch am meisten charakteristische große Rüstungswerk ist die Bethlehem Steel Corp. geworden, die der frühere Carnegie-Direktor Charles M. Schwab aus vorhandenen Werken bildete, darunter der Bethlehem Iron Co. Gegen die Steel Corp. konnten sich auf die Dauer die Midvale Steel & Ordnance Works, wenn sie auch allmählich ihren Anteil am Rüstungsgeschäft eroberten, nicht halten und wurden, nachdem eine Zeitlang Du Pont de Nemours seine Pulverinteressen auf sie ausgedehnt hatte, 1922 in die Corporation übernommen.

Die Ausbildung der Bethlehem Corp. zu einem Gesamtrüstungstrust, der ein Kriegsschiff in allen seinen Teilen herstellen konnte, erfolgte erst später als auf dem Kontinent. Erst 1913 kaufte sie zu ihren vorhandenen drei Werften als große Kriegsschiffwerft die Forex River Shipbuilding Co. in Quincy, Mass., die mit dem Bau der Linienschiffe „Nevada" und „Rivadavia" für die Vereinigten Staaten und Brasilien gleich gute Beschäftigung fand. Auf weitere Kriegsschiffaufträge, die China erteilt hatte, mußte sie aber nach dem Sturz der Manchus verzichten.

Die Du Pont de Nemours Powder Co., Wilmongton Del., spielte vor 1914 keine bedeutende Rolle im Rüstungsgeschäft. Sie produzierte bis 95 Prozent der Gesamtproduktion Handelssprengstoffe. Erst nach dem Weltkrieg stieg sie zu dem ökonomischen Riesen der amerikanischen Wirtschaft auf.

Wie die ganze amerikanische Rüstungsindustrie bei Ausbruch des Weltkrieges erheblich hinter den Ansprüchen eines großen Krieges zurückblieb, so auch die E. I. Du Pont de Nemours & Co., Inc., Wilmington, Del., obwohl sie das einzige Werk in den Vereinigten Staaten waren, das überhaupt größere Pulvermengen zu liefern vermochte.

Das Werk war schon 1802 gegründet worden, hatte nach kümmerlichen Anfangsjahren sich im Kriege von 1812 gesundgemacht, sich aber dann fast ausschließlich mit der Herstellung von kommerziellen Sprengstoffen befaßt. Seit der Jahrhundertwende dehnte die nahe Verwandtschaft der neuen in der Sprengstoffindustrie verwandten Grundstoffe mit anderen chemischen Produkten die Produktion der D. P. d. N. aus zur Produktion aller Nitrate, Schwefel-, Ammoniak- und Glyzerinverbindungen. Die große Ausdehnungspolitik, die in den achtziger Jahren eingeleitet worden war, wurde formal abgeschlossen durch die Gründung der Holding Gesellschaft 1903: E. I. Du Pont de Nemours Powder Co. (aufgelöst 1926). Die Werke arbeiteten in den letzten Jahren vor dem Weltkrieg äußerst profitabel, trotz eines im allgemeinen wenig befriedigenden Absatzes ihrer Produkte, da sie die technische Rationalisierung ihrer Anlagen stark entwickelten. Der Weltkrieg gab dem Konzern einen ungeheuren Anstoß zu weiterer Ausdehnung; er produzierte schließlich 40 Prozent alles von den Alliierten und Assoziierten verbrauchten Pulvers. Die Belegschaft stieg von 5300 im Oktober 1914 auf 62 200 im Januar 1916. Der Eintritt Amerikas in den Weltkrieg hat den Aufschwung nur noch graduell, nicht mehr prinzipiell verstärkt. Am Ende des Krieges war die Belegschaft nur noch auf 85 000 gestiegen. Die Bezahlung der Lieferungen durch Frankreich und England erfolgte meistens nicht durch Barzahlung, sondern durch Übergabe von Effekten aller Art, die dann als Dividende — 1916 z. B. als 22¹/₂ Prozent Sonderdividende an die Aktionäre weitergeleitet wurden. Die Beschlagnahme der deutschen Patente ermöglichte den Übergang zur Farbenproduktion; die Aufnahme der Kunstseidenproduktion folgte nach. Nach dem Kriege wurden auch Werke in Chile und Mexiko errichtet.

Das Charakteristische in der Entwicklung der Du Pont de Nemours als Rüstungswerk ist das vollständige Fehlen der Übergangskrise nach Beendigung des Weltkrieges. Es wurden zwar riesige Aufträge — 260 Millionen Dollar — gestrichen, und die Arbeiterzahl wurde binnen sechs Wochen auf 28 000 heruntergesetzt. Aber von den Gewinnen, die die Gesellschaft gemacht hatte und die nun zur weiteren Ausdehnung der Produktion nicht mehr benötigt wurden, wurden $ 48 Millionen dazu verwendet, um in die General Motors einzudringen, den bisherigen Hauptaktionär Durant dort herauszudrängen und die dicht vor dem finanziellen Zusammenbruch stehende Gesellschaft — Kurs der Aktien war $ 1.00 — zu sanieren und zu entwickeln. Eine Zeitlang war D. P. d. N. auch an der schweren Rüstungsindustrie beteiligt, sie besaß die Midvale Steel and Ordnance Works, die Konkurrenten der Bethlehem Steel Corp. in der Produktion von Geschützen und Panzerplatten. Doch wurden sie schon 1922 an Bethlehem verkauft.

So entstand aus den Kriegsgewinnen die doppelte Position der D. P. d. N. als Produktions- und Holdinggesellschaft zugleich. Der Anteil der Gewinne aus der eigenen chemischen Produktion ist im Laufe der Jahre hinter den Gewinnen aus der Beteiligung von General Motors immer mehr zurückgeblieben.

1914 hat die Erreichung des Saargebiets für die Franzosen bei der Anlage ihrer Offensive beiderseits Metz ebensowenig eine Rolle gespielt wie der Schutz des grenznahen Ruhrgebiets oder die Eroberung des belgisch-nordfranzösischen Industriereviers bei der Konstruktion des Schlieffenschen und Moltkeschen Einmarsches in Belgien.

Der Standort seiner Rüstungsindustrie war für England relativ gleichgültig, da die Insel als ganzes gegen die feindlichen Angriffe geschützt war, und weder See- noch Luftangriffe so ausgedehnte Anlagen wie einen modernen Rüstungskonzern zerstören konnten. Von der deutschen Rüstungsindustrie lagen die alten Dillinger Panzerplattenwerke Stumms an der Saar und nahe der Grenze; aber sie waren durch die starke Festung Metz gegen die Franzosen geschützt. Krupp hatte wie das ganze Ruhrgebiet die starke, nur schwer zu forcierende untere Rheinlinie als guten Schutz vor sich. Ökonomisch war seine Lage ungünstiger. Er stand zwar auf der Kohle, hatte aber kein Erz in der Nähe. Der im Frieden im großen Umfange vorgenommene Transport spanischer Erze war im Kriegsfall unmöglich und mußte im Kriege durch den Bezug von nordschwedischen Erzen über die von der deutschen Flotte beherrschten Ostsee ersetzt werden. Das oberschlesische Industriegebiet war gefährdet nur, wenn auch Österreich-Ungarn zu den Gegnern Deutschlands gehörte. In einem deutsch-österreichischen Kriege mit Rußland brauchte es höchstens gegen Kavallerieraids geschützt zu werden, da es außerhalb der strategischen Angriffsrichtungen lag und die Festung Krakau einen wenn auch nur bedingten Schutz gewährte. Die österreichische Rüstungsindustrie lag politisch sehr günstig. Die Skodawerke lagen dicht an der Grenze des deutschen Verbündeten, gegen diesen aber durch Gebirge geschützt. Als Rüstungswerk der „Kleinen Entente“ liegen sie denkbar ungünstig, nicht nur in Rücksicht auf die Eisenbahnverbindung zwischen Jugoslawien, Rumänien und der Tschechoslowakei, sondern auch wegen der

Nähe der Grenze des voraussichtlichen Gegners. Der industrielle Standort von Schneider ist sowohl für die Stammwerke in Le Creusot wie für Le Havre — Werk für schwere Geschütze seit 1897 — äußerst ungünstig. Le Creusot deckte schon vor 1914 seinen Bedarf an Steinkohle nur noch zu einem Viertel, dafür lag es aber strategisch günstig im Innern des Landes. Le Havre hat gute Kohlenverbindungen mit England und Nordfrankreich, liegt aber strategisch relativ nahe der Grenze.

Die Obuchoff und die Putiloff in Petersburg hatten für Kohle und Erz einen außerordentlich ungünstigen Standort, der durch die wahrscheinlichen Transportschwierigkeiten im Kriegsfall noch verschlechtert wurde. Dagegen lagen sie strategisch bis zur Erfindung des Flugzeugs sehr günstig, da außer bei einer sehr unwahrscheinlichen Landung das Vordringen des Feindes bis Petersburg kaum zu erwarten war. Trotzdem begannen die Russen kurz vor dem Weltkrieg ihre Geschützproduktion in das Innere des Landes zu verlegen, nach Zarizin an der Wolga, eine Politik, die von der Sowjet-Union mit dem Aufbau ihrer Industriezentren fern der Grenze fortgesetzt wird. Unter allen Großstaaten hatte Italien die ungünstigsten Bedingungen für eine Rüstungsindustrie, es besaß weder ausreichend Erze oder Kohlen, war daher von vornherein auf die Kooperation mit fremden Werken angewiesen und wurde so ein happy hunting ground für die englische Rüstungsindustrie, die das Land völlig in die Hand bekam. Der Gründer der italienischen Rüstungsindustrie, Marineminister Benedetto Brien, versuchte bei der Heranziehung der ausländischen Firmen ein gewisses Gleichgewicht zu bewahren und rief 1884 außer Armstrong zur Errichtung der Geschützwerke in Pozzuoli, bei Neapel am Meer gelegen, in sicherer Reichweite der auf englischen Schiffen stehenden Armstrongkanonen, und der Werft in Genua die englische Konkurrenzfirma Vickers ins Land zur Errichtung der Panzerplattenwerke in Terni und die deutsche Torpedobaufirma Schwartzkopff nach Venedig; aber der englische Einfluß überwog bald den deutschen und wurde seit dem Zusammenarbeiten von Armstrong und Vickers zum Monopol.

Die Ansprüche an Qualitätsleistungen eilten oft der Fähigkeit der Industrie voraus. Als nach 1870 die ersten deutschen Panzerschiffe auf deutschen Werften gebaut wurden, waren diese der englischen Konkurrenz gegenüber in jeder Weise schwer rückständig. Die Ersetzung des Dreyseschen Zündnadelgewehrs durch das Gewehr 71 konnte nur erfolgen durch die Beschaffung amerikanischer Präzisionsmaschinen, die zugleich Massenarbeit zu liefern imstande waren. „Namentlich in den Kreisen der Eisen- und Stahlwarenindustrie wirkte das Vorgehen der Königl. Gewehrfabriken geradezu bahnbrechend und gab die Veranlassung, daß viele Fabriken zur Massenfabrikation sich in ähnlicher Weise einrichteten."

Dadurch, daß die Staaten für ihr Kriegsmaterial nur erstklassiges Material brauchen konnten, für das sie entsprechend zu bezahlen hatten — trotz der Verwendung besten Stahls kann ein schweres Flachbahngeschütz nicht länger als etwa drei Stunden in Arbeit stehen, das heißt etwa die Zeit, die 150 Granaten benötigen, um durch das Rohr durchgejagt zu werden — waren sie im besonderen Maße der Gefahr ausgesetzt, betrogen zu werden. Die Belieferungen von Großmächten — von exotischen Staaten ganz abgesehen — mit zweitklassigem Material zum Preis der erstklassigen sind selten aufgedeckt worden. In den Carnegie-Stahlwerken vertauschten Angestellte — hier ohne Wissen des Chefs — die vom Ordnance Department zum Probeschuß ausgewählten Panzerplatten gegen bessere, um dem Chef die Qualität ihrer Gußarbeit zu beweisen und avancement zu erreichen. Carnegie mußte dafür 140 000 $ Strafe bezahlen, entging aber 1894 der Drohung, die amerikanische Flotte auf eigene Kosten neu bepanzern zu müssen durch das Entgegenkommen des Secretary of the Navy Herbert. Von Armstrong für südamerikanische Staaten gebaute Schiffe waren immer berühmt für den hohen Bedarf, den sie an kostspieligen und umfangreichen Reparaturen nötig hatten.

Außer dieser Verbindung von Kriegs- und Friedensmaterial, die aus der Entstehungszeit der Rüstungsindustrie stammt, ist ein zweiter Grund der Verbindung der Zwang für die Rüstungsfirmen, sich gegen das Schwanken der militärischen Aufträge durch Entwicklung von zivilen Produktionen zu sichern. Das drastische Beispiel der Abhängigkeit von Rüstungskonjunkturen und des Versuchs, sie auszugleichen, ist die Firma des Erfinders der Revolverkanone, Hotchkiss. Als nach dem Sezessionskrieg in Nordamerika nichts mehr zu verdienen war, wurde das Werk nach St. Denis bei Paris verlegt, wo es zunächst Mitrailleusen produzierte. Die technische Entwicklung des Maximschen Maschinengewehrs und die Tätigkeit Zaharoffs störte aber den Ausbau der Hotchkisswerke, die außerdem immer unter einem auffallenden Mangel an internationalen diplomatischen Beziehungen litten, sehr stark, so daß sie schließlich zur Produktion von Autos und Waagen übergehen mußten und vor dem Kriege erheblich mehr Friedens- als Kriegsmaterial produzierten. Erst im Kriege habe sie die vor 1914 nicht erzielten Gewinne in einem selbst für Frankreich ungewöhnlichen Maße aufrechtzuerhalten gewußt.

Bei Vickers Son & Maxim waren drei Fünftel der Rekordbilanz von 1913 Friedensaufträge, auch Krupp und Skoda haben neben der Geschützproduktion ihre Friedensproduktion stets im weitesten Umfange aufrechterhalten. Nach dem Weltkriege hat sich dieser Prozeß noch verstärkt.

Der Ausfall von Rüstungsaufträgen kann aber für ein Werk mit kombinierter Friedens- und Kriegsproduktion durch eine gleichzeitige Krisis der Friedensproduktion noch verschärft werden, wie z. B. bei den Kupferwerken und Kartuschfabriken Tula. Nach dem Russisch-Japanischen Kriege fielen nicht nur plötzlich alle Armeeaufträge aus, da die russische Heeresverwaltung nicht einmal mehr Friedensaufträge vergab, gleichzeitig entwertete ein Preissturz des Kupfers ihre übermäßig aufgehäuften Lagerbestände.

Der dritte Grund ist die Tendenz des Ausgleichs zwischen Kriegs- und Friedensproduktion, da die Produkte der Friedensproduktion in sehr vielen Fällen zugleich Kriegsmaterial darstellen. Dieser Prozeß beginnt bereits mit den Schraubenwellen und Radsätzen, die seit den 1850er Jahren aufkamen. Das Durch- und Miteinander der beiden Zweige der Produktion in den großen Rüstungswerken zeigt die Zusammengehörigkeit von Hochkapitalismus und Rüstungsindustrie. Es stimmt nicht, wenn Max Weber unter dem unmittelbaren Eindruck der Rüstungskonjunktur des Weltkrieges von dem abgrundtiefen Gegensatz alles von der rein politischen Konjunktur: Staatslieferungen, Kriegsfinanzierungen, Schleichhandelgewinnsten und aller solchen durch den Krieg wieder gigantisch gesteigerten Gelegenheits- und Raubchancen lebenden Kapitalismus, seinen Abenteurergewinnsten und -risiken gegenüber der Rentabilitätskalkulation der bürgerlichen rationalen Betriebe der Friedenszeit, sprach. Die moderne Rüstungsindustrie ist nicht nur „der rein politisch verankerte“ „Raubkapitalismus und so uralt wie die uns bekannte Geschichte von Militärstaaten überhaupt, sie ist genau wie der rentabilitätskalkulierende Friedenskapitalismus ebenfalls“ ein spezifisches Produkt des modernen europäischen Menschentums.

Die Rüstungsindustrie hatte die Tendenz, in jeder der großen Mächte einen großen Rüstungskonzern auszubilden, der den gesamten Bedarf an schwerer Rüstung zu decken imstande war und der sich in der öffentlichen Propaganda sowohl seines eigenen wie der der Feinde des betreffenden Staats mit diesem Staate zu identifizieren pflegte. Dieser

Identifizierung in der Öffentlichkeit entsprach oft auch eine Identifikation in der großen Politik, wobei aber der Konzern der führende Teil zu sein pflegte. Die Diplomatie aller Länder hat stets die Interessen der Rüstungsindustrie des eigenen Landes wahrgenommen; die Gesandten wurden oft zu Auftragsacquisiteuren der Rüstungskonzerne. Aber wenn mehrere Konzerne eines Landes miteinander um einen Auftrag in einem anderen kämpften, trat die Diplomatie für den von der Regierung bevorzugten ein. Ehrhardt fand im Kampf um die Durchsetzung seines Rohrrücklaufgeschützes weder in Norwegen noch in der Schweiz die amtliche Unterstützung der deutschen Diplomatie, deren Krupp stets reichlich teilhaftig wurde.

Sehr deutlich und politisch gefährlich wurde der Einfluß Krupps auf die Regierung in der deutschen Marokko-Politik, in der er eine größere Rolle gespielt hat, als die vielgenannten und mit einem ungewöhnlichen Maß diplomatisch-geschäftlicher Unfähigkeit belasteten Gebr. Mannesmann. 1907 hatten Schneider-Creusot und Krupp zusammen eine Studiengesellschaft gegründet, die als Konkurrenz gegen die Mannesmannschen Projekte die Erzstätten in Marokko untersuchen sollte. Als die Interessen Krupps und Mannesmanns zusammenstießen, war es selbstverständlich, daß die deutsche Regierung, die bisher die Mannesmannschen Ansprüche lebhaft verteidigt hatte, jetzt plötzlich Krupp gegen Mannesmann stützte. Umgekehrt hat dann Mannesmann, der eine großangelegte und sehr kostspielige Propaganda für sein Geschäft entfachte, sich später mit den Franzosen alliiert.

Auf der anderen Seite war es natürlich, daß auch die Rüstungsindustrie sich nicht mit allen politischen Interessen ihrer Staaten identifizierte, daß sie zwar durch das Schwergewicht ihrer Kapitalien, die so eng mit der nationalen Verteidigung verbunden waren, die Außenpolitik ihrer Staaten stark beeinflußte, daß aber die Verwendung der Diplomatie zur Unterstützung ihrer Auftragsbemühungen für sie nur ein Mittel zum Zweck blieb und nicht die Anerkennung der politischen Freundschaften oder Feindschaften als leitendes Prinzip bedeuteten. So ist es z. B. 1913 Vickers dank seiner besseren persönlichen Beziehungen zu den Petersburger Regierungskreisen gelungen, obwohl Rußland bisher seine schweren Geschütze bei Krupp oder Schneider bezogen hatte, in schärfster Konkurrenz Schneider zu schlagen bei der Errichtung einer neuen russischen Geschützfabrik in Zarizin, die vertragsmäßig große Teile der bisher den Putiloff-Werken übergebenen Aufträge zugewiesen erhalten sollte. Zur selben Zeit gründeten Vickers und Armstrong gemeinsam die Societé Imperiale Ottomane, Cointéréssé des Docks Arseneaux et Construction Navaux, die eine Reorganisation der türkischen Flotte, die zwei Dreadnoughts bei Armstrong gekauft hatte, bezweckte. Noch befand sich die Türkei im Lager Deutschlands, und es läßt sich noch nicht exakt erkennen, ob Vickers in diesem Augenblick zwei Gegner belieferte, ober ob das rüstungsindustrielle Eindringen mit dem politischen Versuch, die Türkei ins Ententelager zu ziehen, völlig parallel geschaltet war. Rüstungsmäßig gelang allerdings dieses Herüberziehen völlig. Die Türkei gab nicht nur die Feldartilleriegeschütze von Krupp auf, die sich in den Balkankriegen den Schneidergeschützen der Bulgaren überlegen gezeigt hatten, sie vergab auch die neuen Küstengeschütze der Dardanellenbefestigungen an Vickers.

Im letzten Jahr vor dem Weltkrieg erlitt die deutsche Rüstungsindustrie, d. h. Krupp, international schwere Niederlagen. Nicht nur, daß ihr die Türkei verlorenging, in Rußland wurden die beim Bau der neuen Dreadnoughts beschäftigten Ingenieure von Blohm und Voß durch französische ersetzt — die Vergebung von zwei kleinen Kreuzern an Schichau war kein Ersatz dafür —, und selbst Österreich-Ungarn, das auch politisch kein ganz zuverlässiger Bundesgenosse war, unterstützte den Aufbau der russischen Rüstungsindustrie. 1912 beteiligten sich die Skodawerke trotz der russisch-österreichischen Spannung mit den Putiloff-Werken und der Newski-Werft an der Errichtung einer Stahlhütte. Die dafür benötigte Erhöhung des Aktienkapitals von Skoda um fünf Millionen Kronen wurde durch das Konsortium: Österreichische Kreditanstalt, Niederösterreichische Escompte Gesellschaft, durchgeführt. Die Schichauwerke übernahmen 1912 den Ausbau der für russische Torpedoboote bestimmten Werke in Riga und Reval, während Blohm und Voß für John Brown, die die Petersburger Werften für die Massenherstellung von Dreadnoughts einrichteten, die Schiffspläne lieferten (für £ 26 000).

Noch internationaler war die Haltung des deutschen Kaisers im Russisch-Japanischen Krieg. Während er als Aktionär der Hapag gestattete, daß Albert Ballin die russische nach Ostasien fahrende Flotte des Admirals Roshdjestwenskij mit Kohlelieferungen unterstützte, gestattete er der Firma Krupp, mit der er mindestens freundschaftlich auf das engste verbunden war, die Lieferung von sechzig bis siebzig Millionen Mark an Geschützen und Munition an Japan.

Im Chinesisch-Japanischen Krieg der letzten Jahre [1931/32] belieferte England beide Teile mit Waffen zu hohen Preisen. Vickers nutzte das dringende Bedürfnis beider Teile entsprechend aus. Als aber einmal chinesische und japanische Waffeneinkäufer sich im Vorzimmer des Direktoriums getroffen und darauf freundschaftlich Ausschaltung der Konkurrenz beim Einkauf von Waffen verabredet hatten, mußte Vickers ihnen vierzig Prozent Preisnachlaß gewähren. Umgekehrt wurden geschäftliche Gegensätze in der Rüstungsindustrie leicht durch politischen Druck wieder ausgeglichen.

Im allgemeinen wurden vor 1914 die Rüstungsaufträge kleinerer Staaten bei den Rüstungskonzernen der Großmächte in der Form finanziert, daß eine Bankgruppe des betreffenden großen Landes dem Kleinstaat eine Anleihe gab, die vollständig dem kreditgebenden Lande blieb und dem Rüstungswerk direkt von der Bank aus bezahlt wurde. Das Werk übernahm formell der Bank gegenüber eine Ausfallgarantie, ohne sie in den Bilanzen erscheinen zu lassen. Nichtbezahlung einer solchen Anleihe war nur im Fall eines Bankrotts des zu beliefernden Staats zu befürchten. So gab Österreich an China 1913 eine sechsprozentige Anleihe zur Finanzierung von Skodalieferungen, deren Bonds ins Portefeuille der Skodawerke gelegt wurden. Als 1904 die Bulgaren 54 Kruppsche Gebirgsgeschütze gekauft hatten, erhielten sie zum weiteren Ankauf von 324 Feldgeschützen im Wert von fünf Millionen Dollar eine französische Anleihe unter der Bedingung, daß sie die Kanonen von Schneider bezogen. Ende 1906 hatten sich die Serben bereits für die Krupp-Ehrhardt-Geschütze entschieden, die sie für besser hielten, da aber Deutschland den Auftrag nicht durch eine Anleihe finanzieren konnte, ging er an Schneider. Mit der Finanzierung von Kriegsschiffaufträgen bei englischen Werken war es ähnlich, wie die Finanzierung der Schlachtkreuzer „Australia" und „New Zealand" zeigt.

Eine zweite gewaltige Stütze hatte die japanische Flottenexpansion an der Zaharoff-Gruppe, die mit großartigen Bestechungen arbeitete. Um den Schlachtkreuzer „Kongo" bei Vickers in Barrow zu bauen, hat sie nicht weniger als 110 000 Pfund bezahlt. Die Nachricht, daß Japan sich plötzlich entschlossen hatte, ein derartiges Objekt ins Ausland zu vergeben, obwohl es selbst bereits 20 000 t Schiffe gebaut hatte, wurde denn auch selbst in England „with some surprise" aufgenommen. Eine dritte Stütze waren die Kaufleute und Industriellen von Osaka und Kobe, die zur Behebung wirtschaftlicher Schwierigkeiten im November 1910 eine weitere Erhöhung der Flottenstärke durchsetzten.

Nach dem Kriege hat sich die Situation zum Teil verändert. Für Aufträge der von Frankreich abhängigen Kleinstaaten für Schneider stand der französische Kapitalmarkt offen. Allgemeiner Rückgang des französischen Handelsvolumens auf dem Balkan wurde nur aufgehalten durch die starken Kriegslieferungen. Bei nicht von Frankreich abhängigen Ländern und ebenso bei Boforslieferungen war die direkte Finanzierungsmethode nicht mehr möglich, da Frankreich dorthin keine Anleihen gab und weder in England noch in den Vereinigten Staaten Länder für Rüstungszwecke Anleihen aufnehmen konnten, bzw. sie nur mit Schwierigkeiten und ausnahmsweise erhielten. So hat deshalb selbst Skoda einen relativ großen Teil seiner Lieferungen selbst finanzieren und für diesen Zweck große Anleihen aufnehmen müssen. 1922 traten die Skodawerke als erste kontinentale A. G. in England als Nehmer einer Anleihe von $ zwei Millionen auf. 1928 gelang eine solche ähnliche Transaktion zwar noch in Frankreich, die englische Tranche wurde aber nur zu sechzig Prozent gezeichnet, und Skoda mußte seine Buchkredite und seine Abnehmer erhöhen — eine Aktion, die schon zu dem Kampf der Tschechen um die Nationalisierung der Skodawerke gehört.

Die letzte große Welle in der Rüstungskonjunktur begann in der Mitte der 1890er Jahre mit der Konzentration der großen Werke. Die Konzentration wurde notwendig, weil die bisherigen sehr hohen Gewinne bei relativ kleinem Umsatz sich trotz der Umsatzsteigerung verminderten als Folge zum Teil des Steigens der Rohstoffpreise, zum Teil mehrfacher Konkurrenzgründungen. Wie überall, so blieben auch in der Sprengstoff- und Pulverindustrie nur solche Unternehmungen lebensfähig, die im größten Umfang zu produzieren vermochten und kapitalkräftig genug waren, um jedes neue Verfahren einführen zu können. Der Trust hat nach Nobels Tode weiterbestanden und ist nach dem Ausscheiden der deutschen Firmen im Weltkrieg 1921 erneuert worden, bis 1925 die I. G. Farbenindustrie die deutschen Werke sowohl der Pulvergruppe wie der Sprengstoffgruppe übernahm und mit Du Pont de Nemours durch Patentaustausch verband. Der Versuch Nobels, durch Übernahme der Geschützwerke in Bofors einen Trust auf einen Konzern aufzubauen, der für seine Sprengstoffe zugleich auch die Geschütze produzierte, hatte Dauer nur bis zu seinem Tode.

Außer dem Rückgang ihrer nationalen Position waren die Kruppwerke seit Beginn des Jahrhunderts dauernd bedroht durch eine Konkurrenz, der sie selbst durch schwere Fehler in der Frage des Rohrrücklaufs der

Feldgeschütze das Großwerden ermöglicht hatten: durch die Rheinischen Metallwerke in Düsseldorf unter Heinrich Ehrhardt.

Der Zivilingenieur Ehrhardt war durch einen Zufall ins Rüstungsgeschäft gekommen. Die Erfindung des rauchschwachen Pulvers erforderte neue ballistische Eigenschaften des Gewehrs, speziell die Verkleinerung des Kalibers und die Ersetzung des Hartbleigeschosses durch ein Mantelgeschoß. Die Umbewaffnung sollte in Deutschland schneller vor sich gehen als die staatlichen Gewehrfabriken leisten konnten. Der zur Aushilfe herangezogene Hörder Bergwerksverein, der die Investitionskosten für einen Sonderauftrag scheute, vergab die Bestellung an Ehrhardt weiter, der das Risiko wagte und 1889 zur Herstellung des Gewehrs M. 88 die „Rheinische Metallwaren- und Maschinenfabrik A. G. Düsseldorf" gründete. Ehrhardt hatte Glück. Auch für die Artillerie wurde bald darauf ein neues Schrapnell C 91 benötigt, das er mit Hilfe eines ihm patentierten Preß- und Ziehverfahrens als nahtloses Rohr herstellte und für das er, da der Kriegsminister dieses Verfahren allgemein vorschrieb, sich von den anderen beteiligten Fabriken Lizenzen zahlen lassen konnte. Von den Granaten ging er zur Herstellung von Kanonenrohren über, die er gleich als Hohlrohre walzte, während Krupp den massiven Zylinder ausbohrte — und später, um Geschütze und Munition gleichzeitig liefern zu können, zur Herstellung von Zündern in der von ihm gekauften alten Dreyseschen Fabrik in Sömmerda. Zur Gefahr wurde er aber für Krupp erst durch das Rohrrücklaufgeschütz als Folge der Revolution in der Sprengstofftechnik mit ihrer Steigerung der Ansprüche an die Leistungsfähigkeit der Geschütze. In den 1880er Jahren setzten in Frankreich und in Deutschland lebhafte Versuche ein, das Rucken der Geschütze beim Schuß zu beseitigen und statt dessen entweder die völlige Unbeweglichkeit der Kanonen oder wenigstens soviel zu erreichen, daß sie nach dem Schuß wieder in die ursprüngliche Feuerstellung zurückliefen. Die meisten der ersten Versuche versuchten das Rucken durch ein scharfsinnig erdachtes System von Vorholfedern zu beseitigen, aber diese Versuche liefen auf einem toten Gleis, denn die Zukunft gehörte dem Bremsensystem, das gleichzeitig unabhängig voneinander in verschiedenen Formen in Frankreich von Deport, in Deutschland von Hausner erfunden wurde.

Die ersten objektiv noch unbrauchbaren Versuche Hausners wurden in entstellter Form nach Frankreich berichtet, und im Glauben, einen schon erreichten deutschen Vorsprung aufholen zu müssen, konstruierte Major Deport bis 1893/94 das 75-mm-Geschütz, das bis 1897 von Hauptmann Deville bis zur Felddienstfähigkeit weiter ausgebildet wurde. Aber schon das Geschütz, das 1893 auf der Weltausstellung in Chicago ausgestellt war, war ein brauchbares Rohrrücklaufgeschütz mit einer Geschoßarbeit, „wie sie bisher keine einzige Feldkanone ergeben hat, und einer Verwertung, welche bis jetzt überhaupt noch niemals von irgendeinem Geschütz erreicht worden ist", mit einer Konstruktion der Rücklaufbremse, die „unstreitig als durchaus neu, eigenartig und geistvoll anerkannt werden muß, während zugleich seine äußerst geschickte, praktische Ausführung in allen ihren Einzelheiten vollkommen auf der Höhe der sinnreichen theoretischen Idee steht" und „nur noch mit den üblichen Mängeln einer jungen Erfindung behaftet, von denen aber keiner grundsätzlicher Natur ist" und „den genialen Grundzügen seiner Konstruktion" irgendwie Abbruch tat. Geringes Gewicht und damit große Beweglichkeit, gesteigerte ballistische Leistungen und zugleich die Möglichkeit, aus dem stillstehenden Geschütz Schnellfeuer abzugeben, waren hier vereinigt.

In Deutschland wurde die Frage des Rohrrücklaufs zu einer Kampffrage zwischen zwei Rüstungsfirmen. So schwer sich im Augenblick des Geschehens aus dem Hin und Her der Meinungen die Entwicklungslinie im Technischen herausdestillieren läßt, so gut läßt sich später aus ihm, sobald nur das technische Endresultat fertig ist, die Linie ablesen. Der Zeitgenosse sah unruhig auf die zögernde Haltung der amtlichen Artilleriestellen, deren Motive er nicht begreifen konnte, und aus der er keinen Anhalt für die weitere Entwicklung gewinnen konnte. Heute läßt sich die amtliche Haltung schon viel besser verstehen. Die öffentliche Diskussion der Artilleristen im Beginn der 1890er Jahre war sich einig in der Erkenntnis, daß die Einführung des Mehrladegewehrs mit verkleinertem Kaliber und rauchschwachem Pulver die Rolle der Artillerie in der Feldschlacht herabdrücke, zum Übergewicht der Infanterie und zur Entscheidung der Schlacht durch das Infanteriefeuer führen mußte. Sie war uneinig in der Diskussion des Gegenmittels: gesteigerte Feuergeschwindigkeit, die mit gutgezieltem Einzelschuß sich nicht mehr verbinden ließ, weil die Geschütze im Feuer eben nicht ruhig standen, sondern ruckten, oder gesteigerte Wirkung des Einzelschusses, wobei die Feuergeschwindigkeit nicht mehr erhöht werden konnte. Die Artilleriepraktiker, die die Lösung beider Forderungen zugleich durch das Rohrrücklaufgeschütz für unmöglich ansahen, suchten die erschütterte Stellung der Artillerie zu retten durch ein Hilfsmittel, das wenigstens ein weites Zurückrollen des ganzen Geschützes beim Schuß verhinderte, durch die Anbringung eines Sporns am Ende des Lafettenschwanzes. Von 1892 bis nahe an die Jahrhundertwende wurde der Lafettensporn immer wieder durchkonstruiert und 1896 entschied sich die deutsche Artillerie für die Ersetzung des Geschützes von 1873 durch das neue Federsporngeschütz der Firma Krupp und damit für die Annahme einer resignierenden Kompromißlösung in der Frage Schnellfeuer oder Wirkungssteigerung beim Einzelschuß.

Die Einführung dieses Federsporngeschützes erfolgte unter eigenartigen Begleiterscheinungen. Die Budgetkommission des Reichstags wollte etwa zwanzig Millionen Mark, die das Kriegsministerium sich aus Etatmitteln für einen Fonds zur Umbewaffnung der Feldartillerie erspart hatte, auf das nächste Jahr anrechnen. Anstatt dem Reichstag die Sachlage des Kampfes: Feldsporn oder Rohrrücklauf klarzumachen oder ihn zu ersuchen, den Fond bis zur technischen Entscheidung einige Jahre stehen zu lassen bzw. dann offen vor den Reichstag hinzutreten und ihn um Neubewilligung zu ersuchen, wurden die etatsrechtlich gegründeten Bedenken des Reichstages gegen die Töpfchenwirtschaft des Ministeriums als wundervoller Vorwand benutzt, das Federsporngeschütz überstürzt und in aller Heimlichkeit einzuführen. In einer Denkschrift vom 15. Dezember 1896 wurde erklärt, daß das deutsche Feldartilleriematerial „vor dem Zusammenbruch“ stehe und daß mit seiner Erneuerung jetzt nicht mehr gewartet werden dürfte. Als einziger Grund der Neubewaffnung war dieser jetzt so ganz plötzlich gefährlich gewordene Zusammenbruch angegeben, denn „Rußland führt zwar ein neues Material ein, aber es erscheint nicht von solcher Überlegenheit, daß eine Neubewaffnung der diesseitigen Feldartillerie unbedingt notwendig wäre. Frankreich besitzt ein neues Modell, ist aber an die Massenfabrikation noch nicht herangetreten.“ Da der Zusammenbruch mehrerer tausend Kanonen nicht derartig schnell erfolgt, daß man die Neubewaffnung unbedingt schon in der nächsten Woche beschließen muß und nach der unverlangt gegebenen Auskunft des Kriegsministers die Lage in Rußland und Frankreich nicht die deutsche Neubewaffnung verlangte, so bleibt nur eine Erklärung für das Vorgehen des Kriegsministeriums übrig: Krupp setzte schleunigst die Einführung seines Federsporngeschützes durch, um die Weiterentwicklung des Rohrrücklaufgeschützes zu verhindern, an dem die Konkurrenzfirma Ehrhardt und deren Geschützingenieur Konrad Hausner arbeiteten.

Als 1888 Hausner, damals bei der Lafettenbau-Abteilung der Firma Krupp, seine erste grundlegende Denkschrift verfaßte, hatte er nur die theoretische Vorstellung von der Möglichkeit, ein Kanonenrohr auf der Lafette zurückzuleiten und den Rückstoß durch Bremsen auffangen zu lassen, während die Praktiker der Geschützkonstruktion bei Krupp und die Praktiker der Artillerie in der Artillerieprüfungskommission gleichermaßen die theoretische und praktische Unmöglichkeit dieser Methode behaupteten. Hausner entwarf seine Rücklaufbremse, ohne von dem Streit der Artilleristen über größere Feuergeschwindigkeit oder gesteigerte Wirkung des Einzelschusses etwas zu wissen. Er arbeitete individualistisch für sich, ohne zu ahnen, ob die Taktik der Artillerie mit seinen Erfindungen etwas anfangen konnte, und ließ sich selbst nicht einmal das Prinzip des Rohrrücklaufes patentieren, sondern nur seine erste unvollkommene Einzelausführung. Da er sich bei Krupp nicht durchsetzen konnte, so versuchte er, seine Erfindung durch einen gewerbsmäßigen Erfindungsvertreter aus München durchzubringen und konnte tatsächlich in den Grusonwerken in Magdeburg 1892 sein erstes Rohrrücklaufgeschütz bauen (Modell im Zeughaus Berlin). Die Übernahme Grusons durch Krupp 1893 vereitelte aber auch hier die Weiterentwicklung, die Schießversuche in Meppen endeten mit dem klassischen Ausruf des Vorsitzenden der Artillerieprüfungskommission, General von Reichenau, der später im Aufsichtsrat bei Ehrhardt saß: „Weg mit dem Scheusal."

Der Kampf Krupps gegen das Rohrrücklaufgeschütz, den er jahrelang erbittert führte, kam aus der Vorliebe des alten Alfred für massive Stahlblocks, die auch nach seinem Tode herrschend geblieben war, und einer Abneigung, in der Kompliziertheit des Kriegsmaterials zu weit zu gehen. Die Firma war voll Skepsis gegen das Verhalten der „keineswegs einfachen" Flüssigkeitsbremse im Felde beim Fehlen geübter Mannschaften und beim Vernachlässigen ihrer Füllung und setzte „ein Unbrauchbarwerden des Rohrrücklaufes, also eines verhältnismäßig kleinen Teiles des Geschützes z. B. durch feindliches Feuer oder durch andere Umstände, dem zeitweisen Unbrauchbarwerden des ganzen Geschützes" gleich. Die Kanone blieb auch jetzt noch für Krupp ein fahrbarer Gußstahlblock und nicht, wie Heinrich Ehrhardt es auffaßte „ein fahrbarer Explosionsmotor für außergewöhnlich hohe Explosionsdrucke und Kolbengeschwindigkeiten mit ganz besonderen kriegstechnischen Aufgaben." Der Wille der Firma Krupp bestimmte die Haltung der preußischen Artillerie. Das Militär-Wochenblatt verspottete die „auffallende Vorliebe vieler Geschützkonstrukteure für hydraulische Feldlafetten" und rubrizierte sie sehr charakteristisch vielleicht als tüchtige Maschinenbauer, aber wenig praktische Artilleristen. Krupp hatte genügend technische Autorität gehabt, um sich gegen den Willen der Artillerieoffiziere durchzusetzen, aber er hielt an der Auffassung vom Geschütz als Block fest: „Hätte Krupp vom

Jahr 1888 ab das Geld und die Mühe statt für das preußische Modell 96 für die Ausbildung des Rohrrücklaufgeschützes verwendet, so hätte er mit seinem weltbekannten vorzüglichen Konstruktionsmaterial und seiner großen Erfahrung gewiß bis zum Jahre 1896 ein zur Einführung reifes Rohrrücklaufgeschütz der deutschen Militärverwaltung anbieten können", aber Krupp „widmete ... einen beträchtlichen Auftrag an Zeit und Arbeit ... dem Zweck, den Rohrrücklauf für Feldgeschütze theoretisch und praktisch totzumachen."

Im Jahr 1897 stellte Krupp alle Versuche mit dem Rohrrücklauf ein, und da das neueste Modell Ehrhardts noch einmal von der Artilleriekommission als Spielerei eines genialen Ingenieurs abgelehnt wurde, wurden die 1898 wieder aufgenommenen Versuche auch bei Rheinmetall nicht fortgeführt. Die deutsche Artillerie fügte sich dem Willen Krupps: „Das Ideal gänzlicher Aufhebung des Rücklaufs, so daß das Geschütz auch ohne von neuem gerichtet zu werden, abgefeuert werden kann, wird sich für Feldgeschütze nicht erreichen lassen", bestätigte der führende Artillerieschriftsteller den Beschluß Krupps. Deutschland verzichtete auf die Ausnutzung der durch das neue Geschütz gegebenen Möglichkeiten schärfster Technisierung der Schlacht; es begnügte sich für seine Artillerie auch weiter mit mäßigen Feuergeschwindigkeiten, denn das Rucken der Federsporngeschütze machte das Nachrichten nach jedem Schuß notwendig und beanspruchte das Material derartig, daß der Gebrauch des Sporns beim Normalfeuer verboten und nur der Ausnahmefall des Schnellfeuers erlaubt wurde.

Das Zweikindersystem und die Unterlegenheit an Bevölkerung zwangen Frankreich zur äußersten Ausnutzung aller Hilfsmittel zum Ausgleich dieser Unterlegenheit. Hier entstand die Praxis der besten Verbindung des besten Geschützes zur Verminderung von Verlusten der Infanterie. Deutschland befand sich noch im Zeitalter eines rapiden Bevölkerungszuwachses trotz fallender Geburtenziffern und glaubte den Sieg weniger durch den Einsatz einer starken Artillerie als vielmehr durch den heroischen Angriff der in Massen vorhandenen und sich opfernden Infanterie pflücken zu können.

Unmittelbar nachdem Deutschland sein unvollkommenes Kompromißgeschütz eingeführt hatte, führte Frankreich, das drei Jahre lang auf die Einführung eines deutschen Rohrrücklaufgeschützes gewartet hatte, sein eigenes Modell ein, das erste Rohrrücklaufgeschütz mit Schutzschildern, das eine ballistische Leistung entwickelte, die größer war als die des deutschen Geschützes und ihm an Feuergeschwindigkeit derartig überlegen war, daß die Geschützzahl pro Batterie von sechs auf vier herabgesetzt werden konnte und damit eine verbesserte Schußleistung bei verringerter Mannschaft erreicht wurde: das Rohrrücklaufgeschütz kann mit nur zwei Mann Bedienung immer noch so schnell feuern wie das alte Geschütz mit voller Besatzung. Nicht nur für die Infanterie, auch für die Artillerie ersetzte Frankreich die fehlenden Menschen durch verbesserte Technik und führte eine echte Rationalisierung der Kriegsführung ein.

Das war die schwerste Niederlage, die die Firma Krupp bis zu ihrer Verdrängung aus der Türkei 1914 erlitten hat. Mit den 75 mm übernahm Schneider die führende Rolle der europäischen Feldartillerieproduktion, die 1870 Krupp besessen hatte, und im Weltkrieg nahmen die Amerikaner mit Begeisterung die Massenherstellung der Schneiderschen Rücklaufbremse auf, als der einzig wirklich brauchbaren. Diese Niederlage Krupps wurde in der Konkurrenz um den internationalen Geschützmarkt schnell genug sichtbar. Rußland und Schweden ließen sich das Federsporngeschütz zwar vorführen, lehnten aber Bestellungen ab. Und mehr noch wurden die Krupp-Gruppe und die Gegner des Rohrrücklaufes in die Enge getrieben durch die plötzlich erfolgende Bestellung von 120 Ehrhardt-Geschützen durch England für den Burenkrieg Anfang 1900, eine große Bestellung Norwegens und den Übergang der Schweiz unmittelbar vor der Erteilung der beabsichtigten Bestellung an Krupp zu Ehrhardt im Sommer 1901. Zwar behauptete die Krupp-Gruppe, daß der englische Auftrag nur notgedrungen und mangels jeden anderen Materials erfolgt sei und daß die Schweiz zu Ehrhardt abschwenke nicht aus „Gründen rein technischer Natur", sondern unter dem Druck „der sehr lauten und skrupellosen Reklame einer daran interessierten deutschen Firma." Aber mit so fadenscheinigen Argumenten ließ die Niederlage Krupps sich nicht lange verheimlichen. Der bedeutendste deutsche Artillerietheoretiker, General Grohne, der 1898 noch die völlige Unmöglichkeit des Rohrrücklaufs behauptet hatte, ging im Herbst 1901 theoretisch völlig zum Rohrrücklauf über und sagte laut sein „pater peccavi". Aber er schloß sich Krupp an, der nun binnen anderthalb Jahren auch ein Rohrrücklaufgeschütz zu konstruieren imstande war und behauptete sogar kühn den Primat Krupps in der Erprobung des Rohrrücklaufs, denn als Offizier wagte er nicht, an der Vorzüglichkeit des vom Kaiser so begünstigten Krupp zu zweifeln und die praktischen Konsequenzen seiner eigenen Erkenntnis zu ziehen: „Nichts liegt mir ferner als einer unmittelbaren Einführung der Rohrrücklauf-Lafetten das Wort reden zu wollen", und er ging so weit, die Ablehnung des Rohrrücklaufs auf die „grundsätzliche Ablehnung dieses Gedankens seitens der militärischen Behörden“ zurückzuführen.

Offensichtlich waren die obersten Behörden des Reiches geneigt, sich auch noch länger die Ablehnung des Rohrrücklaufs durch Krupp gefallen zu lassen, denn nicht die Einführung des überlegenen französischen 75 mm hat Deutschland zur Einführung des eigenen Rohrrücklaufgeschützes gezwungen, noch am 10. März 1903 erklärte der Kriegsminister im Reichstag: „Mit unserem Geschützmaterial sind wir durchaus zufrieden“, — sondern die Gefahr, daß die Monopolfirma Krupp den gesamten Auslandsmarkt an Schneider und Ehrhardt verlor, wenn sie nicht ebenfalls zum Rohrrücklauf überging. Die Blamage, offen das Versagen der Monopolfirma Krupp im Kampf mit den neuen Außenseitern einzugestehen, wäre aber zu groß gewesen und so erhielten die Kruppgeschütze nur Ehrhardtrohre mit Rücklauf, und der Name des Geschützes C 96 blieb derselbe mit dem kleinen Zusatz NA. Das große Publikum merkte von der Umbewaffnung nichts. Die Konstatierung Bebels, „daß die Militärverwaltung sich in den Armen eines kapitalistischen Polypen befindet, woraus sich zu befreien sie nicht in der Lage sei“, traf nur zu sehr zu. Denn nur die internationale Konkurrenz der Rüstungsfirmen hat Deutschland davor bewahrt, mit einem völlig unzulänglichen Geschütz in den Krieg gehen zu müssen. Nur durch die Internationalität der Konkurrenz um die fremden Märkte war das Kruppmonopol gebrochen worden. Aber nur teilweise. Die Ehrhardtwerke, die als Folge der jahrelangen Experimente 1902 mit einem schweren Kapitalschnitt hatten sanieren müssen, konnten seit 1905, als sie die deutsche Feldartillerie umbewaffneten, befriedigende Finanzresultate aufweisen und fanden auch im Ausland gute Beschäftigung und seit 1910 auch reichen Anteil an der großen Rüstungskonjunktur, aber sie blieben auf Feldgeschütze beschränkt und mußten schwere Geschütze und Panzerplatten auch weiterhin Krupp als Monopol überlassen, ein Monopol, das um so gefährlicher war, als Krupp allmählich in der Qualität seiner Platten nachließ. War er in den 1890er Jahren noch allen weit überlegen — 1914 waren englische Panzerplatten bis zehn Prozent härter als Kruppsche.

Der Fall „Rohrrücklaufgeschütz“ scheint der einzige Fall zu sein, in dem eine Monopolfirma durch die Freizügigkeit des Waffenhandels in ihrem eigenen Monopolgebiet eine Niederlage erlitten hat. Sonst wirkt sich der Waffenexport regelmäßig in einer Stärkung der Monopolstellung aus. Zum Teil übernehmen die kleinen Staaten die Rolle von Lückenbüßern ähnlich wie bei der Friedensproduktion, wenn der eigene Staat mit seinen Bestellungen heruntergeht, z. T. werden ihnen Lagerbestände verkauft, die zwar noch gut, aber durch neue Konstruktionen überholt sind. So verkaufte Vickers 1929 an die Türkei Flugabwehrgeschütze zu dreißig Prozent unter dem Preis der konkurrierenden Bofors-Werke, da er eine ganze Serie noch auf Lager liegen hatte, um sein Lager für eine verbesserte Konstruktion freizumachen.

Der Waffenexport wurde direkt begünstigt durch das Patentrecht. Ein Rüstungspraktiker wie Heinrich Ehrhardt äußert sich in seinen Lebenserinnerungen darüber: „Die Anmeldung einer Erfindung zum Patent bedingt gleichzeitig mit dem Schutz für den Erfinder auch die Veröffentlichung der Erfindung. Der Erfinder hat nach seiner deutschen Anmeldung noch ein Jahr Zeit, die Erfindung auch in anderen Staaten patentieren zu lassen. Tut er das nicht, so wird sie dort schutzlos und kann von jedem benutzt werden. Macht er aber vernünftigerweise von seinem Rechte Gebrauch, so wird die Erfindung auch in den fremden Ländern gewissermaßen offiziell bekannt. Die dortige Industrie nimmt davon Kenntnis und besitzt ein Anrecht auf die Ausübung der Erfindung in dem betreffenden Lande. Der Erfinder muß fortan entweder selbst Werke zur Ausnutzung der Erfindung errichten oder Lizenzen geben. Unterläßt er beides, so können die Lizenzen im Zwangswege von ihm genommen werden." Natürlich hat die Rüstungsindustrie keinerlei Wert auf eine Änderung des Patentrechts gelegt. Der Krupppanzer, 1894 erfunden, konnte so schon 1896 die englischen Schlachtschiffe gegen die auf den deutschen Schiffen montierten Kruppgeschütze schützen. Dabei war für außerordentlich viele Dinge die Patentierung gar nicht notwendig, da ihr Verfahren nicht ins Ausland gemeldet wurde und selbst durch Spionage nicht ermittelt werden konnte. In Deutschland war man sich noch 1911 über ganz entscheidende Konstruktionsteile des französischen Feldgeschützes 1897 nicht klar.

Indessen ist der Waffenexport auch dann sehr schwer zu verhindern, wenn das Patentrecht dabei keine Rolle spielt, denn in diesem Fall deckt sich das Interesse des Einzelwerkes am Gewinn durch den Verkauf seiner Produkte mit dem Interesse seiner Regierung an der Aktivität der Handelsbilanz. Auch die 1932 ins Amt getretene sozialistische schwedische Regierung betrachtet den starken Waffenexport aus Bofors als nützliche Verbesserung und in der Krisis besonders starken Rückhalt der Handelsbilanz. Wird der Export von Waffen aus einem Land in ein anderes verboten, so steht in den meisten Fällen diesem Lande der Weg zu anderen Rüstungswerken frei.

Noch vor dem Abkommen der fünf mittelamerikanischen Republiken von 1923, nur dann eine durch Revolution in einer von ihnen zur Macht gekommenen Regierung anzuerkennen, wenn der neue Präsident erstens durch Volkswahl bestätigt wird und zweitens an der Revolution nicht in führender Stellung teilgenommen hat — ein Abkommen, das dem Interesse der Vereinigten Staaten an der Aufrechterhaltung der Ruhe in der Nähe des Panamakanals entsprach —, hatte der Kongreß (31. Januar 1922) den Präsidenten autorisiert, die Ausfuhr von Waffen nach jedem amerikanischen Staat zu verbieten, in dem eine Revolution auf Grund der Unterstützung der USA siegreich werden konnte.

Bei Ländern, die kapitalmäßig weniger in der Hand eines Großstaates sind, als das bei den süd- und mittelamerikanischen Staaten der Fall ist, kann ein solches politisches Waffenausfuhrverbot auf die Dauer zur Heranziehung anderer Firmen führen, wie Schneider oder Bofors, die sich dann Monopole sichern können. In anderen Fällen kann der Kleinstaat auch seine eigene, wenn natürlich auch sehr teuer arbeitende Rüstungsindustrie aufziehen.

Zwischen der Entwicklung der Konjunktur und der Agitation der Rüstungsindustrie auf Verstärkung des nationalen Schutzes bestehen sehr enge Zusammenhänge. In England zeigt die Wirtschaftskrise von 1908 dieselbe Haltung der Rüstungsindustriellen, gesteigerte Agitation und starken Druck auf die Regierung zur Vermehrung der Rüstungsaufträge.

Gegen den Zaharoff-Konzern hatte sich eine Gegenorganisation der Firmen gebildet, die durch diese Konzentration in den Hintergrund gedrängt wurden. Carnel & Co. und John Brown & Co., beide in Sheffield, die Monopolisten der Compoundpanzerplatten der 1880er Jahre, von denen Brown einer der Promotoren des Bessemer-Verfahrens und seit Anfang der 1860er Jahre das führende englische Panzerplattenwerk gewesen war und sich unterdessen auch eine Werft zugelegt hatte, vereinigten sich mit Laird-Schiffbau, Fairfield-Maschinen und Mulliner-Geschützen zu den Coventry Ordnance Works. Der Coventry-Trust suchte mit aller Macht ins Rüstungsgeschäft zu kommen, aber zunächst vergeblich. Werften und Geschützwerke wurden sogar wegen „schwerer Unregelmäßigkeiten" ausgeschlossen und damit auch praktisch von allen ausländischen Bestellungen. Das war um so unangenehmer, als die Gewinne der Rüstungsindustrie durch den Übergang zum Dreadnought-Bau sich stark steigerten. Der Anteil der Materialkosten in den Flottenetats, die die Folge des beschleunigten Anwachsens der Schiffsgröße und der Steigerung der Zahl der schweren Geschütze von vier auf meist zehn je Schiff war, wuchs schneller als die Personalkosten.

Die englische Regierung baute tatsächlich 1909 nicht weniger als acht große Schiffe, aber in dem Wettrennen um diese acht Dreadnoughts blieb die Zaharoff-Gruppe völlig Sieger. Alle großen Schiffe, die nicht an Staatswerften gingen, wurden ihr in Bau gegeben, die Coventry-Gruppe erhielt nur für einen Dreadnought die Artillerielieferung. Aber wenn der englische Staat nicht bei den Coventry-Werken bauen wollte, wenn Vickers und Armstrong die entscheidenden Stellen besser finanziell zu bearbeiten verstanden, so verstanden die Coventry Works, die jetzt unmittelbar vor dem finanziellen Zusammenbruch standen, desto besser die Regierungen der Dominions im Verein mit den englischen Banken, die wir im einzelnen nicht näher kennen, zu bearbeiten und die notwendigen Anleihen zu gewähren: die Schlachtkreuzer „New Zealand" und „Australia" wurden 1910 von den Dominien beim Coventry-Konzern in Bau gegeben. In den nächsten Jahren ist die Coventry-Gruppe dann aber leidlich gut in das Rüstungsgeschäft hineingekommen, sie hat für einen Dreadnought die Maschinen geliefert und sogar zwei Dreadnoughts ganz gebaut und hatte außerdem den großen Erfolg, daß John Brown beim Ausbau der russischen Schwarzmeerflotte auf seiner Werft in Nikolajew zwei Dreadnoughts in Auftrag erhielt, während die Vickers-Werft in Nikolajew nur einen bekam.

Kurz vor 1914 hat die gesamte Rüstungsindustrie der Welt die größte Beschäftigung seit ihrem Bestehen aufzuweisen gehabt. Alle Werke arbeiteten mit Hochdruck und mit steigenden Gewinnen. Bei Armstrong wurden 1913 £ 800 000 Reserven als Gratisaktien verteilt und trotzdem wie im Vorjahr 12½ Prozent Dividende gegeben. Weitere Gewinne wurden im Stahlwerk und in einer neuen Werft bei Montreal investiert. Krupp verdiente zwar 1907 bis 1910 weniger als von 1905 bis 1907, aber 1910/11 erreichte auch er mit 88 Millionen Reingewinn einen Rekord. Die Ehrhardt-Werke, denen es solange schlecht gegangen war, konnten ebenfalls gute Beschäftigung und reichliche Gewinne buchen. Vickers erreichte 1913 den Rekord an Aufträgen und vermehrte sein Aktienkapital um £ 1,1 Millionen.

Die internationale Bedeutung der englischen und der deutschen Rüstungsgruppe zeigt das Jahr 1914, als die englische Regierung vier auf englischen Werften für fremde Rechnung gebaute Dreadnoughts vorfand, die sie beschlagnahmen konnte, die deutsche Regierung nur zwei kleine Kreuzer, einige Torpedoboote und ein U-Boot.

Angesichts des griechischen Linienschiffs „Salamis“, das bei Blohm und Voß im Bau war, für das aber amerikanische Geschütze vorgesehen waren, erhebt sich die Frage, warum Sir Basil Zaharoff den Verkauf von zwei auf seinen Werften gebauten Dreadnoughts an die Türkei, also an den Gegner Griechenlands, zuließ und erst vor den Verhandlungen über den Verkauf des bei Vickers im Bau befindlichen chilenischen „Almirante Latorre“ an die Türkei mit seinen Protesten durchdrang, und warum er den für Griechenland bestimmten Dreadnought in Deutschland zu bauen zuließ. Im Juni 1914 wurden zwei bei Schichau für die deutsche Marine im Bau befindliche Torpedoboote der Firma zum Verkauf an Griechenland überlassen . . .

Zur Soziologie der Reichswehr

Im heutigen Deutschland besteht eine Kluft zwischen der ungeschriebenen Militärverfassung einerseits und andererseits der geschriebenen Reichsverfassung und der ebenfalls ungeschriebenen Sozialverfassung. Eine große Partei, die Sozialdemokratie, die den größten Teilstaat beherrscht, Reichspräsidenten und Reichsminister stellt und gestellt hat und zahlenmäßig die größte ist, politisch jedenfalls einen ihrer Größe entsprechenden Einfluß übt oder üben kann, ist nicht in der Lage, in die Armee auch nur einen einzigen ihrer Parteiangehörigen zu entsenden, nicht in die Mannschaft und erst recht nicht in das Offizierskorps. Wobei unter Parteiangehörigkeit noch nicht einmal Angehörigkeit im Sinne formeller Mitgliedschaft zu verstehen ist, sondern nur Zugehörigkeit zu dem weiteren Kreise der Wählerschaft. Und umgekehrt gibt es eine Partei, die Deutschnationale, die die doppelte Möglichkeit hat, in die Reichsregierung einzutreten, den Reichspräsidenten zu stellen und zugleich alle Stellen der Armee mit ihren Angehörigen zu besetzen, der also politischer und militärischer Einfluß zugleich offensteht. Die Armee des heutigen Staates rekrutiert sich praktisch aus den Anhängern einer einzigen Partei und isoliert sich gegenüber allen anderen Parteien.

Wenn man mit Offizieren über diese Isolierung der Armee in der Demokratie spricht, so bekommt man durchweg sehr schnell die Antwort, daß der Friedensvertrag von Versailles an dieser Isolierung schuld sei, der uns die Söldnerarmee aufgenötigt habe. Aber — der Versailler Vertrag spielt hier nur die Rolle eines sozialen Prügelknaben, der mit Unrecht für diesen Zustand verantwortlich gemacht wird. Die Söldnerarmee ist einer der Gründe für die isolierte Stellung der Reichswehr, aber in einem anderen Sinne, als die Offiziere sagen, und er ist nicht der entscheidende. Bedeutsamer als die Frage der geworbenen Mannschaften ist die Frage des Offizierkorps und der Beziehungen zwischen ihm, d. h., den Inhabern der militärischen Macht und den Inhabern der politischen Macht. Die soziologische Struktur der Mannschaft können wir ruhig beiseite lassen. „Sie spielt nie eine Rolle, wenn das Offizierkorps gut ist, im Sinne von autoritativ. Der

Offizier macht die Truppe, und wie er ist, so ist die Truppe[1]." In dieser Beziehung zwischen den beiderseitigen Führerschichten liegt das entscheidende Problem der Diskrepanz, die das Problem der heutigen Reichswehr ausmacht.

Wenn ein Staat überhaupt eine bewaffnete Macht unterhält, ist ohne weiteres das zentrale Problem gegeben, wie die Struktur der bewaffneten Macht mit der Struktur der Gesellschaft und der politischen Macht in Einklang zu bringen ist. Der preußische Absolutismus hat dieses Problem in einer von seinem Standpunkt aus idealen Weise zu lösen und beide Seiten auszugleichen verstanden. Den drei großen gesellschaftlichen Gruppen: Adel, Bauer, Bürger, entsprachen in der militärischen Hierarchie die Offiziere, die Mannschaften und die Eximierten. Die Kompaniewirtschaft gab dem Adel hohe Einnahmen; der Kompaniechef konnte seine Soldaten außerhalb der Exerzierzeit auf dem väterlichen oder brüderlichen Rittergut als Landarbeiter arbeiten lassen. Der Aufbau der Armee war völlig ausgerichtet nach der sozialen Struktur des Landes und nach den wirtschaftlichen Bedürfnissen der Herrenklasse. Die preußische Reform beseitigte die Ausrichtung der Armee nach den wirtschaftlichen Forderungen des Adels, aber sie ließ die Ausrichtung nach der sozialen Struktur bestehen, nur mit dem Unterschied, daß von nun an der Bürger ebenfalls dienen mußte, aber wenn er etwas Bildung aufwies, auf dem Wege über den Einjährigendienst schnell in die neue für ihn geschaffene Klasse der Landwehroffiziere einrückte, die die neben die stehende Armee gestellte zweite Armee der Landwehr kommandierte.

Die Errichtung der Landwehr war ein Versuch, die Ständetrennung des Absolutismus beizubehalten: Adel und Bauern dienten wie bisher in der Linie, der Bürger sollte seine Armee in der Landwehr für sich haben. Dieses Experiment konnte so lange durchgehalten werden, als das Bürgertum und damit die bürgerliche Armee, die Landwehr, keine politischen Ansprüche erhob. In dem Augenblick aber, wo das Bürgertum so weit war, aktiv politisch hervorzutreten, sah der preußische Staat, daß er mit der Beibehaltung der Ständetrennung in der Armee den bewaffneten Bürgerkrieg organisierte und daß er dem politischen und sozialen Gegner die Waffen in des Wortes wahrster Bedeutung in die Hand drückte. Die Landwehr wurde aufgelöst, ihre Regimenter in Linienregimenter verwandelt; die Beseitigung des Landwehr-

[1] Franz Carl Endres, Soziologische Struktur und ihr entsprechende Ideologien des deutschen Offizierkorps vor dem Weltkriege, Archiv für Sozialwissenschaft und Sozialpolitik 58. 1927, S. 308.

offizierkorps beseitigte die Organisation der militärischen Führer des oppositionellen Bürgertums. Das dafür neugebildete Reserveoffizierkorps[2], das seit den achtziger Jahren seinen Mitgliedern einen sozialen Nimbus verlieh, war durch die Kasinoaufsicht viel strenger mit dem Geist des aktiven Offizierkorps verbunden, als es das Landwehroffizierkorps je gewesen war. Das Bürgertum wurde wieder in die Armee hereingenommen unter der Voraussetzung seiner Assimilierung an den alten Status, wie überhaupt im ganzen Staat immer unter dieser Voraussetzung der geistigen Unterwerfung unter die Militärmonarchie.

Mit dem Bürgertum und dem Liberalismus sind die Hohenzollern ebenso glänzend fertig geworden wie im 18. Jahrhundert mit dem Adel; aber sie sind nicht mehr fertig geworden mit der Arbeiterschaft und der Sozialdemokratie seit den achtziger Jahren. Der Bürgerliche wurde an der Staatsmacht beteiligt, wenn auch in der Form einer Societas leonina; der Sozialdemokrat wurde restlos von aller Beteiligung am Staat ausgeschlossen, in der Armee konnte er nicht einmal als Einjähriger dienen.

Die Krisis dieses Systems ist nicht erst im Weltkrieg ausgebrochen, als die Armee in die Millionenziffern wuchs. Schon die Vermehrung des Heeres um die berühmten drei Armeekorps 1913 ist daran gescheitert, daß der Kriegsminister nicht mehr die soziale Einheitlichkeit des Offizierkorps glaubte erhalten zu können und eine Demokratisierung der Offiziere befürchtete[3]. Die Frage der oberen Größengrenze der Armee hing nicht von den Geldern ab, die der Reichstag bewilligte, sondern davon, ob das Offizierkorps einheitlich gehalten und ob von diesem Offizierkorps die Mannschaft noch in ausreichend obrigkeitlichem Sinne durch die Mühle des Drills hindurchgedreht werden konnte. Diese Größengrenze war 1913 erreicht, wenn nicht überschritten, und daß Frankreich seine Armee im Verhältnis zu Deutschland größer ausbaute, hat seinen Grund darin, daß es beim Ausbau seiner Armee nach dem Scheitern des Kommuneexperiments bzw. nach der endgültigen Stabilisierung der sozialen und politischen Form der Dritten Republik in den achtziger Jahren diese soziale Rücksicht nicht zu nehmen brauchte. Der preußische Militarismus war es, der die Vergrößerung der Armee ins Grenzenlose verhinderte; Militarismus ist ja

[2] Eckart Kehr, Zur Genesis des Kgl. preußischen Reserveoffiziers, Die Gesellschaft 6. 1928/II, S. 492 ff, s. o. S. 53—63.

[3] Der preußische Kriegsminister von Heeringen an den Generalstab, 20. Jan. 1913. Bei Hans Herzfeld, Die deutsche Rüstungspolitik vor dem Weltkrieg, Bonn 1923, S. 63.

nicht von der Zahl der Soldaten abhängig, Militarismus besteht vielmehr da, wo ein Offiziersstand sich als Kriegerkaste von besonderer Ehre gegen die übrige Nation abschließt und wo ein wesentlicher Teil des Bürgertums diese Kaste als eine ihr überlegene anerkennt und sich ihr unterwirft.

Der Weltkrieg hat dann dieses soziale System der alten Armee völlig zerstört, und zwar schon vor der Revolution. Man brauchte ein stark vergrößertes neues Offizierskorps zum Ausgleich der schweren Anfangsverluste und zur Aufstellung der Neuformationen. Die Zahl der Reserveoffiziere war vor 1914 knapp gewesen, weil man das soziale Niveau coûte que coûte aufrechterhalten wollte; im Kriege suchte man die Kriegsleutnants immer noch nach der alten sozialen Schablone aus, aber praktisch bekam man statt der Reserveoffiziere des alten Typs nun Milizoffiziere. Und die Frage, ob die Mannschaften dieser Riesenarmee auch noch innenpolitisch zuverlässig waren, konnte überhaupt nicht mehr gestellt werden. Die stehende Armee der Vorkriegszeit, die ein willenloses Instrument in der Hand des obersten Kriegsherrn gewesen war, hatte sich in eine Miliz verwandelt, die für innenpolitische Aktionen nicht mehr zu brauchen war.

Einen Weg in die Zukunft bot diese Entwicklung nicht. Siegte Deutschland, so wären die alten Tendenzen in verstärktem Maße wiedergekehrt; praktisch führte diese Entwicklung zur Miliz bei den Mannschaften in der Revolution zu anarchischen Zuständen, und die Milizoffiziere, d. h. die Kriegsleutnants, gingen aus der Armee heraus und suchten sich bürgerliche Berufe. Die neue Armee, die seit 1919 aufgestellt wurde, verlor von vornherein die milizartigen Elemente der Weltkriegsarmee und behielt bzw. bekam wieder die Elemente des Vorkriegsheeres, einerseits die aktiven Offiziere, andererseits mit der Werbung eine Mannschaft, die mit dem Führer zusammenhing wie vor dem Krieg das Offizierskorps mit dem obersten Kriegsherrn. Der Rest von Privatcharakter der alten Armee, der durch die Sonderbeziehungen zwischen Offizier und König vorhanden war, steigerte sich 1919/20 in den Freikorps, die private Organisationen waren, die auf zunächst privaten und außerstaatlichen Verpflichtungen beruhten, welche erst sekundär durch die Treueverpflichtung gegenüber dem Staate gestützt wurden. Die Beziehung zum Monarchen wurde verschoben in eine Beziehung zum Führer des Freikorps, und nach der Verschmelzung der Freikorps und der Konsolidierung der Reichswehr wurde sie verschoben in eine Beziehung auf den Chef der Heeresleitung oder richtiger auf den damaligen Inhaber dieses Amtes, auf den General von Seeckt.

Die Reichswehr hat an Seeckt gehangen wie die Landsknechte an ihrem Obersten; sie war bereit, für diesen Gesamtobersten der Landsknechte zu kämpfen, wenn er es befahl, aber nicht für den Staat. Es bildete sich ein Treueverhältnis heraus, das neben dem Eid auf die Verfassung herlief und ihn vielleicht an Intensität übertraf. Während der Weltkrieg sonst eine Desillusionierung des politischen sowohl wie des militärischen Führers gebracht hatte, saß im Militär immer noch der Glaube fest, daß Männer die Geschichte machen.

Aber dieser Glaube an den Führer, an den großen Mann, hat eine sehr schwache Seite; dieser Glaube ist in kritischen Zeiten gefährlich, wenn der Führer wirklich zum Losschlagen entschlossen ist und losschlägt; in ruhigen Zeiten ist er durchaus ungefährlich, weil er rein passiver Natur ist; die Reichswehr wartet auf den Befehl, und wenn der Befehl nicht kommt, so schweigt sie. Und so hat sie auch den Sturz Seeckts schweigend hingenommen und beschränkt sich darauf zu warten, daß er wiederkehrt.

Mit dem Sturze Seeckts ist also das sichtbare Surrogat des obersten Kriegsherrn beseitigt worden, aber er ist der oberste Kriegsherr im Ruhestand geblieben. Die Reichswehr kommt ohne diese Fiktion eines obersten Kriegsherrn nicht aus. Das erklärt sich aus der Art ihres Offizierkorps. Das Offizierkorps des ancien régime war ein Gesellschaftsstand, eine soziale Potenz, eine Institution, die einen sozialen Nimbus verlieh und ihn durch das Institut des Reserveoffiziers auch auf das Bürgertum warf. Heute ist das Offizierkorps der Reichswehr ein reiner Berufsstand, im Gegensatz zu früher hat der Offizier eine auskömmliche Besoldung von Anfang an, soziale Vorteile sind mit diesem Berufe nicht mehr verbunden, er ist ein Beruf wie viele andere auch. Der Offizier ist seiner sozialen Stellung nach ein Techniker für die Kriegsführung geworden, nicht mehr und nicht weniger, wie es auch Techniker für die Luftfahrt oder für das Postwesen gibt. Mit dieser Umwandlung vom Gesellschaftsstand zum Berufsstand ist aus der Armee der Typus des reichen bürgerlichen Offiziers verschwunden, der vor dem Krieg ziemlich stark geworden war und der dem Offizierkorps von mehr als einem Kavallerieregiment den Spitznamen „Verein berittener Kaufleute“ eingebracht hatte. Rein militärtechnisch gesehen, ist das Verschwinden dieser Offiziersgruppe nur von Vorteil für die Reichswehr, sozial aber ist sie ein Zeichen dafür, daß der Reichswehroffizier nicht mehr die alte Stelle auf der sozialen Leiter einnimmt, daß er sozial hat herabsteigen müssen, und es ist kein Wunder, daß der degradierte Berufsstand immer noch die Prätensionen des alten Gesellschaftsstandes hat und künstlich aufrechtzuerhalten sucht. Diese Tendenz wird ihm erleichtert durch den Prätorianercharakter, den die Reichswehr aus der alten Armee mit herübergenommen hat. Die königlich preußische Armee wurde in Bewegung gesetzt durch den persönlichen Befehl des Königs, des obersten Kriegsherrn, und sie war faktisch sein Privateigentum. Wenn Seeckt nun auch nur ein ideologisches Surrogat dieses obersten Kriegsherrn nach dessen Verschwinden war — hinter ihm stand eine diffuse Masse von politischen und sozialen Einflüssen, die hin und her schwankten und in der Militärpolitik zu keiner Einheitlichkeit kommen konnten. Weil niemand da war, der der Reichswehr seinen Stempel aufprägte, weil keine politische Partei es wagte oder stark genug war, die Armee nach ihrem Willen zu formen, zog die Reichswehr sich in sich selbst zurück und isolierte sich gegenüber allen Tendenzen, die den heutigen Staat bestimmen.

Die größte Schuld an der Isolierung der Reichswehr, so wie sie heute ist, trägt die Sozialdemokratie, die sich selber dauernd darüber beschwert. Die Sozialdemokratie ist nach dem Kriege so wenig wie vor 1914 zu einer auch nur leidlich haltbaren Stellung zur Rüstungspolitik gelangt. Was sie früher mit der Milizforderung eigentlich wollte, war ihr selber unklar genug (das hat Julius Deutsch offen genug zugegeben), und nach 1918 hat sie zwar mit schönen Erlässen und der Einrichtung von Vertrauensmännern einen demokratischen Zug in die Armee zu bringen gesucht, aber praktisch blieben ihre Leute der Armee fern und nur die alten Offiziere traten in sie ein. Carnot hat in der französischen Revolution die neue Armee von der Mannschaft her aufbauen können, weil die alten Offiziere desertierten. Noske blieb gar nichts anderes übrig, als die neue Reichswehr von den Offizieren her aufzubauen, weil die Mannschaften nicht kamen, die die Republik positiv verteidigen wollten. Eine Armee, die so zum neuen Staate stand, wie die alte preußische Armee zu ihrem Staat gestanden hatte, ließ sich nur in der Form aufbauen, daß man die Arbeiter so bevorrechtigte wie die alte Armee den Adel im Offizierkorps und das höhere Bürgertum bei den Reserveoffizieren. Aber diese Lösung war unmöglich: denn einmal hatte die Arbeiterschaft nicht allein gesiegt; das Kräfteverhältnis von 1919 wird durch die Weimarer Koalition ausgedrückt. Und selbst wenn die Arbeiter allein gesiegt hätten — sie wollten vom Kriege nichts mehr wissen, sie waren vor dem Kriege grundsätzlich pazifistisch gewesen und hatten den Staat gehaßt, der sie durch das Zwangsmittel der allgemeinen Wehrpflicht in seine Armee einstellte. Nun sollten sie unter denselben Offizieren wie in der Vorkriegszeit Soldat sein? So kamen sie nicht; die Soldatenräte suchten die Aufstellung von Neuformationen nach Möglichkeit zu hindern, und in die Neuformationen wurden daher von den Offizieren die Mannschaften hineingenommen, die in ihrem Sinne zuverlässig waren. Das pazifistische Interesse der Sozialdemokratie und der Glaube an die Möglichkeit der inneren Abrüstung kollidierten mit dem revolutionären Interesse, die eben gewonnene Herrschaftsposition auch mit bewaffneter Hand zu schützen, und behielten die Oberhand; damit war die deutsche Revolution gescheitert und der Aufbau einer von der Revolution unberührten Armee gesichert.

Der Aufbau der Reichswehr vom Offizier aus statt von der Mannschaft, der durch die Abstinenz der Arbeiter 1919 eingeleitet wurde, konnte fortgesetzt werden bis heute aus einem ganz anderen Grunde, der nichts mit dem Militär als solchem zu tun hat. Die Reichswehr ist die erste Söldnerarmee, die in der Lage ist, ihre Rekruten zu sieben, die mehr Angebot als Nachfrage hat; die Reichswehr braucht nicht zu werben, sondern der Eintritt in sie wird umworben, und sie kann abweisen, wer ihr nicht paßt. Der Grund für diese beneidenswerte Situation ist die Arbeitslosigkeit. Die Reichswehr kann sich dadurch ein leidlich qualifiziertes Mannschaftsmaterial beschaffen. Die Entwertung des bisherigen Einjährigenzeugnisses als Voraussetzung für Anstellungen führt dazu, daß viele solcher Untersekundaner sich bei der Reichswehr melden und von ihr gern genommen werden. Diese Leute stammen zum guten Teil aus dem kleineren Bürgertum, das vor dem Kriege Opposition gegen den damaligen Staat machte und nach dem Kriege wieder Opposition gegen den neuen Staat macht, das früher sozialdemokratisch war und heute deutschnational, das heute sich also ganz von selbst mit dem Offizierkorps verbunden fühlt.

Aber wenn auch die Sozialdemokratie und im weiteren Sinne die Weimarer Koalition in der Frage des Ausgleichs von Heeresverfassung und politischer Verfassung eine katastrophale Niederlage erlitten haben, durch eigene Schuld und die Gewalt der Umstände — auf lange Sicht ist der Sieg der Reichswehr doch ein Pyrrhussieg und läuft die Reichswehr sich in einer Sackgasse fest.

Das Reichswehroffizierkorps sieht sich stets nach dem Führer um, nach dem großen Mann; sie wollen sich wie Prätorianer kommandieren lassen und wollen nicht nach dem Grund des Kommandos fragen. Das Vorkriegsheer war zwar auch kein Volksheer, obwohl es sich so nannte, „es war ein dynastisches Instrument, zu dem das Material vom Volke hergegeben wurde[4]." Die Reichswehr als Söldnerheer hat es heute in der Demokratie viel leichter, sich diese Tendenz, Instrument des einzelnen, wie früher des Dynasten, so heute des Diktators zu sein, zu bewahren als früher. Die Armee des ancien régime hatte wenigstens außer ihrem dynastischen Kader einen jährlich wechselnden Bestand von mehreren 100 000 Mann, die aus dem bürgerlichen Leben kamen und wieder in das bürgerliche Leben zurücktraten, die heutige Reichswehr ist als Söldnerheer nur auf sich selbst beschränkt. Das Diktat von Versailles, das die allgemeine Wehrpflicht verbot, ist also durchaus mit Ursache der sozialen Isolierung der Reichswehr, aber in einem ganz anderen Sinne, als die Offiziere es meinen. In einer Armee der allgemeinen Wehrpflicht wäre die starke Aufrechterhaltung des diktaturfreundlichen Elements des Offizierkorps nicht möglich. Man braucht sich nur einmal auszumalen, daß etwa eine Linksregierung eine Linksmiliz errichten und die innenpolitische Gefahr der Reichswehr damit beseitigen wollte — aber die Reichswehr ist als Söldnertruppe und damit in ihrer sozialen Struktur, die nicht mit der politischen Verfassung des Reiches in Übereinstimmung zu bringen ist, geschützt durch den Versailler Vertrag.

Und noch in einem zweiten Punkte ist die heutige Struktur der Reichswehr mit der Außenpolitik verbunden. Lassen wir einmal alle momentanen außenpolitischen Voraussetzungen völlig beiseite. Wenn man sich mit der Frage des Militärs in Deutschland befaßt, so entsteht unweigerlich das Problem: Ist Deutschland mit dieser Militärverfassung in der Lage, für den Kriegsfall eine große Armee aufzustellen? Der Versailler Vertrag hat uns die Reichswehr aufgenötigt, weil die Big Four in dieser Militärverfassung ein Mittel sahen, die Aufstellung von Armeen für den Kriegsfall zu verhindern. Diese Absicht ist ihnen mißglückt. Die Reichswehr ist als Kaderheer so weit ausgebaut, daß sie im Kriegsfall ohne weiteres auf ein Mehrfaches ihrer heutigen Stärke gebracht werden kann. Der Versailler Vertrag hat Deutschland die technischen Kriegsmittel genommen, aber er hat die Aufstellung einer neuen Armee nicht hindern können. Daß aber Deutschland diese Möglichkeit, die Reichswehrkader aufzufüllen, nicht ausnutzen kann, das liegt in der Reichswehr selber — denn es würde sofort eine schwere Krise ausbrechen, wenn man die Arbeitermassen in diese sozial völlig anders gearteten Kader einstellte. Nicht die Kriegsdienstverweigerung ist das Gefährliche, sondern die Unmöglichkeit, große Arbeitermassen

[4] Endres.

von diesem Offizierkorps führen zu lassen. Wir denken an ein Wort des alten Theodor Mommsen, daß in jedem Staate etwas faul ist, wenn nicht in seiner Armee der Soldat auch Offizier werden kann.

Wenn man über die Wehrlosigkeit Deutschlands klagt, so soll man nicht immer nur den Versailler Frieden mit seinem Verbot der technischen Kriegsmittel für sie verantwortlich machen, sondern auch die Reichswehr, die sich selbst den Weg zum Siege verbaut durch ihre soziale Haltung, die ihren lebhaftesten Ausdruck findet in ihrer Ersatzpolitik.

Die Diktatur der Bürokratie

Bei der Betrachtung der Grundlagen der bürokratischen Diktatur in Deutschland sind zwei Kreise ihres Ursprungs zu unterscheiden, ein engerer und ein weiterer. Der engere Kreis der Gründe ist die Paralysierung der Klassenkräfte und das Vordringen der wirtschaftlichen Interessenorganisationen seit etwa 1923, in deren Widerspiel der Bürokratie in wachsendem Maße die Rolle eines Schiedsrichters zuwuchs. Die folgende Betrachtung will diesen engeren Kreis der Ursachen einordnen in einen weiteren — denn, so muß gefragt werden, wie war es möglich, daß am Ende der Inflation diese bürokratische Machtorganisation überhaupt vorhanden war?

Die Geschichtsauffassung, die sich am Ende des 19. Jahrhunderts geistig den gesellschaftlichen Machtpositionen unterwarf und die historischen Probleme in den Mantel einer vernebelnden Verdeckungsideologie einhüllte, hat auch die Ideologie, die die preußische Bürokratie als ihre klassenmäßige Auffassung der Politik ausgebildet hatte, verabsolutiert. Sie vergrößerte den kleinen Sektor, den diese Bürokratie geistig, moralisch, politisch und gesellschaftlich übersah, weil sie ihn beherrschte, gewalttätig zu einem ganzen Kreis und deklarierte die formale Machtausübung der Bürokratie zwischen den großen ökonomischen Machtfaktoren des handels- und industriekapitalistischen Bürgertums und des agrarkapitalistischen Großgrundbesitzertums als eine inhaltliche Position. Sie bildete die äußerlich machtvolle, innerlich und auf lange Sicht hin sehr prekäre Machtstellung der Bürokratie zwischen den sich in Preußen-Deutschland paralysierenden Klassenkräften um in die Ideologie einer Staatsdienerschaft. Das, was einerseits Ergebenheitsbezeugung dem Monarchen gegenüber war — byzantinische, innerliche oder taktische, bleibt sich hier gleich — und andererseits Verdeckungsideologie, hinter deren Anspruch auf absolute Gültigkeit nur der Versuch stand, der Zwischenstellung zwischen den Klassen das zu verschaffen, was eine solche Zwischenstellung niemals gehabt hat und auch niemals haben kann, eine hieb- und stichfeste Ideologie, die auf der soliden Grundlage von Klasseninteressen ruht: aus dieser doppelten Kampfposition wurde die Theorie von der Identität von bürokratischer Herrschaft und wahrer Staatspolitik gemacht und wurde die von der Bürokratie dirigierte „Staatspolitik" als der von den „Fragmenten", um mit Bismarck zu reden, der Parteien gemachten oder auch nur gewünschten anderen Politik der Parlamente als nicht nur sachlich technisch, sondern vor allem auch ethisch überlegen hingestellt. Vergessen wurde dabei, daß die Bürokratie entstanden ist nicht als Funktion des „Staates", sondern als Funktion des Kampfes des Fürsten gegen die Stände um die politische und wirtschaftliche Macht und als Werkzeug des Fürsten für die große Enteignung des feudalen Eigentums und seine Umwandlung in fürstliches Eigentum. Diesen ihren Ursprung, Träger des Kampfes einer bestimmten gesellschaftlichen Ordnung gegen eine andere zu sein, hat in der Wirklichkeit die preußische Bürokratie niemals verleugnet, nur ideologisch wurde die gesellschaftliche und politische Form, die sie beherrschte, mit dem Staat schlechthin identifiziert.

Um diese These von der Identität von Bürokratie und Staatsidee zu disunionieren, braucht man die Bürokratie nicht anzugreifen oder ihre „sachlichen Leistungen" herabzusetzen. Denn die Verschiebung eines Klassenkampfproblems auf eine Ebene der Diskussion, in der die Herrschaft der Bürokratie damit verteidigt wird, daß in ihr die lange, praktische und unvoreingenommene, von bestem Willen beherrschte Erfahrung von lange vorgebildeten und sorgfältig gesiebten Persönlichkeiten den Ausschlag gebe, übersieht nicht nur die sehr einfache Tatsache, daß die Bürokratie unzweifelhaft hochqualifizierte Mitarbeiter, die sich ihrer politischen und sozialen Willensbildung nicht fügen, überhaupt nicht einstellt oder wieder hinausdrängt, wie etwa den Regierungsassessor Eugen Richter, dem nicht einmal in der Kommunalverwaltung ein kleines Plätzchen als Bürgermeister von Neuwied gelassen wurde. Dieser Versuch übersieht auch völlig, daß die sachliche Leistung der Bürokratie niemals ein Produkt ihrer eigenen Fähigkeiten gewesen, sondern nur dann sich hat durchsetzen können, wenn die Situation der Klassenkräfte es gestattete. Sachliche Leistung der Bürokratie ist nicht ihr eigenes Verdienst, sondern die Funktion der Klassenlage. Ob etwa die Mitglieder der Justizbürokratie ihrer ehrlichen, bestem Wissen und Gewissen entsprechenden Überzeugung nach handeln, hängt nicht von der Justizbürokratie ab, sondern davon, ob die Gesellschaft, in der sie rechtsprechen, es ihnen gestattet. Ganz abgesehen von der Vergänglichkeit des Phänomens „Rechtsstaat" haben unbezahlte Assessoren, die auf Anstellung angewiesen sind und jahrelang die Funktionen von Richtern ausüben, im Interesse ihrer Existenzsicherung gar nicht die Möglichkeit einer Urteilsfindung, die eventuell ihren Vorgesetzten, die die Konduiten zu schreiben haben, mißfällt. Und selbst wenn die formale Rechtsfindung im Sinne des 19. Jahrhunderts der Justizbürokratie belassen wird, so lassen sich durch das Begnadigungsrecht der politischen Machthaber die gerechtesten Urteile leicht in das Gegenteil umkehren.

Die heutige Bürokratie steht an sachlicher Qualität erheblich über der etwa aus der ersten Hälfte des 19. Jahrhunderts, der Zeit ihrer unumschränkten Herrschaft in Preußen. Ebenso ist das Verständnis für die sozialen Kämpfe schon in der Bürokratie des deutschen Kaiserreichs erheblich größer gewesen als in der Bürokratie der Befreiungskriege, und Akte, wie die kalte und zynische Aufopferung der kleinen Bauern in der sogenannten Bauernbefreiung von 1807 haben sich vor 1914 nicht wiederholt. Und wer selbst einmal einige hundert Aktenbände dieser Zeit durchgemustert hat, für den verblaßt mehr als eine Gloriole um ein Geheimratshaupt, denn auch damals haben Geheimräte und Minister ihr persönliches und finanzielles Interesse bei der Staatsverwaltung nicht vergessen. Dadurch, daß die großen Korruptionsaffären der Bürokratie nicht in die Presse gekommen sind, sondern erst langsam aus dem Aktenwust wieder herausgeholt werden müssen, sind diese Affären nicht aus der Welt geschafft, und es ist einer der größten methodischen Schnitzer, aus der größeren Publizität der Korruption auf ihren größeren, d. h., relativ größeren Umfang im Vergleich zu früheren Zeiten schließen zu wollen. Überhaupt kommt dem Integritätsproblem der Bürokratie eine sehr viel geringere Rolle zu, als es die populäre Auffassung wahrhaben möchte, nicht nur deshalb, weil man als Individuum sehr integer und als Mitglied einer herrschenden Klasse sehr korrupt sein kann, sondern weil, wie aus alledem hervorgeht, die preußische Bürokratie niemals integer gewesen ist und wir nur ihre individuelle wie soziale Korruptivität aus früheren Zeiten weniger kennen als aus der letzten. Man kann sogar noch weitergehen und sagen: daß der innere Gehalt, das Standesgefühl, das Ehrbewußtsein, relativ gleichgültig ist. Friedrich der Große, wie sein Vater alles andere als Urheber der Bürokratie so wie sie im 19. Jahrhundert bestanden hat, vertrat theoretisch und praktisch stets den Standpunkt, lieber bedenkliche und unehrliche, dafür aber kluge Menschen zu Ministern zu machen als umgekehrt ehrliche und integere, aber beschränkte. Jeder große Apparat, integer oder nicht, leistet immer nur das, was er nach der jeweiligen Klassenlage zu leisten imstande ist. Er braucht für seine Leistungen gar nicht die Ideologie, daß er ein besonderer Stand sei, wohl aber für seine politische und soziale Selbstverteidigung. Denn Bürokratie im soziologischen Sinne ist niemals die Gesamtheit der lebenslänglich und mit Pensionsberechtigung angestellten Beamten, sondern die kleine Gruppe der die Entscheidung treffenden höheren Beamten, sie ist also identisch mit Ministerialbürokratie. Daß diese in allen Ländern die Verwaltungsrichtlinien bestimmt, ist selbstverständlich, und daß sie nicht nur laufende Geschäfte erledigt, ergibt sich aus ihrer Stellung dortselbst. Nur in Deutschland tritt zu diesem verwaltungstechnischen Einfluß noch ein zweiter Einfluß, der sich ausschließlich aus der historischen Situation der preußischen Bürokratie 1807 erklärt, und der ein politischer und sozialer ist und die Entstehung der Ideologie von der Bürokratie als einem besonderen Stand und das Fortdauern dieser Theorie bis heute erklärt.

Nur in Preußen-Deutschland ist die Bürokratie ein republikanisches Regentenkollegium mit Kooptation, mit eigener Bestimmung dieses Kollegiums, und nur in Deutschland ist diese Bürokratie trotz aller im Vordergrund erscheinenden Gegensätze eine fest in sich geschlossene Machtorganisation, deren Regierungsgewalt die sogenannte Revolution von 1918 für Zeiten zurückgedrängt, auf die Dauer aber nur gestärkt hat. Die Absetzbarkeit der politischen Beamten ist kein wirkliches Korrektiv dieser Macht, weil sie nur mit Bescheidenheit angewandt wurde, um die Nachfolger der Abgesetzten nicht kopfscheu zu machen, und weil die Hereinnahme von nicht kooptierten Ausscheidern auf Befehl der Minister nur eine bedeutungslose Ausnahme geblieben ist. Die Staatsform ist für die Herrschaft der Bürokratie überhaupt gleichgültig, solange die Staatsleitung nicht in der Hand einer völlig rücksichtslosen über alle Klassen hinweggehenden Gruppe liegt, sondern mehr oder minder zwischen den Klassen balanciert wie in Preußen seit 1807 und ganz offen in Deutschland seit 1918. Es hat auch jetzt nur formale Bedeutung, ob ihre Machtausübung erfolgt durch Raterteilung an Parlamentarier, denen das zur Urteilsbildung in konkreten Fragen benötigte Material geliefert wird, oder direkt durch die von Parlamentariern unbeeinflußten Bestimmungen der Notverordnungen. Die Gleichgültigkeit der Staatsform zeigt das rasche Verschwinden der Agitation gegen den „politischen", für den „Fachminister" aus den ersten Jahren der Republik, weil die Bürokratie bald erkannte, daß ihre Machtausübungsmöglichkeiten unter dem parlamentarischen Minister erheblich größer sind als unter dem aus ihren eigenen Reihen hervorgegangenen Fachminister.

Diese Machtposition stammt aus der Zeit, als nach dem Zusammenbruch der absoluten Monarchie das kapitalistische Bürgertum noch nicht stark genug war, die politische Macht über den Staat zu übernehmen, der von seinen Krediten lebte, und als der adlige Großgrundbesitz im Zusammenbruch der Güterpreise als Folge der Kontinentalsperre seine kapitalistische Basierung verlor und sich dem romantischen Konservativismus zuwandte. In dieser Lücke der Machtausübung ergriff die seit langem machtlüsterne Bürokratie, die eben erst, bei der Ernennung Steins zum Minister (1804) dem König brutal ihre Macht gezeigt hatte, die Macht und hielt sie fest bis heute auf der Grundlage des gegenseitigen Ausspielens der Klassenkräfte des Adels und des Bürgertums, solange es nur diese beiden Klassen als gefährliche Gegner gab, und seit den achtziger Jahren beider zusammen gegen den neuen Gegner des Proletariats. Von diesen Schwankungen aus erklärt sich auch das Problem der Einheitlichkeit der Bürokratie. Eine einheitlich soziale Zusammensetzung hat sie nie gehabt. Die politischen Machthaber haben immer ihre Lieblinge in sie hineingeschoben. Unter Friedrich dem Großen gab es gar keine feste Nachkriegspolitik, alles beruhte auf Konnexion. Und Hardenberg, der wirkliche Schöpfer der preußischen Bürokratie, hat ganz nach dem Bedürfnis seiner Politik Menschen von außerhalb in die Ministerien geholt, weil er mit den vorhandenen Geheimräten seine politischen Absichten nicht durchführen konnte. Das einzige, was die Bürokratie in dem Sinne, den das 19. Jahrhundert in Preußen ausgebildet hat, sozial einigt, ist ihre Abhebung gegen die unteren Schichten.

Die Mitglieder der Bürokratie müssen ein vollendetes Universitätsstudium aufweisen. Außenseiter werden grundsätzlich nicht aufgenommen, mit der einen Ausnahme des Landratsamtes, zu dem auch dem Rittergutsbesitzer als solchem der Zugang offensteht.

Den Subalternbeamten wird ebenso grundsätzlich die Aufstiegsmöglichkeit gesperrt, wie sie in der eine Bürokratie als Klasse noch nicht kennenden Verwaltung des preußischen Absolutismus mit Selbstverständlichkeit gegeben war. Die neue Gruppe des „mittleren Beamten“ entwickelte sich daher konsequent in den Städten, die mit der Selbstverwaltung ihre eigene Verwaltungsentwicklung einschlugen. Eine einheitliche Bürokratie ohne den Unterschied von höheren und mittleren Beamten ist nur noch in technischen Betrieben wie der Reichsbank vorhanden. Das was der ethischen und ideengeschichtlichen Betrachtung sich als Entwicklung des Individuums und die Amalgamierung der individuellen Freiheit mit der sittlichen Notwendigkeit des Staatsganzen darstellt, ist für den, der sich nicht vom deutschen Idealismus den Blick vernebeln läßt, die Begründung der Machtposition der Bürokratie, und zwar einer Bürokratie, die den Aufstieg aus kleinen Verhältnissen nach oben an sich niemals versperrte, die sich im Gegenteil wie alles Großbürgertum immerfort aus den Schichten des Klein-, Kleinst- und Nichtbesitzes ergänzte, die aber diesen Aufstieg niemals in einer Generation gestattete, sondern nur in der Form, daß der Sohn eines Vaters, der aus ganz kleinen Anfängen sich halb emporgearbeitet hatte, nun in seiner Jugend mittels der Universitätsausbildung einen bestimmten geistigen, sozialen und politischen Habitus annahm und ihm nach dieser Verleugnung seiner klassenmäßigen Herkunft der Eintritt in die höhere Beamtenlaufbahn freistand.

Der Inhalt dieses Habitus hat gewechselt mit dem Wechsel der sozialen Kräfteverteilung und mit der Notwendigkeit, sich Bundesgenossen zu suchen. Der Inhalt dieses Habitus ist aber auch gar nicht das, was für die Bürokratie charakteristisch ist, vielmehr ist es seine Form und die Gleichsetzung dieser Form mit dem nicht vorhandenen, aber behaupteten Inhalt. Das Standesgefühl, das die Bürokratie besitzt, ist rein formal, ihr „Pflichtbewußtsein", das inhaltlich nicht das geringste über die Haltung gegenüber einer sozialen oder politischen Frage entscheidet. Vielmehr lassen sich mit dem Pflichtbewußtsein, der ethischen Parallele des Rechtsformalismus des 19. Jahrhunderts, alle und jede politische Schwenkung und Charakterlosigkeit begründen. Die Kategorie der „Treue", auch eine formale Eigenschaft, läßt sich auf die Bürokratie überhaupt nicht anwenden, denn der Apparat funktioniert, wenn man nicht gerade allen akademischen, mittleren und unteren Beamten die Rechte Unabsetzbarkeit und Pensionierung nimmt, bei Ersetzung der Spitzenposten durch die schärfsten Gegner der bisherigen Inhaber ruhig weiter, als ob nichts geschehen wäre. Und so wenig äußerlich die Devotion gegen den Monarchen jemals verletzt wurde, die Bedeutung, die die preußische Reform für die soziale Machtverteilung in Preußen gehabt hat, ist gerade die Ersetzung des Monarchen als entscheidendem und ausschlaggebendem Faktor durch die mächtigwerdende Bürokratie. Die Bürokratie ist eben ein Machtapparat der bestimmten vorgebauten Ideologien und hat unter den politischen Machtgruppen am meisten Ähnlichkeit mit der Zentrumsfraktion. Sie war liberal, solange das Bürgertum als schwächerer Teil noch sein natürlicher Bundesgenosse gegen den Adel war. Der Liberalismus wurde ausgemerzt, und sie wurde konservativ, als seit den achtziger Jahren sich Adel und Bürgertum gegen das Proletariat alliierten. Sie behielt diese Haltung nach 1918 bei, weil in der Klassenschichtung sich nichts veränderte, außer daß dem Proletariat ein geringer Teil der politischen Macht angesichts des Zerfalls der Monarchie konzediert wurde. Infolge dieses Widerwillens erfolgten dementsprechend auch nur halb siegreiche Vorstöße des Proletariats in den Machtaufbau der kapitalistischen Gesellschaft, und infolge der Paralysierung der Klassenkräfte wuchs die Macht der Gruppen, die den Klassenkampf in seiner neuen Form führen, bei der die Mittel des Staates auf beiden Seiten eingesetzt wurden, bzw. Subjekte und nicht Objekte dieses Kampfes waren, d. h., der Armee und der Bürokratie. Beide, bereits vor 1918 im Besitz des Staatsapparates und auch nach 1918 nicht aus ihm herausgeworfen, übten das bei ihnen übliche Kooptationsverfahren weiter aus im Sinne der früher regierenden Schichten und wuchsen so zu politischen Machtfaktoren heran, die neben den in der Weimarer Verfassung vorgesehenen politischen Machtzentren standen und durch ihre von der eigentlich politischen Führung abweichende Struktur ein noch stärkerer Machtfaktor der Politik wurden als vor 1918.

Die Paralysierung der Klassenkräfte ist also der erste Faktor für die Machtsteigerung der Bürokratie in der Republik. Der zweite ist die Ausbildung des staatlichen bzw. bürokratischen Interventionismus. Was das frühe 19. Jahrhundert an staatlichen Eingriffen in die Wirtschaft vornahm, war immer nur technisch bedingt, und auch die Kommunalmonopole für Gas, Wasser, Elektrizität und Verkehr können nirgends als Durchbrechung der Freiwirtschaft betrachtet werden. Der grundsätzliche Umbruch setzte ein, als die kapitalistische Gesellschaft in Deutschland, anders als in England und Frankreich, nicht mehr mit der Arbeiterbewegung fertig wurde und mit der Überstürztheit des Militärstaats die proletarische Bewegung durch einerseits polizeiliche, andererseits sanitärische und hygienische Maßregeln vernichten wollte. Aus diesen taktischen Maßnahmen erwuchs sehr rasch in Deutschland der moderne bürokratische Interventionismus mit seinen glänzenden sozialpolitischen Leistungen, die von den übrigen Staaten dann mehr oder minder vollkommen nachgebildet wurden. Und die Kriegswirtschaft, zur Zeit ihrer Existenz als Staatskapitalismus oder Staatssozialismus angesehen, hat zwar nicht der Wirtschaft der Nachkriegszeit ihren Stempel aufgeprägt, dafür aber der Bürokratie das Bewußtsein ihrer ungeheuren Eingriffsmöglichkeiten gegeben.

Diese Eingriffsmöglichkeiten erfahren eine noch weitere Steigerung durch die Einschränkung der Freizügigkeit. Diese Einschränkung, die mit der Absperrung der Wanderungen über die Grenze international, durch Wohnungsmangel und Arbeitslosigkeit im Lande sich vollzieht, führt zu einer immer stärkeren, wenn auch oppositionellen Verbundenheit der Bevölkerung mit dem Staate, in dem sie wohnt und an den sie jetzt hundertprozentig gekettet ist. Wenn nun gleichzeitig diese Bevölkerung arbeitslos oder als selbständiger Besitzer praktisch einkommenslos ist, so hat sie ein gesteigertes Interesse nicht nur am Staat als solchem, sondern auch vor allem an der Art, wie er verwaltet wird, denn die Entscheidung darüber, wieviel der Arbeitslose zu essen hat und welche Klasse Subventionen vom Staat erhält, liegt ausschließlich in den Händen der hohen Bürokratie.

Die dritte Grundlage der heutigen Macht der Bürokratie ist ihr Rückhalt an der hohen Justizbürokratie, am Reichsgericht. Für den Staat im Zeitalter des individuellen Kapitalismus ist es unbedingt notwendig, jedem einzelnen in der Konkurrenz des freien Marktes stehenden Menschen die gleichen Chancen des Vorwärtskommens zu geben; die diesen entgegenstehenden Privilegien der ganz oder halb feudalen Zeit zu beseitigen und damit zum Rechtsstaat zu werden. Zwischen dem bürgerlichen Individualkapitalismus und der Bürokratie haben in den ersten Dreivierteln des 19. Jahrhunderts die schweren Kämpfe stattgefunden, die Ranke einmal als Kampf zwischen Fürstensouveränität und Volkssouveränität bezeichnet hat, und in denen wir heute die Auseinandersetzung sehen zwischen dem bürokratischen Alleinherrschaftsstreben und dem Verlangen des Bürgertums nach möglichst rationaler, d. h. juristisch stets gleichbleibender, exakt kalkulierbarer Regelung der freien Konkurrenz. Als das Bürgertum in den achtziger Jahren politisch kapitulierte, hatte es mit seinen wirtschaftlichen Forderungen auch die des Rechtsstaates durchgesetzt, und seit diesen Jahren findet sich eine einheitliche Allianz zwischen Verwaltungsbürokratie, Justizbürokratie und Bürgertum in Deutschland, mit der Front gegen das zahlenmäßig immer stärker werdende Industrieproletariat.

Seit 1918 das Proletariat einen konkreten Anteil an der Beherrschung des Staates erhalten hat, äußert sich diese Allianz darin, daß unter der weiter aufrechterhaltenen Ideologie des Rechtsstaates die intakt gebliebene Justizbürokratie, die sich durchweg aus dem Bürgertum rekrutiert, jede Hilfsstellung gewährt. Die kleinen Bürgerlichen, auf Schutz der Mittelstandstendenzen des Richtertums gerichtet, konnten in der Inflation und beim Kampf um die Aufwertung sich nur deshalb nicht voll durchsetzen, weil sie von den großbürgerlichen kapitalistischen Tendenzen auf Schuldentlastung der großen Schuldner paralysiert wurden.

Klarer in der Klassenhaltung ist die starke Einbeziehung des öffentlichen Rechts in die Ausbildung des juristischen Nachwuchses. Das Richtertum des 19. Jahrhunderts durfte keine öffentlich rechtliche Ausbildung erhalten, um nicht gegebenenfalls im Interesse des Bürgertums in die Machtsphäre der Bürokratie eingreifen zu können. Seit die politische Machtausübung, wenn auch nur zum Teil, auf nichtbürokratische Kräfte übergegangen ist, wird ein Rückhalt der politischen Bürokratie am Richtertum notwendig, und um diesen Rückhalt leisten zu können, muß das Richtertum auf der Grundlage öffentlicher rechtlicher Vorbildung die politischen Machtinteressen beurteilen und danach seine Urteile fällen können. Die „unabhängige" Justizbürokratie erhält damit eine Art Oberaufsicht über die von nichtbürokratischen Gruppen gemachte „Politik", und die von dieser Politik versuchte soziale Änderung der Verwaltungsbürokratie wird nach Möglichkeit dadurch paralysiert, daß die Neigung zur Ausdehnung der Kompetenz der ordentlichen Gerichte auf Verwaltungsfragen im letzten Jahrzehnt stetig gewachsen ist.

Noch charakteristischer für diese Übertragung großer Machtpositionen an die Justizbürokratie, weil sichtbarer und in großen Fällen entscheidend, ist die Oberaufsicht, die der Staatsgerichtshof allmählich über die Politik an sich genommen hat, und die Verschiedenartigkeit seiner Urteile gegenüber den verschiedenen Gruppen. Der Versuch Otto Brauns, beim Youngplan-Volksbegehren im Sinne der seit zehn Jahren ungestört geübten Nichtanwendung des Artikels 130 der Reichsverfassung vorzugehen, wurde vom Reichsgericht zurückgewiesen und Preußen gezwungen, sich streng formal an die Reichsverfassung zu halten. Die Regierung Brüning, soziologisch christlich-konservativ, basiert auf entscheidendem Einfluß der Bürokratie auf ihre Notverordnungspolitik, wurde in ihrer Politik, den auf Straßenunruhen berechneten Artikel 48 in einer unzweifelhaft verfassungswidrigen Weise zur Grundlage der Gesetzgebung zu machen, nicht gestört. Die Macht der roten Verwaltung in Preußen wurde durch das Reichsgericht eingeschränkt, die Macht der bürokratischen, mit den alten Gesellschaftsschichten liierten Regierung Brüning wurde gesperrt, beides auf Grund von sich ausschließenden Argumenten. Und die Weigerung des Staatsgerichtshofes, den Staatsstreich Papens vom 20. Juli [1932] durch eine einstweilige Verfügung, die bei der Primitivität der Rechtslage leicht zu erlassen und zu begründen war, zu durchkreuzen und ihn durch den Rückzug auf eine rein formale Begründung, die einstweilige Verfügung dürfe der Endregelung nicht inhaltlich vorgreifen, praktisch zu legalisieren, zeigt das soziologisch bedingte Zusammenarbeiten aller Sparten der Bürokratie in der denkbar anschaulichsten Form und das glänzende Funktionieren ihrer Allianz beim Zurückdrängen der Arbeiterschaft aus der politischen Macht.

Neuere deutsche Geschichtsschreibung

Den Stand der deutschen Geschichtsschreibung in seinen Voraussetzungen festzulegen und (zu) analysieren, bietet sehr große Schwierigkeiten, weil die deutsche Geschichtsschreibung auf das engste verbunden ist mit der allgemeinen sozialen und politischen Entwicklung des Kaiserreichs und der Republik und von dieser Entwicklung beherrscht wird. Die deutsche Geschichtsschreibung seit der Mitte des 19. Jahrhunderts ist stets ein Spiegel der politisch-sozialen Zustände gewesen und über eins der berühmtesten Werke deutscher Geschichtsschreibung, Mommsens „Römische Geschichte“, die ein halbes Jahrhundert nach ihrem Erscheinen mit dem Nobelpreis für Literatur ausgezeichnet wurde, hat ein ebenso berühmter Althistoriker, der gegen ihn polemisierte, gesagt: Man könne aus diesem Buch mehr über die Haltung des deutschen Liberalismus der 50er Jahre lernen als über die Entwicklung Roms zu Cäsars Tod. Die Geschichte der deutschen Geschichtsschreibung ist ein Teil der deutschen Geschichte im ganzen, sie ist keine Wissenschaftsgeschichte, sondern an jedem Punkt ein Ausdruck der allgemeinen sozialen und innerpolitischen Schwierigkeiten. Der entscheidende Punkt für diese Verbindung von historischer Forschung und Geschichtsschreibung und der politisch-sozialen Entwicklung ist nicht die Tatsache, daß der deutsche Professor anders als der amerikanische, Beamter des Staats ist. Es hat Zeiten gegeben, in denen auch die beamteten Professoren Bücher schrieben, für die sie aus ihren Ämtern entfernt wurden – obwohl diese Zeiten jetzt weit hinter uns liegen, in den 30er bis 50er Jahren des 19. Jahrhunderts. Und auch unter dem Kaiserreich Wilhelms II. war manche freie, demokratische Kritik eines Universitätsprofessors möglich, denn die Unterrichtsverwaltung des größten Staates, Preußen, über 20 Jahre mit diktatorischer Macht von dem Ministerialdirektor Althoff geleitet, befolgte die kluge Politik, rege Intellektuelle, die in ihrer Jugend freisinnige, demokratische und oppositionelle Ansichten hatten, nicht brotlos zu machen und damit der politischen Opposition hochqualifiziertes Führermaterial zu liefern, sondern ihnen den Zugang zur Universität zu eröffnen. Dann waren sie froh, einen sehr angesehenen Posten zu haben – der deutsche Universitätsprofessor hat ein sehr hohes soziales Ansehen – und konnten ihre Meinung, wenn sie nicht allzu radikal war, relativ offen aussprechen, ohne damit so gefährlich zu werden, wie wenn sie als oppositionelle Redner im Reichstag aufgetreten wären. Wurden sie zu scharf in ihrer Redeopposition, so bekamen sie als Beamte Geldstrafen, wie das Hans Delbrück geschah, dem Verfasser einer vierbändigen „Geschichte der Kriegskunst", weil ihm wegen der Unterdrückung der in Nordschleswig wohnenden Dänen „die Schamröte ins Gesicht gestiegen" war. Der entscheidende Punkt für die Verbindung von Historiographie und Politik liegt also, glaube ich, nicht in der Eigenschaft des deutschen Professors als Beamter, als vielmehr in seiner Zugehörigkeit zum deutschen Bürgertum, und zwar zu einem Bürgertum, zu dem er ökonomisch nur halb gehört, ideologisch aber ganz. Der Professor gehört zum Bürgertum, daß die Klasse in der freien Konkurrenz des Marktes sich ihren Lebensunterhalt verdienenden Menschen ist, nur halb, weil er vom Staat als Professor ein festes Gehalt bezieht, aber bis zur Erlangung der Professur zwischen dem 35. und 45. Jahr sich aus den Erträgen eines eigenen Vermögens erhalten muß. Er war als Privatdozent und außerordentlicher Professor also meist Rentier, ehe er außerdem Beamter wurde. Ideologisch aber gehörte der Professor ganz zum Bürgertum, und er ist seit dem Beginn des 19. Jahrhunderts immer sein ideologischer Vorkämpfer gewesen und hat in seiner geistigen Haltung von Jahrzehnt zu Jahrzehnt alle die ökonomischen und sozialen Wandlungen mitgemacht, die das deutsche Bürgertum gemacht hat, vom radikalen zum gemäßigten Liberalismus, von der Allianz mit der Militärmonarchie und Unterdrückung der Arbeiterbewegung bis zum Imperialismus und jetzt zum Faschismus. Von den 30er Jahren bis in die 60er ist der deutsche Geschichtsprofessor immer Vertreter des bürgerlichen Liberalismus gewesen, und zwar des Liberalismus in seinen beiden Formen: Das wirtschaftende Individuum soll die Möglichkeit freier Betätigung und freien Gewinnmachens erhalten, das politische Individuum, das ist der Staat, soll ebenfalls die Möglichkeit haben, sich zu entwickeln und auszudehnen. – Freiheit des einzelnen und Macht des Staates nach außen – das war die Grundforderung der politischen Historiker bis 1870, und von diesen beiden Zielen ist ihre Geschichtsschreibung beherrscht. Diese politische Schule der Geschichtsschreibung, wie sie zusammenfassend genannt wird, zerbrach daran, daß die Macht des deutschen Staates begründet wurde nicht vom Bürgertum her, sondern vom Militär, vom Adel, vom preußischen Staat. Alle ökonomischen Forderungen, soweit sie nur Deklamationen waren, auch. Aber alle politische Macht blieb in Händen der alten herrschenden Klassen. Das Bürgertum unterwarf sich dieser Machtverteilung; und damit verzichtete auch der bürgerliche

Historiker darauf, beide Seiten des Liberalismus zu vertreten, Freiheit und Macht, sondern vertrat nur noch die eine, die Macht. Die Machttheoretiker kannten die Macht nur von einer Seite, nämlich von der des Besitzers der Macht. Deutschland war der führende Staat in Europa, es hatte Frankreich besiegt; im Inneren gehörten die Machttheoretiker zur herrschenden Klasse, nicht nur beherrschenden. Sie genossen und sahen immer nur die Vorteile und Annehmlichkeiten des Besitzes. Bismarck persönlich hat international über den Gebrauch der Macht in seinen letzten Jahren sehr skeptisch gedacht; aber im Inneren, im Klassenkampf, entfaltete er alle ihre Möglichkeiten, und seine Anhänger folgten ihm bedingungslos. Die Bedrohung des Besitzes durch das Anwachsen des Proletariats schuf die Allianz zwischen Bürgertum, Adel, Offizierskorps und Monarchie, das die Gegensätze des 19. Jahrhunderts fast ganz auslöschte, das deutsche Kaiserreich bis zu seinem Ende beherrschte und jetzt wieder in veränderter Form entsteht. Der geistige Ausdruck dieses Umschwenkens des Bürgertums zu Bismarck und seinem Staat ist zu finden in zwei Namen: Paul Laband und Heinrich von Treitschke. Labands staatsrechtliche Theorien fanden allgemeine Anerkennung unter den Juristen. Der größte Vertreter dieser bürgerlich-liberalen Historiker, die die Macht verherrlichten, ist Treitschke geworden. Aber das ist nur die eine Linie der Entwicklung. Neben der bürgerlich-liberalen Geschichtsschreibung gab es einen, geistig seinen Konkurrenten weit überragenden, konservativen Historiker, Leopold von Ranke. Ranke ist nicht mit so einfachen Formeln zu erklären wie die liberalen Historiker. Bei ihm ist alles viel zarter, vorsichtiger ausgedrückt, aber er ist auch weit mehr universaler als die Liberalen. Er betrachtet alles aus größerer Distanz, er identifiziert sich nicht mit seinen Themen, er mischt sich nicht als Schiedsrichter in den Streit ein, den er schildert. Er sieht, welche Rolle die Macht in der Geschichte spielt, aber er verherrlicht sie deshalb nicht. Er ist ein sehr frommer Mensch gewesen, und seine Geschichtsschreibung ist die Betrachtung einer Entwicklung, an der Gott unmittelbaren Anteil gehabt hat. – Diese Rankesche Geschichtsschreibung ist zwar als künstlerische Leistung viel bewundert worden, aber ihre Wirkung war ziemlich gering. Er hat viele Schüler gehabt, aber weil diese sahen, daß der Meister seine Quellen sehr sorgfältig interpretierte, so glaubten sie, daß Geschichtsschreibung und Quellenanalyse dasselbe seien. So ist Ranke, grotesk genug, der Vater der Fußnoten-Historiker geworden und hat erst später, um 1910, wieder Einfluß gewonnen.

Zunächst aber, in den 80er und 90er Jahren, blieb er und seine konservativ maßvolle Geschichtsschreibung ohne Einfluß. Alle machtpolitische

Zurückhaltung, die er geübt hatte, alle religiöse Betrachtung der Politik, fielen weg, als etwa gleichzeitig mit Treitschkes Tod 1895 nun die Treitschkesche Auffassung der Macht sich ohne Gegengewicht durchsetzen konnte, weil nun das ganze deutsche Bürgertum selbst vom Taumel der Machtbegeisterung ergriffen wurde. Die 20jährige Wirtschaftsdepression ging zu Ende, die Preise stiegen, der Mut belebte sich, und man wurde zugleich mit dem wachsenden Reichtum auch politisch stolz. Ende der 90er Jahre beginnt mit dem Bau der deutschen Flotte der deutsche Imperialismus. Aber in derselben Zeit beginnt das deutsche Bürgertum unruhig und unsicher zu werden und an der Sicherheit seines Vermögens zu zweifeln, denn die deutsche Arbeiterbewegung entwickelte sich trotz des Sozialistengesetzes, und sie entwickelte sich auch nachher zu einer bei jeder Reichstagswahl wachsenden Macht. Die Nation begann in zwei Teile zu zerfallen, die sich gegenseitig nicht mehr verstehen konnten. Die Universität stand vollständig auf der einen Seite, kein Sozialist konnte Professor werden, das was man Kathedersozialisten nennt, waren Professoren mit sozialreformerischen Tendenzen, die aber mit dem proletarischen Sozialismus nichts zu tun hatten.

Mit der Entscheidung der Universität, auf der bürgerlichen Seite zu bleiben, entstanden für die deutsche Wissenschaft ungeheure wissenschaftliche Schwierigkeiten. Denn Sozialismus ist nicht nur eine Parteibewegung, er ist auch eine wissenschaftliche Disziplin mit bestimmten Fragestellungen, die zwar aus der bürgerlichen Nationalökonomie herstammen, in ihrem Verlauf aber zu antibürgerlichen Resultaten führen. Wie sich die Nationalökonomie damit abgefunden hat, habe ich nicht zu schildern. Die deutsche Geschichtsschreibung wählte den Weg der hundertprozentigen Negierung, und alle Geschichtsschreibung, die Probleme behandelte, die im Marxismus vorkommen, wurde zu sozialistischer, marxistischer und revolutionärer Geschichtsschreibung ernannt. Sozialgeschichtsschreibung ist unzweifelhaft die Geschichte von sozialen Gruppen und Klassen. Da der Marxismus ebenfalls die Geschichte sozialer Klassen vorträgt, so wurde Sozialgeschichtsschreibung identifiziert mit sozialistischer Geschichtsauffassung, und jeder Versuch, Sozialgeschichte zu schreiben, wurde unterdrückt. Es gibt daher keine brauchbare Sozialgeschichte Deutschlands im 19. Jahrhundert und gerade auf diesem Gebiet sind die ungeheuersten Probleme überhaupt noch zu klären, ist die deutsche Geschichte eigentlich erst neu zu schreiben. Ein Beispiel. Hier in Amerika wird der preußische Konservatismus gewöhnlich als Feudalismus bezeichnet und als überaltert abgetan. Er sieht so aus wie die Dinosaurier im Field-Museum. Und der populäre Eindruck, der von Wilhelm II. geblieben ist, ist seine feudale Kürassier-Uniform mit dem Helm und dem fliegenden Adler. Sehr romantisch und feudal. Aber das ist nur der Hintergrund. In Wirklichkeit liegt die Bedeutung des preußischen Adels nicht in seinem Feudalismus, sondern darin, daß er der Besitzer einer getreideproduzierenden Großindustrie war und als die eine kapitalistische Klasse mit der anderen kapitalistischen Klasse, der industriellen, um die Macht kämpfte. Und er ist oben geblieben, weil es ein sehr moderner Agrarkapitalismus, und nicht weil es ein Feudalismus war. Und die Bedeutung Wilhelms II. ist nicht seine Vielrednerei und sein Säbelrasseln – er war in Wirklichkeit einer der schwächsten und einflußlosesten Monarchen, die wir kennen, und führte das aus, was die beiden kapitalistischen Klassen von ihm verlangten. Aber mit Fragen dieser Art, die von allergrößter Bedeutung sind, hat sich die offizielle deutsche Geschichtsschreibung nicht beschäftigt. Und ebenso tritt die Wirtschaftsgeschichte völlig in den Hintergrund. Die Nationalökonomen schreiben zwar von Zeit zu Zeit einiges über die Wirtschaftsgeschichte, aber bei den Historikern gibt es nur ungefährliche, mittelalterliche, keine neuzeitlichen Probleme der Wirtschaftsgeschichte. Es gibt in ganz Deutschland nicht einen einzigen Professor der neueren Geschichte, der ein, wenn auch nur geringes, Verständnis für wirtschaftliche Vorgänge in der Geschichte besäße. Es ist, ich möchte sagen, einfach nicht erlaubt, zu sehen, daß die Wirtschaft in der Politik eine Rolle spielt, daß Wirtschaftsführer eben die Gesetzgebung beeinflussen müssen. Das existiert nicht. Und wenn jemand es doch sieht, hat er sofort politische Unannehmlichkeiten, die aber ganz anderer Art und von ganz anderer Bedeutung sind, als die gelegentlichen Aktionen gegen einzelne, zu scharfe Kritik, wie im Fall Delbrück, die ihn vielmehr in die politische und soziale Opposition zwingen und leicht so weit gehen, daß sie ihn aus der Gesellschaft der anständigen Leute ausschließen. Ein Beispiel: Deutschland besaß einen großen Sozialhistoriker, Gustav Schmoller, dessen Aufsätze, in den „Umrissen und Untersuchungen" gesammelt, zu den Spitzenleistungen der Geschichtsschreibung überhaupt gehören. Zwangsläufig schrieb Schmoller so, wie an manchen Stellen auch Marx geschrieben hätte. Man kann eben über sehr viele Dinge nur eine Meinung haben, auch wenn man ganz verschiedener politischer Ansicht ist. Und mir persönlich ist es einmal begegnet, daß ich als Bolschewist angegriffen wurde, weil ich in einer Vorlesung eine halbe Seite aus Schmollers „Umrissen" fast wörtlich verwendet und der Betreffende nicht gemerkt hatte, daß das ein Zitat war. Aber Gustav Schmoller war ein Konservativer, ein Preuße, ein Royalist durch und durch. Von Marxismus ist bei ihm keine Spur zu finden. Indessen, er entging dem Schicksal der Identifizierung von Sozialgeschichte und sozialistischer Parteipropaganda nicht. Als 1896 der Generaldirektor der preußischen Staatsarchive, ein sehr prominenter Posten in der deutschen Geschichtswissenschaft, gestorben war, wurde auch der Name Schmollers auf die Liste gesetzt, aus der der Kaiser den Nachfolger auswählen sollte. Denn Schmoller hatte aus den Akten viele Aufsätze geschrieben, die mit großer Liebe und Bewunderung den preußischen Absolutismus behandelten. Aber Wilhelm II. strich seinen Namen durch: „Wir können die preußischen Staatspapiere doch keinem Sozialdemokraten anvertrauen."

Und diese groteske Identifizierung von Sozialgeschichte und sozialistischer Geschichte, die hier vom Kaiser ausgesprochen wurde, blieb das Charakteristikum der deutschen Geschichtsschreibung im Kaiserreich und ist es bis heute geblieben. Wer Sozialgeschichte schreibt, wird eben zum Sozialisten ernannt, auch wenn er konservativ und Imperialist ist. Und es ist ebenso charakteristisch, daß mit Schmollers Tod 1917 die letzten Reste der deutschen Sozialgeschichtsschreibung völlig ausgestorben sind und daß da, wo sich Sozialisten mit Problemen aus Schmollers Arbeitsgebieten befassen, sie völlig unverändert Schmollers Theorien aus den 80er Jahren übernehmen. Für die 80er Jahre waren das ungeheure Leistungen; heute können wir selbstverständlich schon vieles besser sehen. Aber es ist verboten, über Schmollers Stellung hinauszugehen und der einzige Gelehrte, der die Auffassung des preußischen Absolutismus über Schmoller hinaus entwickelt hat, ist ein Amerikaner, der in Deutschland daher auch fast einstimmig abgelehnt wird: W. L. Dorn in Columbus/Ohio.

Der deutsche Historiker des Kaiserreichs wollte also mit dem Sozialismus, weder als Partei noch als Sozialgeschichte, etwas zu tun haben. Er war also gezwungen, nun ganz die Interessen des deutschen imperialistischen Bürgertums wahrzunehmen. In mehr populärer Form kämpfte für den Imperialismus Dietrich Schäfer, der als Lehrer an der Universität Berlin große Erfolge hatte. Auf wissenschaftlich höherem, und auf sehr hohem Niveau, verteidigte Otto Hintze die sozialen und innenpolitischen Voraussetzungen der deutschen Machtpolitik. Er wagte sich in seinen verfassungsgeschichtlichen Arbeiten über den Absolutismus bis an die Grenze heran, bei deren Überschreiten man zum roten Revolutionär ernannt wurde. Aber im ganzen war er ein so stolzer, ehrlicher, phrasenloser, einwandfreier Imperialist, daß er dieser Gefahr entging. Als im Weltkrieg mit der Niederlage auch seine Weltanschauung zusammenbrach, war bei ihm der Rückschlag der stärkste unter allen Historikern. Der schroffste Imperialist des Kaiserreichs wurde fast Sozialdemokrat in der Republik, nicht aus Wankelmut, sondern weil für ihn die Niederlage Deutschlands auch die schwerste persönliche Niederlage bedeutete. Denn er hatte sich mit der alten Machtpolitik ehrlich und offen und rückhaltlos identifiziert. Aber so bedeutend Hintze als Gelehrter war – der führende und für das Deutschland zwischen 1910 und 1925 etwa am meisten charakteristische Historiker ist er nicht gewesen. Und zwar deshalb nicht, weil er sich zu oft zur Macht bekannte. Das aber vertrug das deutsche Bürgertum in dieser Zeit nicht, und zwar: nicht mehr, und noch nicht wieder.

Nicht mehr: d. h., daß die einfache Vergötterung der Macht, wie Treitschke sie gelehrt hatte aufgegeben wurde. Zwar war man stolz auf die wachsende Flotte, auf das stetig vergrößerte Heer, auf den steigenden Reichtum. Aber ununterbrochen zuckten schwere politische Krisen um Deutschland herum, und seit der 1. Marokkokrise war man in Deutschland, was die Außenpolitik angeht, seines Lebens nicht mehr froh. Würde die große Macht, die man besaß, wirklich den Sieg erfechten? War es richtig, daß jeder Großstaat für jedes Schiff des anderen zwei neue baute? Ob das gut ausging? Es war nicht erlaubt, laute Zweifel zu äußern, denn dann war man Sozialdemokrat, die all das offen aussprachen und die Katastrophe prophezeiten, aber im Grunde gab man ihnen Recht, daß die Politik ins Chaos führen müsse, nur – verhindern konnte man es nicht.

Es gab also zwei Möglichkeiten: Offen die Machtpolitik anzuerkennen und sie zu befördern, oder als Sozialdemokrat sie zu bekämpfen. Aber für breite gebildete Schichten des deutschen Bürgertums war das eine zu bittere Alternative, und da es positiv keinen dritten Weg gab, suchten sie einen negativen, die Flucht in eine etwas müde, resignierte Betrachtung der bösen und schmutzigen Welt. Man betrachtet diese Welt möglichst von außen her, aus der Ferne; wenn man über sie schreibt, schreibt man in möglichst künstlerischer Form. Geschichtsschreibung ist nicht nur Wissenschaft, sondern auch eine künstlerische Leistung, heißt es nun wieder. Von Treitschke, dem harten Verehrer der Macht, wendet man sich zurück zu Ranke, mit seiner zarten Vorsicht und Skepsis gegen die Macht. Aber man ist nicht im Stande, die kräftige und etwas naive Religion Rankes neu zu beleben, die schöne Form muß genug sein. – Hier haben wir den Entstehungspunkt der deutschen Ideengeschichtsschreibung und den ganz außerordentlichen Erfolg, den ihr Gründer Friedrich Meinecke mit ihr gehabt hat. Der größte Teil der jüngeren deutschen Historiker stammt ja aus der Meinecke-Schule, neben dieser gibt es keine zweite in Deutschland von irgendwelcher Bedeutung. Die Ideengeschichte ist eine auf Deutschland beschränkte Spezialität; sie ist entstanden unter bestimmten sozialen Voraussetzungen, die nur in Deutschland bestanden, und damit ist die Frage ihres Einflusses auf das Ausland auch schon beantwortet. Das Ausland hat fast gar keine Notiz von ihr genommen; Friedrich Meinecke ist im Ausland fast unbekannt, und ausländische Gelehrte, die vor dem Krieg in Deutschland studierten, glauben deshalb sehr leicht, daß andere Professoren die führenden Historiker in Deutschland gewesen seien, etwa Max Lenz, Erich Marcks, Hans Delbrück. Diese haben zwar die Forschung bereichert, aber ihre Ideen und ihre Art Geschichte zu schreiben, ist ihr persönliches Eigentum geblieben. Niemand hat sie aufgegriffen und weitergeführt. Sie haben keine bedeutenden Schüler gehabt. Ausschließlich bei Meinecke ist das der Fall, der mit seiner Ideengeschichtsschreibung im richtigen Augenblick einem geistig ratlosen Bürgertum einen Ausweg zeigte. Der Ausweg ist zwar auf lange Sicht eine Sackgasse, aber im Augenblick gibt er denen, die ihn gehen, das stolze Gefühl, besonders erhaben zu sein. Sie fühlen sich oben auf den Bergen und sehen hinüber in das dumpfe Tal, wo die vielen Menschen im täglichen Kampf ums Brot sich abmühen müssen, einen engen Horizont haben und die Dinge gar nicht richtig überschauen können. Dieses Überlegenheitsgefühl des Bergwanderers ist sehr stark in den Ideenhistorikern und es ist richtig: Sie befassen sich nicht nur mit der Anfertigung der Fußnoten, wie das in der mittelalterlichen Geschichtsschreibung überwiegend geschieht. Aber ist dieses Überlegenheitsgefühl wirklich begründet? Die Entstehung der deutschen Ideengeschichtsschreibung macht es klar, daß sie sich nicht mit Dingen befassen kann, die eine große und unmittelbar praktische Wirkung haben oder gehabt haben. Ideen, die die Welt umgestürzt haben oder umstürzen wollen, werden von ihr nicht behandelt. Z. B. die demokratischen Ideen Amerikas oder Frankreichs, die sozialistischen Ideen Deutschlands, die bolschewistischen in Rußland – das ist tabu, denn um das beschreiben zu können, muß man zunächst ein eigenes Urteil über die gesellschaftliche und politische Lage des eigenen Landes haben und muß in ihm selbst mit Revolution und Zusammenbrüchen rechnen. Der Ideenhistoriker ist aber geneigt, solche Revolution als störend zu empfinden, weil sie ihn zu harten Stellungnahmen pro et con zwingen. Er ist politisch konservativ, auch in dem Fall, daß er Republikaner und Demokrat ist. Er hat keinerlei Interesse für die Arbeiter oder Angestellten. Deren Probleme sind Sachen des täglichen Kampfes, weisen aber nicht in die Höhenzonen, in der der Ideenhistoriker thront. Er hat viel Interesse für Konservative, wie

Friedrich Wilhelm III. und Julius Stahl, besonders dann, wenn sie sehr verzwickte Seelen haben.

Aus diesem Interesse wird die Verbindung zwischen Ideengeschichtsschreibung und der deutschen Freudschen Schule klar. Für die Schule Freuds und noch mehr für die einflußreichere seines Schülers Adler, die meistens verwechselt werden, resultieren objektive Leistungen und Institutionen stets aus psychischen Komplikationen. Ihr Interesse ist die Zergliederung der Seele des Einzelmenschen, nicht die Schilderung objektiver vorhandener Institutionen. Die Freud-Schule verdankt in Deutschland ihren Erfolg derselben Lage des Bürgertums wie die Ideengeschichtsschreibung, einem matten Ausweichen vor den harten Entscheidungen des Lebens und dem Bedürfnis nach narzistischer, selbstverliebter Analyse der ach so wertvollen Eigenseele. Aus der Verbindung beider Richtungen, der Ideengeschichtsschreibung und der Psychoanalyse entsteht dann die Situation, wie sehr viele jüngere deutsche Historiker jetzt Geschichte schreiben. Sie schreiben besonders gern Biographien, und zwar nicht etwa Biographien, in denen der Held ein Heldenleben verbringt, als Staatsmann, Kaufmann, General, Entdecker; sondern in denen er seine Seele entwickelt. Diese Biographien sind regelmäßig auf zwei Bände angelegt. Der erste schließt, wenn der Held etwa 30 Jahre ist und nun in die wirkliche Welt hineinkommt, nachdem er bis dahin sich „entwickelt" hat. Der 2. Band, der nun das enthalten soll, was den Helden erst berühmt gemacht hat, erscheint niemals. Und mit gutem Grund erscheint er niemals, denn diese Tätigkeit seines Helden zu schreiben, ist der Ideenhistoriker zwangsläufig nicht mehr im Stande, und so verzichtet er gern auf die Arbeit, den 2. Band zu schreiben. Dieser inneren Schwäche der neueren deutschen Geschichtsschreibung entspricht es, daß sie mit der äußersten Schärfe sich das Monopol der Geschichtsschreibung zu sichern sucht. Die außerhalb der Universität geschriebene Historiographie wird grundsätzlich negiert, und bis vor wenigen Jahren war die katholische Geschichtsschreibung und die sozialistische wissenschaftlich noch so rückständig, daß ihre Ignorierung sehr berechtigt war. Eine Krise entstand aber, als die „historische Belletristik" entstand und große Publikumserfolge hatte. Diese historische Belletristik – ihr Führer ist Emil Ludwig – betrachtete die Geschichte nicht als Objekt, an dem man seine exakte Gelehrsamkeit bewies, sondern als Objekt, das man den Massen des Volkes anschaulich lebendig und einfach vor Augen führte. Die Universität tat es nicht, weil ihr der innere Mut zu solcher Darstellung abgeht, also wurde es außerhalb der Universität getan. Der Erfolg waren große Auflagenziffern und ein wütender Kampf der Universitätshistoriker gegen die Wissenschaftlichkeit der historischen Belletristik. Der Angriff richtete sich hauptsächlich gegen die Belletristen, die politisch links standen; die rechts stehenden, wie Bäumelburg mit seiner Weltkriegsgeschichte, wurden nicht behelligt.

Dieser Kampf gegen eine Geschichtsschreibung, die wirklich noch von breiten Massen gelesen wird, zwingt zum Vergleich mit Amerika. Ein zweibändiges Buch wie Beards „Rise of the American Civilization" mit seiner Auflage von 175 000 ist in Deutschland noch nicht geschrieben und wird wohl auch so bald nicht von der Universitätswissenschaft geschrieben werden.

Es waren die letzten Jahre vor dem Weltkrieg, als die deutsche Geschichtsschreibung sich zur Ideenhistorie hinwandte. Es war eine verhängnisvolle Entscheidung. Sie raubte Deutschland den Einfluß, den es auf die amerikanische Geschichtsschreibung gehabt hatte. Prescott und Bancroft stellen ein vorwissenschaftliches Stadium dar. Als in den 80er Jahren die amerikanische Universitätsgeschichtsschreibung entstand, gleichzeitig mit der Entwicklung der amerikanischen Universität, standen die meisten der jüngeren amerikanischen Gelehrten unter dem Einfluß Rankes und versuchten Geschichte zu schreiben wie er, im Glauben, feststellen zu können, „wie es eigentlich gewesen ist". Sie übersahen die schwachen Stellen der Rankeschen Geschichtsschreibung, und fast ein Menschenalter übersahen sie es, obwohl eigentlich den Amerikanern der schwerste Mangel Rankes sofort sichtbar sein sollte: nämlich, daß Ranke die Bedeutung des business in der Politik fast vollständig übersieht. Die deutsche Geschichtsschreibung war schon entstanden, ehe es den ganz großen Einfluß der Wirtschaft auf die Politik gab, um die Mitte des Jahrhunderts, obwohl er auch da nicht überschätzt werden darf. Und sie bemerkte diesen Wandel der Zeit, der sich um sie herum vollzog, nicht, aber die Amerikaner importierten von Anfang eine Geschichtsschreibung, die zu der bisherigen Entwicklung dieses Landes sowenig paßte wie zu der Lage der 80er und 90er Jahre. Aber auf die Dauer ließ sich der Gegensatz von Rankescher Geschichtsschreibung und amerikanischer Wirklichkeit nicht aufrechterhalten, und kurz vor Beginn des Weltkrieges, als in Deutschland die Ideengeschichtsschreibung begann, ging Amerika dazu über, dem business die gebührende Rolle in der Geschichte anzuerkennen. Die Beginner dieser neuen Geschichtsschreibung, sie kennen sie alle, sind Charles E. Beard mit seiner „Economic Interpretation" und der „Jeffersonian Democracy" und William E. Dodd mit seiner „Expansion and Conflict".

Somit war der Bruch vollzogen; in Amerika war der Einfluß der

Wirtschaft auf die Politik in der Geschichtsschreibung anerkannt; in Deutschland wurde die politische Idee der rote Faden, der durch die Politik sich hindurchzieht, und letzten Endes die Entscheidung bestimmt. Da die offizielle Geschichtsschreibung die Ideentheorie akzeptierte, so waren praktisch diejenigen, die in der Politik auch wirtschaftliche Einflüsse zu erkennen glaubten, von der Universität ausgeschlossen und konnten einen soziologischen Rückhalt nur dann finden, wenn sie zum Sozialismus übergingen. So wurde denn tatsächlich richtig, was bei der Frage der Ernennung Schmollers zum Generaldirektor der Preußischen Staatsarchive eine groteske Farce war –, daß Sozial- und Wirtschaftsgeschichte identisch ist mit Sozialismus. Aber mit dem Anerkenntnis, daß man Sozialist ist, ist man aus der guten Gesellschaft ausgeschlossen, auch in der Weimarer Republik, und hat man grundsätzlich keinerlei Einfluß. Wer in Deutschland Sozial- und Wirtschaftsgeschichte schreibt wie Dodd und Beard, riskiert Arbeitslosigkeit auf Lebenszeit. Und Beard, Dodd, Craven, Walter Dorn in Columbus – sie alle würden in Deutschland, auch in der Republik – ich komme darauf noch – niemals Professor geworden sein. Ihnen würde, falls sie vor der Ernennung zum ordentlichen Professor schon Sozialgeschichte geschrieben hätten, der Lebensunterhalt entzogen worden sein, und sie würden nichts anderes tun können, als als Sekretäre von Ortsgruppen der SPD oder KPD sich ihren Lebensunterhalt zu verdienen.

Wenn man sich die Karte der noch zu lösenden historischen Aufgaben betrachtet, so findet man sehr gut durchforschte Erdteile und andere, denen wenig Interesse zugewandt worden ist. Auf der deutschen Karte der historischen Probleme ist z. B. der Kontinent Wirtschafts- und Sozialgeschichte so weiß wie die Karte Afrikas vor Livingstone und Stanley. Aber niemand wagt eine Expedition in diese Gebiete, wo er auf Tritt und Schritt die reichste Beute sammeln könnte. Statt dessen jagen jährlich Hunderte von Doktoranden auf Feldern einher, die nur ein square inch groß sind, entweder auf einer ideengeschichtlichen Jagd oder auf einer außenpolitischen. Denn seit den großen Aktenpublikationen, die allesamt den ökonomischen roten Faden sorgfältig ausklammern, ist das Interesse für außenpolitische Spezialfragen sehr groß geworden. Aber auch dieses Jagdfeld ist angesichts der Menge deutscher Doktoranden – der deutsche Dr. phil. steht erheblich unter dem amerikanischen, und es werden dementsprechend auch vielmehr Doctores phil. produziert als hier – jetzt fast ganz abgeweidet, und obwohl die fetten Weiden der Wirtschafts- und Sozialgeschichte dicht daneben liegen, erklärte einer der höchsten deutschen Historiker einem amerikanischen Historiker, er wüßte jetzt beim besten Willen keine Themen für Doktorarbeiten mehr. Er hat damit ganz recht. Die erlaubten Gebiete sind erschöpft, die anderen Felder werden durch Schild geschützt: „Betreten verboten."

So begann die Lage sich vor dem Kriege abzuzeichnen; der Einfluß des Weltkrieges und der Veränderung der Staatsform auf die Geschichtsschreibung ist sehr gering gewesen, wenn man von einigen emotionalen Tendenzen absieht und nach den neuen Methoden und den neuen Gedanken fragt. Die Ideengeschichtsschreibung erreichte ihre Höhe, als das deutsche Bürgertum in seiner Gesamtheit schwankte, es wußte nicht, ob es mit dem Sozialismus sympathisieren sollte oder zum neuen Nationalismus übergehen. Bis 1930 war es noch nicht für den Nationalismus gewonnen, aber auch nicht für den Sozialismus. In dieser ungeklärten Lage entschied sich auch die Geschichtsschreibung nicht, und die Voraussetzungen für die Ideengeschichte blieben erhalten. Meineckes „Idee der Staatsraison in der neueren Geschichte" gab diese schwankende Haltung wieder – der Staat, die Macht ist weiß und schwarz zugleich, gut und böse, schmutzig und rein im selben Augenblick. Man kann sich weder für ihn noch gegen ihn, weder für den Imperialismus noch für den Pazifismus, weder für den Kapitalismus noch den Sozialismus entscheiden. In allem ist das Gute untrennbar mit dem Schlechten verbunden. Die Ideengeschichtsschreibung lief sich damit in einem matten und müden Quietismus tot und verübte mit diesem Verzicht, der Gegenwart irgendeine Stütze in der Vergangenheit zu geben, ihren moralischen Selbstmord. Die letzten Jahre haben einige Versuche gebracht, die Ideengeschichtsschreibung mit der politischen Rechten, mit dem Nationalismus zu verbinden. In Büchern wie Siegfried Kaehlers „Wilhelm von Humboldt und der Staat" oder Masurs Biographie über Stahl, aber von den Voraussetzungen der Ideengeschichte her läßt sich keine wirklich lebendige Geschichtswissenschaft mehr schaffen, läßt sich nicht der Anschluß an den Nationalismus oder Sozialismus finden, weil gerade die Ideengeschichte der Versuch des inneren Ausweichens vor der Entscheidung ist.

Und deshalb scheint auch der einzige bisher gemachte Versuch einer faschistischen Neuinterpretation der Geschichte nicht den Weg in die Zukunft zu zeigen, sondern nur ein Weg rückwärts. Unternommen ist dieser Versuch in einem Vortrag von Hans Rothfels über „Bismarck und der deutsche Osten" im letzten Band der HZ. Rothfels, Professor in Königsberg, an der deutschen Ostgrenze, sieht die schwere Erschütterung dieses Zwischengebietes zwischen Ost- und Mitteleuropa durch die Nationalitätenidee aus unmittelbarer Nähe. Er sieht, wie die Verbindung von Demokratie und Nationalität, die in den kapitalistischen Ländern Westeuropas ausgebildet worden ist, im agrarischen Osten jede politische Organisation unmöglich macht, und er will zurück zu einem autoritären und patriarchalischen Regime, das mehreren Nationen zugleich das friedliche Zusammenleben in einem Staat gestattet. Der Ausgangspunkt ist völlig richtig gesehen, die Zustände dieses Zwischengebiets sind auf lange Sicht hier unhaltbar. Aber seine Konsequenzen weichen der Entscheidung aus, denn die einzige Lösung des Problems, viele Nationen in einem Staat zusammenleben zu lassen, hat die Sowjetunion schon längst gegeben. Was Rothfels mit seinem autoritären Staatsideal will, ist aber nichts weiter als die Konservierung einer deutschen baltischen Herrenschicht über diesen vielen Ostvölkern. Und dafür ist es schon zu spät. Diese Ostvölker lassen sich nicht mehr wie Baltenbauern regieren, und die deutsche Position im Osten ist hoffnungslos verloren. Aber als Ideenhistoriker – er ist auch Schüler Meineckes – kann er diese erbarmungslose Härte nicht vertragen und flüchtet sich nun, wie die Romantiker, zu autoritären, aristokratischen Regierungsformen zurück.

Aber vorläufig ist Rothfels eine Ausnahme mit dieser ganz klaren und eindeutigen Parole: Zurück zur Diktatur der Barone. Auch wo die neuere Geschichtsschreibung politisch sehr weit rechts steht, hat sie sich nie so eindeutig ausgesprochen und hat während des halben Menschenalters der Weimarer Republik die alten Formen der Ideengeschichtsschreibung mit ihrem Ausweichen vor Stellungnahmen fortgeführt. Das entsprach nicht nur dem Schwanken des gebildeten Bürgertums, das eine Entscheidung zwischen links und rechts fürchtete. Es entsprach auch der Organisation der deutschen Wissenschaft, die nach 1918 sich zum größten Teil von der Beeinflussung durch den Staat und damit von der Gefahr einer Beeinflussung durch den Sozialismus frei gemacht und zwei große Staaten im Staat gebildet hat. Diese beiden autonomen Wissenschaftsstaaten in der deutschen Republik sind die Kaiser-Wilhelm-Gesellschaft und die Notgemeinschaft der deutschen Wissenschaft. Obwohl die Kaiser-Wilhelm-Gesellschaft sich hauptsächlich naturwissenschaftlichen und technischen Arbeiten widmet und also nicht in die Entwicklung der Geschichtsschreibung hineingehört, ist ihre kurze Betrachtung unentbehrlich zur Erkenntnis der Lage der deutschen Historiographie als Teil der deutschen Nachkriegswissenschaft.

Beide Organisationen sind zum größten Teil aus privaten Mitteln, aus Spenden zusammengebracht worden, für Deutschland, dessen Universitäten Staatsinstitute sind, ein ungewöhnlicher Vorgang, die Kaiser-Wilhelm-Gesellschaft 1913, die Notgemeinschaft 1920. Aber in der Inflation, als ein Dollar vier Billionen Mark war, hörten diese privaten Stiftungen auf, und beide Organisationen wurden von Staat, Reich und Preußen finanziert. Aber der Staat durfte nur das Geld geben, nicht aber den entsprechenden Einfluß üben. Beide Organisationen behielten ihre Selbstverwaltung bei, ihre trustees und governess, die nun Staatsgelder verwalteten. Und wenn sie hinzunehmen, daß die deutsche Universität von jeher Selbstverwaltung hat, ihre Professoren sich selbst wählt und die Ernennung von Professoren durch den Staat gegen den Willen der Fakultäten jedes Mal als Angriff auf die Freiheit der Wissenschaft aufgefaßt und mit Protestaktionen begleitet wurde, so haben sie die Lage der deutschen Wissenschaft in der Weimarer Republik: zu 95 % von einem Staat finanziert, der starke sozialistische, demokratische und liberale Züge trug, aber zu 95 % von diesem Staate organisatorisch unabhängig. Sozial veränderte sich etwas die Herkunft der Minister und einiger ziemlich weniger politischer Beamter. Sozial aber nicht verändert hat sich die Zusammensetzung der deutschen Wissenschaft. Es gibt wenige, ganz wenige Fälle, in denen die Regierung sich gegen die Universitäten durchgesetzt hat – aber das sind völlige Ausnahmen. Der Personalbestand der Universität wurde weiter nach den Vorkriegsgrundsätzen politischer Zuverlässigkeit ausgesucht und befördert: in der Geschichtsschreibung wird damit zwangsläufig die Sozial- und Wirtschaftsgeschichte da stehen, wo sie vor dem Kriege gestanden hatte, beim Sozialismus, und Sozialgeschichte blieb sozialistische Geschichte. An dieser sozialen Machtverteilung, die in der Republik unerschütterlich bestanden hat und durch die neuen Veränderungen nur an der politischen Oberfläche berührt wird, muß notwendigerweise jeder Versuch scheitern, die Methoden der modernen amerikanischen Geschichtsschreibung in Deutschland anzuwenden, und die Sterilität, den Alexandrinismus der Ideengeschichtsschreibung durch eine lebendige Geschichtsschreibung zu ersetzen, die sieht, was in ihrer Umgebung vor sich geht.

Der neue Plutarch

Die „historische Belletristik", die Universität und die Demokratie

1.

Seit einigen Jahren gibt es in Deutschland eine Plutarchrenaissance. Friedrich Gundolf hat uns in seinem Cäsarbuch[1] die geistige Haltung und die geistigen Voraussetzungen Plutarchs geschildert:

„Weder Sueton noch Plutarch suchen Staat und Geschichte. Beide sehen Cäsar gleichsam als riesenhaften Einzelmann, der durch Ruhm, Macht und Tat, die Augen der Welt auf sich gelenkt ... Zwar sind auch seine Lebensbilder mehr Vorgangsreihen als Geschichte einheitlicher Kräfte und Schicksalswesen. Doch da er jedes Geschehnis und jede Gebärde mit sicherer Anmut berichtet, so schafft die gutgeführte Vorstellung seiner Leser sich das dazugehörige Gesamt unwillkürlich von selbst ... Er hat Geschichten von Cäsars Leben erzählt, nicht die Geschichte Cäsars vermeldet ... Plutarch erzählt Leben fast nur in Anekdoten. Daß er damit mehr als vereinzelte Zufälle bietet und den Gehalt eines geschichtlichen Daseins faßt, das dankt er der gedrungenen Erscheinungskraft alles antiken Wesens. Der Geist der modernen Geschichte liegt vor oder hinter den Gesten und Sichten, er spielt in bildlosen Funktionen und Bezügen, stummen Papieren oder geheimen Gesprächen ... Im Altertum drängte Geist, Sinn und Schicksal nach weithin sichtbarer und körperlich greifbarer Äußerung, Gestalt, Gebärde — und die Entscheidungen vollzogen sich im einzelnen hier und jetzt ... So hat Plutarch auch in seinen kleinen Cäsarzügen, vermöge der antiken Gegenwart des Alls im knappen Nu, den Heroengehalt gebannt über sein eigenes Wesen und Wünschen hinaus. Er meinte belehrende und unterhaltende Beispiele zu bieten und hat uns den Zauber der griechischen und römischen Helden gerettet, die farbigsten Mythen der geschichtlichen Größe."

Die Plutarchrenaissance hat im Deutschland der Nachkriegszeit sensationelle Triumphe gefeiert; die Auflagen der Plutarcherneuerer erreichen schwindelnde Ziffern. Aber der größte Erfolg des Augenblicks ist in der Literatur so wenig Beweis für die innere Qualität wie in der

[1] Caesar, Geschichte seines Ruhms, Berlin 1924, S. 29-32.

Politik. Und ist eine Plutarchrenaissance noch innerlich gerechtfertigt, wenn „die moderne Persönlichkeit", das „Genie", der „große Mann" nicht mehr das gleiche ist wie der antike Gott oder Heros[2]?

2.

Der äußere Erfolg ist da. Welche Voraussetzungen trugen diese Millionenauflagen?

Der Krieg hat den Menschen in das grauenhafteste Nichts hineingestoßen, hat ihm im Trommelfeuer und in der Inflation die Hilflosigkeit des Individuums gegen die massierte Technik und den Zusammenbruch des primitivsten und selbstverständlichsten Wertes, des Geldes, praktisch klar gemacht. Der Mensch will aus diesem Nichts zurück, er will sich selbst als Menschen wieder haben; die Jungen, die nicht in das Chaos untertauchen wollen, wehren sich in der „Jugendbewegung", die Älteren, zerschlagen und zermürbt, brauchen ein Vorbild der ersehnten Menschlichkeit: so fordern sie im Chaos des Jahres 1923 die Herrschaft des starken Mannes, und suchen im geistigen Bezirk sich Vorbilder in denen, die aus dem anonymen Gewimmel herausragen und zu den Großen der Weltgeschichte geworden sind.

Soweit ist der Vorgang von erschütternder Tragik. Aber er wendet sich. Der Krieg hat auch eine Heldennivellierung ohnegleichen mit sich gebracht. Der Vorgesetzte, der kommandierte und leitete, hatte sich in der Prüfung auf Leben und Tod auch nur als sterblicher Mensch erwiesen. Im Trommelfeuer war er nicht mehr als jeder andere auch, und wenn er hinten saß, war er noch weniger. Der Vorgesetzte war entlarvt, er war kein Vorbild mehr, und in hellsichtiger Verzweiflung riß man ihm den bunten Flitter herunter, den man für echtes Gold gehalten hatte.

Diese Desillusionierung des Vorgesetzten, den man aus zu großer Nähe kennengelernt hatte, wurde übertragen auf die, die zu Personen der Weltgeschichte geworden waren. Die Staatsmänner, die die europäischen Kabinette in der Julikrisis 1914 geleitet hatten, wurden durch die Publikation der Akten in ihrer Unzulänglichkeit dokumentarisch festgelegt. Nicht Tüchtigkeit, sondern die soziale Zugehörigkeit hatte in die Höhe getragen; diejenigen, die bis nach oben gelangt waren, waren von den kleinen Leidenschaften ebenso besessen, wie alle, die in der anonymen Masse verharren mußten. Und nur zu leicht übersah die

[2] Gundolf, S. 43.

Enttäuschung, daß die, die einen Dauerruhm sich erworben hatten, die wirklich der Feder eines Plutarch würdig waren, außer der Betätigung ihrer menschlich-allzumenschlichen Eigenschaften auch noch etwas Positives geschaffen hatten: ein Werk, das objektiv dastand, als eine ungeheure Leistung, einen Staat oder eine Armee, ein Werk, das ganzen Generationen Aufgaben stellte, es zu erfüllen oder — zu zerbrechen.

Aber der Erfolg der Plutarchrenaissance ist nicht nur gebunden an die einmalige Situation dieses Jahrzehnts 1914 bis 1924 und seiner Nachwirkungen, nicht nur an die von außen über den einzelnen Menschen herstürzende Katastrophe. Er ist nicht denkbar ohne die innere Mürbe der bürgerlichen Dekadenz. Der Egotist beiderlei Geschlechts, der die höchsteigene Persönlichkeit für etwas sehr Bedeutendes, mit Ewigkeitswert Erfülltes hält, der die Psychoanalyse für die großartigste Leistung des letzten Jahrhunderts ansieht, weil sie sich mit seinen privatesten Hemmungen und Nichthemmungen beschäftigt, sieht im „Helden" seine eigene nicht erfüllte Möglichkeit und empfindet die jämmerliche Wollust, daß die „Karriere" des großen Mannes fast stets zu einem unhappy end führt: „Das Pech der ganz und gar Arrivierten stumpft die spitzen Krallen des Neids ab[3]." Der große Mann wird zum Sujet der Literaten nicht, weil er der große Mann ist, der über die Anonymität der Masse hinausragt, nicht seiner objektiven politischen Leistung halber. Sein politischer Charakter, um dessentwillen er überhaupt nur Gegenstand des Interesses sein kann, wird vielmehr planmäßig des politischen Elements entkleidet und mit den Maßstäben einer Psychologie des Privatlebens gemessen. Die politische Seite des Heros, die die Treitschkeschule einseitig übersteigerte, wird in den Hintergrund gedrängt, um seine Privatsphäre hervortreten zu lassen, bei den Urhebern der Plutarchrenaissance, weil ihr Gesichtskreis nicht über diese Privatsphäre hinausgeht, und bei den Lesern konnte die von der Plutarchrenaissance vorgenommene Eliminierung der außerpersönlichen Entwicklung, die Befreiung des 19. Jahrhunderts von den großen Entwicklungen des Hochkapitalismus, der nationalen Idee, des Aufkommens des Industrieproletariats, der Massenheere, der Technik und ihre Ersetzung durch einzelne große Figuren Einfluß gewinnen, weil die verzweifelten Menschen der Kriegs- und Nachkriegszeit die dekadente Psychoanalyse der großen Männer mit ihrer eigenen Desillusionierung der Vorgesetzten zusammenhielten und wähnten, daß die Plutarchrenaissance ihrem eigenen Erlebniskreis angehörte.

[3] Valeriu Marcu, Biographie und Biographien, Vossische Zeitung, 2. Juni 1929.

3.

Die Renaissance Plutarchs, die aus den beiden Quellen der rein menschlichen Erschütterung durch den Krieg und der Dekadenz floß, stieß zusammen mit der in der Universität organisierten Zunft[4].

Die „voraussetzungslose Wissenschaft", an die selbst Theodor Mommsen noch zu glauben vermochte, ist auch mit den Einschränkungen, die er selbst machte, eine Utopie des 19. Jahrhunderts gewesen. Es gibt heute in Deutschland drei, wenn nicht vier Geschichtsschreibungen, die sich zum Teil gegenseitig bekämpfen oder ignorieren.

An der Universität dominiert die politische Geschichtsschreibung der Rankeschule. An den katholisch-theologischen Fakultäten und Lyzeen lebt eine Geschichtsschreibung mit spezifisch antilutherischen Tendenzen. Die dritte Geschichtsschreibung ist die soziologische, die von den verschiedensten Seiten her, darunter Marx, gespeist, fast nur von einzelnen überragenden Köpfen betrieben wird und sich nicht einheitlich zusammenfassen läßt. Die vierte Gruppe ist die Plutarchrenaissance, die sich zur „historischen Belletristik" erweiterte, deren Existenz an sich aber nicht mit dem Nachkriegsdeutschland verbunden ist, die im Vorkriegsengland seit der Auffindung der Lennox-Papers in Cambridge durch den Jesuiten Pollen in der historischen Belletristik über Maria Stuart einen kometenhaft-blendenden Ruhm erlangt und nach dem Kriege unter den ganz anderen sozialen und geistigen Voraussetzungen Frankreichs in Paléologue einen glänzenden Vertreter gefunden hat, ohne daß es zu einer Auseinandersetzung zwischen Zunft und „Belletristik" gekommen wäre und hätte kommen müssen wie in Deutschland.

Dieser Zusammenstoß erfolgte nicht zwischen der Plutarchrenaissance als solcher und einer die biographisch-essayistische Methode generaliter ablehnenden Zunft, er war kein Konflikt im Bereich des reinen Geistes, die Scheidung der Geister vollzog sich vielmehr unter dem Druck der sozialen Krise, erfolgte, als die Revolution von 1918 die politische Herrschaftskoalition des ostelbischen Grundadels und des unter dem Bildungsmonopol des Kaiserreichs, das noch aus der Zeit des deutschen Idealismus stammte, herangezüchteten feudalisierten Bürgertums sprengte. Die politische Macht und die politische Verantwortung ging mit dem parlamentarischen System auf Schichten über, die vom Bildungsmonopol und damit von der Tradition des deutschen Idealismus ausgeschlossen gewesen waren, die „ungebildet" waren und von der Wirklichkeit des Staatslebens als Opposition so gut wie nichts gewußt

[4] Historische Belletristik. Ein kritischer Literaturbericht. Herausgegeben von der Schriftleitung der Historischen Zeitschrift München 1928.

hatten, denen mit der Bildungstradition auch die Tradition der Politik und der Verwaltungspraxis fehlte.

Auf einer derartigen Grundlage läßt sich formal einige Zeit regieren, aber auf ihr läßt sich kein auf Dauer berechnetes Staatswesen aufbauen. Die Massen der Demokratie mußten geistig mit dem Staat verbunden werden. Dabei handelt es sich viel weniger um Einprägung positiver Detailkenntnisse, als um die Formierung einer neuen Struktur des Denkens, Fühlens und Wollens von dem Umfang, von der Breite, Tiefe und zugleich Banalität, wie sie das idealistische Bildungsmonopol der herrschenden Schicht des Kaiserreichs gehabt hatte. Eine Diktatur des Proletariats kann dieses Problem durch die Aufstellung und Propagierung einer rein marxistischen Schablone relativ einfach lösen; ein Staat, der auf der Koalition sozialer und wirtschaftlicher Interessengegensätze vom Proletariat bis zur Schwerindustrie beruht, kann auch bei der Bildung einer seiner sozialen Verfassung entsprechenden Denkstruktur nur Kompromisse schließen, wenn er den Massen an politischer Bildung geben will, was nötig ist.

Die Universität fiel fast automatisch als Förderer des neuen politischsozialen Denkens aus. Die politische Ideologie des deutschen Kaiserreichs war gerade auf den Universitäten ausgebildet worden, und der Umsturz von 1918 hat sich gegen die von der Universität ideologisch unterbauten politischen und sozialen Institutionen gerichtet; die Universität konnte unmöglich in wenigen Jahren die neue Denkstruktur der Massendemokratie ausbilden, die die alte Denkstruktur des feudalisierten Bürgertums als Träger des Staats ersetzen mußte.

In dieser Situation, als durch das Verharren der Universität bei den alten Schichten ein Vakuum politischer Pädagogik entstand, erschien die historische Belletristik auf dem Plan und versuchte durch ihre leichtfaßliche, unterhaltsame, flüssig und leicht geschriebene Geschichtsdarstellung, die der allgemeinen Desillusionierung der Führer und Vorgesetzten literarischen Ausdruck gab, im Sinne der Bildung des neuen, objektiv notwendigen politischen Denkens zu wirken. Die politische Tendenz wurde teils gröber, teils feiner durchgeführt. Die Grundlagen, auf denen die Literaten fußten, waren schwach; die Sorgfalt der Arbeit gering, die Prüfung der Quellen fast Null, aber es konnte kein Zweifel bestehen, daß sich aus diesen Schriften ein republikanischdemokratisches Denken zu entwickeln begann, das sich mit dem von Treitschke propagierten Denken vergleichen läßt, in seiner naiven Selbstverständlichkeit, in seiner Geschwindigkeit und glücklichen Sicherheit des Urteils.

Gegen diese historische Belletristik erhob die Universitätswissenschaft Widerspruch. Sie kleidete ihre Polemik in die wissenschaftliche Form der Besprechung und sie tat es mit der Gebärde, daß nur und ausschließlich „die Geschichtsforschung als Wissenschaft"[5] protestiere. Wenn die Geschichtsforschung wirklich nur wissenschaftliche Kritik gegeben hätte, so hätte sie mit der Ausmerzung dieser Sorte von Belletristik dem Bestreben nach Schaffung einer neuen demokratischen Denkstruktur nur die besten Dienste geleistet. Aber die Geschichtsforschung griff nicht nur als „gute" Wissenschaft die „schlechte" Wissenschaft der Belletristen an, sie griff auch als Zunftwissenschaft die Außenseiter an, und sie griff auch als parteipolitische Reaktion die politische Demokratie der Weimarer Verfassung an. Mit der Verquickung dieser drei Tendenzen hat die Universität sich selbst wieder einmal schwer kompromittiert, sie hat dem Verdacht bei ihrem Angriff gegen die Belletristik, daß ihre stolze Zurückziehung auf die Integrität der exakten Wissenschaft und der freien Forschung nach außen vorgeschobene Argumente seien, die den Kern, die reaktionäre Agitation, verdecken sollen, freiwillig umfangreiche Nahrung geboten. Nicht eine der in der „Historischen Belletristik" vereinigten sieben Kritiken bringt Verständnis für die subjektiven Gründe und objektiven Notwendigkeiten dieser vierten Geschichtsschreibung auf; was über das „kinomäßige Sehen unserer Zeit" oder das Fehlen einer „geistigen Rechten" gestammelt wird, berührt in seiner weltfremden Ahnungslosigkeit mehr als peinlich.

Attacken der Zunft gegen Außenseiter und Dilettanten sind zweischneidige Schwerter: wie oft ist der sachliche Kampf mit sachlichem Wissen gegen die Phantastik nötig und erfolgreich gewesen; wie oft aber hat die Zunft sich schließlich zurückziehen müssen: man denke nur an die Attacke des jungen von Wilamowitz gegen Nietzsches „Geburt der Tragödie" oder an die Urteile von Gelehrten, die über den Zunftbetrieb hinausragen, an Niebuhrs Meinung von „Voltaires witziger, lachender Weise, in der gemeiniglich mehr tiefer Sinn als in den ernsten Geschichten deutscher Historiker"[6] oder Ernst Troeltschs: „Für Gelehrtentum und Literatentum wird eine Arbeitsteilung notwendig werden, die nicht bloß auf gegenseitiger Verachtung beruhen darf", der dann aber für sich „die herbere und nüchterne Atmosphäre des strengen Wahrheitswillens" vorzog[7].

[5] Schüßler in der Einleitung der Historischen Belletristik, S. 7.
[6] An Gibsone, Memel, 16. Juni 1807. Briefe I, Berlin 1926, S. 395.
[7] Der Historismus und seine Probleme, Tübingen 1922, S. IX.

Und wenn die Zunft mit ihren Attacken gegen Außenseiter etwas vorsichtiger sein sollte, so sollte sie auch in der Betätigung ihrer parteipolitischen Ansichten sich etwas mehr zurückhalten. Denn diese Vermengung übelster Hugenbergphrasen mit zutreffender wissenschaftlich-technischer Vernichtung hat für die Belletristen eine billige, aber wirkungsvolle Verteidigungsposition geschaffen, in die sie sich zurückziehen und aus der sie ohne weitere Argumente die sachliche Kritik ignorieren können und — dürfen; von Arthur Rosenbergs „Entstehung der deutschen Republik" schrieb Emil Ludwig kürzlich: „ich hoffe, das Buch wird von der Schulwissenschaft abgelehnt werden wie alle Bücher entschiedener Republikaner[8]." Und wenn die Zunft den Erfolg der Belletristik auch noch mit der seit hundert Jahren abgestandenen Phrase zu „erklären" sucht, das „allgemeine Kulturniveau" sei so gesunken, daß dieses „bunte Gemisch von plumpster Tendenzmacherei, Feuilletonismus und bodenlosester Kritiklosigkeit die geistige Nahrung ungezählter gläubiger Leser wird"[9], so antwortet Emil Ludwig aus seiner für ihn von der Zunft aufgebauten und festverschanzten Verteidigungsstellung: „Hoffentlich finden die Spezialisten schwere Fehler ... Wir andern nehmen lieber 95 Prozent Wahrheit aus der Hand eines humanen, hochbegabten Künstlers als 100 Prozent aus der eines hochmütigen Fachmannes ...[10]." Diese Art von politisch-wissenschaftlicher Kritik wirkt schlimmer als die Tätigkeit des bekannten Vierfüßlers im Porzellanladen; denn sie stempelt jeden, der die historische Belletristik angreift, zu einem Feind der objektiv heute unbedingt notwendigen literarisch-historischen Sozialpolitik, die die Belletristen begonnen haben, aber — begonnen haben in einer unzureichenden Form, die letzten Endes die literarische Sozialpolitik schlimmer kompromittiert als die Attacken der Hugenberg„forscher".

4.

Warum ist die historische Belletristik als Ausgangspunkt der historisch-literarischen Sozialpolitik unmöglich?

In der einen der drei Tendenzen, die den Angriff der Universitätswissenschaft getragen haben, und zwar der, die ihn gerade bei den bedeutendsten getragen hat, die über das übliche Zunftschema bergehoch hinausragen, ist der Angriff zu Recht erfolgt: in der vernichten-

[8] Berliner Tageblatt, 16. Okt. 1929.

[9] Schüßler in Historische Belletristik, S. 7.

[10] Im Berliner Tageblatt, 12. Nov. 1929, über Hendrik van Loon, Der multiplizierte Mensch.

den Kritik der technischen Voraussetzungen, auf denen sie die Darstellungen der historischen Belletristik aufbauen. In diesem Punkt ist der Angriff innerlich siegreich, während er in den anderen Punkten innerlich gescheitert ist, genau so wie im rein literarischen alle Angriffe der Reaktion gegen Remarque und Renn gescheitert sind. Der historischen Belletristik fehlt die formale Grundlage, die Max Weber als das einzige bezeichnet hat, das im Chaos der Meinungen und Interpretationsmöglichkeiten noch einen Halt gibt: die Redlichkeit und Rechtschaffenheit der Arbeit.

Als die historische Belletristik den Massen eine neue Geschichtsschreibung ohne den ideologischen Ballast der mit der sozialen Struktur des Kaiserreichs verbundenen Universität bot, schien es im ersten Augenblick, als ob sie durch ihre Stellung außerhalb der Universität den archimedischen Punkt gefunden habe, von dem aus die Weltgeschichte erst begriffen werden kann. Die Universitätshistorie betrachtete zum mindesten das 19. Jahrhundert von innen her, ihr geistiger Aspekt ruhte auf der bürgerlich-nationalen Bewegung des 19. Jahrhunderts, die Belletristik, die diese Bindungen nicht mehr mit sich zu tragen brauchte, schien endlich den Anblick des ganzen Gebäudes von außen her zu bieten. Aber — dieser archimedische Punkt der Literaten ist nur die Ironie, die nichts mehr ernst meint, und ein verdünnter Aufguß des romantischen Unverantwortlichkeitsgefühls. Das Weltbild der Literaten ist das Weltbild berufsloser Globetrotter, die alles in den Bereich ihrer Reportage einbeziehen, was ihnen profitabel erscheint, gleich ob es „die Größe“ oder „die Kunst der Unterhaltung“ ist. Diese historische Reportage ist denkbar ungeeignet zur Fundierung des neuen Staatsgefühls der Massen. Es gibt nur zwei archimedische Punkte, von denen aus das 19. Jahrhundert sich neu begreifen läßt, und deren Mission die Nachfolge der an die „bürgerlichen“ Parteien gebundenen „politischen“ Universitätshistorie ist: der eine ist der historische Materialismus, der andere der Katholizismus. Die Umrisse der neuen katholischen Geschichtsschreibung werden jetzt gerade in Franz Schnabels „Deutscher Geschichte im Neunzehnten Jahrhundert“ deutlich, die Geschichtsschreibung des historischen Materialismus hat ihre Aufgabe noch völlig vor sich.

Daß die historische Belletristik sich von vornherein als die Geschichtsschreibung der Massendemokratie gegen die Universitätstheorie feindlich abgrenzte, entsprach der Situation der Nachkriegszeit, in der sie schrieb. Daß sie ihre größere Lebensnähe gegen die Weltfremdheit der Professoren stellte, enthielt einen berechtigten Kern, aber — die Universität hatte einst ihre bedeutendsten Vertreter als Vorkämpfer des nationalen Bürgertums in die Parlamente und den politischen Kampf entsandt und erst seit den achtziger Jahren hatte sie sich aus der Politik zurückgezogen; wenn die historische Belletristik heute wirklich die geistige Führung der Massendemokratie erreichen will, so muß sie selber wirklich in die Politik hinein. Aber vergeblich suchen wir unter den Politikern nach den Vertretern der historischen Belletristik: wo ist der deutsche Paléologue? Die junge historische Belletristik beginnt ihre politische Mission mit der Indolenz des Alters, die sie der Universität vorwirft. Der Vorwurf der Lebensfremdheit ist auf dem Papier leicht erhoben — warum beweisen die Belletristen ihre Lebensnähe nicht durch verantwortliches politisches Handeln?

Wenn die historische Belletristik, über ihre soziale Mission hinaus, beansprucht, der langweiligen Geschichtsschreibung der Universität eine „höhere" Form der Geschichtsschreibung entgegenzustellen, die schwerfließende und ungenießbare Mitteilung von Forschungsresultaten durch glänzende Darstellung zu ersetzen, wenn sie behauptet: „Die Erforschung der Wahrheit fordert andere Talente als die Kunst der Darstellung"[11], so zeigt sie nur, daß sie wie Don Quichote gegen Windmühlen kämpft, daß ihr auch die primitivste Übersicht über die Geschichtsschreibung der Zunft abgeht, und daß dieses geflissentliche Betonen der Unmöglichkeit der Vereinigung von Forschung und Darstellung der deutlichen Erkenntnis entspringt, daß den Belletristen diese Vereinigung unmöglich ist, die den großen Historikern auch heute noch gelingt, wie sie einst Macaulay, Mommsen und Burckhardt gelungen ist. Weil die Belletristen, an den Erfordernissen der Zunft gemessen, Forschung und Darstellung zu vereinigen, es niemals über die Leistungen eines Provinzprofessors dritten Ranges hinaus bringen würden — deshalb flüchten sie sich über die Grenze in das Gebiet der unbeschwerten „künstlerischen Darstellung". Erschüttert legt man Ludwigs neueste Erscheinung „Juli 14"[12] aus der Hand: die Kenntnis der Akten ist durchaus unzureichend, die Charakteristik der handelnden Staatsmänner geht über die oberflächlichsten Bemerkungen nicht hinaus, einzig gut das Kapitel über „die Kriegsgrafen" in Wien — denn hier erfaßt der verantwortungslose Literat mit kongenialem Verständnis das verantwortungslose Handeln seiner Kollegen von der Diplomatie.

Weil den Belletristen die Fähigkeit zu eigener solider Arbeit abgeht, tritt an die Stelle des eigenen Bemühens die Arbeit anderer. Die Belle-

[11] Ludwig, Napoleon, Berlin 1925, im Nachwort.
[12] Berlin 1929.

tristik scheidet den fronenden Philologen, der das Material bereitstellt, von dem „Künstler", der aus dem Wust erst das lesenswerte Buch macht, das in der Zeit der „allgemeinen Hinwendung zur Seele", d. h. der psychoanalytischen Dekadenz, riesige Auflageziffern erreicht. Das ist in der literarisch-geistigen Sphäre genau das, was in der wirtschaftlichen der Großunternehmer ist. Was die Professoren in ermüdender Arbeit geschaffen haben, was als Einzelprodukt oft unscheinbar ist und dem Nichtspezialisten auch dann noch oft als unscheinbar erscheint, wenn es von Bedeutung ist, das Resultat eines Lebens wird in wenigen Monaten von dem Belletristen zusammengefaßt und als Buch auf den Markt gebracht; der Mehrwert, der Ruhm und das Honorar weit über seine wirklichen geistigen Qualitäten hinaus, ist sein, und der Professor, ohne dessen Vorarbeit er versagen würde — und wo er es ohne seine Vorarbeit versucht, auch regelmäßig versagt —, erntet den Spott. Die Belletristen schütten ihren Hohn aus über den Gelehrten, der sein Leben der Erforschung des 12. Jahrhunderts widmet — warum nicht auch über den Fabrikarbeiter, der sein Leben opfern muß, weil 100 000 Radnaben für Automobile angefertigt werden müssen?

Geschichte ist nicht die vita intima der handelnden Personen, sie ist ein kollektives Geschehen. An der psychologischen Biographie hat sich die Vorkriegshistorie versucht, die junge Generation wendet sich immer mehr von ihr ab, und die Metternich- und Humboldt-Biographien sind nur noch ihre letzte und feinste Spätblüte. Diese Biographie, die die Zunft endlich und spät genug überwunden hat, wird von der Belletristik als die Geschichtsschreibung der Zukunft ausgegeben — welch beneidenswerter Optimismus und welche Selbsttäuschung über den eigenen Standort! Die historische Belletristik steht nicht am Anfang einer neuen Zeit — sie ist der letzte Ausläufer des bürgerlichen Individualismus, der versucht, mit den Methoden einer banalisierten Psychoanalyse das dieser inadäquate Gebiet der Politik den Massen der sozialen Demokratie verständlich zu machen und an diesem Widerspruch von Herkunft und Methode einerseits, dem zu schilderndem Objekt und der zu erfüllenden Aufgabe andererseits innerlich bereits gescheitert ist.

Antlitz und Maske

Zu den Denkwürdigkeiten des Fürsten Bülow

Die gute Gesellschaft, die immer noch mit dem Ancien Regime in geistiger Fühlung steht, hat wieder einmal eine Sensation, die sie erbleichen macht. Einer der ihren ist indiskret gewesen. Das ist allmählich, nach der langen Reihe erschienener Memoiren, nichts Neues mehr. Aber diese Sensation erregt die Gemüter der Angehörigen dieser Schicht stärker als alle früheren, und zwar in doppelter Hinsicht. Die bisherigen Indiskreten waren entweder Leute zweiter Klasse, wie der Hofmarschall von Zedlitz und wurden rasch in Acht und Bann getan, gerieten in die Fangarme des glänzend funktionierenden gesellschaftlichen Boykottierapparats, und der Fall war nach einiger Zeit wieder vergessen. Oder sie gehörten zu den Anhängern des Ancien Regime, die für sich selbst das Recht der herbsten Kritik des Kaiserreichs beanspruchten und dem politischen und sozialen Gegner dasselbe Recht aberkannten. Tirpitz hat zwar in seinen Tagebuchnotizen die rücksichtsloseste Kritik an dem Staat geübt, dessen Staatssekretär er war, und wer seine „Dokumente" zu lesen versteht, findet mehr böse Dinge in ihnen als dem Großadmiral lieb sein konnte, aber niemals hat seine Zugehörigkeit zur guten Gesellschaft außer Frage gestanden.

Der Indiskretionsfall Bülow ist einzigartig vom Standpunkt der Gesellschaft des Kaiserreichs deshalb, weil hier der Halbgott, der zwölf Jahre deutsche Politik machte, weil der Repräsentant der miteinander verbundenen Politik glanzvollen Imperialismus nach außen und der gegen den Sozialismus gerichteten Sammlung nach innen diese Indiskretionen begeht und weil dieser Fall nicht mit einem posthumen Salonboykott zu korrigieren ist. Und zweitens zeigen die Denkwürdigkeiten mit einer Deutlichkeit, die nicht mehr zu überbieten ist, daß es mit der Bülowschen Klassentreue sehr schlecht bestellt war: der Führer der Sammlung und des Bülow-Blocks hat nach seiner Verabschiedung mit den „Reichsfeinden", den Ultramontanen und den Sozialisten kokettiert, um wieder zur Macht zu kommen.

Die Stellung der guten Gesellschaft zu diesem charakteristischsten, weil inhaltleersten Memoirenwerk des Kaiserreichs ist instinktiv ausgezeichnet richtig gewählt. Bülow wird in der Polemik fast nirgends als Typus betrachtet, immer nur als Individuum und als Renegat. Er soll ein notorischer Lügner sein — und es ist wirklich sehr hübsch, wenn er in seiner Unterweisung für seinen Nachfolger Bethmann von 1909 die Untragbarkeit der 1913 eingeführten dreijährigen Dienstzeit für Frankreich behauptet — aber natürlich nur in seinen Memoiren. Daß er in seinen Amtszeiten ebenso gelogen und daß er sich von seinen einst so bewunderten Reichskanzlerjahren bis zur Abfassung der Denkwürdigkeiten nicht geändert hat, fällt unter den Tisch; und wenn er Geschichte schamlos gefälscht haben soll, so ist das weder Spezialität von Reichskanzlern, noch gibt es der guten Gesellschaft das Recht, deshalb jemanden moralisch zu vernichten: der Professor der Geschichte Dietrich Schäfer hat es auch getan und wurde dafür von ihr bejubelt. Oder, wenn selbst diese Waffe nicht scharf genug ist, dann wird ihm der § 51 zugebilligt. Derselbe Bülow, dessen Memoiren idealtypisch dem Horizont seiner Vorkriegspolitik entsprechen, wird jetzt „psychopathologischer Beurteilung“[1] unterworfen. „Schon der Anfall von Bewußtlosigkeit in der Reichstagssitzung während der Bebelschen Rede ist nach den Tatbestandsmerkmalen zerebraler Natur gewesen“, seine Denkwürdigkeiten sind „in vieler Hinsicht als der Niederschlag einer krankhaften Altersveränderung zu betrachten“, und daher stammen auch „die oft recht geschmacklos anmutenden Selbstgefälligkeiten, die in dieser Form auszusprechen ihm früher wohl nicht möglich gewesen wäre.“

Aber auch hier — wie billig ist diese medizinische Indikation als Argumentationsbasis einer bis ins Innerste durch diese indiskreten Memoiren getroffenen politisch-sozialen Gesellschaft. Denn der Bülow der Denkwürdigkeiten ist immer noch ein stählerner Charakter, gemessen an dem Bülow der Amtszeit. Nur ein Beispiel für seinen Geisteszustand im Ancien Regime. Ein halbes Jahr nach seinem Amtsantritt in Berlin schreibt er:

„Es geht durch Gottes Gnade politisch wirklich alles wunderbar gut. Die von seiner Majestät so genial erdachte und mit solcher Tatkraft durchgeführte Kiautschou-Aktion ist ohne ernstliche Mißhelligkeiten mit anderen Mächten abgelaufen. Die Militärstrafprozeßfrage erregt keine Unruhe mehr, sie interessiert kaum noch und die Bayern fühlen sich aufs Trockene gesetzt. In der Lippischen Sache hat der Bundesrat einstimmig das Inhibitorium contra Succession der Biesterfelder Söhne

[1] Bonhoeffer in der Deutschen Allg. Zeitung von 24. März 1931.

angenommen. Die Aussichten der Flottenvorlage sind günstige. Unser Ansehen nach außen hat sich gehoben: die Stimmung im Innern ist eine ganz andere geworden.

Wie dankbar müssen wir Gott sein! Dessen Gnade allein danken wir diesem Umschwung. Non nobis, Domine, non nobis, sed tibi. Vollends mein eigenes Verdienst an der eingetretenen Besserung wird sehr überschätzt. Aber wahrlich nicht von mir selbst! Ich war innerlich nie so demütig. Mein einziges wirkliches Verdienst ist, daß ich Ziele und Intentionen des teueren Herrn verstehe, wenn auch in der Ausführung meine Kraft oft hinter der Macht seiner Ideen zurückbleibt. Aber ich denke manchmal, daß Gott — dessen Wege so wunderbare, dessen Mittel so geheimnisvolle sind — mich armen Kerl dem lieben Kaiser als eine Art von Talisman gegeben hat. Seitdem ich da bin, gelingt eigentlich ohne mein Zutun vieles. Wo sind die ewigen Kanzlerkrisen geblieben? Wie haben sich die früher halb dickfällig — renitenten — halb verschwörerischen Minister in die reinen Ohrwürmchen verwandelt! Was ist aus der Hetze gegen die ‚Kabinette', die angebliche Camarilla, die Armee, die Marinepläne, die ‚uferlose' Politik geworden! Wo sind alle diese Schreckgespenster geblieben? Und sind nicht mit Gottes Beistand die viel, sehr viel ernsteren Gefahren beseitigt, an die ich nur schaudernd zurückdenken kann, denn diese Gefahren waren reell.

So will ich denn ruhig meine Straße weitergehen, den Blick nach oben auf die ewige Heimat gerichtet, wo meine Eltern, Adolph, Dörnberg weilen, und nichts im Sinne als das Wohl des guten Kaisers und die Machtfülle der preußischen Krone. ‚Der König in Preußen voran, Preußen in Deutschland voran, Deutschland in Europa voran', wie ich mit 16 Jahren, auf dem Pädagogium in Halle, in meine Bibel schrieb."

Die Taktik der guten Gesellschaft sucht diesem Menschen gegenüber die einzig mögliche Position so gut zu verteidigen als es geht. Der Personalismus der Kritik feiert Orgien, man sucht Bülow als Person zu diffamieren, ohne zu bedenken, daß man einen Typus diffamiert und einen Repräsentanten. Man fragt nicht, unter welchen Voraussetzungen, zur Vollstreckung welcher Aufgabe Bülow ins Auswärtige Amt und dann ins Reichskanzlerpalais berufen wurde. Man freut sich, daß man den persönlichen Sündenbock gefunden und die Kritik von der sozialen Struktur des Kaiserreichs und damit von der eigenen Grundlage abgelenkt hat. Die zerebrale Ohnmacht muß zur Rettung der Gesellschaft herhalten. Diese Empörung über Bülow ist viel zu echt und tief, als daß sie nur die Ahnungslosigkeit derer wäre, die gewandte

Manieren, geschickte Schmeichelei und ein vorzügliches Talent des Causierens mit politischen Qualitäten gleichsetzen, die zwar enttäuscht sind, daß in den Denkwürdigkeiten keine Enthüllungen nach dem Gusto der Boulevardpresse vorkommen, dafür aber dieser in Flitter, das sie für Gold hielten, gekleidete Scharlatan sich selber enthüllte. Warum ist man denn eigentlich so erschüttert? Weil man sich selbst getroffen fühlt. Man hatte andere Memoiren erwartet, weil man nicht bloß Bülow nicht kannte, weil man sich selbst über das Ancien Regime einfach nicht klar war, sich nicht klar sein wollte und es nicht konnte, denn man gehörte selbst dazu, lebte in ihm und war in ihm groß geworden, denn die, die Bülow jetzt anklagen, sind selber nur Typen derselben Zeit, deren Typus auch Bülow gewesen ist.

Wie soll es denn auch anders möglich sein, wie soll ein Mann, der zwölf Jahre lang an der Spitze der Politik des Ancien Regime gestanden hat, nur Individuum sein, nicht Typus und Ausdruck dieses Systems? Bülow ist der reinste Typ des Kaiserreichs, nicht deshalb, weil es in der höchsten Sphäre keinen anderen Typus gegeben hätte — Bethmann repräsentiert den Typ der ungeschickten Anständigkeit, Tirpitz den des rücksichtslosen Menschen, der wirklich weiß, was er will, und seinen Willen mit allen Mitteln durchzusetzen versteht —, sondern einmal, weil die gute Gesellschaft des Ancien Regime ihn selbst dazu erhoben und in ihm den Kanzler bejubelt hat, der Deutschland den Platz an der Sonne verschaffen würde, und zweitens, weil er als Kanzler die Epoche vertritt, die nach den Krisen der neunziger Jahre die stabile der Wilhelminischen Ära ist, in die Flottenbau- und Weltpolitik, Zuchthausvorlage und Zolltarif, Sammlung und Block fallen. Bethmanns innere Außenpolitik hat an den inneren und äußeren Konstellationen, die im vorhergehenden halben Menschenalter gereift waren, nichts mehr geändert, er hat nur weiter verwaltet, während Bülow zwar alles andere als ein „schöpferischer" Mensch, aber doch der Repräsentant dieses Werdens ist.

Die Memoiren sind aber noch mehr als nur die peinliche Enthüllung von einem Flitter. Sie sind ein glänzendes Lehrbuch der hohen Politik, eine ins anschauliche und im Plauderton übersetzte Soziologie der Politiker. Verzichtet man auf die professorale Auffassung der Politik, nach der „der Staatsmann" das Denken von ganzen Jahrzehnten der Zukunft mit divinatorischem Blick durchschaut, dann sieht man zu, wie die hohe Politik im Normalfall „gemacht" wird, wie sie sich aus einem Hin und Her, einem Kreisen und Verschlingen von persönlichen Intrigen, Stellenjägerei, Patronage, Vetternwirtschaft, Kampf gegen die Außenseiter, Liebedienerei und Anschustern beim Vorgesetzten besteht, wie ein Schwarm von Geistern vom zweiten und dritten Rang an abwärts sich in den Ämtern tummelt, geschickt zu reden, gewandt zu lavieren versteht, wie ein Rohrstreifen am Rande des Flusses sich gleichmäßig biegt, wenn der Wind in ihn hineinfährt, weich wie Wachs in der Hand der Machthaber, die ihn einzuspannen verstehen, bis die Machthaber gewechselt haben und allmählich aus dem Schwarm einzelne Glückliche sich an die schönsten und höchsten Posten herangearbeitet haben — Bülows Memoiren sind eine meisterhafte Zeichnung dieser Unzahl von Menschen der höheren Gallertschicht unterhalb der ganz Prominenten in der Politik. Und es ist kein Zufall, daß Bülows Menschencharakteristiken glänzend sind, aber nur, wo die charakterisierten Menschen nicht über sein eigenes Niveau hinausreichen. Er charakterisiert sie so gut, weil er selbst zu der Gesellschaft derer gehört hat, die sich zu drehen und anzuschmiegen versteht, und die jetzt, getroffen von der glänzenden Charakterisierung durch einen ihrer Prominenten, der die Maske von sich und den anderen wegzieht, laut aufheult. Die Klage über Bülows Denkwürdigkeiten ist nichts als eine Selbstanklage. Wenn man ihn aus der guten Gesellschaft ausschließen will — seine Ankläger wären logisch, wenn sie sich zugleich mit Bülow selbst ausschlössen. Charakteristischer noch für die geistige Verödung der feudal bürgerlichen Schichten als die Memoiren ihres repräsentativsten Politikers ist das Niveau und das innerste Motiv der Proteste dieser Schicht gegen die Demaskierung ihres Prototyps, der Protest, daß ihr ein Spiegel entgegengehalten wird, in dem sie nicht eine offiziöse Maske, sondern endlich einmal selbst ihr wirkliches Gesicht zu sehen bekommt.

Biographische Skizzen

1. Fugger

Als die Weberfamilie der Fugger im 14. Jahrhundert aus ihrem kleinen Lechfelddorf nach Augsburg einwanderte, kamen sie nicht als arme Leute. Aber noch nichts deutete auf den großen Aufschwung hin, der sie ein Jahrhundert später mit der Welle der oberdeutschen Kapitalakkumulation an die Spitze der Augsburger Kapitalistenfamilien führen sollte. Sie begannen in Augsburg als Weber, gingen zum Handel mit Textilien über und bei dem Auseinanderfallen der Weberzunft in die große Menge der „armen Weber" und die kleine Zahl derer, die in die Höhe kamen, gehörten sie zu diesen, die allmählich in die Zunft der Kaufleute übertraten — der angesehensten der Stadt seit der Zunftrevolution von 1368, dem Jahr, in dem der erste Fugger nach Augsburg gekommen war — und so allmählich den Zusammenhang mit der Weberei verloren.

Sie wandten sich mit den aus dem Textilhandel erworbenen Gewinnen dem Erzhandel zu, übernahmen schließlich die Ausbeutung der Tiroler Silber- und der ungarischen Kupferbergwerke und kamen damit in die hohe Politik hinein. Denn wie im Mittelalter der Ritter zum Kriegsdienst durch Übergabe der Nutzung von Grund und Boden als Lehen für den Kriegsdienst gewonnen wurde, so wurden im Beginn der Neuzeit, als im Prozeß der Umbildung des mittelalterlichen zum modernen Staat die Ausgaben besonders für die Kriegsführung rascher stiegen als die ständischen Steuerbewilligungen, die Kapitalisten zur Geldhergabe bewogen durch die Übergabe von Bergwerken an Stelle einer fixierten Verzinsung und Amortisation der Anleihen. Die Gewinne aus den Bergwerken steigerten die finanzielle Kraft der Fugger so, daß sie schon für Kaiser Maximilian Finanztransaktionen von aufsehenerregendem Umfang durchführen konnten. Seitdem haben die Fugger die Weltmachtpolitik der Habsburger finanziell gestützt. Und 1519 gab Jakob Fugger der Reiche (1459 bis 1526), der größte Chef des Hauses, der seit 1511 die Firma allein dirigierte, bei der Kaiserwahl die Entscheidung zwischen Franz I. und Karl V., als er mehr als ein Viertel seines Vermögens bereitstellte für die Bestechung der Kurfürsten.

Jakob Fugger hat den jungen Kaiser seine Macht fühlen lassen: „Ohne meine Hilfe hätten Eure Kaiserliche Majestät die Römische Krone nicht erlangen können", schrieb er ihm einige Jahre danach. Und die Reichsgesetzgebung gegen die Monopolisten mußte sofort rückgängig gemacht werden, als Jakob dem Kaiser seine Anleihen zu kündigen begann. Seinem Neffen und Nachfolger Anton Fugger (1496 bis 1560), der mehr als ein Vierteljahrhundert die Kriege Karls V. gegen die Protestanten finanzierte, gelang es nicht mehr, sich die stolze Unabhängigkeit zu bewahren, die Jakob auf der Grundlage seines aus Bergwerken gewonnenen Vermögens der Politik gegenüber behauptet hatte. Die Gewinne sanken — Jakob hatte in fünfzehn Jahren sein Vermögen verzehnfacht, Anton verdoppelte es nur in zwanzig —, und als Anton sich um die Jahrhundertmitte vom Geschäft zurückziehen wollte, gelang es nicht mehr. Denn die Abwicklung der Kredite an den Kaiser aus dem Schmalkaldischen Krieg zog sich hin, der Kaiser forderte neue Anleihen, und aus Spanien waren die Gewinne aus den gepachteten Großmeistergefällen der Ritterorden und des Quecksilberbergwerks Almaden nur durch immer erneute Anleihegewährung herauszuholen. Um die in Spanien investierten Kapitalien zu retten, mußten stets neue Gelder in das spanische Geschäft hineingesteckt werden. Und obwohl die Firma sich in der zweiten Hälfte des 16. Jahrhunderts bereits in innerer Abwicklung befand, erreichten deshalb die Geschäfte der Fugger, die sich fast nur noch auf Spanien konzentrierten, damals ihre größte Ausdehnung.

Die Abwicklung der Firma vollzog sich in der personalen Sphäre parallel zur privatwirtschaftlichen und volkswirtschaftlichen. Die Vielheit der regierenden Fugger nach Antons Tod konnte keine einheitliche Geschäftspolitik mehr herstellen, und die Auslösung einzelner Familienmitglieder schwächte das Gesellschaftskapital. Volkswirtschaftlich wurde der oberdeutsche Kapitalismus durch die wiederholten Staatsbankrotte Frankreichs und Spaniens bis ins Innerste erschüttert und konnte die Konkurrenz mit den Genuesen nicht mehr durchhalten. Die stärkste finanzielle Stütze der Habsburger, wurden die katholischen Fugger in den habsburgischen Abstieg mit hineingezogen. Sie hatten Karl V. gegen die Protestanten retten, aber sie hatten ihm nicht zum Siege verhelfen können. Und im Zusammenbruch der Macht Philipps II. sank auch ihre wirtschaftliche Macht wieder ab. Privatwirtschaftlich fehlte den Fuggern — und mit ihnen dem ganzen oberdeutschen katholischen Kapitalismus des 16. Jahrhunderts — der breite kapitalistische Unterbau. Sie schufen erst langsam den modernen Kapitalismus durch die Gewinne, die sie aus dem Bergbau einerseits, aus der Ausnützung der unökonomischen Haltung der Spanier und Portugiesen dem Gewürz Indiens und dem Silber Amerikas gegenüber andererseits ziehen konnten.

Weil sie erst die Grundlagen des Kapitalismus legen mußten, fanden sie noch keine Stütze in einer breiten, an ihrem Wohlergehen interessierten Aktionärsschicht und konnten nur in der Form der Familiengesellschaft arbeiten, die zwar durch die Konzentration auf wenige Geschäfte neuzeitlicher anmutet als die englische und holländische Aktiengesellschaft des 17. Jahrhunderts, aber zugleich tiefer im Mittelalter steckt, sowohl infolge der diktatorischen Stellung der ersten beiden großen Fugger in der Firma, wie der unentwickelten Durchbildung der juristischen Seite der Kapitalbeteiligung und der Risikoverteilung in der späteren Zeit. Schon Anton hatte die Ausgabe von Obligationen in Antwerpen — „der Fugger Briefe" — in einem Umfange durchgeführt, daß das Fremdkapital das Eigenkapital überstieg und eine gefährliche Illiquiditätskrise entstand. Anton hatte das Fremdkapital noch zur Durchführung seiner Geschäfte gebraucht — als die Liquidität wieder hergestellt war durch neue Familieneinlagen, nun aber die spanischen Geschäfte abgewickelt werden sollten, stieg das Fremdkapital noch einmal wieder an: denn nun sicherten nicht nur die einzelnen Familienmitglieder sich rechtzeitig ihr Vermögen durch Austritt aus der „gemeinen Handlung", auch die Firma ersetzte ihr in Spanien arbeitendes Eigenkapital immer mehr durch Fremdkapital, so daß 1630 bei der Zahlungseinstellung die Firmenobligationäre die Geschädigten waren und die Fugger ihren Reichtum, den sie in Landbesitz angelegt hatten, behielten.

2. *Carnot und Scharnhorst*

In der Entwicklung der Kriegführung überschneiden sich die Entwicklung des modernen Kapitalismus und die Entwicklung des modernen Machtstaats in dem Jahrhundert des Absolutismus. Der Beginn des Absolutismus wird bestimmt durch den Zeitpunkt, in dem die Kriegführung als Gewerbebetrieb durch Landsknechtsobersten und Seeraubaktionsgesellschaften übergeht in die Kriegführung der Fürsten, auch wenn sie dann noch oft Privatspekulation des Besitzers der politischen Macht blieb. Das Ende des Absolutismus wird bestimmt durch den Zeitpunkt, in dem der Zusammenbruch des kunstvollen Apparates, den die Staaten sich zum Unterhalt ihrer Armeen aufgebaut hatten, die

Kriegführung sowohl im Menschenersatz wie in der Verpflegung der Truppen von den frühkapitalistischen Methoden der Werbung und des Magazinsystems abdrängte zu den naturalwirtschaftlichen Methoden der Zwangsaushebung und der Requisition.

Der Neuaufbau der Armeen Frankreichs und Preußens in dieser Krise (1793 bis 1795 und 1808 bis 1813) ist mit den Namen Carnot und Scharnhorst verbunden. Sie waren beide keine Feldherrn und Führer ihrer Armeen in der Schlacht, keine Frontsoldaten, sondern Menschen des Arbeitskabinetts, die ihren Armeen in stiller und zäher Arbeit die technischen, geistigen und sozialen Voraussetzungen des Sieges schufen, beide Organisatoren des Sieges der von ihnen aufgebauten Heere. Sie waren beide integer und aufrecht, unbeirrt durch das Verhalten ihrer Umgebungen, sie verfolgten beide ihre Ziele, ohne der Widerstände zu achten und zugleich mit meisterhafter Taktik sie überwindend. Der eine war extremer Republikaner, Anhänger Robespierres, stimmte für den Tod Ludwigs XVI. und als einziger Senator gegen das Kaisertum Napoleons; der andere war preußischer Monarchist, wenn er auch kein geborener Preuße war, und war, obwohl er sie reformierte, so in die Tradition der preußischen Armee eingefangen, daß er im Frühjahr 1813, als der König mit der Kriegserklärung zögerte, wie die anderen Reformer doch den nationalen Staatsstreich gegen die Dynastie nicht wagte.

Lazare Carnot (1753 bis 1823) war Ingenieuroffizier des alten französischen Heeres gewesen; begeistert für die neuen Ideen ließ er sich zum Abgeordneten wählen und wurde als Mitglied des Wohlfahrtsausschusses und später des Direktoriums der unentbehrliche Leiter des Krieges. Im Anfang skeptisch gegen die levée en masse, hat er sie zu dem wuchtigsten Kriegsinstrument der Revolution zu schmieden verstanden. Er hat dem wirkungs- und planlosen, undisziplinierten Tirailleurkampf der Freiwilligen ein Ende gemacht und die Ansätze des Ancien Régime weitergebildet zu der napoleonischen Taktik des Zentrumsdurchbruchs mit massierten Bataillonskolonnen, denen schwache Tirailleurketten vorausgehen, ohne dabei die offiziellen Vorschriften des Exerzierreglements von 1791, das noch in der Lineartaktik wurzelte, aufzuheben. Er gab der neuen Armee der Massen die richtigen Führer; er kämpfte gegen das Desertieren der royalistischen Offiziere und der republikanischen Freiwilligen; er hat die Zersetzung der Disziplin in der Armee im Namen des patriotisme, der sich gegen die mit dem Ancien Régime verbundenen Offiziere richtete, überwunden durch das embrigadement, das die Freiwilligen und die Linie zusammenfaßte zu einer in Offizierskorps und Mannschaft einheitlichen Armee, eine Umbildung, die von der Mannschaft her eine neue Disziplin und ein neues Offizierskorps schuf. Diese neue Armee verteidigte siegreich die nationale Freiheit ihres Vaterlandes und die neue soziale Ordnung, der die Zukunft gehörte. Der Kampf für das Vaterland und für die soziale Freiheit waren identisch.

General Gerhard Scharnhorst (1756 bis 1813) stand in einer unvergleichlich sichereren Position als der Abgeordnete Carnot. Er brauchte nicht wie Carnot im leeren Raum zu experimentieren, er hatte in den taktischen und organisatorischen Formen der siegreichen französischen Heere Vorbilder, die er auf Preußen übertrug und übernehmen konnte, ohne daß Preußen die soziale Krisis durchzumachen brauchte, in der sie entstanden waren. Er hatte die Möglichkeiten, vom Staate her die neue Organisation aus dem alten Rahmen heraus zu entwickeln. Aber während so Preußen vom Gegner die neue Technik des Kampfes übernahm und sie noch verbesserte, die Tirailleurtaktik im Exerzierreglement von 1812 rationeller mit dem Kolonnenstoß verband, mit der Ersetzung des Remplacements, das den Bourgeois vom Kriegsdienst befreite, durch die Unterwerfung der „Gebildeten“ unter die privilegierte Wehrpflicht des Einjährigendienstes sich ein Offizierskorps für die Aufstellung von Kriegsneuformationen bildete, dessen Frankreich entbehrte, blieb die soziale Struktur der von Scharnhorst reorganisierten Armee der Struktur der friderizianischen Armee näher als die neue französische Armee der ihres Ancien Régime. Die Reform vom Staate aus bedeutete die Aufrechterhaltung der Trennung der Stände, die der Absolutismus durchgeführt hatte, in einer gemilderten Form. Entsprachen im Absolutismus den drei großen Gruppen der Adligen, der Bauern und der Bürger in der militärischen Sphäre die Offiziere, die Mannschaften und die Eximierten, so entsprachen bei der faktischen, wenn auch nicht mehr rechtlichen Weitererhaltung der Ständetrennung nach der Reform den drei sozialen Gruppen militärisch die aktiven Offiziere, die Mannschaften und die Landwehr-, später die Reserveoffiziere. Und wurde dem Bürgertum seit der Reform rechtlich auch der Zugang zum Offizierskorps geöffnet, so doch tatsächlich nur unter der Voraussetzung der Assimilierung an die herrschende Schicht des Adels; die seit der Jahrhundertmitte sich bildende neue Klasse des Proletariats wurde unter dem System der Ständetrennung sowohl vom aktiven als vom Reserveoffizierskorps ausgeschlossen und ersetzte nur in wachsendem Umfang die Bauern als Mannschaft in den modernen Riesenheeren. Die Scharnhorstsche Armeereform vom Staate her beruhte auf der Beibehaltung der Trennung der Stände und Klassen in herrschende und beherrschte, und niemals hat daher die preußische Armee von sich sagen können, daß sie zur Verteidigung einer sozialen Ordnung, der die Zukunft gehörte, ins Feld gezogen ist; der nationale Krieg war nicht auch zugleich ein sozialer.

Carnot hatte die allgemeine Wehrpflicht organisiert, um die Freiheit Frankreichs und seiner Revolution gegen die Koalition der absolutistischen Mächte zu verteidigen, und Scharnhorst hatte sie eingeführt, um kleinen und armen Staaten ein Gegengewicht an Machtmitteln gegen die reichen Großmächte zu verschaffen. Die allgemeine Wehrpflicht verlor ihren ursprünglichen Sinn, als seit 1860 die Preußen ihre Landwehr aufhoben und die übrigen Großmächte das reformierte preußische System annahmen; aus dem Verteidigungsmittel des Schwachen wandelte sich die Wehrpflicht in das furchtbarste Kriegsmittel des Starken und aus dem naturalwirtschaftlichen Notbehelf in die organisierte Kriegsvorbereitung der hochkapitalistischen Periode.

3. Rothschild

In den Jahren 1810 bis 1813 schied eine Generation alter Bankiers aus dem Leben und machte einer neuen Platz: Francis Baring, Henry Hope, John Williams Hope, Meyer Amschel Rothschild. Die Hopes waren die beiden letzten großen Chefs ihres Hauses, dem Niebuhr einmal den Namen eines „Kaisers in der merkantilistischen Welt" beigelegt hat und das bald darauf mit dem Hause Baring fusioniert wurde; Francis Baring hinterließ seinem Sohn Alexander ein Haus, das fest gefügt stand auf beiden Seiten des Atlantik und seit der Verbindung mit den Hopes auch auf beiden Seiten des Kanals und im angelsächsischen Teil der Erde noch lange das erste bleiben sollte. Als Meyer Amschel Rothschild 1812 starb, hinterließ er seinen fünf Söhnen ein millionenschweres Erbe, aber er konnte noch nicht erkennen, daß aus diesem Erbe binnen wenigen Jahren die größte Kapitalmacht des Kontinents in der ersten Hälfte des 19. Jahrhunderts entstehen würde.

Die Rothschilds waren kleine Frankfurter Handelsleute, die bis in die 1790er Jahre sich nicht aus dem Durchschnitt heraushoben. Meyer Amschel suchte das Schwergewicht vom Warenhandel auf das Geldgeschäft zu verlegen; er betrieb Münzwechsel, der infolge der kleinstaatlichen Zersplitterung profitabel war, aber seine Versuche, durch numismatische Offerten dem reichen Kurfürsten von Hessen, dem Soldatenhändler, nahezukommen, waren nur teilweise erfolgreich. Erst die Kriege der Französischen Revolution haben Heereslieferungen, für die die Lage Frankfurts günstig war, und mit ihnen große Gewinne gebracht. Der dritte Sohn, Nathan, der 1798 nach England gegangen war, legte parallel zu der Entwicklung des Frankfurter Hauses durch Heereslieferungen in Manchester den Grund seines Vermögens. Erst von dieser verstärkten Basis aus gelang der endgültige Übergang vom kombinierten Geld- und Warengeschäft zum reinen Bankbetrieb, der für die kommerzielle Lage der Zeit um 1800 charakteristisch ist, den die Barings ebenfalls — vom Tuchhandel aus — taten und der den Hopes nicht mehr gelang. Durch die engste Verbindung mit dem Finanzvertrauten des hessischen Kurfürsten, Buderus, der stiller Teilhaber ihrer Firma wurde, erlangten dann die Frankfurter Rothschilds allmählich das Monopol für die Geldgeschäfte des Hessen; in England übernahm Nathan in vertraulicher Zusammenarbeit mit dem für die Finanzierung der Festlandsarmeen eingesetzten Commissary in Chief, Herries, die Übersendung der Gelder an den in Spanien kämpfenden Wellington (1811), indem er unter Ausnutzung des napoleonischen Lizenzsystems und Düpierung des französischen Finanzministers Gold an seinen Bruder James — der zu diesem Zweck sich in Paris niedergelassen hatte — sandte und von dort Wechsel auf maltesische und spanische Bankiers zog, 1813 durch planmäßigen Aufkauf von französischem Bargeld in Holland, das dann zu Schiff nach Spanien ging: wie er selbst einmal später sagte, das beste Geschäft, das er je gemacht habe.

Von diesen Millionen aus ging der Weg rasch weiter: die Übermittlung der englischen Subsidien, für die sie sich das Monopol verschafften, und der französischen Kontributionen an Österreich brachte den Brüdern Riesengewinne und im Anschluß daran den österreichischen Adel. 1818 folgte die erste große Staatsanleihe, die von Rother in London für Preußen verhandelt wurde. Der Aachener Kongreß brachte die Bekanntschaft mit Metternich und dem bestechlichen Gentz. Seitdem waren die Rothschilds aus ihrer österreichischen Position nicht mehr herauszuwerfen und standen auf der gleichen Höhe wie die Baring-Hope-Gruppe.

Ihr Aufstieg war still und unbemerkt vor sich gegangen. Nun, da er gelungen war, sorgten sie für die Propaganda und für die Bildung eines ganzen Legendenkranzes; aber die bekannten Erzählungen: daß die Familie Rothschild beim Einmarsch der Franzosen in Kassel 1806 das Vermögen gerettet; daß Meyer Amschel, als er 1812 starb, die Welt unter seine fünf Söhne aufgeteilt habe; daß Nathan sein ungeheures

Vermögen der Geschicklichkeit verdanke, mit der er sich die Nachricht vom Sieg bei Waterloo einen Tag früher verschafft habe, als die Regierung in London sie erhielt, sind romantische Legenden. Bei der Rettung des kurfürstlichen Vermögens waren die Rothschilds noch nicht so weit in sein Vertrauen eingedrungen, um herangezogen zu werden; an Meyer Amschels Totenbett waren nur zwei seiner Söhne versammelt, und Nathan, der an der frühen Nachricht des Waterloosieges sicher schwer verdient hat, war schon vorher vielfacher Millionär.

Die äußeren Voraussetzungen des Aufkommens der Rothschilds waren die Kriegsgewinne und dann die Liquidation der napoleonischen Kriege mit ihren großen Finanztransaktionen, die Verteilung der fünf Brüder auf fünf europäische Hauptstädte, Amschel (1773 bis 1855) in Frankfurt, Salomon (1774 bis 1855) in Wien, Nathan (1777 bis 1836) in London, Carl (1788 bis 1855) in Neapel, James (1792 bis 1868) in Paris, die schlechte Nachrichtentechnik dieser Zeit ohne Telegraphie, der sie ein genau abgepaßtes Zusammenarbeiten und einen eigenen Nachrichtendienst entgegenstellten. Die inneren Voraussetzungen hat Friedrich Gentz in einem vertraulichen Brief an Adam Müller geschildert: „Die Rothschilds bilden in der Tat eine eigene species planetarum, die ihre eigenen charakteristischen Merkmale hat. Sie sind gemeine, unwissende Juden, von gutem äußeren Anstand, in ihrem Handwerke bloße Naturalisten, ohne irgendeine Ahnung eines höheren Zusammenhangs der Dinge, aber mit einem bewunderungswürdigen Instinkt begabt, der sie immer das Rechte und zwischen zwei Rechten immer das Beste wählen heißt. Ihr ungeheurer Reichtum (sie sind die ersten in Europa) ist durchaus das Werk dieses Instinkts, welchen die Menge Glück zu nennen pflegte. Die tiefsinnigsten Räsonnements von Baring flößen mir, seitdem ich alles in der Nähe gesehen habe, weniger Vertrauen ein als ein gesunder Blick eines der klügeren Rothschilds (denn unter den fünf Brüdern gibt es auch einen ganz Schwachen und einen halb Schwachen), und wenn Baring und Hope je fehlen, so weiß ich im voraus, daß es geschehen wird, weil sie sich weiser dünkten als Rothschild und seinen Rat nicht befolgt haben."

Das Rothschildsche Leihkapital war aus Kriegsgewinnen entstanden; seit es seine Größe erreicht hatte, brauchte es den Frieden, sei es, um den Kurs der begebenen Staatsanleihen hochzuhalten, sei es, um die Kapitalien, die nun nicht mehr in Staatsanleihen unterzubringen waren, profitabel in österreichischen und französischen Eisenbahnen und anderen Riesengeschäften anzulegen. Um den Frieden zu erhalten und Erschütterungen des Wirtschaftslebens durch Revolutionen zu verhindern, schlossen sie sich eng an die alte monarchisch-feudale Gesellschaft an, und obwohl die Judenemanzipation von der bürgerlichen Revolution ausging, standen sie auf der Seite der Reaktion. Ihre Bestrebungen, in den Krisen von 1830 und 1840 den Frieden zu erhalten, waren von Erfolg gekrönt — in dem Menschenalter von 1818 bis 1848 stand das Haus Rothschild in seiner höchsten Blüte. Seit 1848 zerbröckelte ihr politischer Einfluß an den Kriegen und Revolutionen der nationalen Einigungen, welche die mit dem Ancien Régime am engsten liierten Häuser in Wien und Neapel direkt trafen. Der Sieg der amerikanischen Nordstaaten schädigte auch die Baumwollinteressen der zu den Konföderierten haltenden Rothschilds schwer. Und der Kampf zwischen Cavour und den Rothschilds um die Finanzierung der Einigung Italiens brachte den Sieg der modernen Staats- und Kriegsfinanzierung durch Bankenkonsortien und Nationalsubskriptionen über das alte Prinzip der Geldlieferung durch ein großes Privatbankhaus. Ihr wirtschaftlicher Einfluß zerbrach an den Aktienbanken, die seit der Jahrhundertmitte begründet wurden, wie die Darmstädter Bank als Konkurrenz gegen das Frankfurter Haus und nach dem Staatsstreich Napoleons der Crédit Mobilier der Gebrüder Pereire und Achille Foulds, der zwar infolge seiner unsoliden Führung wieder zusammenbrach, aber doch die Bankform der Zukunft verkörperte, als Konkurrenz gegen das Pariser Haus, während das einzigartige und große Gebilde der fünf durch Vertrag zusammengeschlossenen Rothschildschen Häuser sich auch mit dem Absterben der fünf Söhne Meyer Amschels und dem Heranwachsen der dritten, in den einzelnen Ländern naturalisierten Generation immer mehr lockerte. An die Stelle der großen, durch Geldlieferungen im Kriege erworbenen Finanzvermögen traten nun im Zeitalter des Wettrüstens und des Weltkrieges die Vermögen, die aus den Gewinnen an den großen Materiallieferungen für die moderne Kriegführung hervorgegangen waren.

Hans-Joachim Schoeps

Preußen

Geschichte eines Staates

Ullstein Buch 3232

ein Ullstein Buch

Hans-Joachim Schoeps, 1909 in Berlin geboren, gilt seit seinen großen Untersuchungen über Preußen als der führende Geschichtsschreiber des 1947 ausgelöschten Staates. Mit diesem Buch ging es ihm darum, »einigermaßen anschaulich zu erzählen und einer breiteren Leserschicht ein Bild der wichtigsten Ereignisse und Begebenheiten der preußischen Geschichte zu vermitteln«. Das ist ihm glänzend gelungen.

»Man gönnt diesem Buch viele, vor allem junge Leser, damit sie erfahren, was Preußen war.«

DIE ZEIT

Hans Rosenberg

Große Depression und Bismarckzeit

Wirtschaftsablauf, Gesellschaft und Politik in Mitteleuropa

Ullstein Buch 3239

ein Ullstein Buch

Hans Rosenberg lehrt Geschichte an der University of California, Berkeley. Mit seinem Werk leistet er einen wichtigen Beitrag zum Studium der historischen Ausstrahlung der Industrialisierung in Deutschland.
Im Vorwort schreibt der Autor: »Geschichte, nicht nur Wirtschaftsgeschichte, im Schatten der langen ökonomischen Wechsellagen des 19. Jahrhunderts – das ist die Dimension des historischen Entwicklungsprozesses, der hier aufgerollt und zur Diskussion gestellt wird.«

Klaus Epstein

Matthias Erzberger und das Dilemma der deutschen Demokratie

Ullstein Buch 3227

Der 1967 verstorbene junge Historiker Klaus Epstein galt als eine der großen Hoffnungen der deutschen und der amerikanischen Geschichtsschreibung. Diese Biographie gehört zu seinen bekanntesten Veröffentlichungen. Epstein untersucht das Leben und Wirken Matthias Erzbergers (1875 bis 1921), jenes zwielichtigen und von seinen Zeitgenossen vielfach mißdeuteten Politikers, dessen Laufbahn in vieler Hinsicht für die innenpolitische Entwicklung Deutschlands in den Jahren von 1900 bis 1920 aufschlußreich ist.

ein Ullstein Buch

VERÖFFENTLICHUNGEN DER
HISTORISCHEN KOMMISSION ZU BERLIN

Band 25

Berlin und die Provinz Brandenburg im 19. und 20. Jahrhundert

Herausgegeben von Hans Herzfeld unter Mitwirkung von Gerd Heinrich
Groß-Oktav. XII, 1034 Seiten. Mit 1 Kartenbeilage. 1968.
Ganzleinen DM 58,—
(Geschichte von Brandenburg und Berlin, Band 3)

Band 33
Hans J. L. Adolph

Otto Wels und die Politik der deutschen Sozialdemokratie

1894—1939
Eine politische Biographie
Mit einem Vorwort von Walter Bußmann
XVI, 386 Seiten. Mit Frontispiz. 1971. Ganzleinen DM 56,—
(Publikationen zur Geschichte der Arbeiterbewegung, Band 3)

Band 38
Hans Herzfeld

Berlin in der Weltpolitik 1945—1970

Mit einem Geleitwort von Klaus Schütz
Groß-Oktav. XXIII, 666 Seiten. 1973. Ganzleinen DM 118,—

Band 42
Diethelm Prowe

Weltstadt in Krisen - Berlin 1949—1958

Mit einem Vorwort von Hans Herzfeld
Groß-Oktav. X, 359 Seiten. 1973. Ganzleinen DM 86,—

Band 24
Hans Rosenberg

Große Depression und Bismarckzeit

Wirtschaftsablauf, Gesellschaft und Politik Mitteleuropas
Groß-Oktav. XII, 301 Seiten. 1967. Ganzleinen DM 34,—
(Publikationen zur Geschichte der Industrialisierung, Band 2)

WALTER DE GRUYTER & CO · BERLIN 30